D1498134

100% Québécois!

L'ABC
des filles
2012

Spécial amour!
Entrevues!
Section magazine
GÉANTE!

Un
GUIDE
pas comme
les autres!

les éditions
malins

Gouvernement du Québec – Programme de crédit d'impôt
pour l'édition de livres – Gestion Sodec

© **Les éditions Lesmalins inc.**
© **L'ABC des filles**

info@lesmalins.ca

Éditeur : Marc-André Audet
Éditrice adjointe : Katherine mossalim
Conception graphique et montage : Energik Communications
Conception de la couverture : Marie-Claude Parenteau & Les Éditions Goelette
Photographies de Catherine : Shany Bélanger et Karine Patry

Dépôt légal – Bibliothèque et Archives nationales du Québec, 2011
Dépôt légal – Bibliothèque et Archives Canada, 2011

ISBN: 978-2-89657-130-7

Imprimé en Chine

Les éditions Les Malins inc.
1447, rue Wolfe
Montréal (Québec)
H2L 3J5

Remerciements

Un gros merci aux personnes suivantes pour avoir rendu la quatrième édition de L'ABC des filles possible

- À Marc-André, pour une autre année et édition legend… wait for it… dary.
- À Prologue pour leur soutien et à mes patrons des Malins : Éric, Daniel et Alain.
- À toutes mes collaboratrices : Joannie Roy, Ewa Demianowicz, Katherine Mossalim, Sarah-Jeanne Desrochers et Daniel Fuenzalida.
- À mes fidèles correcteurs : Fleur, Caroline et Pierre-Yves.
- À ma photographe Karine Patry.
- À Judith Landry, pour son travail de moine et ses idées géniales.
- À Ingrid Remazeilles, pour son amitié, ses conseils et les nombreux 5@7 !
- À mes amies, Émilie, Eve Lynn, Flavie, Karen, Marie-Charles, Moss et Sophie, qui me montrent le droit chemin quand je saute ma coche !
- Aux 10 membres de ma famille timbrée que j'adore pour les délires et le soutien.
- À Martin, qui m'endure et qui m'aime comme je suis.
- À toutes les filles du Québec, qui m'inspirent chaque année et me donnent le goût de faire mon travail !

Section Magazine

LES DIFFÉRENCES, LA PEUR ET L'IGNORANCE: À NOUS D'AGIR !

C'est en écoutant le chanteur autochtone Samian il y a quelques mois que j'ai décidé d'écrire un petit éditorial sur les différences culturelles.

Les touchantes paroles de Samian sont porteuses d'une identité parfois trop méconnue et d'un espoir d'ouverture qui vient m'ébranler et toucher un point sensible chez moi. Il y a longtemps que le racisme et l'étroitesse d'esprit provoquent la colère en moi. Avant, je me disais que c'était impossible que, dans les années 2000, les gens puissent encore être fermés à la différence et juger les autres en fonction de leur ethnie, de leur langue et de leur couleur de peau. Au fil des ans, j'ai toutefois réalisé que les gens qui tenaient des propos racistes ou qui se permettaient de porter un jugement sur les autres sans les connaître et en se basant uniquement sur les divergences physionomiques et ethniques n'agissaient pas nécessairement de façon vile et mesquine. Ils n'étaient simplement pas confrontés aux différences culturelles comme j'ai eu la chance de l'être, et en vérité, ils avaient peur de ces différences.

Bien que la haine et les jugements cachent souvent une sorte de fascination et d'appréhension face à l'inconnu, il s'agit néanmoins d'une attitude que je trouve déplorable, et c'est pour cette raison que j'ai décidé d'attaquer à ma façon un problème qui me tient à cœur.

Soyons honnêtes, quand on ne sait pas, quand on ne connaît pas, on a souvent peur, ce qui nous pousse à porter des jugements basés uniquement sur notre sensation de malaise. Par exemple, il m'est personnellement déjà arrivé d'avoir peur dans une ville inconnue, puisque je n'avais aucun point de repère. Je me suis alors mise à craindre les gens qui m'entouraient, puisqu'ils étaient différents de moi et que je n'étais pas dans ma zone de confort. Je ne dis pas qu'il ne faut pas faire preuve de prudence; je dis simplement qu'il faut prendre conscience des jugements que l'on porte et qui sont nourris par l'ignorance et par la peur de l'inconnu.

La violence et l'intimidation à l'endroit des homosexuels ou des minorités ethniques n'ont pas leur place dans notre société. Ce n'est pas parce qu'ils sont différents qu'il faut se moquer d'eux et les humilier. Si vous faites partie des jeunes qui se font parfois ridiculiser en raison de votre apparence, de votre ethnie ou de votre orientation sexuelle, vous avez certainement senti une sorte d'impuissance face aux jugements portés sur vous, mais sachez que vous n'êtes pas responsable de l'ignorance des autres et des gestes malveillants posés contre vous; il est donc important de ne pas vous renfermer sur vous-même et de dénoncer les injustices, l'intimidation et la violence physique et verbale. Pour ce qui est des autres, c'est à nous toutes de poser des gestes pour nous ouvrir davantage aux différences et pour mettre fin aux préjugés.

Samian et la réalité autochtone

Petit coup d'œil sur ce chanteur que je vous recommande si vous aimez le rap et si vous êtes intéressée à découvrir une réalité pas si lointaine, mais si souvent ignorée. Samian (Samuel en langue algonquine) est un jeune chanteur d'origine autochtone qui en né à Pikogan, en Abitibi-Témiscamingue. Il est très engagé dans la défense de son peuple et il a choisi la musique, ou plus précisément le rap, pour exprimer ses pensées et nous faire toutes sortes de confidences sur sa vie, son passé et pour nous raconter l'histoire de son peuple. Dans ses chansons, il prend ainsi soin d'inclure des chants autochtones et des paroles dans la langue de ses ancêtres en plus de décrire la réalité assez rude de la vie des Premières Nations vivant dans le Nord du Québec, qui se retrouvent parfois entre deux cultures, déracinées de leur passé et sans emprise réelle sur leur présent. Les préjugés véhiculés par les non-autochtones, basés souvent sur l'ignorance ou la peur des différences, n'aident en rien leur intégration et leur acceptation dans la société québécoise.

Voici quelques statistiques qui représentent la dure réalité des communautés autochtones

(source : Gouvernement du Canada) :

- **Espérance de vie :** inférieure de six ans à la moyenne canadienne.

- **Suicide :** taux de suicide chez les jeunes autochtones cinq à huit fois supérieur à la moyenne nationale

- **Mortalité infantile** : pratiquement le double de la moyenne canadienne.

- **Pauvreté** : la majorité des autochtones frôlent le seuil de pauvreté ou vivent en dessous.

- **Chômage** : le double de celui des Canadiens non autochtones. Dans les réserves, le taux de chômage est presque trois fois plus élevé que la moyenne canadienne.

Samian, Loco Locass, il était temps que l'union se fasse, qu'on remonte la vraie histoire pour qu'on puisse y faire face,

On veut mettre un pont entre les nations, confondre la culture, ignorer les préjugés, laisser parler la nature.

La barrière entre les peuples, on veut plus la casser, on en a plus qu'assez, on est placés pour parler (...)

L'union de deux nations freine l'ignorance,

Pousse les connaissances avec un peu de reconnaissance.

Mon histoire et la tienne, ça fait deux,

Je fais partie de deux peuples, donc je finirai comme l'un d'eux.

Extrait de la chanson « La paix des braves » de Samian, avec la participation de Loco Locass.

Les 10 pires excuses pour arriver en retard

- « Il y avait une panne de métro », alors que tu habites n'importe où, sauf à Montréal.

- « Ma voiture est tombée en panne », si tu as moins de 16 ans.

- « J'ai eu la gastro toute la nuit ! », alors que tu te pointes en classe avec un muffin au chocolat.

- « Mon autobus est passé en retard ! », alors que tu arrives avec ton casque de vélo.

- « Je me suis levée en retard », alors que ton rendez-vous est à 18 h.

- « J'ai dû aider ma mère à préparer le souper », alors que tu rejoins une copine à 11 h.

- « Il y a eu une panne d'électricité, et mon cadran n'a jamais sonné ! », alors que tout le monde sait que ton cellulaire te sert de réveil.

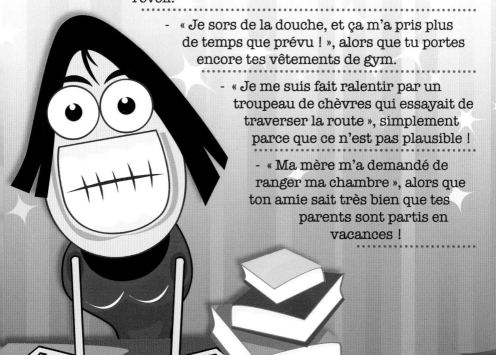

- « Je sors de la douche, et ça m'a pris plus de temps que prévu ! », alors que tu portes encore tes vêtements de gym.

- « Je me suis fait ralentir par un troupeau de chèvres qui essayait de traverser la route », simplement parce que ce n'est pas plausible !

- « Ma mère m'a demandé de ranger ma chambre », alors que ton amie sait très bien que tes parents sont partis en vacances !

CORRUPTION !

injustice

détournement

Vous devez souvent entendre parler de corruption aux nouvelles. Après tout, il s'agit d'une problématique dans l'air du temps.

Même si vous savez qu'il faut dénoncer la corruption et que le concept n'a rien de très honorable, j'essaierai de vous expliquer plus clairement ce qui en est pour que vous compreniez pourquoi tant de Québécois s'acharnent à la dénoncer.

La corruption est une sorte de détournement ou de perversion d'une interaction entre une personne ou un groupe d'individus et un autre dans lequel le corrupteur cherchera à obtenir des avantages de la part du corrompu en échange d'une rétribution. Par exemple, si un homme politique accepte une somme d'argent ou un voyage dans le Sud de la part d'entrepreneurs et qu'en échange il leur attribue plus de contrats et de soumissions, il s'agit là d'un type de corruption au même titre qu'un policier qui accepte une somme d'argent comptant pour laisser partir un automobiliste qui a commis une infraction.

La corruption est un couteau à double tranchant puisqu'elle sous-entend l'intervention d'une personne corrompue qui accepte les faveurs et d'un corrupteur qui offre des avantages pour obtenir ce qu'il veut. Lorsqu'un acte de corruption est connu et dénoncé au grand jour, il est normal que la population s'indigne et crie à l'injustice, puisqu'il s'agit d'un acte illégal et immoral qui vise à tromper délibérément les lois et les valeurs établies par une société en portant atteinte aux droits et aux intérêts de la population. Nous vivons dans une société où l'on prône la justice, l'égalité et l'éthique des mœurs, alors quand on se rend compte que les dirigeants sont corrompus, c'est assez bouleversant pour ceux qui les ont élus et qui ont cru en leur bonne foi. Il ne faut toutefois pas croire que tous les politiciens et hauts dirigeants sont corrompus, car nombreux sont ceux qui agissent dans le meilleur intérêt de la population et qui cherchent à améliorer les choses.

Nous avons peut-être trop souvent cru que la corruption n'existait qu'à l'étranger et que le Canada et le Québec étaient à l'abri de tels scandales, mais, au cours des dernières années, de nombreux cas de corruption locale ont fait irruption et nous ont fait réaliser qu'il fallait aussi agir au sein de notre propre système de valeurs et dénoncer de telles injustices. Il y aura toujours des corrupteurs et des corrompus qui sont prêts à tout pour obtenir ce qu'ils désirent et qui ne songent qu'à leur propre intérêt, mais cela ne veut pas dire que ces actes ne sont pas répréhensibles et qu'il ne faut pas chercher à travailler les uns avec les autres pour lutter contre la corruption et vivre dans une société plus juste et plus honnête.

FRAUDE

Une fraude est une action que l'on pose pour obtenir quelque chose en contournant les lois.

Il s'agit d'escroqueries et de supercheries qui sont mises en œuvre pour arriver à ses fins.

La fraude existe dans diverses sphères de la société. Par exemple, on entend souvent parler de fraude fiscale. C'est un acte illégal posé par un individu pour éviter de payer les impôts qu'il doit verser. Ce type de fraude est passible de fortes amendes et même d'emprisonnement.

La fraude électorale consiste, quant à elle, à influencer le résultat d'élections en utilisant toutes sortes de stratagèmes de façon à obtenir « la victoire d'un candidat particulier ou un résultat favorable aux intérêts d'une personne ou d'un groupe. »

Il s'agit évidemment d'une technique illégale qui est généralement employée lors du dépouillement des votes ou de la publication des résultats.

Vous avez aussi certainement entendu parler de la fraude informatique, laquelle nous menace presque toutes lorsque nous naviguons sur Internet. Par exemple, il arrive parfois que dans un courrier, on vous annonce que vous avez gagné le gros lot, mais que vous devez d'abord verser une somme d'argent pour y avoir accès. Il ne faut pas être naïves : rien n'est aussi facile et il s'agit là d'une arnaque pour puiser dans vos économies !

Ce même genre d'escroquerie survient lorsqu'on vous annonce que vous êtes la 1000ᵉ visiteuse sur un site et que vous venez de gagner gros ! Les filles, ne vous faites pas avoir, car vous risquez plutôt de perdre gros ! Il en va de même pour les chaînes de lettres qui vous demandent de verser de l'argent pour rencontrer le grand amour ou réaliser tous vos rêves. Rien n'est aussi facile, alors assurez-vous d'ignorer les courriels dont vous ne connaissez pas l'expéditeur; non seulement ils risquent d'être des tentatives d'escroquerie, mais ils peuvent aussi endommager ou même détruire les logiciels et le contenu de votre ordinateur. Ne cliquez jamais sur les publicités alléchantes qui vous offrent toutes sortes d'aubaines incroyables et restez à l'affût des charlatans qui vous veulent du mal.

Vous faites peut-être partie des filles qui aiment naviguer et magasiner sur Internet. Bien que certains sites soient plus sécuritaires, gardez à l'esprit que plusieurs vendeurs ne sont pas aussi fiables que vous ne le croyez et qu'ils ne vous livreront jamais les articles que vous payez à l'avance sur le Web. Assurez-vous de fréquenter des sites d'achats connus et de vérifier l'authenticité de l'expéditeur avant de procéder à une transaction bancaire sur Internet.

Enfin, ne vous faites pas avoir par les courriels crève-cœurs qui vous demandent de venir en aide à quelqu'un que vous ne connaissez pas du tout, mais qui a vraiment besoin d'argent pour manger, ou d'un passeport pour immigrer. Ces courriels contiennent souvent des détails touchants pour vous sensibiliser à une situation de détresse et à des conditions de vie insupportables afin de vous convaincre de verser de l'argent ou de fournir des renseignements personnels qui leur permettront de frauder. Encore une fois, méfiez-vous des expéditeurs inconnus, et si vous désirez vraiment venir en aide à quelqu'un ou soutenir une cause qui vous tient à cœur, faites-le par le biais d'un organisme sûr et bien reconnu de tous !

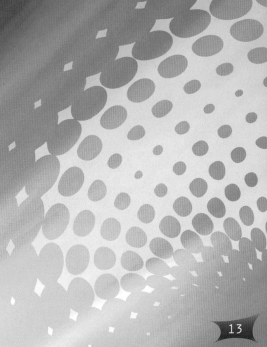

Pretty Little Liars (Menteuses)

J'ai eu le coup de foudre pour cette série qui met en vedette quatre amies (Spencer, Emily, Hannah et Aria) qui doivent composer avec la mort mystérieuse de leur amie Alyson, grande reine du lycée qu'elles fréquentent. Un an après sa mort, les filles commencent à recevoir des messages signés « A » relatifs à des secrets et des révélations que seule leur amie disparue connaissait. Elles devront alors tout mettre en œuvre pour comprendre qui se cache derrière « A » et ce qui est véritablement arrivé à leur amie. Amour, déchirement, suspense… cette série vous tiendra en haleine du début à la fin !

P.-S. Vous apprécierez (et envierez) aussi les tenues des quatre filles, super à la mode et jamais fripées le matin ! Ha !

GLEE

Voilà une série qui n'a plus besoin de présentation! Glee raconte l'histoire d'un groupe de chant du lycée de McKinley dirigé par le professeur Will Schuester où des nerds, des cheerleaders, des sportifs, des rejets et des populaires doivent se côtoyer et travailler ensemble pour assurer le succès du Glee Club. On assiste ici à une sorte de série musicale où les chants accompagnent les drames quotidiens des personnages. Il s'agit d'une formule originale qui a beaucoup de succès auprès de ses spectateurs, d'autant plus que la série a accueilli de grandes vedettes comme artistes invités (Britney Spears, Gnyneth Paltrow).

Modern Family

Famille moderne, c'est le cas de le dire ! Cette série comique, intelligente et pleine de sensibilité met en scène les hauts et les bas des familles de Jay et de ses deux enfants, Claire et Mitchell. La seconde femme de Jay, Gloria, est une Colombienne rafraîchissante beaucoup plus jeune que lui, et tous les deux vivent avec Manny, le fils de Gloria. Claire est une femme au foyer mariée à Phil et mère de 3 jeunes adolescents, Haley, Alex et Luke, tandis que Mitchell et son copain Cameron forment une famille homoparentale et viennent d'adopter une petite Vietnamienne. L'émission est conçue sous forme de documentaire humoristique et raconte des épisodes de la vie de ces trois familles. Elle reflète bien la complexité des familles actuelles et compte parmi mes plus grands coups de cœur de l'année !

90210 Beverly Hills : Nouvelle génération

Cette série est inspirée du feuilleton culte Beverly Hills 90210 qui fut diffusé à la télévision dans les années 1990. La Nnouvelle génération débute lorsque Harry Wilson, sa femme Debbie et leurs deux enfants, Annie et Dixon, partent de Wichita pour s'installer à Bervely Hills et doivent tout recommencer dans une atmosphère complètement différente de la leur : un monde plus superficiel rempli de drames de toutes sortes. La série nous fait particulièrement suivre l'histoire des deux jeunes et de leurs amis qui fréquentent tous le lycée West Bev dont Harry Wilson est le directeur. Annie se liera particulièrement d'amitié avec Naomi, Silver et Adrianna, trois filles super populaires qui connaissent elles-mêmes leurs lots de problèmes, sans parler des garçons. Dixon aura quant à lui l'embarras du choix... Amours, ruptures, chicanes, déchirements, séparations et drames : 90210 t'en fera voir de toutes les couleurs !

Gossip Girl

Gossip Girl est une série télévisée inspirée des livres du même nom. On y suit les aventures et les drames de plusieurs jeunes privilégiés fréquentant les écoles privées d'un des quartiers les plus riches de Manhattan. Les étudiants des école Constance Billard (pour les filles) et Saint-Jude (pour les garçons) suivent avec intérêt les ragots et les derniers potins de leur communauté qui sont révélés sur le blogue de *Gossip Girl*, dont personne ne connaît la véritable identité. Plus précisément, l'histoire suit les mésaventures de Serena van der Woodsen et de sa meilleure amie, Blair Waldorf, ainsi que des gens de leur entourage privilégié, incluant Chuck Bass, un héritier riche et arrogant, Dan Humphrey, un jeune artiste sensible, Jenny Humphrey, sa jeune sœur rebelle, Vanessa Abrams, la meilleure amie de Dan, et Nate Archibald, le petit ami de Blair... ou de Serena, selon les saisons! Avec ses triangles amoureux et ses histoires de faillite, de vengeance, de rupture, de lutte sociale, de prison, d'université, de professeurs et de drames familiaux, *Gossip Girl* t'entraînera dans un monde presque absurde et te gardera rivée à ton écran. XOXO, *Gossip Girl*

Les Frères Scott

Les Frères Scott est une série télévisée américaine qui a débuté en 2003 et qui raconte les déboires de deux demi-frères et as du basketball : Lucas et Nathan Scott, qui entretiennent au début de la série une grande rivalité, autant sur le terrain qu'auprès des filles. Lucas a été élevé par sa mère et abandonné par son père, Dan Scott, tandis que Nathan a eu la chance de grandir auprès de ce dernier et de sa mère, Deborah. À 17 ans, les deux frères se retrouvent au même lycée et doivent apprendre à composer avec la présence de l'autre. Peu à peu, les personnages incluant Peyton, Brooke et Haley évoluent, nous entrainant ainsi dans un tourbillon d'émotions qui fait même pleurer par moments. Le triangle amoureux formé de Lucas, Peyton et Brooke, la meilleure amie de Peyton, vous tiendra en haleine pendant plusieurs saisons. Dans cette série, on voit des jeunes qui s'attachent, s'amourachent, se déchirent et qui doivent apprendre à traverser des épreuves telles que le deuil, le divorce et la maladie. Les dernières saisons font un bond dans le temps et présentent les personnages quelques années plus tard, après l'université, dans une nouvelle étape de leur vie. Même si Peyton et Lucas ne sont plus là, on s'attache vite aux nouveaux personnages et on ne perd pas l'intérêt pour la série, ni pour les personnages qu'on voit évoluer et auxquels on peut s'identifier.

La vie comme option

Par : Joannie Roy

Le printemps est ma saison favorite. Lorsqu'il arrive, les fleurs se dévoilent, les arbres se réveillent, les oiseaux reviennent…

Le printemps est magnifique, le soleil qui réchauffe notre peau gelée par toutes les neiges. Les gens semblent revivre à ce temps de l'année. Pourtant, c'est durant cette saison que mon meilleur ami a choisi de mourir.

Il m'arrive souvent de penser à notre dernière conversation. Ma réponse ne serait pas la même si j'avais su… Si j'avais su, trois mots qui résonnent dans ma tête et qui me lèvent le cœur. Si j'avais su, je lui aurais ouvert ma porte ce jour-là. Si j'avais su, je l'aurais vu pour la dernière fois. Si j'avais su, je lui aurais dit : « Je t'aime. » Si j'avais su, je lui aurais dit : « Veille sur moi. »

J'ai toujours soupçonné un mal de vivre chez lui, comme s'il traînait le poids du monde sur ses épaules. Un cancer de l'âme. Je me disais que ça passerait, que ce n'était qu'une phase, que nous étions tous déprimés par moment et qu'il ne s'agissait que d'un coup de cafard…

J'avais épuisé les phrases réconfortantes. Je faisais comme s'il allait bien. Je me sentais impuissante face à sa souffrance et j'avais peur. Peur, parce qu'un soir, il s'est tailladé les poignets… Il était honteux de son geste. C'est devenu tabou. Personne ne faisait allusion à ça. Comme si cela ne s'était jamais produit. Et pourtant, les bandages qu'il a portés pendant des semaines témoignaient qu'il n'avait pas fait un acte impulsif. Je me disais que si je lui en parlais, si je le questionnais sur sa tentative, je lui mettrais peut-être des idées dans la tête. Et si je lui redonnais envie de se suicider ?

J'avais tort.

Aborder la question du suicide directement avec quelqu'un qu'on soupçonne suicidaire, qui semble traîner une grande souffrance ne lui donne pas nécessairement davantage le goût de mourir. Au contraire, en ouvrant une porte au dialogue, on tend la main. On brise l'isolement.

Il y a toujours une ambivalence entre la partie de soi qui veut vivre et la partie de soi qui veut mourir, et celle-ci se traduit au fond par un désir d'arrêter de souffrir.

Peu avant son décès, il m'a envoyé des courriels. Lorsque je les relis aujourd'hui, tout prend un autre sens. Je vois entre les lignes sa grande détresse et son désespoir face à la vie, face à sa vie... Il s'isolait. Il perdait toutes ses illusions. Il était triste, trop triste. Il annonçait un changement qui le rendrait heureux. J'étais loin de me douter que ce changement entraînerait sa perte.

« Est-ce que tu penses au suicide ? » Je ne lui ai jamais posé la question. Alors que maintenant, je la pose à des gens que je ne connais pas. Dans sa vision tubulaire, il ne voyait pas qu'il existait d'autres options. Le suicide n'est pas une option; c'est trop radical, trop douloureux et trop drastique.

S'il était encore en vie aujourd'hui et qu'il m'avait répondu qu'il pensait au suicide, aujourd'hui, je lui aurais demandé de s'expliquer et de me donner des détails. J'aurais fait un pacte de non-suicide avec lui en y allant une journée à la fois. En effet, lorsqu'on souffre au point de songer à s'enlever la vie, il faut y aller tranquillement et prendre les choses une à la fois. Il faut se fixer de petits objectifs réalistes pour atteindre le bonheur et identifier des gestes et des événements, aussi petits et anodins soient-ils, qui permettent aux pensées suicidaires de s'estomper et aux moments de souffrance de s'apaiser.

Depuis bientôt un an, je m'implique dans un organisme qui vient en aide aux gens qui pensent au suicide, à leurs proches et à ceux qui, comme moi, vivent un deuil par suicide. C'est ainsi que je soigne ma peine, mais surtout que je rends honneur à mon ami. À mes yeux, un suicide, c'est un suicide de trop. Pour mon ami, il est trop tard, mais pour le vôtre, il est encore temps d'agir et de lui tendre la main.

Chaque jour, je pense à lui. Il me manque. Chaque jour, je m'efforce de chasser la culpabilité de ne pas avoir été là. Chaque jour, j'aimerais connaître la chanson qu'il écoutait lorsque ses yeux se sont fermés à jamais. Chaque jour, j'essaie de lui pardonner de m'avoir trahie, abandonnée. Nous nous étions promis d'être toujours là l'un pour l'autre et, d'une certaine façon, nous avons tous les deux manqué à notre promesse.

Étrangement, le jour de ses funérailles, lorsque ses cendres se sont échappées, le soleil a percé les nuages. Lorsqu'elles se sont mêlées au vent, la journée est devenue chaude et lumineuse. Une journée sereine, calme et paisible malgré la grisaille qui nous habitait.

Je n'excuse pas son geste, mais j'essaie de le respecter. Je ne peux rien changer à ce qui est arrivé. Je peux seulement changer ma propre vie. Vivre chaque jour pour nous deux. Vivre chaque moment comme s'il m'accompagnait. Vivre ma vie comme celle qu'il aurait voulu avoir.

Il est parti en silence il y a trois ans et il ne reviendra pas. Chaque printemps, il est absent, mais dans mon cœur, il sera toujours au premier plan. Et dans nos mémoires, il y sera à tout jamais.

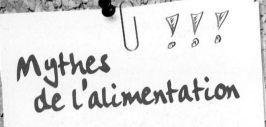

Mythes de l'alimentation

Plusieurs se nourrissent mal parce qu'ils croient en certains principes bidon ou qu'ils ne savent pas que plusieurs règles alimentaires sont en réalité des mythes qu'il faut éviter ! En voici un petit aperçu pour vous aider à y voir plus clair !

1. Le jeûne permet de perdre du poids : Au contraire, il ralentit votre organisme ainsi que l'absorption des aliments.

2. Le pain fait engraisser : Au contraire, les pains constitués de grains entiers demandent une digestion plus longue et vous rassasient davantage, ce qui vous permet de ne pas vous empiffrer aux repas ! Les grains entiers sont également très bons pour votre organisme.

3. Mieux vaut s'abstenir de déjeuner pour couper des calories : Erreur ! Le matin, votre corps est à jeun depuis plus de 8 heures et votre métabolisme est au ralenti, alors il faut le mettre en branle avec un bon déjeuner équilibré ! De plus, vous avez besoin d'énergie pour écouter en classe et pour accomplir tout ce que vous voulez faire au courant de la matinée !

4. Manger avant de se mettre au lit fait engraisser : C'est faux. Ce qu'il faut que vous sachiez, c'est que la prise de poids survient quand vous consommez plus de calories que vous n'en dépensez au cours de la journée. Ce que vous mangez avant de vous mettre au lit s'accumule au reste des aliments ingérés au cours de la journée. Si vous mangez un repas assez lourd avant d'aller dormir, cela peut donc nuire à votre sommeil, alors mieux vaut vous contenter d'une collation légère.

5. Il faut manger davantage au souper:

Non, puisque le soir, vous bougez moins et brûlez moins de calories. Il vaut donc mieux déjeuner en roi, dîner en prince et souper de façon modérée en évitant les repas très riches ou ceux qui demandent une digestion plus laborieuse.

6. La malbouffe donne des boutons: Aucune

étude ne prouve qu'il y ait un lien direct entre l'acné et l'alimentation. On sait toutefois qu'un régime sain et équilibré contribue à un teint santé.

7. L'huile est mauvaise pour la santé : Faux. Certaines huiles sont

meilleures que d'autres. Par exemple, l'huile d'olive contient plusieurs nutriments bénéfiques et est considérée comme un bon gras au même titre que celui contenu dans les avocats et le saumon. Les bons gras permettent d'accroître le bon cholestérol et de faire diminuer le mauvais en plus de réduire les risques de maladies du cœur et de cancer.

8. Les pâtes et les pommes de terre font engraisser :

Au contraire, la teneur en matières grasses des pâtes et des pommes de terre n'est pas très élevée et ces aliments ont tendance à nous rassasier plus vite que d'autres. Il faut toutefois faire attention aux accompagnements et aux sauces riches et caloriques comme la sauce hollandaise et les autres sauces à base de crème, de crème sure et de mayonnaise qui sont plus susceptibles de nous donner des rondeurs.

9. Le lait écrémé ou 1 % est beaucoup moins nutritif que le 2 % ou le 3,25 % :

Pas du tout ! Les pourcentages représentent ici la teneur en matières grasses du lait. Comme la teneur en calcium et en vitamines demeure la même, peu importe ce pourcentage, pourquoi ne pas opter pour un lait allégé ?

10. **Le beurre est plus riche et plus gras que la margarine:** Faux. Ils contiennent tous les deux environ la même quantité de matières grasses et de calories, mais le beurre contient plus de gras saturés nuisibles à la santé, tandis que la margarine hydrogénée contient des gras trans. La solution est d'opter pour une margarine non hydrogénée ou du beurre allégé, et d'utiliser les deux avec modération.

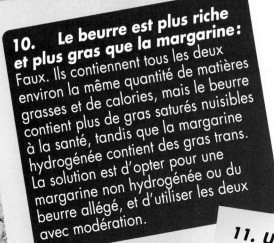

Mythes

11. Un corps mince équivaut à un corps en santé : La santé dépend de plusieurs facteurs outre le poids. Si quelqu'un de plus enrobé a une alimentation équilibrée, pratique des activités sportives et adopte des habitudes de vie saines, il peut être en meilleure santé que quelqu'un de très mince qui fume, qui ne bouge jamais et qui s'alimente mal ![1]

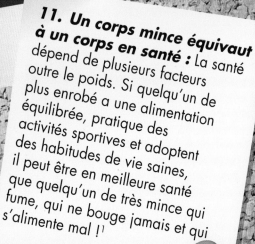

12. Lorsque vous jeûnez, votre estomac se rétrécit : Comme l'estomac est en réalité un muscle, il ne change pas de taille en fonction de votre alimentation. Il parvient à s'étirer lorsque vous mangez beaucoup, mais il finit toujours par reprendre sa taille initiale lorsqu'il se vide.

1 Source : Saines habitudes de vie, Gouvernement du Québec, 2011.
2 Idem.

DES HISTOIRES HONTEUSES...
qui peuvent arriver à toutes les filles.

Sortir de la salle de bain avec un morceau de papier de toilette collé sous notre soulier.

Se lever sans se rendre compte que l'arrière de notre jupe est coincé à l'intérieur de nos bas collants.

Émettre un drôle de bruit en se levant du banc de l'autobus parce que nos cuisses y sont resté collées.

Passer une partie de la journée avec un truc coincé entre les dents parce que personne n'a osé nous le dire.

Se rendre compte une fois arrivée à l'école qu'on n'a pas de tampons avec nous alors que nos règles viennent de commencer.

Rire trop fort dans un cours et se faire humilier par un prof.

Apercevoir une photo de nous sur Facebook qui a été prise le jour où on avait peu dormi et où on ne savait pas quoi faire avec nos cheveux.

Manger un sandwich au thon le midi et devoir passer le reste de la journée à se cacher la bouche en parlant parce qu'on n'a pas de gomme.

Réaliser une fois rendue à l'école qu'on a mis deux chaussettes déparaillées.

Devoir aller d'urgence aux toilettes quand on est en voiture avec des gens qu'on ne connaît pas tant que ça...

ALMANACH 2010

JANVIER

✳ Inauguration de l'édifice Burj Dubaï, à Dubaï, qui établit un nouveau record de hauteur.

✳ Tremblement de terre d'une magnitude de 7,1 qui frappe l'île d'Haïti, entraînant la mort de plus de 220 000 personnes.

✳ Sortie de l'iPad d'Apple.

FÉVRIER

✳ Jeux olympiques d'hiver à Vancouver.

✳ Le Chili est secoué par un séisme d'une magnitude de 8,8 qui provoque d'importants dégâts.

✳ Lors de la finale olympique de hockey masculin, le Canada l'emporte contre les États-Unis, raflant ainsi sa 14e médaille d'or et battant du coup le record du nombre de médailles d'or remportées par une seule nation.

MARS 2010

✳ Entre la fin février et le début mars, la tempête Xynthia s'abat sur plusieurs pays d'Europe de l'Ouest, frappant durement la France, la Suède, la Belgique, le Portugal el l'Espagne.

✳ Jeux olympiques d'hiver à Vancouver.

✳ Les 10e Jeux paralympiques d'hiver ont lieu au Canada.

✳ Double attentat-suicide dans le métro de Moscou faisant plus de 35 morts et de 65 blessés.

❋ De graves inondations frappent Rio de Janeiro, au Brésil.

  ❋ Un séisme de 7,8 sur l'échelle de Richter frappe l'île de Sumatra, en Indonésie.

  ❋ Éruption du volcan Eyjafjöll, en Islande, qui force la fermeture de tous les aéroports du nord de l'Europe et cloue des milliers de voyageurs au sol pendant plusieurs jours.

  ❋ Début des séries éliminatoires à Montréal. Les Canadiens se feront finalement éliminer en finale de conférence, créant tout un émoi dans la métropole.

MAI 2010

  ❋ Ouverture de l'Exposition universelle de Shanghai, en Chine.

  ❋ Festival de Cannes.

JUIN 2010

❋ La Coupe du monde de soccer débute en Afrique du Sud et se poursuivra jusqu'au 11 juillet 2010.

❋ Présentation du nouvel iPhone 4.

JUILLET 2010

❋ L'Espagne remporte la Coupe du monde de Soccer.

❋ Éclipse solaire totale visible de l'Amérique du Sud.

AOÛT

✷ Canicule record en Russie, alors que les températures atteignent plus de 38 °C à Moscou.

✷ Inondations catastrophiques au Pakistan faisant des milliers de victimes.

✷ Éboulement dans une mine d'or et de cuivre au Chili qui entraîne l'emprisonnement accidentel de 33 mineurs chiliens à plus de 700 mètres de profondeur. Ils devront attendre plusieurs mois avant de sortir. Pendant ce temps, ils communiquent avec le monde extérieur par le biais de petits conduits qui leur permettent aussi d'avoir accès à de l'eau et de la nourriture.

SEPTEMBRE

✷ Retrait des troupes américaines de l Irak après 7 ans de conflits.

OCTOBRE

✷ Prix Nobel de la paix décerné au militant chinois des droits de l'homme Liu Xiaobo.

✷ Séisme de 7,7 sur l'échelle de Richter en Indonésie provoquant l'éruption du volcan Merapi et la formation d'un grand raz-de-marée.

✷ Les mineurs chiliens retrouvent finalement leur liberté après 69 jours passés sous terre.

NOVEMBRE

✷ Décès de l'ex-entraîneur des Canadiens Pat Burns.

✷ Sortie de l'album LOUD de Rihanna.

DÉCEMBRE

✷ Éclipse lunaire totale.

✷ Sortie de l'album Michael, de Michael Jackson.

✷ Début de la révolution tunisienne.

JANVIER 2011

✳ Lancement de l'Année internationale de la forêt par l'Assemblée générale des Nations Unies.

✳ Forum économique mondial à Davos, en Suisse.

✳ Démission du président tunisien Zine El Abidine Ben Ali suite à la révolution tunisienne de décembre 2010 et de janvier 2011.

FÉVRIER 2011

✳ Démission du président égyptien Mohammed Hosni Moubarak suite à une révolution populaire dans le pays.

✳ Mouvement de révolte en Lybie contre le pouvoir de Mouammar Kadhafi dans la foulée des mouvements de protestation des autres pays arabes.

MARS 2011

✳ Le Conseil de sécurité de l'ONU autorise un recours à la force pour contrer les troupes gouvernementales libyennes et la violence qui fait rage dans le pays. Début de l'internationalisation du conflit.

✳ Séisme de 9,0 sur l'échelle de Richter au large de Sendai, au Japon, suivi d'un immense tsunami qui dévaste la côte est et d'un accident nucléaire à la centrale de Fukushima. Le séisme et le tsunami auraient fait près de 28 000 victimes.

Catastrophe naturelle

Une catastrophe naturelle est « un événement attribuable à des phénomènes naturels incontrôlables et destructeurs (tremblement de terre, inondation, ouragan, etc[1].) » causant des dégâts importants et faisant souvent de nombreuses victimes. En effet, entre les années 1980 et 2000, le taux de mortalité causée par des désastres naturels a augmenté de près de 60 %. Par exemple, le tsunami qui a touché le sud-est de l'Asie en 2004 a fait plus de 200 000 victimes. De plus, comme elles frappent en majorité des pays qui sont très pauvres, les catastrophes naturelles entraînent non seulement des séquelles psychologiques et physiques parmi la population, mais également des effets irréparables sur le paysage, les infrastructures ainsi que les services sanitaires. Les pays les plus pauvres ne possèdent pas de système d'alerte, et leur architecture souvent précaire supporte moins les chocs comme les tremblements de terre, les glissements de terrain et les tsunamis. L'augmentation de la population mondiale, la pollution, les changements climatiques et le réchauffement planétaire sont parmi les causes des catastrophes naturelles de plus en plus fréquentes et meurtrières aux quatre coins de la planète.

1 http://www.grand-dictionnaire.com/BTML/FRA/r_Motclef/index800_1.asp

ÉVÉNEMENTS MARQUANTS

* **22 octobre 1998** : l'ouragan Mitch frappe l'Amérique centrale et fait plus de 15 000 morts.

* **26 décembre 2004** : le tsunami qui frappe la Malaisie, la Thaïlande, le Sri Lanka et l'Inde à la suite d'un tremblement de terre cause la mort de plus de 200 000 personnes.

* **6 août 2005** : l'ouragan Katrina frappe le sud des États-Unis, causant des dommages catastrophiques et entraînant la mort de plus de 1300 personnes.

* **10 juillet 2006** : le typhon Ewinar entraîne de graves inondations en Corée du Nord et entraîne la mort de plus de 50 000 personnes.

* **12 mai 2008** : le séisme du Sichuan en Chine cause de graves dégâts en plus de faire plus de 85 000 morts et plus de 350 000 blessés.

* **12 janvier 2010** : un tremblement de terre en Haïti ravage le pays et cause la mort de plus de 200 000 personnes.

* **27 février 2010** : un tremblement de terre au Chili a des répercussions graves sur le paysage et les infrastructures du pays en plus de causer la mort de plusieur centaines de personnes.

* **11 mars 2011** : séisme de 9,0 sur l'échelle de Richter au large de Sendai, au Japon, suivi d'un immense tsunami qui dévaste la côte est et d'un accident nucléaire à la centrale de Fukushima. Le séisme et le tsunami auraient fait près de 28 000 victimes.

LA MUSIQUE
par Ewa Demianowicz

La musique occupe une place spéciale dans la vie de beaucoup de gens et elle est un élément essentiel au sein de toutes les cultures du monde! Que l'on soit triste ou heureux, que l'on veuille célébrer, danser ou passer le temps en voiture, la musique est là pour nous !

Au Québec, nous avons plusieurs musiciens talentueux qui font de la musique pour tous les goûts ! Voici une liste de quelques-uns de mes coups de cœur. Vous y découvrirez peut-être un nouveau groupe qui deviendra votre favori !

Malajube
http://www.malajube.com/

Malajube est un groupe québécois composé de 4 musiciens de grand talent ! Même si leurs paroles sont en français, ils bénéficient d'une reconnaissance internationale et ils ont donné des spectacles dans plusieurs pays, ce qui est rare pour un groupe québécois francophone ! Une des particularités de leur son est le fait que la musique est mise plus à l'avant-plan que la voix du chanteur, ce qui crée un effet très intéressant. Allez découvrir leurs jolies mélodies !

Marie-Pierre Arthur
http://www.mariepierrearthur.com/

Cette chanteuse a d'abord été bassiste et choriste pour plusieurs artistes avant de lancer son propre album… Dire que nous aurions pu passer à côté de ce fabuleux talent, qui mérite grandement d'être exposé ! Pour vos moments un peu plus moroses, laissez-vous transporter par les belles paroles de Marie-Pierre Arthur. D'ailleurs, si vous aimez sa musique, celle de Karkwa va certainement vous plaire. Ce n'est pas pour rien que ces deux-là ont une certaine ressemblance : Marie-Pierre compose beaucoup avec son chum, François Lafontaine, le claviériste de Karkwa !

Radio Radio
http://www.laradioradio.com/fr/

Le hip-hop acadien du groupe Radio Radio est tellement original et entraînant ! On ne comprend pas toujours leurs expressions (ils s'inspirent du *chiac*, un mélange de français acadien et d'anglais), mais c'est ce qui fait leur charme ! Vous ne pourrez vous empêcher de chanter avec eux et de vibrer au rythme de leur énergie contagieuse.

Misteur Valaire
http://mv.mu/

Un autre groupe à l'énergie contagieuse ! Les membres de Misteur Valaire font de l'électro parfaite pour vos soirées dansantes. Reconnus pour leurs performances endiablées, ils vous feront lever de vos chaises avec leur musique de party. En plus, les gars de Misteur Valaire offrent leur musique en ligne gratuitement. Visitez leur site pour en apprendre davantage sur leur philosophie musicale.

Arcade Fire
http://www.arcadefire.com/

Le seul groupe qui chante en anglais sur notre liste ! Par contre, même si Arcade Fire a gagné un *Grammy* aux États-Unis, il s'agit bel et bien d'un groupe canadien. On pourrait même dire un groupe montréalais, puisque les membres d'Arcade Fire se sont rencontrés à Montréal. Leur musique semble être appréciée partout (ils ont gagné des prix dans plusieurs pays), et c'est une des formations phares du mouvement *indie rock*. Pour celles qui apprécient ce genre, Arcade Fire est un incontournable !

Cette liste pourrait être beaucoup plus longue; il existe une multitude de groupes et de musiciens québécois aux talents incroyables.

À vous de les découvrir !

par Sarah-Jeanne Desrochers

LES MYTHES
DE L'HOMOSEXUALITÉ

« **J'ai entendu dire que... »**, « **Est-ce que c'est vrai que ? »** C'est inimaginable le nombre de fois où j'entends une phrase concernant l'homosexualité qui commence par ces mots. Bien sûr, ils sont souvent suivis de propos loufoques et totalement erronés. D'accord, nous sommes en 2011-2012. Si l'on se compare à la génération précédente, on constate qu'un grand pas a été fait en ce qui concerne l'acceptation des différences. Malheureusement, je réalise qu'on parle encore beaucoup plus souvent de tolérance que de compréhension. On apprend aux autres à tolérer nos différences, mais il est rare qu'on prenne le temps de les leur expliquer. J'ai donc décidé de vous inviter dans mon salon pour que l'on se raconte les vraies choses. Ce que vous avez toujours voulu savoir, mais que vous n'avez jamais osé demander...

Qui fait l'homme, qui fait la femme ?

Mettons tout de suite quelque chose au clair : Pour former un couple, les lesbiennes cherchent habituellement à rencontrer... une autre femme. J'aime les femmes, je veux donc partager ma vie avec une personne de sexe féminin, et non avec une femme qui agit comme un homme ! Bien sûr, il y a toujours dans un couple une partenaire plus féminine et une autre plus masculine, même si la ligne est parfois très mince. J'ai pour mon dire qu'il y a toujours plus féminine et plus masculine que soi. Et comme dans tous les couples, nous travaillons avec les forces et les faiblesses de chacune pour attribuer les tâches ménagères.

Est-ce que c'est vrai qu'on peut se reconnaître entre nous ?

Beaucoup de gens spéculent au sujet de l'existence d'un *gaydar*, d'une espèce de radar interne qui permettrait aux gais de se reconnaître entre eux. Existe-t-il ? Pour être honnête, je ne pense pas. Je me suis trompée trop de fois ! J'ai réalisé que ce que je pensais être un sixième sens était plutôt un ensemble de stéréotypes peu fondés. Beaucoup de clichés existent, notamment en ce qui a trait à l'habillement ou à l'apparence physique. Malheureusement, personne n'a la mention « homosexuel » écrite sur le front. Ce serait plus simple, non ? Mais la vie n'est pas un site de rencontre, et la seule façon de réellement savoir si une personne est homosexuelle est de lui poser la question. À condition d'y aller avec tact !

Comment sait-on qu'on est attiré par quelqu'un du même sexe ?

Au risque d'avoir l'air un peu vieux jeu, je dirais que c'est une histoire de papillons. Quand on est en amour, on est toute retournée, on a la tête dans les nuages, on voit l'autre dans sa soupe... Dans les cinq dernières années, je n'ai ressenti cela que pour des filles. À 23 ans, je m'identifie donc comme homosexuelle. Par contre, lorsque j'avais 18 ans et que j'ai commencé à avoir des sentiments pour des filles, j'étais un peu mélangée, et c'est quelque chose de tout à fait normal. J'ai suivi mon cœur et me suis dirigée vers la personne qui me faisait perdre tous mes moyens lorsque j'étais en sa présence, et il s'agissait d'une fille.

Je ne prétends pas tout savoir au sujet de l'homosexualité. Par contre, j'ai des expériences de vie que je suis heureuse de partager, ce que je fais notamment dans le cadre d'interventions organisées par le GRIS (Groupe de recherche et d'intervention sociale). Les GRIS, présents au Québec, ont comme mandat de démystifier l'homosexualité et la bisexualité dans les écoles et les milieux de travail. En équipes mixtes, des homosexuels ou bisexuels visitent des écoles québécoises pour parler de ce qu'ils ont vécu. Ce que j'adore, c'est qu'il n'y a pas de questions indiscrètes. Parce que la meilleure façon de comprendre ce que vivent les autres, c'est d'en parler !

CONSEILS D'AMOUREUX

« Je l'aime, mais je n'ose pas le lui dire, car j'ai peur qu'il rie de moi »

Cette année, des centaines de filles m'ont écrit pour me demander des conseils sur l'amour. La plupart d'entre elles m'ont raconté qu'elles étaient secrètement amoureuses d'un gars, mais qu'elles n'osaient pas le lui dire et qu'elles souffraient en silence. Si c'est votre cas, je vous donnerai les mêmes conseils que j'offrais à ces filles. Personne n'aime être humilié, et tout le monde a peur du rejet, mais parfois, il faut savoir prendre des risques! Si le gars en question vous rit effectivement au visage et se moque de vos sentiments, c'est qu'il n'en vaut vraiment pas la peine, mais sachez que, dans la plupart des cas, les gars ne réagissent pas comme ça à une déclaration d'amour. Même s'ils ne partagent pas vos sentiments, ils peuvent tout de même être touchés de savoir que quelqu'un s'intéresse à eux et impressionnés par votre courage ! De plus, en étant honnête, vous savez au moins à quoi vous en tenir et vous pouvez enfin cesser de souffrir en silence. Si le gars que vous aimez vous aime aussi, alors ce sera peut-être le début d'une grande histoire d'amour; et s'il ne partage pas vos sentiments, vous pourrez cesser de vous torturer et de vous questionner inutilement et vous pourrez commencer votre deuil et passer tranquillement à autre chose!»

« Je l'aime, et ma meilleure amie aussi »

D'autres filles m'écrivent parce qu'elles sont en amour avec le même gars que leur « best ». Dans ce cas-ci, je crois qu'il faut faire attention. Il peut parfois arriver qu'on développe des sentiments pour un gars que notre amie a déjà dans l'œil simplement par esprit de rivalité, mais il faut prendre soin de ne pas détruire une amitié pour un garçon, car comme vous le savez, les amours passent, mais les amies restent. Si vraiment vous êtes en amour avec le même gars que votre amie et que vous ne savez pas quoi faire pour vous en sortir, le mieux est d'être honnête avec elle et de lui dire ce que vous ressentez pour le gars; c'est toujours mieux d'être sincère que de jouer dans

le dos d'une amie. Dites-lui que vous ne voulez pas la perdre, mais que vous ne pouvez pas non plus ignorer vos sentiments, et que vous ressentez le besoin de régler le problème avec elle. Si le garçon est en amour avec l'une de vous, il faudra toutefois accepter son choix sans rancœur si vous tenez à préserver votre amitié… Ce n'est jamais facile de gérer un triangle amoureux, mais si vous êtes proche de votre amie et que vous êtes honnête avec elle, vous avez plus de chances de vous en tirer sans trop de dégâts.

« Il m'a brisé le cœur, et je n'arrive pas à l'oublier »

Je sais que les peines d'amour sont difficiles à surmonter, surtout quand on aime encore celui qui nous a brisé le cœur, mais il faut être forte et s'armer de patience, car un cœur ne se cicatrise pas en quelques jours. Vous ne voudrez probablement pas l'entendre, mais la vérité est que le temps arrange bien les choses, et même si ça fait terriblement mal en ce moment, je vous assure qu'au fil des semaines, la douleur s'estompera et que vous irez de mieux en mieux. Y a-t-il des remèdes miracles pour s'en sortir ? Non, mais il existe toutes sortes de petits trucs que vous pouvez mettre en pratique pour vous faciliter la tâche et accélérer le processus, comme éliminer toute trace de l'existence de votre ex de votre chambre, couper les ponts avec lui pendant un certain temps et vous concentrez à 100 % sur vous-même et sur ce que vous voulez dans la vie. Changez-vous les idées, sortez, inscrivez-vous à une activité qui vous motive et faites-vous plaisir ! Apprenez aussi à vous confier et à discuter de ce que vous ressentez avec vos proches; ça aide souvent d'avoir un autre point de vue et de se vider le cœur ! Essayez de vous concentrer sur les défauts de votre ex plutôt que sur ses qualités et ce qui vous manque, et rappelez-vous que vous méritez d'être heureuse !

« Mon chum veut faire l'amour, mais je ne me sens pas prête »

Quand on s'apprête à franchir une étape aussi importante, il faut s'assurer qu'on est prête et que notre petite voix intérieure est en accord avec cette décision. Si vous avez des doutes, c'est qu'il vaut mieux attendre. Parfois, le désir sexuel et la passion pour l'autre nous poussent à aller plus loin, mais au fond de soi, on sent une sorte d'angoisse, car notre tête ne va pas aussi vite que notre corps. Ce qu'il faut, c'est attendre que tous les éléments soient réunis et que vous vous sentiez entièrement prête à faire l'amour. Il ne faut pas avoir des relations sexuelles seulement pour plaire à l'autre, car on risque fort bien de le regretter. Il est important de s'écouter et de se faire respecter en communiquant avec l'autre. Si votre copain vous aime et vous respecte, il sera prêt à attendre. Sinon, il n'en vaut pas la peine. La première fois est un moment important et intense dont vous vous souviendrez toute votre vie, alors allez-y à votre rythme et n'hésitez pas à imposer vos limites.

Les garçons

Même si on le nie souvent et qu'on aime bien être indépendante, il va sans dire que les garçons prennent beaucoup de place dans nos vies. Je reçois chaque mois des dizaines et des dizaines de courriels de filles qui me demandent des conseils à propos des garçons et qui cherchent à mieux les comprendre. En vérité, il n'y a pas de manuel d'emploi, mais j'ai tout de même quelques lignes directrices à vous offrir pour vous aider à résoudre ce casse-tête !

Les garçons passent leur temps à dire que les filles sont compliquées et qu'ils ne les comprennent pas. L'inverse est aussi vrai !. Les garçons nous semblent souvent si différents de nous qu'on a de la difficulté à croire qu'on puisse les côtoyer tous les jours et survivre à leurs attitudes typiquement masculines. On a tendance à croire qu'on vient de deux mondes différents. Nos priorités ne sont pas les mêmes, nos sujets de conversation non plus. On ne comprend rien aux sports, aux voitures, aux jeux vidéo et au hockey, tandis qu'eux semblent se ficher royalement de notre nouvelle coupe de cheveux, de nos super magazines, de nos tournées de magasinage et de nos histoires de filles. Soyez sans crainte : bien que les gars nous fassent parfois penser à des êtres préhistoriques et ne semblent rien comprendre à ce que nous vivons, nous ne sommes pas aussi différentes d'eux que nous pouvons le croire ; il suffit d'apprendre à les connaître et à les amadouer pour se rendre compte de leur sensibilité et de leur loyauté.

Si vous ne comprenez rien aux garçons, dites-vous qu'ils sont moins compliqués qu'on ne le croit. Les filles ont généralement tendance à tout analyser et à se poser des milliers de questions. Les garçons préfèrent généralement agir de façon spontanée et dire clairement ce qu'ils pensent et ce qu'ils veulent. Chaque gars est bien sûr unique, et certains sont plus sensibles et plus complexes que d'autres, mais de façon générale, bien qu'ils n'aient pas les mêmes intérêts que nous, sachez qu'il est plutôt facile d'aborder un garçon et de discuter avec lui de tout ce qui nous passe par la tête. Les gars peuvent parfois même nous aider à y voir plus clair quand nous paniquons et que tout devient confus et nous simplifier la vie quand nous faisons une tempête dans un verre d'eau.

Vous croyez peut-être qu'il est impossible de parler aux garçons, car vous n'avez aucune idée de la façon dont ils pensent. Les gars aiment bien jouer les durs à cuire qui n'éprouvent rien et qui ne pensent qu'aux voitures, aux sports et au sexe, surtout à l'adolescence. En fait, les garçons et les filles se ressemblent beaucoup lorsqu'il est question des apparences et de l'insécurité. En tant que filles, nous devons admettre que nous sommes souvent obsédées par le jugement des autres, par l'apparence et par la peur de déplaire. C'est la même chose pour les gars, et c'est pour cette raison qu'ils font les durs. Ils ne veulent surtout pas que leurs amis et leurs coéquipiers de hockey croient qu'ils sont faibles ou trop sensibles. Ils ont peur qu'on se moque d'eux et ils craignent d'être exclus, au même titre que les filles ont peur d'être jugées et de mal paraître aux yeux des autres. Bref, n'allez pas croire qu'ils ne pensent qu'au sexe et qu'il est impossible de leur parler. Il faut simplement les apprivoiser et faire tomber leur masque!. Les gars traversent eux aussi une crise à l'adolescence et ils se cherchent tout autant que vous. Ils se sentent souvent anxieux, perdus et ils éprouvent autant de doutes que vous face à l'avenir, alors n'allez pas croire qu'ils n'ont aucune sensibilité simplement parce qu'ils agissent comme des brutes. C'est simplement parfois le rôle des filles de les convaincre d'arrêter leur comédie et de s'ouvrir davantage.

Ne soyez toutefois pas surprise si un garçon s'ouvre à vous dans l'intimité et change du tout au tout quand il est avec des amis. Il se peut qu'il vous ignore, qu'il joue au macho et qu'il agisse comme si vous n'existiez pas. Même si ce comportement peut être blessant, ne le prenez pas trop au sérieux. Profitez-en plutôt pour aller voir vos copines et faire vos trucs de filles. Lorsque vous serez seule avec lui, vous pourrez lui dire que son comportement vous blesse et vous paraît ridicule, mais il est fort possible que vous continuiez à partager une amitié plus intense avec lui lorsque vous êtes seuls que lorsque vous êtes en groupe. Ne vous en faites pas avec ça ; ça ne veut pas dire qu'il s'en fiche, c'est simplement qu'il ne veut pas que ses amis se moquent de lui et qu'il souhaite éviter de perdre la face devant sa bande. Sachez toutefois que, l'amitié entre les gars et les filles est bel et bien possible ! Comme les garçons ont parfois moins tendance à juger, à « bitcher » et à potiner que les filles, cela rend les relations plus simples et vous permet de vous confier à eux sans aucune crainte.

Quand la nervosité s'empare de nous

Il se peut aussi que les gars vous intimident, et que, lorsque vous vous trouvez en présence d'un spécimen masculin, vous perdiez vos moyens et que vous ne sachiez plus quoi dire. Je vous conseillerai simplement d'être naturelle, comme si vous vous adressiez à une copine. Si c'est un garçon qui vous plaît, la situation peut se compliquer si la nervosité l'emporte sur le reste, mais dites-vous bien que la meilleure façon de vous démarquer et d'apprendre à le connaître est de lui montrer à quel point vous êtes sociable et d'ouvrir la porte aux discussions. Si vous sentez que le cœur va vous sortir de la poitrine et que vous êtes beaucoup trop nerveuse pour penser à quoi que ce soit, essayez de trouver un sujet de conversation qui vous concerne tous les deux, même si ce n'est pas le plus intéressant de la planète. Par exemple, si vous êtes dans le même cours d'anglais, vous pouvez lui poser une question sur le cours ou sur un devoir pour briser la glace. Je vous suggère aussi de choisir un domaine qui le passionne et de lui poser une question surà ce sujet. Il se fera alors une joie de répondre à votre question et sera heureux de constater que vous souhaitez en savoir plus sur son sport préféré ou sur son activité favorite (même si, au fond, vous vous fichez complètement de la façon dont fonctionne le moteur d'une voiture ou du quart-arrière des Alouettes !). Prenez votre courage à deux mains et foncez ! Vous ne perdez absolument rien à essayer et vous n'aurez pas à vivre avec les regrets.

Un corps de gars, ça change aussi !

Il se peut fort bien qu'au cours de l'adolescence, vous remarquiez des changements importants chez les gars de votre entourage.

Lors de la puberté, les gars grandissent rapidement, des poils leur poussent au menton et leur voix se met à muer. Même si ça vous paraît drôle ou étrange, sachez qu'ils n'aiment pas qu'on se moque de ces changements physiques intenses, tout comme vous n'aimez pas qu'on se moque de vos nouvelles formes et de vos seins qui se développent. Au point de vue de la sexualité, les garçons commencent aussi à avoir des érections, causées par le désir ou simplement par les hormones. Les érections surviennent principalement au cours de la nuit ou au réveil et aboutissent parfois à une éjaculation, soit une expulsion du sperme.

Bref, les gars ne sont pas aussi différents des filles qu'on pourrait le croire. L'adolescence est une période intense pour eux comme pour vous, et même si vous croyez qu'ils sont grossiers, vulgaires et insensibles, je vous invite à apprendre à les connaître davantage et à regarder au-delà de leurs apparences de dur à cuire. Bien que les gars vous énervent parfois, sachez que la vie serait bien triste et bien monotone sans eux, et que plus vous vieillirez, moins vous pourrez vous en passer !

Ce qu'il faut savoir sur les gars :

- Ils ont moins tendance à remarquer les détails, comme votre nouveau chandail ou votre nouvelle coupe de cheveux, alors ne vous cassez pas trop la tête avec cela ; ce n'est pas qu'ils se fichent de vous, c'est simplement qu'ils ont moins le sens de l'observation et qu'ils accordent souvent moins d'importance à l'esthétique.

- Si votre amoureux oublie de vous appeler quand il est avec ses amis, ne vous en faites pas trop. Ce n'est pas qu'il ne vous aime pas ou qu'il ne pense pas à vous, c'est simplement qu'il profite du moment présent et qu'il ne se doute pas que vous êtes désespérée.

- Les garçons ont moins tendance à analyser chaque détail que les filles et disent généralement ce qu'ils pensent. Par conséquent, n'essayez pas toujours de trouver un sens caché à leurs paroles.

- Pour les garçons, les amis ont souvent la priorité, alors il faut prendre votre mal en patience.

- Si vous pleurez et que votre copain ne réagit pas, ce n'est pas parce qu'il est insensible ou qu'il se fiche de vos sentiments ; c'est bien souvent qu'il ne sait pas trop comment réagir à vos larmes et qu'il ne veut pas commettre de faux-pas.

- Les garçons ont souvent de la difficulté à exprimer leurs émotions. Donc, soyez patiente et aidez-les à sortir de leur coquille.

- Si votre copain ne peut pas vous voir parce qu'il veut absolument regarder un match de hockey, ne faites pas de crise inutile. Il risquerait de se sentir étouffé et de paniquer. Profitez-en plutôt pour faire les activités que vous adorez, mais que vous ne pouvez pas faire quand vous êtes avec lui !

Coin lecture

Le guide du parfait rendez-vous (Presses aventure)

Voici le petit guide parfait pour vous aider à vaincre la nervosité d'une sortie avec un gars. Vous y trouverez des idées pour une soirée réussie, des conseils de mode et des stratégies de gestion en cas de panique et de détresse au cours de la soirée. Au fond, toutes les filles éprouvent de la nervosité lors d'un rendez-vous galant, alors pourquoi ne pas se faire aider par les conseils, les astuces et les jeux-questionnaires offerts dans ce petit guide ! Pratique pour les filles, essentiel pour leurs nerfs !

Le journal de Carrie par Candace Bushnell (Albin Michel)

Qui ne connaît pas Sex and the City ? Qui ne connaît pas Carrie Bradshaw, ses chroniques sur sa vie, sa fabuleuse garde-robe, ses hauts et ses bas amoureux et sa vie new-yorkaise qui nous donne envie de tout quitter pour aller habiter près de Central Park avec notre propre M. Big ? Si vous êtes une admiratrice de la série, vous savez toutefois que Carrie parle très peu de son passé et de sa jeunesse. L'auteure et journaliste Candace Bushnell, dont le recueil de chroniques est à l'origine de cette série, reprend ici du service pour nous transporter au cœur de l'adolescence de Carrie, alors étudiante dans un lycée  en banlieue du Connecticut. Vous découvrirez son premier amour, et son premier échec amoureux ainsi que toutes les raisons qui l'ont poussée à boucler ses valises pour aller réaliser son rêve de conquérir la grande ville de New York. Un roman de fille qui vous tiendra en haleine de la première à la dernière page et qui vous permettra de mieux connaître votre héroïne préférée.

La fille qui voulait être Jane Austen par Polly Shulman (Albin Michel)

On plonge ici dans l'univers romantique d'Ashleigh, 15 ans, une passionnée de Jane Austen et de son œuvre Orgueil et Préjugés qui rêve de trouver son propre M. Darcy ! Son amie Julie devra une fois de plus la suivre dans une aventure romanesque, cette fois-ci pour trouver leur prince charmant dans un lycée prestigieux de garçons. Le problème, c'est que les deux amies s'entichent du même garçon… Voici un roman idéal pour celles qui se trouvent coincées dans un triangle amoureux !

Treize raisons par Jay Asher (Albin Michel)

Quelques semaines après le suicide de Hannah, une fille de son école, Clay reçoit un paquet contenant une série de cassettes qu'elle a enregistrées avant sa mort pour expliquer son geste. Hannah nous parle alors de treize individus qui l'ont poussée de près ou de loin à commettre ce geste dramatique. Un récit touchant qui nous raconte en parallèle l'histoire d'Hannah et les réactions de Clay et qui nous fait réaliser qu'un simple geste, qu'une seule parole peuvent venir chambouler l'existence de quelqu'un. Ce roman arrive à point dans la lutte contre l'intimidation et le suicide chez les jeunes.

L'amour à mort par Corinne De Vailly (Éditions de Mortagne)

Voici un autre roman de la collection Tabou qui ose aborder les réalités et les problématiques délicates de notre société. L'amour à mort aborde ici le thème du sida à travers l'histoire d'une jeune fille de 16 ans qui se croyait elle-même à l'abri de ce genre de catastrophe. C'est ainsi que la «première fois» en compagnie du gars de ses rêves se transforme en véritable cauchemar. En lisant ce livre, on prend conscience qu'une seule relation sexuelle sans condom peut suffire à transformer notre vie à jamais, surtout si on découvre que le gars de nos rêves est toxicomane et qu'il nous a transmis le sida, comme c'est le cas pour l'héroïne de ce roman. Comment Juliette pourra-t-elle apprendre à vivre avec cette nouvelle, l'annoncer à sa famille et à ses amis et mener une vie normale ? C'est à découvrir dans ce roman empreint de sensibilité qui n'a pas peur de dire les vraies choses.

L'ABC autour du monde

Cette année, l'ABC s'est baladé un peu partout dans le monde pour travailler, et parfois même, pour se reposer ! J'ai donc eu la chance de découvrir des paysages extraordinaires et de faire des rencontres inoubliables, de l'île Maurice au Kenya, en passant par le Mexique !

Le Mexique

En raison de sa proximité et de sa richesse culturelle, le Mexique est un lieu de vacances de prédilection pour les Québécois. De l'immensité de Mexico en passant par les déserts, les pyramides, le Chiapas, la côte pacifique et le golfe du Mexique, il s'agit d'un pays rempli d'histoire, de paysages à couper le souffle, de mets exquis et de gens tellement sympathiques qu'on a de la difficulté à repartir. J'ai pour ma part eu la chance de voyager aux quatre coins du pays et de découvrir des climats et des ambiances différentes d'un endroit à l'autre.

Je me concentrerai ici sur la côte pacifique que j'ai presque–eu la chance de parcourir d'un bout à l'autre, en commençant par Zipolite, petit repère un peu hippie dont la plage est truffée de bars et de restaurants. Il y règne une atmosphère détendue, apaisante et super amusante qui est idéale quand on a le goût de décrocher pour quelques jours ! En continuant notre route vers le nord, on croise Puerto Escondido, une petite ville portuaire reconnue pour le café et pour le surf. C'est un lieu de rencontre pour plusieurs voyageurs partis à l'aventure et ayant le goût de refaire le plein d'énergie. –Un peu plus au sud se trouve Acapulco, ce centre de villégiature qui est reconnu mondialement pour ses discothèques, ses plages et son ambiance festive. En se promenant en bordure de la plage, on peut même magasiner et faire des tours de manège ! Ensuite, on reprend la voiture et on suit la côte jusqu'à un petit bout de plage très méconnu des touristes que j'ai eu le privilège de découvrir l'été dernier. Je parle de Maruata. Derrière la mer et le sable blanc s'étend un paysage rocheux, montagneux et sauvage, et je vous assure que le contraste est à couper le souffle ! Ici, le plus simple est de faire du camping sur la plage, de passer la journée à paresser et d'aller manger du poisson chez l'habitant (délicieux poisson d'ailleurs). Pas de banque, pas de café internet... c'est ce qu'on appelle s'éloigner de la civilisation ! J'ai personnellement adoré, et je crois que c'est bien de temps à autre de se couper un peu du monde extérieur... pour revenir de meilleure humeur ! En continuant vers le nord, on atteint finalement Puerto Vallarta, que vous connaissez sans doute, puisqu'il s'agit de l'une des destinations touristiques préférées des Québécois, souvent offertes

POST CARD

CORRESPONDENCE

ADDRESS

dans les tout inclus. Contrairement à Cancún
Puerto Vallarta était toutefois un village tradition-
nel mexicain avant de devenir un lieu de vacances connu à l'échelle mondiale, ce qui lui donne
un attrait encore plus intéressant, puisqu'il est
possible de sortir du complexe hôtelier et de se
promener dans les rues de la ville pour goûter aux
saveurs et aux traditions locales. Peu importe la destination que vous choisissez, je vous conseille fortement le Mexique, qui représente à mes yeux un
véritable pays d'adoption rempli de richesses naturelles, culturelles, culinaires et historiques et de gens si aimables et sensibles qu'ils vous font sentir
comme à la maison.

PICCADILLY CIRCUS

5p

30657

L'île Maurice

Cette petite île appartenant au grand continent africain est située au sud-ouest de l'océan Indien, près de l'île de la Réunion et de Madagascar. La population de l'île Maurice est le résultat de plusieurs vagues d'immigration, dont celles des colons français et des esclaves originaires d'Afrique, des Britanniques et des Chinois, ainsi que des Indiens venus sur l'île pour travailler dans les champs de canne à sucre. Les Indo-Mauriciens sont aujourd'hui les plus nombreux de l'île et représentent près de 70 % de la population locale. Lorsqu'on se promène dans les rues de l'île Maurice, qui est à peine plus longue que l'île de Montréal, et qu'on sillonne sa capitale (Port-Louis) et ses villages qui portent des noms si bucoliques qu'ils nous donnent envie de s'y installer (Flic en Flac, Pointe aux Piments, Bambous, Curepipe), on peut autant se sentir en Inde, qu'en Chine ou qu'en Afrique ! L'île est par ailleurs entourée d'une barrière de corail qui protège les lagons et les plages paisibles bordées de palmiers. J'ai eu la chance de passer plus d'un mois à Maurice, et je considère

que c'est l'endroit parfait pour se reposer, refaire le plein d'énergie et décrocher complètement du stress du quotidien. Les gens sont de nature très détendue et ne s'en font pas avec des riens: un contraste étonnant avec notre mentalité nord-américaine ! On y mange beaucoup de poissons et on y fait de la plongée et des rencontres touchantes avec des Créoles qui parlent une langue si semblable à la nôtre. Un endroit caché et une perle pour ceux qui cherchent un petit coin de paradis paisible et peu connu des touristes.

Catherine avec son grand frère François!

Le Kenya

Au mois de février, j'ai quitté le froid québécois pour me réfugier quelques semaines dans la chaleur kényane. Nairobi, capitale du Kenya, a véritablement un climat idéal : chaud le jour, mais frais la nuit, ce qui permet de bien dormir. Au cours de mon séjour dans la capitale, j'ai eu l'occasion de visiter un orphelinat pour éléphants qui ont été abandonnés par leur mère dans la nature et qui sont maintenant nourris au biberon et pris en charge par des hommes jusqu'à ce qu'ils aient environ 2 ou 3 ans, âge auquel ils pourront peu à peu regagner leur habitat naturel. J'ai aussi visité un refuge de girafes de Rothschild, une espèce fortement menacée de disparaître. On peut les toucher, les nourrir et les voir interagir dans leur habitat naturel. Après avoir passé quelques jours à découvrir la ville et ses petits marchés artisanaux, où j'ai fait des affaires incroyables, je quitte la capitale pour Diani, une plage située près de la Tanzanie.

En bref, je dirais qu'il s'agit des plus belles plages que j'ai vues dans ma vie. De l'eau turquoise et des kilomètres de sable doux et blanc où l'on se plaît à marcher pour rêvasser. Il n'y a pas des millions de choses à faire, mais on y retrouve plusieurs petits restaurants sympathiques et un bar-resto (ouvert à tous) sur la plage qui attire tous les touristes et les expatriés de la place ! Ce fut un séjour de vacances où j'ai eu le temps de lire, de travailler et évidemment de me prélasser en oubliant les tracas du quotidien. En résumé, ce fut un voyage qui m'a permis de réaliser encore une fois qu'on n'a qu'une seule vie à vivre et qu'il faut en profiter au maximum !

En safari au Kenya!

MISE EN FORME ESTIVALE

La fin de l'année scolaire approche à grand pas. Vous serez bientôt en vacances et vous aurez beaucoup plus de temps pour vous. L'été est la saison idéale pour bouger et être active, et certaines d'entres vous ont peut-être l'intention d'utiliser les quelques mois de vacances pour se remettre en forme. C'est votre jour de chance, car en tant qu'éducateur physique et spécialiste en préparation physique, je suis la personne idéale pour vous conseiller en matière de mise en forme.

Mais avant de vous donner mes conseils, je veux m'assurer que vous êtes prêtes à vous aider à réussir. Comment? Vous devez passer de l'intention à l'action. Il y a beaucoup de gens qui ont l'intention de se remettre en forme. Par contre, ce n'est qu'une petite quantité de ces personnes qui passeront réellement de l'intention à l'action. Comment fait-on pour s'assurer de faire partie de ce club sélect ?

La recette contient trois ingrédients :

- **un but précis et des objectifs mesurables;**
- **un système de soutien;**
- **une bonne dose de persévérance.**

J'aime bien les métaphores, donc permettez-moi d'en utiliser une pour vous expliquer le premier point. Avoir un but, c'est un peu comme se dessiner une ligne d'arrivée : sans elle, on ne sait pas trop pourquoi on court ni combien de temps il nous reste, donc on se décourage et on se démotive. Votre but devrait être clair et défini. De plus, vous donner des objectifs mesurables vous aidera (par exemple : réussir à vous entraîner 3 fois par semaine). Un but précis et des objectifs mesurables vous motiveront et vous garderont sur la bonne voie. Maintenant que vous avez votre but, il faut vous dénicher un système de soutien. Avoir un système de soutien, c'est s'entourer de gens qui vont nous aider à atteindre notre

but. Dans votre cas, ça sera peut-être une amie qui s'entraînera avec vous ou votre mère qui vous aidera à cuisiner des plats qui respecteront votre plan d'alimentation. L'important, c'est d'informer vos proches de votre but et de leur demander de vous aider à l'atteindre. Le dernier élément pour s'assurer de passer à l'action et de réussir son plan de mise en forme, c'est la persévérance. La persévérance est l'aspect le plus difficile, mais le plus valorisant à maîtriser. Qui dit persévérance, dit constance, dit s'entraîner même les journées où on est plus fatigué, les journées où ça nous tente moins. Il faut mettre l'entraînement à l'horaire et le respecter au même titre qu'un rendez-vous chez le dentiste. Il en est de même pour l'alimentation : il faut être capable de rester sur la bonne voie et de ne pas succomber aux tentations (la majorité du temps).

Maintenant que vous avez compris comment faire pour passer des bonnes intentions à l'action, je peux finalement vous donner ce fameux plan de mise en forme.

Quand on parle de mise en forme, il faut considérer trois aspects :

- **L'alimentation;**
- **L'entraînement;**
- **La récupération.**

Débutons avec l'alimentation. Pourquoi ? Simplement parce que la majeure partie de vos résultats viendront de votre alimentation. Je ne parle pas de diète ici, ni de régime. Vous n'avez pas besoin de compter vos calories. Il suffit juste de faire des choix éclairés et variés qui auront comme effet d'optimiser votre santé ainsi que vos résultats.

C'est quoi bien manger ? La manière la plus simple de l'expliquer, c'est d'essayer de manger comme une femme des cavernes. Dans son temps, la femme des cavernes n'avait pas accès au McDonald's ni à la poutine de La Belle Province. Vous devriez principalement (pour ne pas dire exclusivement) vous nourrir d'aliments qu'on peut trouver dans la nature. Si c'est possible de le chasser, de le pêcher, de le cueillir ou de le faire pousser, il y a de très bonnes chances que cet aliment soit bon pour vous. À l'inverse, si le produit est préemballé ou a plus de 5 ingrédients et que la plupart de ceux-ci sont des termes que vous ne connaissez même pas, les chances que cet aliment soit bon pour vous sont plutôt minces. Il y a trois nutriments essentiels : les protéines, les lipides et les glucides.

VIANDES ET VOLAILLES Poulet, dinde, bœuf, bison, porc, etc.	**LÉGUMES** Épinards, brocoli, poivron, céleri, etc.	**HUILES** Olive, poisson, noix de coco, etc.
POISSONS ET FRUITS DE MER Saumon, crevettes, tilapia, etc.	**FRUITS** Bleuets, mûres, fraises, pamplemousse, etc.	**NOIX** Amandes, noix de Grenoble, pistaches, noix de macadamia, etc.
PRODUITS LAITIERS ET AUTRES Fromage, yogourt nature, lait, œuf, protéine en poudre, etc.	**AUTRES** **(à consommer surtout le matin et/ou après l'entraînement)** Patates douces, gruau, pain aux grains germés ou multigrain, riz, lentilles, fèves, houmous.	**AUTRES** Noix de coco, avocat, chocolat noir (85% et plus), etc.

Bien s'alimenter, ce n'est pas très compliqué ! Pour bâtir un repas santé, il suffit de combiner des aliments de chaque groupe de nutriments et le tour est joué. Il est important d'inclure trois repas dans votre journée, plus une ou deux collations. De plus, il faut éviter les boissons gazeuses, jus et autres boissons sucrées. Buvez de l'eau, c'est ce qu'il y a de mieux. Planifiez vos repas à l'avance et apportez un lunch et une collation à l'école. C'est plus facile ainsi; pas besoin de s'improviser un repas santé. Finalement, sachez que c'est correct de se permettre une gâterie de temps en temps. C'est quoi de temps en temps ? C'est à vous de voir. Par contre, je donne souvent comme objectif de manger selon ces recommandations 80% du temps, ce qui laisse de la place pour des gâteries, sans trop nuire aux résultats.

Pour ce qui est de l'entraînement, voici un programme que vous pouvez faire à la maison avec peu ou pas d'équipement. Commencez par l'échauffement et ensuite, il suffit de faire 2-3 séries du circuit d'exercices (A ou B) et de prendre 60 secondes de pause entre chaque série. Vous pouvez alterner entre les entraînements A et B ou combiner les deux si vous voulez un entraînement plus intense, pour un total de 3-4 séances par semaine.

EXERCICE A

A1 Squat de prisonniers 15

A2 Tractions en T Incliné 10

A3 Planche du rameur 10

EXERCICE A, SUITE

A4 Grimpeurs 50

EXERCICE B, SUITE

B1 Fente du sprinteur 10/côté

B2 Ramer en alternance 15/côté

B3 Redressements assis+ élévation des fessiers 15

B4 Sauts de grenouille 10

Le dernier élément du trio de la mise en forme, c'est la récupération. Assurez-vous de dormir 8-9 heures par nuit. Créez-vous une routine, éteignez la télé ou l'ordi une demi-heure avant de vous coucher. Lisez un livre ou une revue dans votre lit avant de dormir. Un corps reposé est un corps en santé.

Et voilà ! Vous avez maintenant un plan de mise en forme complet pour cet été !

Bonne chance !

Coach Dan

Retrouve maintenant le courrier
de Catherine sur le site de vrak.tv

www.vrak.tv/missvrak

 xxxxxxxxxxxxxxxxxxxxxxxxxxxxx

 # Courrier
de Catherine

Courrier de Catherine

X X X X X X X X X X X X X X X X X X X X X X X X X X X X X X X X X X X X X X

Salut Catherine,

J'ai un petit problème. Je pense que je suis en amour avec mon meilleur ami. En fait, je pense même que je l'aime depuis longtemps, mais je ne lui ai pas dit, car j'avais vraiment peur de sa réaction et je ne voulais pas briser notre amitié parce qu'on est super proches. Il y a quelques mois, il a commencé à sortir avec une fille, et je sentais qu'elle ne m'aimait pas. Genre qu'elle voulait m'éloigner de lui parce qu'elle était jalouse. Depuis qu'ils ne sont plus ensemble, on s'est rapprochés les deux, et là, j'aimerais ça lui avouer que je l'aime, mais j'ai vraiment peur qu'il ne ressente pas la même chose et que ça soit plus pareil après entre nous. Qu'est-ce que je dois faire ?

Salut !

C'est sûr que c'est plus compliqué d'avouer ton amour à un ami puisque votre amitié peut être affectée. C'est d'abord à toi de voir comment tu te sens et si tu es justement prête à prendre ce risque. Si tu es amoureuse de lui et que tu n'arrives pas à penser à autre chose, ça ne sert à rien de garder tout ça pour toi et d'être malheureuse.

Si tu veux lui avouer tes sentiments, la meilleure façon est d'être honnête avec lui et de lui dire franchement ce que tu ressens, tout en ajoutant que tu ne veux surtout pas que ça ruine votre amitié et que tu ne veux pas le perdre. Tu dois toutefois être prête à assumer les conséquences. En effet, il se peut que ta déclaration le mette un peu mal à l'aise s'il ne partage pas tes sentiments et que ça prenne un moment avant que les choses redeviennent comme avant entre vous deux. Ça ne veut pas dire que votre amitié sera brisée à tout jamais, mais c'est possible que vous ayez besoin d'une période d'adaptation… Il se peut aussi que tu aies de la difficulté à le voir si tu te sens blessée ou rejetée et que tu aies besoin d'un peu d'espace et de temps pour laisser retomber la poussière, mais si vos liens d'amitié sont forts, le malaise s'estompera sûrement avec le temps.

Enfin, dis-toi qu'il se peut aussi qu'il soit amoureux de toi et que ta déclaration vous pousse à discuter de la situation et à explorer vos possibilités. Ce sera peut-être le début d'une grande histoire d'amour… !
Bonne chance !
Catherine

X X X X X X X X X X X X X X X X X X X X X X X X X X X X X X X X X X X X X X

Salut Catherine,

J'ai laissé mon chum il y a quelques mois, mais le problème, c'est qu'en le laissant, j'ai réalisé à quel point j'étais bien avec lui et que je l'aimais vraiment. Je lui ai demandé de reprendre, et il m'a dit que, même s'il m'aimait encore, il était super blessé et qu'il ne pouvait pas revenir avec moi et faire comme si de rien n'était. Je lui ai fait plein de déclarations et je lui ai dit que je l'aimais vraiment et que je ne recommencerais plus jamais, mais il dit qu'il ne m'aime plus de la même façon. Le problème, c'est que moi, je m'en veux vraiment et je n'arrive juste pas à l'oublier. Je pense à lui tout le temps et je ne crois pas que je pourrai aimer quelqu'un autant que lui. Comment je fais pour le convaincre de revenir et pour me faire pardonner?

Salut !

Je comprends que tu te sentes impuissante et que tu aies le cœur brisé, mais tu dois réaliser que tu ne peux pas le forcer à te pardonner ou à t'aimer comme avant. Je sais que ce n'est pas facile, mais on ne peut pas contrôler les sentiments des autres, et il n'existe pas de solution miracle pour soigner une peine d'amour… Le mieux à faire, c'est de respecter sa décision et de prendre un peu de recul le temps de te remettre sur tes pattes.

L'important, c'est de te pardonner pour ce que tu lui as fait, car je crois que c'est ça qui t'empêche de passer à autre chose. Tu avais certainement de bonnes raisons pour le laisser, et même si tu le regrettes aujourd'hui, tu ne peux pas retourner dans le passé, alors aussi bien assumer les conséquences, faire le point et continuer d'avancer. Laisse le temps faire son œuvre… Je sais que c'est plus facile à dire qu'à faire, mais je te promets que, peu à peu, la douleur sera moins vive et que la nostalgie va s'estomper. Il se peut même qu'avec le temps, ton ex apprenne à te faire confiance à nouveau, mais tu dois lui donner l'espace et le temps nécessaires pour guérir ses blessures.

Même si ça ne reprend jamais entre vous, ça n'enlève rien à ce que vous avez vécu et à ce que tu as ressenti pour lui. Même si tu as de la misère à y croire aujourd'hui, je suis certaine que tu retomberas amoureuse un jour. Dis-toi qu'on apprend de nos erreurs et que la prochaine fois que tu te retrouveras dans une situation semblable, tu prendras le temps de réfléchir avant de prendre une décision… Dis-toi aussi que ce sont les épreuves comme ça qui nous rendent plus fortes et qui nous permettent d'avancer dans la vie, alors ne te décourage surtout pas !

Chère Catherine,

Je connais ma meilleure amie depuis le primaire, et le problème, c'est que, même si on se parle encore aujourd'hui, ce n'est plus la même chose entre nous deux. Ces temps-ci, il y a une sorte de gêne et de tension dans notre relation, et je ne sais pas comment faire pour que notre amitié et notre complicité redeviennent comme avant. On a essayé d'en parler et de trouver le problème, mais ça n'a pas marché. On a changé beaucoup toutes les deux et on commence à s'éloigner. En plus, on n'est plus à la même école, alors on ne se tient plus avec la même gang. Mais je ne veux pas la perdre parce que dans un sens, c'est la fille qui me connaît le plus au monde.

Salut!

Je crois qu'en m'écrivant, tu as mis le doigt sur le problème. Des fois, en vieillissant, on change et on se distance un peu de certaines de nos amies parce qu'on a moins de choses en commun qu'avant et que nos chemins se séparent un peu. Je sais que tu voudrais que les choses redeviennent comme elles étaient, mais on ne peut pas forcer une amitié, tout comme on ne peut pas forcer une relation à fonctionner. Ce sont des choses qui se font un peu toutes seules.

Je sais que tu ne veux pas la perdre et rien ne t'empêche de continuer de la voir; tu dois simplement te concentrer sur des activités que vous aimez encore faire ensemble, ou sur des thèmes qui vous animent toutes les deux, comme les gars, l'école, l'avenir, le magasinage… Bref, je pense qu'au lieu de te battre pour essayer de ranimer votre vieille complicité, tu dois juste essayer de t'adapter à votre nouvelle relation et accepter que vous ayez changé toutes les deux. Il se peut très bien que vous vous retrouviez avec le temps et que vous développiez une amitié encore plus forte qu'avant, mais pour l'instant, dis-toi que c'est naturel, que vous traversez des choses différentes et que ça ne change pas le fait qu'elle est importante pour toi. Tu dis que c'est elle qui te connaît le mieux, alors tu peux encore lui demander conseil et te confier à elle quand tu en as besoin, tout comme tu peux l'écouter quand elle a besoin de parler à quelqu'un pour lui faire sentir que malgré tout, tu es encore là pour elle.
Catherine

Chère Catherine,

Je suis en secondaire 1 et j'ai vraiment de la misère à m'adapter. Au primaire, j'étais super populaire, et maintenant, je suis devenue gênée et je ne sais même plus comment jaser avec les gens de ma classe. J'ai plein d'amis qui ont l'air de triper au secondaire, mais moi, je me sens un peu rejet. Je ne sais pas ce qui s'est passé avec moi, mais je voudrais retourner au primaire, redevenir populaire et je me sens un peu ridicule d'être aussi bébé. J'ai l'impression que je ne serai jamais heureuse au secondaire. Qu'est-ce que je dois faire ?

Salut !

Premièrement, ton raisonnement n'est pas du tout ridicule, c'est simplement que tu ne te reconnais plus, que tu te sens seule et que tu aurais envie que les choses changent. Ce que tu dois savoir, c'est que ça dépend de toi ! Si tu as envie de te faire des amis et d'avoir une vie sociale plus excitante, rien ne t'empêche de le faire, mais tu dois un peu sortir de ta coquille et redevenir la fille pétillante d'avant, car même si tu voulais revenir dans le passé, ce n'est pas possible, alors aussi bien affronter le présent !
Au primaire, tout le monde te connaissait, et c'était beaucoup plus facile, mais maintenant, tu dois faire ta place et apprendre à te faire connaître. Je sais que ce n'est pas évident, j'ai moi-même changé trois fois d'école au secondaire, et ça m'a pris du temps à prendre ma place et à m'assumer comme j'étais. Ce qui m'a beaucoup aidée, c'est de m'impliquer au théâtre parce que ça m'a forcée à parler aux autres. Tu pourrais donc t'inscrire dans une activité de ton école ou un comité qui t'intéresse; ça t'aidera sûrement à sortir de ta coquille. Tu dois aussi essayer de reprendre confiance en toi et te dire que les autres de ton école gagnent à te connaître ! C'est normal de se sentir perdue au secondaire, et ne va pas croire que tu es la seule dans ta situation, mais je t'assure que les choses vont s'améliorer en cours de route et que tu t'habitueras à ton nouvel environnement comme tu t'étais habituée au primaire. Il faut juste que tu te donnes le coup de main nécessaire !
Catherine

Chère Catherine,

J'ai un problème d'estime et j'ai peur qu'aucun gars ne s'intéresse à moi... Je suis plus enveloppée que la plupart de mes amies. Elles me disent tout le temps que je suis belle et tout, mais j'ai juste peur de ne pas trouver de chum et de ne pas être en relation comme elles avant longtemps. Merci de m'aider !

Salut !

Je sais que tu as sûrement entendu ça des millions de fois dans ta vie, mais être belle, ce n'est pas juste une question de physique. Premièrement, ce n'est pas parce que tu es plus enveloppée que ça t'empêche d'être jolie ou que ça te rend moins attirante auprès des gars. Je t'assure que toutes les filles ont des complexes, et ce, peu importe leur taille et leur poids ! L'important, c'est de t'accepter comme tu es et d'être bien dans ta peau, parce que c'est vraiment ce que tu ressens à l'intérieur qui a le plus d'impact sur ton apparence. Si tu te sens bien et que tu as confiance en toi, tu dégageras une énergie qui donnera envie aux autres d'être près de toi et d'apprendre à te connaître !
Ce qui attire les gars, ce sont les filles qui sont drôles, naturelles et qui ont confiance en elles, peu importe leur taille ! Si tu as envie de te mettre en forme, c'est libre à toi, mais tu dois comprendre que nous sommes toutes différentes et qu'il vient un moment où il est beaucoup plus sain et simple de s'accepter comme on est : petite, grande, mince, grassouillette, brune, rousse, blonde. Ça ne sert à rien de te comparer ou de vouloir ressembler aux autres, parce que c'est justement cette différence qui te rend unique et attirante !
Catherine

Salut Catherine,

Bon, je suis attirée par un gars, mais je ne le connais pas vraiment. J'aimerais ça le connaître plus, mais je ne peux pas juste me pointer vers lui. Je ne saurais pas quoi lui dire... Je ne sais vraiment plus comment je pourrais l'aborder ou lui parler plus, et ce n'est pas comme si sa gang et ma gang, on était proches. Aide-moi !

Salut !

J'avoue que ce n'est pas évident d'apparaître subtilement dans sa vie, mais si tu ne fais rien pour apprendre à le connaître, les choses ne pourront pas évoluer toutes seules comme tu le désires, et le gars ne pourra pas deviner que tu es attirée par lui !

Je sais que vos gangs ne sont pas amies, mais si tu es dans la même classe que lui, tu dois quand même avoir l'occasion de lui parler un peu, non ? Essaie de t'intéresser à ce qu'il fait ou de trouver un sujet de conversation qui vous rejoint tous les deux, comme un devoir à remettre, une activité parascolaire, etc. Si tu vois qu'il est vraiment passionné par quelque chose, tu peux même faire semblant (légèrement) que ça t'intéresse et que tu veux en apprendre plus sur le sujet ! Et même si ça te gêne beaucoup et que tu dis que tu n'oserais jamais te pointer devant lui pour le saluer, rien ne t'empêche de lui sourire quand tu le croises dans le corridor ou de lui lancer des coups d'œil dans la cafétéria. Après tout, il faut bien qu'il se rende compte qu'il t'intéresse si tu veux que ça débloque et le connaître un peu mieux. Dans le pire des cas, tu réaliseras qu'il ne répond pas à tes attentions, et même si c'est décevant, au moins tu pourras passer à autre chose. Rappelle-toi que qui ne risque rien n'a rien et qu'il est parfois mieux de chercher les réponses à nos questions plutôt que de vivre dans le doute pendant des mois !

Catherine

Es-tu une ROMANTIQUE ?

1. Quelle est la soirée parfaite avec ton amoureux ?

a) Un souper aux chandelles et de la musique douce.
b) Un bon film dans ses bras.
c) Un super concert avec des tas d'amis.

2. Quel est le plus beau cadeau qu'on puisse te faire ?

a) Un bijou.
b) Un joli chandail.
c) Un billet de ski.

3. Aimes-tu les comédies romantiques ?

a) J'en raffole !
b) Une fois de temps en temps.
c) Jamais de la vie. C'est trop quétaine.

4. Quel est le petit nom que tu donnes à t chum.

a) Chéri d'amour
b) Chaton
c) Creton

5. Pleures-tu en écoutant un film prenant ou la musique intense ?

a) Presque toujours.
b) Parfois, mais c'est rare.
c) Jamais

6. Quel est ton plus grand rêve ?

a) Que le gars de mes rêves vienne me délivrer et m'emmène sur son cheval.
b) Que le gars dont je raffole m'embrasse.
c) Que le gars dont je raffole me fasse rire aux larmes.

7. Comment célèbres-tu la Saint-Valentin ?

a) Au cinéma et au resto, idéalement avec des roses et du chocolat.
b) Avec mes amies pour célébrer notre amour !
c) Seule chez moi avec un film, car je trouve ça ridicule et trop commercial.

8. Quand tu es amoureuse :

a) J'ai la tête dans les nuages et je rêvasse tout le temps avec le sourire aux lèvres.
b) J'ai de l'énergie à revendre et je me concentre pour ne pas penser tout le temps à lui.
c) Je panique un peu parce que je ne comprends pas ce qui m'arrive.

RÉSULTATS

Une majorité de a) :
ROMANTIQUE À L'OS

Tu es une éternelle romantique ! Tu raffoles de tous les trucs sentimentaux à l'eau de rose et tu rêves de rencontrer le prince charmant. Tu es souvent dans la lune et tu adores être amoureuse. Il n'y a rien de tel qu'avoir la tête dans les nuages !

Une majorité de b) :
ROMANTIQUE À TES HEURES

Tu n'es pas la plus grande admiratrice des comédies romantiques et des romans-savons, mais tu aimes bien les surprises et ton cœur fond quand ton chum te fait une déclaration d'amour. Tu n'aimes pas trop l'admettre, mais tu es une dure au cœur tendre !

Une majorité de c) :
TERRE À TERRE

Pour toi, romantisme égale trop souvent quétaine et tu as de la difficulté à supporter les couples qui soupirent en se regardant dans les yeux. Pour toi, une soirée en amoureux, c'est une sortie, un concert, des rires et un bon hamburger !

ES-TU TROP ÉMOTIVE ?

1. Tu pleures dès que quelqu'un hausse le ton.
Vrai
Faux

2. Quand tu te chicanes avec quelqu'un, tu as de la misère à t'exprimer sans pleurer.
Vrai
Faux

3. Tu as de la difficulté à voir une comédie romantique parce que les larmes embrouillent ta vision.
Vrai
Faux

4. Tu es du genre à te laisser mener par l'anxiété lorsque quelque chose te tracasse.
Vrai
Faux

5. Lorsque tu essaies d'exprimer tes sentiments, tu te mets souvent à bégayer.
Vrai
Faux

6. Tu pleures parfois en regardant les émissions des organismes humanitaires.
Vrai
Faux

7. Tu sens parfois que les larmes sont un handicap dans ta vie.
Vrai
Faux

8. On te dit souvent que tu es une fille super transparente.
Vrai
Faux

9. Quand tu obtiens une mauvaise note, tu te mets automatiquement à pleurer et tu crois que ton avenir est en danger.
Vrai
Faux

10. Tu pleures souvent quand on te raconte une histoire touchante.
Vrai
Faux

RÉSULTATS

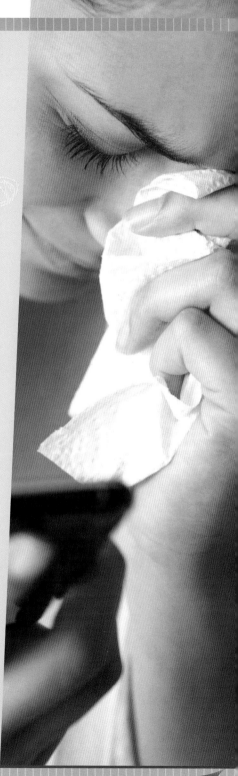

SI TU AS OBTENU UNE MAJORITÉ DE VRAI

Tu es une grande émotive. Tu es une fille super transparente qui ne peut pas cacher ses émotions, ce qui te rend très attachante, mais qui t'empêche parfois de t'exprimer ou de relativiser une situation. Lorsque tu sens que tu débordes d'émotions et que tu ne sais pas trop comment réagir, tente de prendre une grande respiration et de te calmer quelques instants. Tu verras, ça fait parfois toute la différence.

SI TU AS OBTENU AUTANT DE VRAI QUE DE FAUX

Tu es émotive à tes heures, mais tu parviens à refouler tes larmes au cinéma ou à exprimer ce que tu ressens sans trop de problèmes. Tu sais comment balancer le tout et tu n'as pas honte de verser quelques larmes lorsque tu en ressens le besoin.

SI TU AS OBTENU UNE MAJORITÉ DE FAUX

Tu n'es pas du genre à te laisser bouleverser par les événements extérieurs. Tu as une bonne écoute, mais tu parviens à relativiser tout ce qui se passe sans te laisser aller. Prends soin de ne pas former de barrière autour de toi et apprends à exprimer tes émotions de temps à autre. Je t'assure que tu te sentiras libérée d'un poids !

NADINE DESCHENEAUX

Journaliste pour MSN, *Coup de Pouce* et *Maman pour la vie*, (z)imparfaite, blogueuse, auteure jeunesse, maman de deux enfants et débordante d'énergie ! Voici en quelques mots comment décrire Nadine Descheneaux, l'auteure de l'excellente série à succès *Les secrets du divan rose*. Je l'ai rencontrée dans un univers de bonbons et de gourmandises afin qu'elle nous dévoile quelques-uns de ses secrets

Nadine, raconte-nous un peu ton parcours. Comment en es-tu arrivée à devenir auteure ?

J'ai toujours aimé lire. Quand j'étais petite, j'allais toujours à la bibliothèque et j'empruntais des livres. J'aimais aussi écrire, sans savoir que je pouvais en faire une carrière ! J'écrivais des articles pour des magazines que je créais moi-même. Mon envie d'écrire est restée, et j'ai décidé d'étudier en journalisme. J'ai travaillé pour plusieurs sites et blogues sur Internet, dont Cyberpresse lors de son lancement. Je travaillais pour la section « ado ».

Et quels genres de livres te plaisaient quand tu étais jeune ?

J'aimais beaucoup Dominique Demers, Raymond Plante et quand les livres que j'aimais n'étaient pas disponibles à la bibliothèque, je lisais des romans d'amour du genre Harlequin, qui étaient invraisemblables, mais ça me divertissait quand même quand il n'y avait rien d'autre !

Tu réalisais déjà que ça t'intéressait ?

Oui. C'est pour ça que j'ai décidé de suivre des cours de littérature jeunesse après mon baccalauréat en journalisme. C'était vraiment juste pour le plaisir; je ne pensais pas écrire à ce moment-là. C'est plus tard, lors de la naissance de ma fille, que j'ai commencé à écrire des histoires pour les petits avec une amie à moi (Sophie Rondeau), et les livres de cette collection ont finalement été publiés chez Erpi. C'est à cette époque que j'ai soumis aux maisons d'édition des histoires que j'aurais aimé lire quand j'étais jeune. La première qui a été publiée s'appelle *Plus tard, c'est quand ?*, dans la collection « M'as-tu lu » chez Boomerang. Après, les choses se sont enchaînées. Quand on accepte un de tes projets d'écriture, c'est sûr que ça donne confiance !

Et comment en es-tu venue à écrire *Les secrets du divan rose* ?

Chez Boomerang, on m'a demandé si ça m'intéresserait d'écrire une série conçue plus pour les filles, les préados surtout. C'est sûr que ça me tentait ! Je me suis aussi rappelée que c'est le genre de chose qui me manquait quand j'étais jeune. C'était donc très important pour moi de camper l'histoire dans un environnement familier pour que les filles d'ici puissent s'y identifier.

Et comment as-tu construit l'histoire et les personnages ?

J'ai pensé à ce que j'aimais quand j'étais plus jeune et à ce que j'aurais aimé lire à cette époque. Je me suis souvenue que mon amie et moi allions toujours nous asseoir sur un banc de parc pour nous faire des confidences. J'aime beaucoup les lieux qui inspirent les secrets, et c'est comme ça que j'ai eu l'idée du divan comme lieu de confidences. À partir de là, tout s'est emboîté autour de ce fameux divan rose. Pour ce qui est des personnages, je savais

que j'en voulais quatre, avec un (Frédérique) qui ressortirait plus.

Les secrets du divan rose est une série, et non une suite. Chaque roman a un début et une fin; certaines choses reviennent, mais je crois qu'on peut les lire dans le désordre sans se perdre. C'était important pour moi, car je me souviens que lorsque j'étais jeune et que je voulais emprunter le 2e roman d'une série et qu'il n'y avait que le 4e de disponible, je souffrais ! Je devais attendre des semaines avant qu'il revienne et que je puisse poursuivre ma lecture !

Où as-tu puisé ton inspiration ?

À partir du divan et de la chambre de Fred ! J'ai consulté plein de revues et je me suis construit un plan de la chambre pour créer l'univers de mes romans afin de m'y plonger encore plus facilement. Pour ce qui est des personnages, je savais que j'en voulais un plus sportif, un plus *girlie* Comme dans une vraie gang de filles où l'on retrouve de tout ! Je me remets dans la peau de l'ado que j'étais, et ça coule très bien.

Je veux souligner que tes romans sont empreints de réalisme. Les filles peuvent vraiment s'identifier aux personnages parce qu'ils traversent des choses vraies. C'était important pour toi ?

Oui. Je voulais vraiment un univers auquel les filles pourraient s'identifier. Et comme à l'adolescence, il y a beaucoup de remous, de hauts et de bas, je voulais témoigner de ces changements aussi. On se cherche, on se trompe, et c'est correct.

Je sais que tu travailles sur plein de projets en même temps, et que *Les secrets du divan rose* n'ont pas de fin prévue puisqu'il ne s'agit pas d'une suite. Crois-tu que ça se poursuivra encore longtemps ?

J'adore les écrire, c'est vraiment un plaisir pour moi. J'en sors deux par année, et ce n'est pas difficile pour moi. Tant que j'aurai du plaisir à écrire, je vais continuer !

Si tu n'étais pas auteure, qu'aurais-tu aimé faire ?

J'ai toujours aimé les maths ! J'aurais pu être prof de maths.

Quel genre d'adolescente étais-tu ?

J'étais très impliquée, je touchais à tout pour être certaine de ce que je voulais faire. J'étais très sage comme ado ! J'aimais m'impliquer à l'école et être avec ma petite gang, mais comme je suis enfant unique, j'étais aussi très bien dans ma bulle à moi.

Trouves-tu que les adolescentes ont changé ?

Les moyens de communication ont changé avec l'arrivée des cellulaires et d'Internet, mais je trouve que les ados d'aujourd'hui nous ressemblent. On se cherche de la même façon, et elles ont les mêmes questionnements, les mêmes chicanes, les mêmes crises que nous avions à leur âge. C'est pour ça qu'on arrive à les comprendre et à s'identifier à ce qu'elles traversent.

As-tu un conseil à donner aux filles ?

De s'écouter ! Il faut laisser la place à ce que notre petite voix intérieure nous dit, parce qu'elle a souvent raison !

Questions en rafale

Ta date de naissance ? Le 2 décembre 1977.

Ta couleur préférée ? Le rose !

Une chose inusitée à savoir sur toi ?
(Rires) Je rêve de rencontrer Elvis !

Un endroit que aimerais visiter ? L'Angleterre !

Ton mets préféré ? Un énorme

Ta plus grande
Je suis déterminée.

Ton pire défaut ?
Je suis (un peu) impatiente !

Te décrire en un mot ?
Mmm Pétillante ?

Le bonheur pour toi ? Faire ce que j'aime,
ou dévaliser un magasin de bonbons !

Un samedi idéal pour toi ? Déjeuner au resto,
aller me faire masser, magasiner,
puis aller au resto le soir ! Je suis très fille en fait !

Un plaisir coupable ?
Écouter la télé en mangeant des chips !

As-tu un film de filles fétiche ? You've got mail !

Une série télé que tu aimes ?
La Galère et Beautés désespérées.

Stéphane Bellavance

Stéphane Bellavance n'a plus besoin de présentation ! Vous l'avez vu dans **Le Steph show**, **Méchant changement** et **Tu vas y goûter** à VRAK. TV, et dans **Génial !** à Télé-Québec. J'ai eu la chance de rencontrer l'un de vos animateurs et comédiens préférés et de découvrir toutes sortes de choses à son sujet !

Stéphane, raconte-moi un peu ton parcours !

Je suis né à Laval et j'ai étudié en théâtre au Cégep Lionel-Groulx de Sainte-Thérèse. Après l'école, les choses ne débloquaient pas et je commençais à envisager une autre carrière, lorsque l'audition pour les capsules Réal-IT s'est présentée. C'était au tout début de VRAK. En fait, ma carrière est née en même temps que VRAK ! J'ai été pris pour les capsules, et ensuite pour l'émission *Réal-TV*, qui se déroulait un peu dans les coulisses des capsules. Ensuite, j'ai animé pendant un an une émission qui s'appelait *A+*, où j'allais dans les écoles pour faire relever des défis aux jeunes. J'ai adoré cette émission ! Puis, ce fut le début de *Méchant changement*, qui permettait à un jeune

de renouveler le look de sa chambre. L'émission a duré 5 ans ! Enfin, il y a eu *Le Steph show*, qui a duré 2 ans et que j'ai vraiment eu du plaisir à faire, mais qui a pris fin en décembre 2010. Cet été, j'ai pu travailler sur *Tu vas y goûter*, qui permettait des échanges culturels culinaires assez impressionnants !

Tu as aussi été animateur pour les adultes. Est-ce que c'est une expérience vraiment différente ?

Pas tellement. Je crois que l'important, c'est de rester vrai et d'être toi-même quand tu t'adresses aux téléspectateurs, peu importe leur âge.

Tu es comédien et animateur. Arriverais-tu à dire lequel tu préfères ?

Non ! J'adore les deux, et je crois qu'ils sont très complémentaires. Je pense que je suis un meilleur comédien parce que je suis animateur, et un meilleur animateur parce que je suis comédien. J'ai la chance de jouer au théâtre et à la télé, et ce sont deux expériences différentes qui t'apportent des sensations différentes. Ce que j'aime, c'est que mon travail est extrêmement varié et me permet de faire toutes sortes de choses et de rencontrer toutes sortes de gens.

Quelle émission aimerais-tu animer ?

La classe de 5e à TVA, parce que ça rejoint vraiment mon intérêt d'échanger avec le monde et d'être authentique avec les gens à la télé. C'est un beau quiz. Il y a aussi *Jobs de bras* à Ztélé, qui te fait découvrir toutes sortes de choses et de *jobs* pas imaginables !

Tu travailles beaucoup pour les jeunes et tu les fréquentes très souvent. Est-ce que c'est facile pour toi de les approcher ?

En fait, c'est assez naturel. Je suis jeune de cœur, mais je ne suis pas un « ado attardé » (rires) ! Je ne veux pas me prendre pour un ado, je veux juste être vrai avec eux. Je ne les prends pas pour des caves. Ils ont un radar impressionnant pour détecter les gens qui ne les prennent pas au sérieux, et je veux justement qu'ils sentent que je les perçois d'égal à égal. Je ne prétends pas parler comme eux, ni m'habiller comme eux, mais je les respecte et je les prends au sérieux, et je crois qu'ils ont beaucoup de choses à dire. Les gens, les jeunes comme les adultes, ont envie qu'on leur parle pour vrai dans la vie.

Quel genre d'ado étais-tu ?

J'étais l'ami de tout le monde sans jamais avoir de blonde (rires) ! J'étais ami avec les plus belles filles sans jamais sortir avec, jusqu'au bal des finissants où elles m'avouaient qu'elles avaient eu un *kick* sur moi pendant le secondaire (rires) ! En fait, j'étais pensionnaire et j'avais plusieurs gangs. J'étais le clown, le confident et le gars qui s'entend avec tout le monde. J'étais super impliqué dans la radio, le théâtre, etc.

Qu'est-ce qui t'étonne le plus des jeunes ?

Ils sont beaucoup plus allumés et engagés qu'on pense ! J'ai été porte-parole pour la marche 2/3 organisée par Oxfam Québec et qui permet aux jeunes de manifester leur solidarité internationale et leur engagement en tant que citoyens. J'ai été tellement impressionné, parce que plus de 15 000 jeunes se sont pointés ce jour-là devant le parc La Fontaine pour y participer. Ce sont des jeunes provenant des quatre coins de la province qui croient vraiment pouvoir changer quelque chose dans le monde. C'est une erreur de penser que les jeunes sont fainéants ou qu'ils s'enlisent devant leur clavier et la télé. Les « vieux » disent ça à chaque génération; c'est le propre des jeunes d'avoir cette image-là, mais les ados d'aujourd'hui sont bel et bien présents et impliqués dans les causes qui leur tiennent à cœur.

**Tu as deux enfants, de 2 et 4 ans.
Comment arrives-tu à tout concilier ?**

Mes semaines passent et ne se ressemblent jamais ! L'avantage, c'est que j'ai un horaire flexible qui change tout le temps et qui me permet parfois de passer des journées entières avec mes enfants, mais c'est sûr que lorsque je joue au théâtre tous les soirs, c'est plus difficile. Je crois que tous les parents apprennent à concilier, et heureusement, j'ai une blonde extraordinaire qui m'aide à mieux gérer mon temps et à me retrouver dans tout ça !

Si tu avais un conseil à donner aux jeunes, que serait-il ?

Faites-vous confiance ! Vous êtes certainement plus capables d'entreprendre des choses que vous ne le pensez. Il faut foncer !

Ton mets préféré ?
(Moment de silence) Tout ! (rires)

Quelque chose que tu n'aimes pas ?
Les cerises au marasquin !

Es-tu salé ou sucré ?
Les deux !

Ta plus grande qualité ?
Mmm Sympathique ?

Ton plus grand défaut ?
Mon agenda ! J'ai beaucoup de difficultés à le gérer.

Ton émission de télé préférée quand tu étais petit ?
Télé-Pirate !

Le pire film que tu as vu dans ta vie ?
Au risque de me faire des ennemis, je ne suis pas un fan de Woody Allen…

Ta série télé préférée ?
J'ai écouté avec bonheur *24* avec Jack Bauer !
Je suis très *chum* avec le gars des vues : Ça ne me dérange pas
quand quelque chose n'est pas crédible à la télé !

Ton plaisir coupable ?
Les petits sachets de viande séchée qu'ils vendent au dépanneur des *beef
junky*, je pense (rires). J'ai de la misère à ne pas en acheter !

Si tu n'étais pas comédien et animateur,
quel emploi aimerais-tu faire ?
J'aurais aimé être menuisier, ébéniste, et travailler avec mes mains,
ou alors être musicien ou photographe.

Un endroit que tu aimerais visiter ?
J'aimerais voyager partout dans le monde,
mais le premier endroit qui me vient à l'esprit, c'est Londres.

Une qualité importante chez une fille ?
Être à l'écoute. Si les gens s'écoutaient comme il faut dans la vie, ça
réglerait bien des problèmes !

Un défaut que tu ne tolères pas ?
J'aime bien la coquetterie, mais je n'aime pas quand une fille est trop
superficielle.

Un samedi soir idéal pour toi ?
Un film avec ma blonde et mes enfants à la maison.

JOANNIE ROCHETTE

Joannie Rochette est née à La Visitation-de-l'Île-Dupas, dans Lanaudière, et a chaussé des patins pour la première fois lorsqu'elle n'avait pas encore tout à fait 2 ans. L'année dernière, la championne canadienne de patinage artistique nous a éblouis en livrant une performance émouvante aux Jeux olympiques de Vancouver seulement quelques jours après avoir perdu sa mère dans des circonstances tragiques. Faisant preuve de détermination, de force et de courage, Joannie a tout de même tenu à patiner et à offrir un spectacle de toute beauté en l'honneur de sa mère, ce qui lui a d'ailleurs valu une médaille de bronze.

C'est à partir de cet instant que Joannie est devenue non seulement un mentor et un véritable modèle de détermination auprès de plusieurs jeunes du Québec, mais aussi un exemple d'humilité et de courage face à l'adversité, encourageant certainement du coup des centaines de personnes à suivre son exemple. Suite à son exploit, elle a décidé de s'associer à l'Institut de Cardiologie de l'Université d'Ottawa dans sa campagne « Maman de mon cœur » pour lutter contre les maladies du cœur chez les femmes.

Quelques infos sur Joannie :

Quelques infos sur Joannie :

Couleur préférée : rouge

Actrice préférée : Uma Thurman

L'un des endroits qu'elle rêve de visiter : Côte d'Azur

Chanteur préféré : Charles Aznavour

Idole : Rafael Nadal

Une chose qu'elle déteste : les moustiques !

Plaisir coupable : biscuits aux brisures de chocolat

Plus grande qualité : persévérance

Artiste québécois préféré : Louis-José Houde

Et oui, même si elle est une patineuse artistique professionnelle, elle est aussi une grande fan des Canadiens de Montréal !

Source : joannierochette.ca

Marie-Mai

1. Ta date de naissance : 7 juillet 1984

2. Ta couleur préférée : Mauve

3. Trois choses que tu amènerais avec toi sur une île déserte : Mon chum, une guitare et mon iPhone !

4. Tu ne supportes pas : L'hypocrisie

5. Une chose qui te rend heureuse : L' amoouurrr !

6. Un de tes plus grands rêves : Voyager à travers le monde avec ma musique !

7. Un de tes meilleurs souvenirs : Lorsque j'ai tenu entre mes mains, pour la toute première fois, mon premier album !

8. Si tu n'étais pas chanteuse, tu aimerais être : Directrice artistique pour d'autres chanteurs (euses).

9. Une personne que tu admires : Beyoncé, pour l'ensemble de son œuvre ! C'est une auteure-compositrice-interprète incroyable, une voix remarquable et une femme d'affaires accomplie !

10. Une cause qui te tient à cœur : Tout ce qui concerne les jeunes. L'intimidation et la violence me touchent énormément !

11. Un endroit que tu aimerais visiter : L'Espagne

12. Une chose qui te terrifie : Les araignées !! Farce à part, perdre un être cher me terrifie !

13. Ta plus grande qualité : Je suis très loyale.

14. Ton plus grand défaut : Je suis très entêtée !

15. Un mot pour te décrire : Authentique

16. Ta boutique préférée : Reborn, dans le Vieux-Port de Montréal.

17. Ton restaurant préféré : STK, en Californie, pour son fameux Mac & Cheese ! Miam !!!

18. Une qualité que tu recherches chez un gars : Qu'il soit passionné !

19. Un défaut que tu ne supportes pas chez un gars : La vanité

20. Un conseil que tu aimerais donner aux filles : Ne pas se changer pour les autres ! Toujours rester fidèle à soi-même !

20 choses à savoir sur
Aliocha Schneider

1. Ta date de naissance :
21 septembre 1993

2. Ta couleur préférée :
Le rouge

3. Ton mets préféré :
La pizza !

4. Un de tes films préférés :
American beauty

5. Trois choses que tu amènerais avec toi sur une île déserte : Ma guitare, mon iPod... et ma brosse à dents. C'est tout ce dont j'ai besoin.

6. Tu ne supportes pas : Chaque fois que c'est la pleine lune, je me transforme en loup ça devient énervant à la fin !

Aliocha Schneider

Aliocha Schneider

Aliocha Schneider

7. Une journée parfaite pour toi : Cette journée commencerait avec un match de soccer en Italie avec Sean Penn. On mangerait ensuite une bonne pizza italienne. Et en soirée (ce ne serait pas la pleine lune), je regarderais American Beauty avec une fille qui a comme qualité d'être simple.

8. Un de tes plus grands rêves : Jouer dans la comédie musicale Les Misérables à Londres.

9. Un de tes meilleurs souvenirs : Quand j'avais 4-5 ans, mon père me disait : « Aliocha, qu'est ce qu'on fait quand on voit une belle fille ? » Et il m'avait appris à faire « Hey ! » suivi d'un clin d'œil. Ça faisait rire les madames, et moi, ça m'a fait de beaux souvenirs d'enfance !

10. Si tu n'étais pas comédien, tu aimerais être : Joueur de soccer

11. Une personne que tu admires : Sean Penn

13. Un endroit que tu aimerais visiter : L'Italie !

14. Ta plus grande peur : Perdre mon autonomie.

12. Une cause qui te tient à cœur : Que les droits de l'homme soient respectés partout à travers le monde. Ce serait déjà un bon début.

15. La première chose que tu fais le matin : Je regarde dehors par la fenêtre de ma chambre pendant un bon 10 minutes… Alors si vous marchez tôt le matin dans les rues de Montréal, vous êtes observées !

16. Ton plus grand défaut : *Je suis incapable de jouer une scène avec Pier-Luc Funk (Samuel dans Tactik) sans être pris d'un fou rire !*

17. Quel genre de personnage aimerais-tu interpréter à la télé ou au cinéma : J'adore les premiers rôles dans les pièces de Shakespeare. Si un jour il y avait une adaptation cinématographique d'Hamlet ou d'Othello au Québec, ça me ferait triper de jouer dedans !

18. Une qualité que tu recherches chez une fille : La simplicité

19. Un défaut que tu ne supportes pas chez une fille : L'arrogance

20. Un conseil que tu aimerais donner aux jeunes de ton âge : Je trouve que beaucoup de jeunes agissent en fonction de l'image qu'ils veulent projeter. Et souvent, tout le monde veut projeter la même image. Donc personne ne se démarque et les personnalités s'effacent. C'est important d'avoir confiance en qui on est.

Justin Bieber : plus besoin de présentation

L'année dernière, Justin Bieber faisait déjà pleurer les filles et dominait les palmarès de vente, mais personnellement, je ne comprenais toujours pas le fameux phénomène Bieber, même si plusieurs de mes lectrices m'en parlaient sans cesse. Cette année, j'ai donc décidé de m'intéresser davantage à la personne et à l'artiste et de vous faire plaisir avec un petit portrait de l'une de vos vedettes préférées !

Justin Drew Bieber est né le 1er mars 1994 à Stratford, en Ontario, ce qui en fait une véritable coqueluche canadienne ! Son agent l'a découvert sur YouTube et l'a présenté au chanteur Usher, qui l'a ensuite aidé à signer son premier contrat avec la société d'édition de disques Island Record. Ses deux premiers albums My World et My World 2.0 connaissent un succès sans contredit et se sont vendus à plusieurs millions d'exemplaires dans le monde.

Plutôt que de vous sortir des statistiques sur ses ventes et des détails sur son ascension vers la gloire (que vous connaissez déjà), j'ai préféré fouiller un peu partout pour essayer de déterrer des infos originales qui, je l'espère, arriveront à vous surprendre.

- Justin adore l'océan.
- Il est très fier d'être Canadien.
- Il recherche ces qualités chez une fille : le sens de l'humour et l'intelligence.
- Il est romantique et désire avant tout que l'élue de son cœur soit heureuse en plus de répondre à ses petits besoins.
- Il est gaucher.
- Il souffre de claustrophobie.
- Il aime le jet-ski, le skateboard et le snowboard.
- Il a un chien qui s'appelle Sammy.
- Il adore le Tim Horton et son cappuccino glacé.
- Il a commencé à gratter la guitare dès l'âge de 2 ans.
- Il se débrouille pas mal en français (il a appris à l'école, en Ontario).
- Ses couleurs préférées sont le bleu et le violet.
- Il raffole du spaghetti.
- Son idole est le hockeyeur Wayne Gretzky.
- Il a un faible pour Beyoncé.
- Il n'aime pas les Uggs.
- Il aime la tarte aux pommes et les tacos.
- Il est un fan des Maple Leafs de Toronto… on lui pardonne.

Section **Calendrier**

Janvier

Je sais, c'est l'hiver. Et c'est la fin de la période des fêtes et la rentrée scolaire. Beurk ! Même quand on travaille, on a le cafard du mois de janvier ! Mais voici quelques idées pour combattre le blues de l'hiver et profiter au maximum des journées froides !

❖ Va patiner à l'extérieur avant de te réchauffer avec un chocolat chaud.

❖ Passe une journée entière à magasiner dans un centre commercial.

❖ Fais du ski alpin ! Même si on est débutantes et qu'on passe la journée sur la pente Mickey Mouse, c'est tout de même amusant !

❖ Suis des cours de danse ou d'aérobie. L'hiver, on bouge moins à l'extérieur, alors il faut s'efforcer de trouver des activités qui nous permettront de bouger, bouger, bouger !!

Événements du mois

1 janvier : jour de l'An

C'est le premier jour de l'année, et souvent le lendemain des grandes célébrations de la Saint-Sylvestre ! En effet, le réveillon du jour de l'An est une tradition pour bien des Québécois qui se réunissent en famille ou entre amis pour célébrer la fin d'une année et l'arrivée d'une autre ! Avant minuit, on fait le décompte des secondes, puis on se félicite et on s'embrasse pour se souhaiter une belle et heureuse nouvelle année.

Qui dit nouvelle année dit aussi résolutions ! Pourquoi ne pas en profiter pour faire une liste de tes propres résolutions pour l'année qui commence ? Que veux-tu améliorer ou changer dans ta vie ? Quels objectifs aimerais-tu atteindre ? Par exemple, tu peux avoir comme résolution de moins te chicaner avec ton frère, d'aider un peu plus à la maison, d'avoir de meilleures notes ou de participer au voyage au Costa Rica organisé par ton école !

Mes résolutions pour cette année :

_____

_____

_____

_____

_____

Février

Le froid s'éternise, les journées sont courtes, on a plein de devoirs et notre moral est à terre. Mais il faut voir les choses du bon côté : ils passent nos meilleures émissions à la télé, on peut s'organiser des soirées et des fins de semaine d'ermite à regarder des films sans se sentir mal et c'est le mois le plus court de l'année ! Quelques idées pour décrocher de la monotonie de l'hiver :

❖ Fais une liste de films que tu veux voir ce mois-ci et organise des journées DVD/cinéma-maison avec du pop-corn !

❖ Essaie le ski de fond; c'est tout un sport !

❖ Organise une fête pour la Saint-Valentin.

❖ Lis un roman.

❖ Passe une soirée seule à te dorloter avec un bain moussant, un masque pour le visage et un ensemble de manucure et pédicure !

Événements du mois

2 février : jour de la marmotte

Tradition selon laquelle on doit observer l'entrée du terrier d'une marmotte pour déterminer si le printemps approche. Si la marmotte sort de son terrier et qu'elle ne voit pas son ombre, c'est que l'hiver tire à sa fin, mais si le ciel est dégagé, qu'elle voit son ombre et qu'elle fuit dans son terrier, cela veut alors dire que l'hiver se poursuivra pendant encore six semaines.

14 février : Saint-Valentin

Fête de l'amour et de l'amitié où les couples en profitent souvent pour s'échanger des mots doux et des cadeaux. Certains la perçoivent comme une célébration ultra commerciale, tandis que plusieurs célibataires apprennent à la détester puisqu'ils se sentent encore plus seuls. Que tu sois en couple ou célibataire, rien ne t'empêche de passer une belle soirée ! Si tu es seule, gâte-toi ou organise une soirée de filles qui te permettra d'associer cette fête aux rires et aux folies !

Le savais-tu ?

Il existe plusieurs versions de l'origine de la Saint-Valentin, mais l'une des plus communes relate l'histoire de saint Valentin, un prêtre et patron des amoureux qui fut emprisonné et martyrisé à mort par les Romains le 14 février 270 après avoir défendu les liens du mariage entre les amoureux. Une histoire triste et romantique digne d'un 14 février !

Cupidon tient quant à lui son origine de la mythologie romaine. Il s'agit du fils de Vénus et du dieu de l'amour, au même titre qu'Éros dans la mythologie grecque.

Mars

Ça y est, c'est le mois du début du printemps et de la semaine de relâche ! Même si certains détestent le mois de mars pour sa grisaille et sa fadeur, il faut se dire que les journées commencent à allonger, qu'on y change l'heure et qu'on peut parfois profiter de redoux qui nous permettent de nous balader dans les rues sans habit de neige ! Sans blague, ça commence à sentir le printemps, alors pourquoi ne pas en profiter !

❖ Profite de la relâche pour lire et dormir !

❖ Fais du sport pour te défouler !

❖ Si tu en as la possibilité, prends des vacances bien méritées et fais le plein de soleil !

❖ Prévois du temps en famille.

❖ Balade-toi dans les rues lors des journées chaudes pour refaire le plein d'énergie après le long hiver que tu viens de traverser !

❖ La semaine de relâche est parfois suivie des examens, alors prévois un peu de temps pour étudier et pour réviser tes matières.

Événements du mois

8 mars : Journée internationale de la femme

Journée qui tient son origine des manifestations féministes du début du 20e siècle en Europe et aux États-Unis pour réclamer l'égalité des droits, le droit de vote et de meilleures conditions de travail. Le 8 mars, des femmes originaires des quatre coins du monde en profitent pour revendiquer les droits encore non obtenus, pour militer pour l'égalité et pour célébrer les victoires acquises au cours de l'histoire. C'est aussi une occasion d'honorer les femmes qui ont fait changer les choses et de célébrer le fait d'être une femme !

17 mars : Saint-Patrick

Fête nationale de l'Irlande qui célèbre saint Patrick, le saint patron irlandais. Cette fête nationale est célébrée partout sur la planète par les descendants et expatriés d'Irlande qui veulent honorer leur pays et l'histoire de leur peuple. Pour l'occasion, on organise souvent des parades, on mange des plats typiquement irlandais et on s'habille en vert, couleur à l'effigie de la tradition irlandaise.

Équinoxe du printemps

L'équinoxe du printemps survient autour du 20 ou du 21 mars et marque le début du printemps. Lors de l'équinoxe, les jours sont égaux aux nuits.

Avril

Ça sent de plus en plus le printemps, les journées sont de plus en plus longues, et on a de moins en moins envie de rester à l'intérieur ! Voici en quelques mots l'atmosphère qui règne durant le mois d'avril ! On peut aussi se régaler (sans s'empiffrer) de chocolat, car qui dit avril dit Pâques ! Je sais que les températures te donnent le goût de changer ta garde-robe et de sortir tes tenues d'été, mais ne te fais pas prendre au piège : en avril, ne te découvre pas d'un fil !

❖ Si tu aimes le ski, profite des dernières journées dans les centres pour faire du ski de printemps. C'est génial !

❖ Si tu habites Montréal, c'est le retour des Bixis, alors profites-en pour faire du vélo (si la neige finit par disparaître).

❖ Aide tes parents à organiser le brunch de Pâques. Ils t'en seront reconnaissants.

❖ Enfile ton écharpe et va prendre un café ou un chocolat chaud sur une terrasse lors d'une belle journée de printemps.

Événements du mois

❖ 1 avril : poisson d'avril

C'est le jour des canulars et des plaisanteries ! Découpe des poissons et prépare-toi à jouer des tours à tes parents et à tes amis ! Mais fais gaffe de ne pas te faire prendre !

5 avril : anniversaire de ton auteure préférée (moi ! Ha ! Ha !)

P.-S. Je rajeunis chaque année.

Quelque part en avril : Pâques

La date de Pâques change d'année en année (par exemple, 4 avril 2010, 24 avril 2011, 8 avril 2012) et peut parfois même survenir en mars (31 mars 2013). Elle se déroule entre le 22 mars et le 25 avril, et la date est basée sur notre calendrier qui suit le mouvement des saisons, du Soleil et de la Lune. Pour simplifier la chose, dis-toi que le jour de Pâques correspond au premier dimanche suivant la première pleine lune du printemps.

D'un point de vue religieux, Pâques célèbre la résurrection de Jésus-Christ, mais de nos jours, elle représente aussi une tradition familiale pour célébrer le retour du printemps (symbolisé par les œufs et par le lapin, qui est un symbole de fécondité) et pour profiter d'un congé bien mérité entre amis et membres de la famille.

Mai

La fébrilité de l'été commence à s'emparer de toi. Tu as envie de courir partout, de t'amuser et de profiter des premières belles journées d'été, et tu éprouves par conséquent beaucoup de difficultés à te concentrer sur tes devoirs. La fin de l'année approche, alors ce n'est pas le temps de laisser tomber ! Accorde-toi une journée de détente et une journée de travail par fin de semaine, ou alors étudie en groupe avec des gens studieux et sérieux ça aide à se motiver ! Tu peux aussi aller lire dans le parc, car c'est une belle façon de joindre l'utile (et le nécessaire) à l'agréable. Après tout en mai, fais ce qu'il te plaît !

❖ Va faire des balades en ville et dans le parc. Il faut faire bouger tes jambes un peu. L'hiver a été long !

❖ Prépare une surprise pour ta maman en l'honneur de la fête des Mères. Faire plaisir, ça n'a pas d'âge.

❖ Organise une soirée pyjama avec tes amies et faites des plans pour l'été !

❖ Fais ton premier pique-nique à l'extérieur ! Mais n'oublie pas de ramasser tes déchets avant de partir ! (Ma résolution de l'année est d'être beaucoup plus consciencieuse en ce qui a trait à l'environnement. ☺)

Événements du mois

2ᵉ dimanche de mai : fête des Mères

Voici une façon géniale de célébrer ta super maman. Je sais que vous vous chicanez parfois et qu'il arrive qu'elle te tape vraiment sur les nerfs, mais c'est TA mère et elle fait son possible pour te rendre heureuse ! Voici l'occasion parfaite de mettre vos différends de côté, de lui démontrer à quel point tu l'apprécies et de la remercier d'être telle qu'elle est. Tu peux acheter des fleurs, lui faire une carte, lui préparer un petit-déjeuner au lit; c'est toi qui sais le mieux comment lui faire plaisir !

Juin

Ça y est, la fin de l'année scolaire est à tes portes ! Ça sent les vacances, l'été, le barbecue et la piscine ! Ne reste plus qu'un dernier petit effort à faire pour bien réussir les examens de fin d'année et profiter pleinement des vacances estivales ! C'est aussi le temps de réfléchir à ce que tu comptes faire cet été : visiter grand-maman, partir dans un camp, travailler pour amasser des sous. Voici quelques idées pour t'aider à mieux planifier les semaines qui viennent et pour profiter de ce mois ensoleillé.

❖ Étudie à l'extérieur ! C'est motivant de se faire aller les méninges sur le bord de la piscine, au parc ou sur une table à pique-nique !

❖ Si tu as des doutes avant les examens, n'hésite pas à poser des questions à tes professeurs ou à tes amis. Ce n'est pas humiliant de chercher à mieux comprendre; au contraire, ça te permettra d'obtenir de meilleures notes !

❖ Fais une liste des choses que tu aimerais accomplir cet été. Tu auras plus de temps, alors aussi bien en profiter pour être productive et pour réaliser certains de tes objectifs.

❖ Comme la moitié de l'année approche, fais une mise au point de tes résolutions de début d'année pour voir si tu es dans le droit chemin !

Événements du mois

2e dimanche de juin : fête des Pères

C'est le mois des papas ! Même si ton père travaille beaucoup et que tu ne le vois pas très souvent, ou même s'il est trop présent dans ta vie et que tu trouves qu'il brime ta liberté, ce n'est pas une raison pour éviter de souligner tout ce qu'il fait pour toi et lui dire que tu l'aimes ! Pourquoi ne pas profiter de l'occasion pour lui concocter une petite surprise et pour passer un peu de temps en sa compagnie ? Tu peux organiser un brunch, lui faire à souper ou lui bricoler une carte, du moment que l'intention et le cœur sont au rendez-vous ! Je suis sûre qu'il te sera reconnaissant d'avoir pensé à lui et que vous passerez un bon moment ensemble !

Solstice d'été

Le solstice survient généralement autour du 20 ou du 21 juin et représente le jour d'ensoleillement le plus long de l'année, ainsi que le début de l'été. Hourra !

24 juin : Saint-Jean-Baptiste

Depuis le 11 mai 1977, le 24 juin est considéré comme le jour officiel de la Fête nationale du Québec, qui est généralement accompagnée de feux d'artifice, de feux de joie, de parades et de célébrations aux quatre coins du Québec. On en profite pour célébrer notre culture, notre identité et notre sentiment d'appartenance au Québec, une province si riche et si unique. Il s'agit d'une journée fériée, alors aussi bien en profiter pour fêter en famille ou avec les amis !

Juillet

L'été bat son plein et c'est le début des grandes vacances ! Si tu habites en ville, tu peux en profiter pour te balader dans les festivals et errer dans les rues bondées de gens; si tu vis en région ou en campagne, pourquoi ne pas explorer des coins inconnus et profiter pleinement de l'air pur et des paysages qui s'offrent à toi ? L'été, une autre ambiance vient chambouler notre train-train quotidien et on y prend goût en un rien de temps ! On est généralement beaucoup plus spontanées, actives et festives que l'hiver, alors mieux vaut en profiter pour bouger, travailler et rigoler avec ses proches !

❖ Fais de la bicyclette avec tes amis !

❖ Si tu en as la possibilité, pars à la découverte du Québec ! Il y a tant de choses à voir et à découvrir

❖ Les festivals battent leur plein partout dans la province. Pourquoi ne pas aller visiter ceux de ta région ?

❖ Organise un barbecue lors d'une belle soirée d'été.

❖ Profite du soleil mais n'oublie pas la crème solaire !

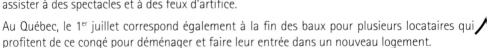

Événements du mois

1er juillet : fête du Canada

C'est la fête nationale du Canada qui célèbre la création de la Confédération canadienne par l'Acte de l'Amérique du Nord britannique le 1er juillet 1867. Il s'agit d'une journée fériée où l'on peut assister à des spectacles et à des feux d'artifice.

Au Québec, le 1er juillet correspond également à la fin des baux pour plusieurs locataires qui profitent de ce congé pour déménager et faire leur entrée dans un nouveau logement.

4 juillet : Fête nationale des États-Unis

14 juillet : Fête nationale de la France

Vacances de la construction

Période qui survient généralement au cours des deux dernières semaines du mois de juillet durant laquelle la quasi-totalité des travailleurs de la construction obtiennent des vacances obligatoires. Plusieurs Québécois s'évadent également au cours de cette période.

Août

Il fait chaud, tu as adopté le rythme de l'été et des vacances et tu n'as aucune envie de revenir à l'école. Profite des semaines de détente qui te restent, puisque la fin du mois d'août correspond souvent à la rentrée scolaire. Essaie d'accomplir tous les objectifs que tu t'étais fixés au début de l'été, mais essaie aussi de te réserver quelques moments de détente et de farniente.

❖ Passe quelques jours près d'un lac pour refaire le plein d'énergie et remplir tes poumons d'air pur.

❖ Organise une petite fin de semaine en famille, histoire de passer du temps de qualité avant que tout le monde reprenne son train-train d'enfer à l'automne.

❖ Observe les étoiles filantes lors des nuits des perséides. C'est à la fois romantique et complètement hallucinant !

❖ Organise un grand pique-nique dans un parc pour réunir tous tes amis avant la rentrée, question d'être à jour sur les potins !

15 août : Fête nationale des Acadiens

Événements du mois

Septembre

Ouf ! C'est la rentrée et tu ressens le coup de cafard qui accompagne la fin de l'été. Sache qu'il existe toutefois des façons de ne pas trop souffrir et de voir les choses du bon côté ! Après tout, il fait encore chaud dehors et ça fait un bail que tu n'as pas vu certains de tes amis. De plus, quoi de mieux qu'une rentrée pour te refaire une beauté, faire une expédition dans les magasins et essayer une nouvelle coiffure ? Dis-toi aussi que tu pourras enfin être au courant des événements de l'été et découvrir qui seront tes profs et tes camarades de classe !

❖ Prévois une soirée avec tes amies pour faire le point sur les potins de la rentrée.

❖ Organise une fête pour souligner la rentrée.

❖ Fais le tour de ta garde-robe et donne ce qui ne te fait plus aux gens dans le besoin. Si tu as les moyens, va te promener dans les boutiques et les friperies, question de revamper ton look pour la rentrée.

❖ Pourquoi ne pas essayer une nouvelle coiffure ? Nouvelle année, nouvelle tête !

❖ Comme l'année commence avec une belle journée fériée, aussi bien en profiter pour acheter ton matériel scolaire et te mettre à jour dans tes travaux et tes matières de l'année.

Événements du mois

1er lundi de septembre : fête du Travail

On célèbre les travailleurs en leur offrant une journée fériée ! Hourra !

Équinoxe d'automne

L'équinoxe de l'automne survient autour du 22 ou du 23 septembre et marque le début de l'automne. Lors de l'équinoxe, les jours sont égaux aux nuits.

Octobre

Les feuilles changent de couleur, le vent devient frais et le ciel tourne au gris. L'automne se distingue des autres saisons par sa mélancolie et son romantisme. De plus, les paysages sont à couper le souffle et les feuilles qui jonchent le sol font le bonheur des enfants qui aiment s'y précipiter. Je sais que l'été est fini et qu'on n'est pas encore tout à fait prêtes à endurer un autre hiver, mais octobre est le mois parfait pour profiter de la transition et aller se promener en nature. De plus, les amateurs de costumes et de films d'horreur seront servis avec la venue de l'Halloween ! Voici quelques idées pour t'aider à sortir de ta torpeur et vaincre l'ennui des journées plus fraîches.

❖ Va jouer dans les feuilles ! Ce n'est pas juste un jeu d'enfant.

❖ Va te promener en nature ! L'odeur des feuilles et de l'automne te redonnera une joie de vivre.

❖ Prépare une fête pour l'Halloween à la maison ou avec tes amis et vote pour le meilleur costume.

❖ Le soir de l'Halloween, déguise-toi et décore ta maison pour accueillir les jeunes enfants qui viennent récolter des bonbons. Si le cœur t'en dit, tu peux te joindre à la fête et faire une réserve de friandises avant l'hiver !

❖ Fais le ménage de ta garde-robe et range tes vêtements d'été pour faire place à ceux de l'hiver. Tu retrouveras plein d'items que tu avais oubliés et mis de côté et tu ne seras pas prise au dépourvu lors de la première neige !

Événements du mois

❖ 2ᵉ lundi d'octobre : Action de grâce

Traditionnellement, l'Action de grâce était l'événement au cours duquel on remerciait Dieu pour les réjouissances de l'année, mais cette journée est aujourd'hui laïque et a perdu beaucoup de sens a u Québec. Certains en profitent toutefois pour organiser un repas et dire ce pour quoi ils sont reconnaissants (exemple : la journée de congé de l'Action de grâce !)

31 octobre : Halloween

Fête durant laquelle les enfants se déguisent et se promènent de maison en maison pour recueillir des bonbons. Il s'agit d'une fête d'origine anglo-saxonne qui est très populaire au Québec. On en profite pour décorer une citrouille et transformer la maison de façon horrifiante pour indiquer aux jeunes qu'ils peuvent sonner à la porte. Attention aux cœurs sensibles : on voit parfois des costumes terrorisants le soir de l'Halloween !

Novembre

La plupart d'entre nous détestent le mois de novembre. L'automne tire à sa fin, les feuilles se font de plus en plus rares dans les arbres, il fait froid et la neige tarde à arriver. Les jours raccourcissent et la grisaille extérieure te donne le cafard. Plutôt que de t'apitoyer sur ton sort et de te plaindre de la température sur laquelle tu n'as aucun contrôle, pourquoi ne pas t'arranger pour rendre le mois de novembre amusant et rempli d'activités de toutes sortes ?

❖ Instaure des après-midi cinéma avec ta famille ou tes amis la fin de semaine lorsqu'il pleut. Chacun doit proposer un film que les autres doivent regarder !

❖ Organise un potluck, un repas collectif où tout le monde apporte un petit quelque chose à partager.

❖ Va faire une longue promenade en nature lors d'une journée ensoleillée, question de prendre une bouffée d'air frais et de profiter au maximum des rayons du soleil avant l'hiver.

❖ Profite de novembre pour étudier à la bibliothèque ou dans un café avec une boisson chaude; ça motive et ça réconforte !

❖ Visite les expositions offertes dans ta ville ou ta région; ce n'est pas parce qu'il ne fait pas beau dehors qu'il faut s'empêcher de vivre ! Il suffit de chercher des activités à l'intérieur !

❖ Fais le ménage de ta chambre et de tes papiers. Classe, trie, jette. Ça défoule !

❖ Fais du sport ! Non seulement ça te permettra d'être en forme, mais ça t'aidera aussi à être de meilleure humeur !

Événements du mois

11 novembre : jour du Souvenir

Journée de commémoration des sacrifices et des victimes de la Première Guerre mondiale. Elle célèbre également la signature de l'Armistice le 11 novembre 1918, lequel mettait fin à la Première Guerre mondiale. Le coquelicot est une fleur rouge que les gens attachent souvent à leurs vêtements lors de cette journée en l'honneur de ceux qui sont morts durant la guerre.

4ᵉ jeudi de novembre : Action de grâce aux États-Unis

Décembre

La fébrilité de Noël et de la période des fêtes s'empare de toi, sans compter la joie que tu éprouves en voyant les premiers flocons (voire la première tempête) tomber sur la ville. Même si c'est l'hiver, on aime décembre parce qu'on associe Noël à la neige et aux paysages féeriques hivernaux qui nous rappellent notre enfance. En plus, tu sais que les vacances de Noël approchent à grands pas et que tu pourras enfin faire la grasse matinée ! Voici quelques idées pour te préparer à la folie des fêtes et pour rendre tes vacances encore plus agréables.

❖ Fais une liste des cadeaux que tu veux offrir et fais ton magasinage à l'avance pour ne pas être coincée à faire des achats de dernière minute.

❖ Étudie bien pour tes examens s'ils sont prévus avant les vacances. Tu auras tout le temps de célébrer par la suite en ayant la conscience tranquille.

❖ Va glisser avec ta famille ou tes amis. C'est amusant et ça te permettra de profiter des premières neiges.

❖ Retourne en enfance et va jouer dans la neige avec ton petit frère ou ta petite sœur.

❖ Régale-toi bien pendant la période des fêtes ! Après tout, ça n'arrive rien qu'une fois par année !

Événements du mois

Solstice d'hiver

Le solstice survient généralement autour du 21 ou du 22 décembre et représente le jour d'ensoleillement le plus court de l'année ainsi que le début de l'hiver. À vos tuques, prêtes, partez !

25 décembre : Noël

Fête que l'on célèbre chaque année en famille ou avec des amis pour commémorer traditionnellement la naissance de Jésus de Nazareth. Au Québec, même si cette fête n'a plus la même valeur religieuse, elle n'en demeure pas moins une tradition chez la plupart des gens qui se réunissent le 24 au soir ou le 25 pour partager un repas et s'échanger des cadeaux près du sapin.

Le père Noël, originaire du pôle Nord, est quant à lui inspiré du saint Nicolas de la religion chrétienne et il se charge d'apporter les cadeaux à bord de son traîneau tiré par des rennes et de les distribuer aux jeunes enfants qui y croient encore.

31 décembre : Saint-Sylvestre

C'est la veille du jour de l'An et les gens se réunissent pour célébrer la fin d'une année et le début d'une autre ! Dansons le rigodon !

HOROSCOPES AMÉRINDIENS

Faucon (Bélier)
Symbolise la victoire, la supériorité

Tu es une fille pleine de vie et incapable de rester en place deux minutes. Tu as toujours mille projets en tête. Tu es aussi très impulsive. Tu as tendance à suivre tes envies et à plonger dans l'action sans trop peser les pour et les contre. C'est bien, car ta vie ne manque pas de piquant et tes amis ne s'ennuient jamais avec toi. Mais il faut aussi que tu apprennes à prendre quelques instants de réflexion avant de prendre une décision; ça t'évitera bien des erreurs !
En amour, tu es une vraie passionnée et tu considères qu'une relation ne vaut pas la peine d'être vécue si elle ne ressemble pas à des montagnes russes.

Castor (Taureau)
Le bâtisseur, l'être d'action

Tu es une fille calme et paisible qui n'aime pas trop faire des vagues et qui est mal à l'aise lorsque toute l'attention est tournée vers elle. Mais attention ! Cela ne t'empêche pas d'avoir beaucoup d'amies. Les gens aiment être avec toi, car tu as un véritable don pour conseiller et apaiser ceux que tu aimes.

À l'école, tu es une travailleuse acharnée et tu ne t'arrêtes pas tant que tu n'as pas obtenu les résultats que tu visais.

En relation, tu as tendance à être fusionnelle et tu n'aimes pas beaucoup que ton chum t'abandonne pour aller s'amuser avec ses amis. Si tu pouvais, tu serais avec lui 24 heures sur 24 !! Laisse-lui sa liberté, tu verras que votre relation ne s'en portera que mieux !

Cerf (Gémeaux)
Symbolise la douceur

Tu es une véritable tornade !! Extravertie, très sociable et un peu bavarde, on ne peut pas dire que tu es une fille discrète !! Tu adores prendre soin de ton apparence, et l'on ne te verrait jamais sortir de chez toi sans être tirée à quatre épingles.

Même si tu prends beaucoup de place, tu sais écouter les autres et tu es toujours là pour tes amies lorsqu'elles ont besoin de toi.

En amour, tu considères que tu es trop jeune pour être dans une relation sérieuse et tu préfères garder ta liberté et flirter un peu avec les garçons qui te plaisent !

Pivert (Cancer)
Symbolise la grâce

Tu es une fille émotive et hypersensible. Tu sens tout de suite si quelque chose ne va pas chez une amie. Tu détestes la chicane et tu aimes que tout le monde s'entende autour de toi.

À l'école, tu as un peu de difficulté à prendre la critique, car tu as tendance à pendre les commentaires personnellement. Tu dois apprendre à te détacher un peu plus pour éviter d'être trop souvent blessée.

En amour, tu es une véritable romantique, et pour te plaire, un garçon doit savoir te surprendre et te couvrir de petites attentions.

Saumon (Lion)
Symbolise la détermination

Tu es une fille énergique et courageuse, toujours prête à rendre service, à aider les autres. À l'école, tu parles à tout le monde et tu ne juges jamais personne.

En classe, si le professeur demande des volontaires, tu es toujours la première à te proposer. Tu es impliquée dans toutes sortes de projets parascolaires, comme le comité des finissants ou le journal de l'école. Tu adores être occupée et discuter avec les autres.

En amour, tu attends tout de celui que tu aimes, et rien de moins ! Tu dois apprendre à être moins exigeante, sinon tu risques d'être souvent déçue !!

Ours (Vierge)
Symbolise l'introspection

Tu es une fille intelligente et rationnelle. Tu ne te laisses presque jamais submerger par tes sentiments et tu préfères regarder les événements de façon logique. Tu es sûre de toi et ce n'est pas facile de t'impressionner.

À l'école, tu es ordonnée et travaillante. Tu es d'ailleurs souvent citée en exemple par tes professeurs.

En amour, tu cherches un garçon qui ne te bousculera pas trop dans tes habitudes et qui respectera ton rythme. Laisse-toi surprendre un peu plus, tu ne le regretteras pas !

Corbeau (Balance)
Symbolise la magie

Tu es d'abord et avant tout une fille qui a-do-re communiquer ! Tu as besoin de te confier et d'échanger pour être bien. Avant d'entreprendre quoi que ce soit, qu'il s'agisse d'un projet pour l'école ou d'inviter un garçon à sortir, tu demandes l'avis de toutes tes amies. Il faut dire aussi que tu es indécise et qu'il n'y a rien de plus compliqué pour toi que de prendre une décision !

En amour, tu donnes beaucoup d'importance à ce que l'autre pense. Attention à ne pas perdre ton autonomie !

Chouette (Sagittaire)
Symbolise l'intelligence et la faculté de voir l'au-delà

Tu es une fille indépendante qui adore l'aventure et la nouveauté.
Si ce n'est pas déjà fait, tu rêves de partir découvrir un autre pays.
La routine est pour toi ce qu'il y a de plus ennuyant. Quand tu
t'ennuies, tu te plonges dans un livre et tu pars à l'aventure dans ton
imaginaire, en attendant de pouvoir le faire pour vrai !
À l'école, tu n'es pas toujours attentive, car tu as tendance à partir
dans des rêveries.
En amour, tu as tendance à te lasser vite, car l'herbe est toujours plus
verte chez le voisin !!

Serpent (Scorpion)
Symbolise la métamorphose

Tu es une vraie passionnée, toujours à la recherche d'émotions fortes
! Mais comme tu n'es pas très bavarde, les gens autour de toi ont
tendance à te voir comme une fille énigmatique, ce qui n'est pas
dépourvu de charme !!
À l'école, tu veux toujours en savoir plus et tu pousses tes professeurs
à se dépasser tellement tu poses des questions ! Tu arrives même
parfois à les déconcerter !
En amour, tu recherches un garçon qui saura te surprendre et qui ne
se laisserait pas impressionner par tes sautes d'humeur !

Oie (Capricorne)
Symbolise la puissance

Tu es une fille très déterminée qui sait ce qu'elle veut et qui fait tout
ce qu'elle peut pour l'obtenir. Tu sais déjà à quel cégep et quelle
université tu veux étudier, dans quel programme tu veux aller,
ce que tu veux comme carrière. Ton ambition n'a d'égale que ta
persévérance !
À l'école, tu veux être la meilleure, et rien de moins !
En amitié, tu exiges beaucoup de tes amies, mais tu es aussi très
généreuse envers elles, ce qui fait qu'elles savent t'apprécier, même
si, quelquefois, elles ont peur de te déplaire.
En amour, tu cherches un garçon qui te ressemble et qui, comme toi,
sait exactement ce qu'il veut dans la vie. Sois un peu moins exigeante
et tu verras que tu feras des rencontres surprenantes !

Loutre (Verseau)
Symbolise la féminité

Tu es une fille joyeuse, amicale et qui sait s'amuser. Les gens adorent être autour de toi, car tu dégages la joie et la bonne humeur. Une vraie boute-en-train !! Tu es très attirée par les arts sous toutes leurs formes. Tu es d'ailleurs toujours en train de faire des dessins dans tes cahiers d'école ! Inventive et originale, tu surprends souvent les autres avec tes vêtements hors de l'ordinaire !
En amour, tu es totalement imprévisible. Tantôt douce et réservée, tantôt explosive et extravertie, les garçons ne savent jamais à quoi s'attendre avec toi. Une chose est sûre, personne ne s'ennuie en ta compagnie !

Loup (Poisson)
Symbolise la liberté

Tu es une fille libre et entêtée qui ne suit aucune mode et qui n'en fait qu'à sa tête ! Tu ne te laisses pas influencer par ton groupe d'amies. Même si elles pensent toutes la même chose, si tu n'es pas d'accord, elles ne te feront pas changer d'avis. C'est d'ailleurs ce qu'elles aiment chez toi et ce qui fait qu'elles te demandent souvent des conseils et se fient à ton jugement.
À l'école, tu écoutes bien les professeurs, mais tu es toujours plus intéressée par ce que tu découvres toute seule. D'ailleurs, tu adores les projets de recherche, où tu excelles.
En amour, tu recherches un garçon qui te fera découvrir de nouvelles choses, une façon différente de voir la vie.

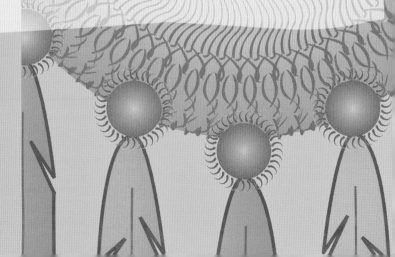

Le guide de nutrition

par *Catherine Girard-Audet*

15.95 $

Le guide de gardiennage

par *Catherine Girard-Audet*

15.95 $

Section **ABC** des filles

Accomodement raisonable

Depuis quelques années, la notion d'accommodement raisonnable fait souvent la manchette au Québec. Certains la critiquent, d'autres la défendent, et plusieurs ont de la difficulté à comprendre exactement de quoi il s'agit.

De façon générale, un accommodement raisonnable vise à assouplir un règlement pour empêcher qu'il ne soit discriminatoire envers les communautés ou les individus auxquels il s'applique, cela dans le but de respecter le droit à l'égalité et au respect de chaque citoyen. Un accommodement raisonnable est donc une façon de prendre des mesures dites « raisonnables » pour répondre aux demandes des individus concernés.

Lorsqu'un individu, un groupe ethnique ou une communauté religieuse fait une demande pour qu'une règle soit modifiée, plusieurs éléments doivent être examinés afin d'évaluer cette demande et de savoir si on peut la satisfaire.

On doit d'abord tenir compte des ressources financières de la compagnie ou de l'institution à qui la requête est adressée. En d'autres mots, on doit vérifier si les coûts reliés à la modification demandée sont excessifs ou non. On doit ensuite s'assurer que cet accommodement raisonnable ne va pas à l'encontre des droits des autres individus. Le but est avant tout de modifier une norme pour prévenir la discrimination et encourager le respect de tous les individus. L'accommodement raisonnable ne doit donc pas entraîner davantage de conflits ni nuire au respect et aux droits des autres. Il ne doit pas non plus nuire au bon fonctionnement de la compagnie ou de l'institution concernée. Autrement dit, si une entreprise décide de modifier une règle pour répondre à la demande de certains individus, elle doit s'assurer que cette modification ne nuira pas au travail et au rendement des autres employés et patrons de l'établissement, ni au confort des clients qui le fréquentent. Par exemple, si un aveugle demande à la direction d'un supermarché de le laisser faire ses courses en compagnie de

son chien guide, celle-ci doit tenir compte du handicap de cet individu et respecter son droit de citoyen de faire ses courses en dépit de son handicap. Au cours des dernières années, plusieurs établissements et véhicules publics (les autobus, notamment) se sont équipés de rampes pour permettre aux handicapés ou aux personnes à mobilité réduite de circuler plus rapidement dans la ville et d'avoir accès à un plus grand nombre d'édifices. Bien que cela implique des coûts importants, il s'agit d'un accommodement raisonnable, puisqu'il répond aux besoins des handicapés et tente de contrer la discrimination en favorisant le respect et l'égalité de ces individus. Ce sont là des problèmes réels qu'il faut régler rapidement pourfavoriser l'implication et l'insertion des personnes à mobilité réduite dans la société.

Toutefois, une demande est jugée excessive lorsque l'accommodement revendiqué ne respecte pas le droit à l'égalité des citoyens. Celui-ci n'est alors plus considéré comme « raisonnable ». Le but de l'accommodement raisonnable est de permettre à tous de coexister dans une société qui promeut l'égalité et le respect des citoyens, et ainsi de répondre à certaines exigences des citoyens pour respecter leurs droits et leurs différences religieuses, culturelles et ethniques. Les accommodements raisonnables s'appliquent généralement à la discrimination liée au sexe des individus, à leur orientation sexuelle, à la grossesse, à l'âge, aux handicaps et maladies physiques, à la religion, aux traditions culturelles et ethniques et à la tenue vestimentaire.

Un débat controversé

Au Québec, la notion d'accommodement raisonnable est très controversée et fait couler beaucoup d'encre. Un grand nombre de gens pensent que les accommodements exigés par certains groupes ethniques ou religieux sont excessifs et vont à l'encontre des valeurs québécoises. Ainsi, la société doit s'ajuster aux différences culturelles et promouvoir le multiculturalisme, mais jusqu'où doit-elle aller ?

Par exemple, en novembre 2006, les fenêtres d'un YMCA de Montréal ont été « givrées » à la demande des juifs hassidiques vivant dans le quartier. Par ces fenêtres, on pouvait voir des femmes qui s'entraînaient en short, en leggings et en t-shirt, ce qui irritait certaines personnes de la communauté juive qui n'aimaient pas que leurs enfants voient des femmes en tenue de sport. Bien que cette communauté religieuse ait demandé un changement pour que ses valeurs soient respectées, et bien qu'un accommodement raisonnable soit par définition un assouplissement visant à assurer l'égalité des citoyens et le respect des différences culturelles, plusieurs s'entendent pour dire que nous vivons dans une société ouverte et libre, et qu'il n'est pas choquant pour la majorité des Québécois de voir une femme en tenue de sport. Cet accommodement irait donc à l'encontre de nos valeurs et de la liberté de la majorité des citoyens. Plusieurs autres débats ont été lancés, concernant principalement les demandes d'accommodements faites par des groupes ethniques minoritaires et religieux. Certes, nous devons promouvoir l'ouverture d'esprit et le respect des différences culturelles, mais les minorités ethniques et religieuses ont elles aussi un rôle à jouer et doivent s'adapter à la société québécoise dans laquelle elles ont décidé de vivre. Une commission de consultation a donc été mise sur pied par le gouvernement du Québec. Reste à voir s'il en découlera une façon de déterminer les limites de l'accommodement raisonnable et d'établir des critères un peu plus précis pour favoriser une meilleure entente entre les citoyens dans la société.

Sujets connexes : tolérance, religion

Acné

Salut Catherine,

J'ai un gros problème d'acné et je ne sais plus comment m'en débarrasser. Aide-moi !

Une fille désespéré

Ce n'est pas génial de se réveiller un matin et de découvrir un nouvel ami sur son visage…, mais rappelez-vous que ça arrive à tout le monde et qu'il existe des façons efficaces de s'en débarrasser !.

Définition :

L'acné est un problème de peau très répandu qui survient surtout durant l'adolescence et qui se manifeste par l'apparition de boutons.

L'acné n'est pas contagieuse, mais peut parfois être héréditaire. L'acné juvénile est principalement due à une surproduction de sébum (substance grasse sécrétée par les glandes sébacées) qui bloque les pores de la peau. L'acné touche beaucoup d'adolescents, mais la gravité varie d'une personne à l'autre. Si vous avez un bouton sur le nez, pas besoin de paniquer ou de courir chez le médecin, mais si votre visage, votre poitrine et votre dos sont recouverts de petits boutons rouges, il existe maintenant des solutions efficaces pour remédier à votre problème et pour prévenir l'apparition d'autres boutons

L'hygiène

Si vous vous maquillez, il est primordial d'utiliser du démaquillant pour débarrasser votre peau des impuretés pouvant causer des boutons, et de la réhydrater avec de la crème non grasse.

De plus, il est recommandé de vous laver le visage au moins une fois par jour. Il existe toutes sortes de savons adaptés à chaque type de peau. Si vous avez la peau grasse, utilisez un gel conçu à cet effet, et si vous avez la peau sèche, optez pour un savon qui puisse l'hydrater et la nourrir davantage. Lisez les étiquettes sur les flacons pour savoir si un savon convient ou non à votre type de peau, ou alors demandez l'avis du pharmacien qui pourra vous aider.

Vous pouvez également vous faire des masques faciaux que vous devez laisser durant plusieurs minutes sur votre visage afin de nourrir votre peau et de lui donner plus d'éclat.

Si vous voulez dissimuler vos boutons, n'appliquez pas trop de fond de teint, car celui-ci risque de les rendre au contraire plus apparents. Étendez une mince couche en utilisant une couleur qui s'apparente à votre teint, mais prenez soin de ne pas bloquer les pores de votre peau et de vous démaquiller avant de vous mettre au lit.

Traitements

SSi vous souffrez d'acné juvénile et que les traitements offerts en pharmacie ne suffisent pas pour remédier au problème, consultez un médecin ou un dermatologue qui pourra déterminer le type de votre peau et vous prescrire un traitement adéquat. Il est aujourd'hui facile de vaincre l'acné, que ce soit en appliquant une crème réparatrice ou en prenant des médicaments oraux. La pilule contraceptive ne doit pas être utilisée uniquement comme traitement antiacnéique, mais elle aide à prévenir la formation de boutons et peut contribuer à guérir l'acné légère ou modérée.

Pour vous aider

La consommation d'eau aide à garder une belle peau, puisqu'elle hydrate et revitalise tout votre corps. Il en est de même pour une alimentation saine. Bien que l'alimentation ne soit pas directement liée aux problèmes d'acné, certains aliments, comme les fruits et les légumes, contiennent des vitamines qui donnent plus de couleur et d'éclat à votre peau. Pour ce qui est du soleil, vous devez être très prudente : même si ses rayons procurent de la vitamine D à la peau, une surexposition accélérera son vieillissement et entraînera la formation de rides en plus d'augmenter les risques de cancer cutané. Appliquez toujours de la crème solaire sur votre visage avant de vous exposer au soleil.

Évitez aussi de toucher votre visage lorsque vous avez les mains sales, puisque vous risquez de contaminer votre peau avec des saletés qui provoqueront la formation de boutons. Lavez-vous toujours les mains avant de vous toucher le visage.

De façon générale, l'acné est un problème qui touche presque tous les adolescents à un certain stade de leur croissance. L'acné juvénile n'est pas une maladie de peau permanente, et si vous avez des boutons à 16 ans, n'allez surtout pas croire que vous aurez à les endurer pour le reste de votre vie. Si le problème s'aggrave, si les produits vendus en pharmacie ne donnent aucun résultat, ou si vos boutons vous obsèdent, n'hésitez pas à consulter un médecin qui vous prescrira le traitement antiacnéique qui vous conviendra le mieux. Prenez soin de votre peau et ne paniquez pas à la vue d'un bouton; il ne suffit parfois que de chercher le traitement adéquat pour remédier rapidement à la situation !

Sujets connexes : beauté, confiance

BONJOUR LES COMPLEXES DE FILLES !

Avec le recul, on se dit que tout était plus simple quand on était une enfant : pas de décisions trop importantes à prendre, pas de responsabilités à assumer, pas de remises en question et de bouleversements hormonaux… C'était la belle vie !

Puis, peu à peu, non seulement notre emploi du temps devient chargé, mais on commence aussi à se poser des questions et à se remettre en cause. Notre corps se transforme, on devient de plus en plus curieuse face au monde qui nous entoure, aux garçons et à notre sexualité, on fait plus attention à notre apparence et on développe des complexes de filles. Ça y est, on est adolescente. Cliché ? Pas du tout !

À l'adolescence, tout change. Notre corps se développe, notre caractère s'affine, et on se retrouve coincée entre la petite fille si simple qu'on était et la femme qu'on s'apprête à devenir. C'est une période à la fois merveilleuse et difficile. Merveilleuse parce qu'on devient sensible à ce qui nous entoure et parce qu'on ressent toutes sortes de nouvelles émotions.

On sent qu'on a la vie devant soi et que le monde nous appartient. On peut rêvasser et entreprendre toutes sortes de projets. C'est aussi l'époque des premières expériences, des montagnes russes émotives et des erreurs qu'on commet aujourd'hui et dont on rira dans 10 ans. C'est en même temps une période plutôt difficile parce qu'on ne se connaît pas encore tout à fait, qu'on est en train de former son caractère et qu'on se trouve soi-même un peu imprévisible. On a des doutes, des inquiétudes et des questionnements qu'on n'ose partager avec personne parce qu'on a peur d'être jugée et qu'on se sent un peu seule au monde. C'est aussi l'étape où on voit son corps se transformer sans pouvoir le contrôler. Les seins poussent, les hanches s'élargissent, les règles surviennent. On se sent hypersensible, on a souvent envie de pleurer sans raison et on ne comprend plus trop ce qui nous arrive. Nos cadets nous semblent complètement out et bien trop immatures, tandis que les adultes nous paraissent ennuyeux et incompréhensifs. On n'arrive même pas à concevoir que nos parents aient déjà été des adolescents, puisqu'ils semblent complètement dépassés par les événements et qu'ils ne savent plus du tout comment nous aborder.

La crise d'adolescence

Pourquoi les parents font-ils toujours allusion à la crise d'adolescence pour expliquer leur incompréhension ou pour excuser votre comportement ? Vous êtes triste ? C'est normal, c'est la crise d'adolescence ! Vous êtes irritée ? C'est normal, c'est la crise d'adolescence ! En plus, vous sentez que lorsqu'ils évoquent cette fameuse « crise », c'est avec un peu d'ironie dans la voix, comme s'ils se moquaient de vous ou qu'ils trouvaient votre comportement ridicule. Je sais que c'est facile de se sentir persécutée, mais rassurez-vous : vos parents ne savent probablement pas comment s'y prendre avec vous et ne comprennent plus la jeune fille que vous êtes devenue. Il est donc plus facile pour eux d'avoir recours au prétexte de la crise d'adolescence que de chercher à comprendre ce qui vous arrive. Quant à vous, soyez honnête : vous devez admettre que vous vous renfermez de plus en plus sur vous-même et qu'il devient de plus en plus difficile de vous aborder. Je sais qu'avec vos amis, vous n'êtes pas aussi abrupte et irritée qu'avec vos parents, mais vous devez comprendre pourquoi ils se sentent déroutés et ne savent plus trop par quel bout vous prendre.

Lorsqu'ils réagissent en « parents » et qu'ils vous taquinent sur la crise que vous traversez, je sais que vous avez envie de leur claquer la porte au nez et de les ignorer pour le reste de la journée. Sans être impolie, vous pouvez aller prendre l'air pour vous calmer et éviter les affrontements qui ne feront qu'envenimer la situation. C'est normal que vous vous sentiez incomprise ou frustrée par la situation, mais il vaut mieux essayer d'en discuter calmement, ou même d'être indifférente à leurs taquineries plutôt que de piquer une crise et, ainsi, de leur donner raison. Si vous vous sentez au bord de la crise de nerfs, appelez une amie ou discutez-en avec quelqu'un de l'extérieur pour vous défouler plutôt que de péter les plombs et de casser les meubles !

Il est vrai que l'adolescence est une période de grande insécurité et d'hypersensibilité, et les parents ont parfois tendance à oublier à quel point il est difficile de gérer ces émotions. Comme ils s'y prennent mal et que vous êtes de moins en moins tolérante, le résultat est souvent orageux.

Dites-vous toutefois que cette période sera vite passée. Vous deviendrez de plus en plus à l'aise dans votre corps et vous apprendrez à mieux maîtriser vos émotions. La communication est par ailleurs la clé du succès dans toute relation interpersonnelle. Donc, même s'il est difficile de discuter avec vos parents, démontrez-leur que vous êtes mature en leur expliquant clairement que vous n'êtes plus une petite fille, plutôt qu'en claquant la porte. Je vous garantis que vous obtiendrez de meilleurs résultats en vous exprimant de cette façon. Ils doivent aussi faire leur bout de chemin et apprendre à connaître et à respecter la femme que vous êtes en train de devenir. Si vous trouvez vraiment qu'il s'agit d'une période difficile, rappelez-vous que, dans quelques années, vous y repenserez avec nostalgie et que toutes les incertitudes qui vous assaillent s'éclairciront au fur et à mesure que votre caractère se formera. Toutes les filles traversent cette étape à un moment ou l'autre, alors consolez-vous en vous disant que vous êtes loin d'être seule au monde !

Sujets connexes : puberté, secondaire

Alcool

BOIRE AVEC MODÉRATION

C'est souvent à l'adolescence qu'on commence à consommer de l'alcool.

Bien qu'il soit interdit, au Québec, de vendre de l'alcool aux personnes âgées de moins de 18 ans, vous pouvez vous retrouver en présence de boissons alcoolisées durant les repas en famille, les fêtes entre amis ou même dans les discothèques. Il est normal d'être curieuse et de vouloir partager vos premières expériences avec vos amis, mais je dois tout de même vous informer des effets néfastes de l'alcool et vous dire à quel point il est important de boire avec modération.

Au Québec, plus de 8 personnes sur 10 consomment de l'alcool de façon régulière (source : educalcool.qc.ca). L'alcool contient de l'éthanol, une substance active qui a un effet dépresseur sur le cerveau. Lorsque vous buvez de l'alcool, il va tout droit dans votre sang. C'est la raison pour laquelle l'effet est très rapide : il entraîne une réduction du stress et des inhibitions. On se sent alors amortie, détendue et « prête à tout », et on peut enfin dire tout haut ce qu'on pense sans se censurer.

En fait, l'alcool décuple l'état dans lequel vous êtes au moment où vous en consommez. Si vous êtes triste ou bouleversée, il est fort probable que vous vous sentiez encore plus vulnérable après avoir bu de l'alcool et que vous perdiez un peu les pédales. Tout dépend évidemment de la quantité d'alcool que vous ingérez. Ce que vous devez savoir, c'est que bien qu'il puisse vous calmer et vous détendre, l'alcool a aussi un effet dépresseur sur le système nerveux, et il ralentit les fonctions cérébrales et modifie le jugement, les émotions et le comportement. Plus vous buvez, plus les effets se font sentir. (Source : Gouvernement du Canada)

Apprendre à boire

Je ne vous dis pas qu'il ne faut jamais consommer d'alcool ; je dis simplement que vous devez apprendre à boire de façon responsable et à être à l'écoute de votre corps pour savoir quand vous arrêter. Soyez aussi très prudente avec les boissons fortes, soit celles qui ont un taux d'alcool supérieur à 20 %, car les effets sont très puissants et font vite tourner la tête. Par ailleurs, il existe quelques règles d'or à suivre pour éviter d'avoir de mauvaises surprises :

Évitez de mélanger les types d'alcool lorsque vous buvez. Par exemple, ne faites pas alterner bière, vin et téquila, car je vous assure que vous le regretterez amèrement dans quelques heures.

Si vous commencez à avoir la nausée ou si vous avez la tête qui tourne, arrêtez immédiatement de boire de l'alcool et optez plutôt pour un grand verre d'eau.

Même si vous ne vous sentez pas si mal, buvez toujours de l'eau avant de vous coucher lorsque vous consommez de l'alcool. Ainsi, vous hydraterez votre corps, et la gueule de bois sera beaucoup moins pénible le lendemain.

Prenez l'habitude de boire un verre d'eau entre chaque consommation alcoolisée. Non seulement ça permet de s'hydrater, mais ça évite aussi de laisser l'alcool nous monter trop vite à la tête !

Si on vous dit que vous supportez mal l'alcool, c'est-à-dire que vous réagissez mal lorsque vous en consommez, évitez de boire ou faites-le avec modération. Tenez compte de ce que vous disent vos amis.

Ne buvez pas l'estomac vide.
Ne buvez pas trop vite.
Apprenez de vos erreurs !

Les premières expériences

Les premières expériences avec l'alcool sont parfois les plus pénibles. Comme on ne connaît pas encore ses limites et qu'on n'est pas habituée à en consommer, on boit parfois plus qu'on ne le devrait et on le regrette plus tard. Ainsi que je l'ai déjà mentionné, l'alcool diminue les inhibitions, ce qui fait qu'on se sent plus « forte » et plus disposée à faire ce dont on a envie. C'est souvent dans ces moments qu'on dit aux gens qu'on les aime, qu'on révèle des choses qu'on devrait taire et qu'on pleure sans raison. Bref, quand on dégrise, on a terriblement honte de ce qui s'est produit. Sachez d'abord que ça arrive à tout le monde de s'en vouloir d'avoir trop bu et d'avoir agi sous l'influence de l'alcool, alors si c'est votre cas, tâchez d'apprendre de votre erreur et de ne pas répéter l'expérience ! Si l'une de vos amies se met à déraper durant une fête, je vous conseille par ailleurs de vous montrer responsable et de l'encourager à arrêter de boire. Elle vous en sera reconnaissante par la suite.

La gueule de bois et les conséquences de l'alcool

Qui dit abus d'alcool dit gueule de bois. Si vous dépassez les limites et que vous avez trop bu, vous en subirez les conséquences le lendemain matin (ou même au cours de la nuit). Non seulement il est normal d'avoir la nausée, d'être étourdie, d'avoir mal au ventre et à la tête le lendemain d'une fête, mais il est fort probable que vous ressentiez les effets dépresseurs de l'alcool, c'est-à-dire que vous vous sentirez peut-être mal dans votre peau ou un peu déprimée. C'est pour cette raison qu'il faut boire de façon raisonnable; mieux vaut s'amuser et passer un bon moment en buvant modérément que de perdre le contrôle et de vivre une mauvaise expérience après avoir trop bu.

Sachez aussi que l'alcool peut vous pousser à faire des choses que vous ne feriez pas normalement et qui vont à l'encontre de vos valeurs et même de votre volonté. Vous devez donc rester très prudente lorsque vous consommez de l'alcool. N'allez pas trop loin avec un garçon si vous savez que vous n'êtes pas prête ; ne vous laissez pas convaincre de le suivre dans une chambre pour avoir plus d'intimité lorsque vous savez que vous n'êtes pas en pleine possession de vos moyens. Ne prenez jamais le volant lorsque vous avez bu, et ne montez pas dans un véhicule si le conducteur a consommé de l'alcool. Encouragez-le plutôt à prendre un taxi et à attendre d'avoir dégrisé pour venir récupérer sa voiture.

Les excès d'alcool ont toutes sortes d'effets néfastes sur la santé à long terme, tels que certaines maladies du foie et du cœur, le cancer, et peuvent créer une dépendance. S'il y a des cas d'alcoolisme dans votre famille, sachez par ailleurs que cette dépendance peut être héréditaire et que vous devez vous montrer doublement prudente dans votre consommation. Si vous jugez que vous buvez trop, ou que vous avez sans cesse envie de boire, je vous conseille de consulter un professionnel de la santé.

En conclusion, lorsque consommé avec modération et de façon responsable, l'alcool peut rendre agréable une soirée en famille ou entre amis, mais vous devez être consciente des dangers et des risques inhérents à une consommation abusive et rester à l'écoute de votre corps. Ne soyez pas trop dure envers vous-même si vous vivez une mauvaise expérience avec l'alcool. C'est souvent cette cuite de trop qui nous donne une leçon et qui nous fait boire de façon plus responsable par la suite. Dites-vous qu'avec le temps, vous apprendrez à mieux connaître vos limites et à contrôler votre consommation pour passer de bons moments entre amis sans lendemains trop pénibles !

 Sujet connexe : drogue

DÉSIR ARDENT DE QUELQUE CHOSE

« Désir ardent de réussite, d'honneur, de pouvoir. [...]
Désir ardent de quelque chose. »

(Source : Multidictionnaire de la langue française)

L'ambition est une force qui nous pousse à nous surpasser afin d'atteindre nos buts. C'est une sorte de voix intérieure qui nous guide, en fonction des exigences que nous nous imposons afin de réaliser nos rêves.

L'ambition nous incite donc à nous tracer un chemin dans le but d'atteindre les objectifs que nous nous sommes fixés, tant sur le plan professionnel (devenir médecin, chanteuse, actrice, etc.) que sur le plan personnel (s'acheter une voiture, vivre dans son propre appartement, tomber amoureuse, etc.). Comme l'ambition demeure une chose très personnelle, chacun de nous est le propre maître de ce qui nous guide dans la vie. L'important, c'est de rester fidèle à soi-même et attentive à ses propres besoins et objectifs sans toutefois blesser les autres. Ainsi, les gens « trop » ambitieux ont parfois tendance à éliminer tous les obstacles qui se dressent sur leur chemin, même si ceux-ci peuvent s'avérer constructifs. Prenons l'exemple de Julie qui veut à tout prix être admise en droit afin de devenir avocate. Son ambition la pousse à étudier avec acharnement et à tout faire pour atteindre ses objectifs professionnels au détriment de sa vie personnelle. Elle refuse d'avoir un amoureux ou de passer du temps avec ses amis pour éviter de se laisser distraire et de perdre de vue son but principal. Même si son ambition peut l'amener à réaliser son plus grand rêve, elle doit faire attention et chercher une sorte d'équilibre qui lui permettra de ne pas sacrifier toutes les autres sphères de sa vie.

L'adolescence est sans contredit l'étape de la vie où on peut se permettre de rêver et de se fixer des objectifs à long terme. Ceux-ci vous permettront souvent de passer au travers des moments difficiles et de garder votre calme

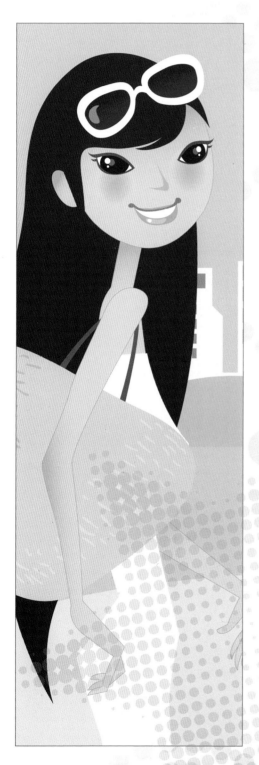

en songeant à vos rêves. Cependant, je vous préviens : avec les années, les rêves ont tendance à changer au même rythme que se définissent vos nouvelles priorités. Le caractère se forme de plus en plus, et lorsque nous entrons dans le monde « adulte », nous savons de plus en plus qui nous sommes et quels objectifs nous voulons atteindre. Bien que nos buts changent au fil des années, l'ambition et le feu intérieur qui nous poussent à nous surpasser demeurent souvent les mêmes, et il n'y a absolument rien de mal à se fixer différents objectifs et à changer de voie en cours de route. Au contraire, c'est ce qu'on appelle être à l'écoute de soi-même et être à la poursuite du bonheur.

Ainsi, lorsque plusieurs choix s'offrent à vous, prenez le temps de bien réfléchir. Faites une liste des avantages et des inconvénients pour chacun de ces choix, et établissez vos priorités. Les gens qui vous entourent et qui vous aiment vous connaissent bien et peuvent souvent vous donner un point de vue objectif, alors ne les négligez pas lorsque vous avez une décision à prendre. Dans le Québec d'aujourd'hui, les filles ont autant de possibilités que les garçons ; par conséquent, rappelez-vous que toutes les portes vous sont ouvertes. Essayez de lutter contre la peur et contre l'insécurité, et songez à ce que vous désirez plus que tout au monde. Je sais que vos rêves changeront sûrement au fil des années, mais il n'en demeure pas moins que ce sont eux qui vous stimuleront tout au long de votre vie.

Alors, foncez !

Sujets connexes : confiance, volonté

UNE DES CHOSES LES PLUS PRÉCIEUSES DANS LA VIE

Que serait la vie sans vos amies ? Après tout, ce sont elles qui vous font rire, qui vous connaissent le plus, qui peuvent vous dire vos quatre vérités sans vous blesser et avec qui vous faites les quatre cents coups.

À bien y penser, c'est avec vos amies que vous avez partagé certains des plus beaux moments de votre vie. Bref, la vraie amitié est l'une des choses les plus précieuses au monde !

Une véritable amie, c'est quelqu'un sur qui vous pouvez compter dans les moments difficiles, et en qui vous avez entièrement confiance. C'est une confidente et une grande complice qui vous connaît très bien et qui vous accepte telle que vous êtes. Tout ça semble fantastique, mais entretenir une amitié n'est pas aussi simple qu'on pourrait le croire. Comme toute relation interpersonnelle, l'amitié se bâtit peu à peu et ne doit jamais être négligée ni tenue pour acquise.

En effet, une vraie amitié doit être entretenue. Il ne faut pas croire que parce qu'on considère quelqu'un comme une amie, on n'a qu'à la saluer dans le corridor de l'école pour qu'elle sache qu'on tient à elle. Elle se sentirait alors comme une camarade de classe ou comme une simple connaissance. Il est tout aussi important de ne pas laisser tomber votre amie pour faire d'autres activités ou pour voir votre amoureux si vous aviez convenu de passer du temps avec elle. Quand on partage une vraie amitié, on doit pouvoir compter l'une sur l'autre et s'accorder du temps pour discuter, faire des activités qui nous plaisent et se confier l'une à l'autre. L'amitié doit être réciproque, car si vous pouvez toujours compter sur votre amie, mais que vous n'êtes jamais disponible pour elle, elle aura tôt fait de s'en offusquer et d'aller voir ailleurs, car elle ne se sentira pas importante à vos yeux. Il est également essentiel de ne pas trahir votre amie. Si elle vous fait une confidence ou vous parle de ses problèmes en toute intimité, n'allez pas crier ses secrets aux quatre coins de l'école, et ne la laissez pas tomber quand elle a besoin de vous. Une vraie amie doit être présente dans les bons comme dans les mauvais moments.

Une véritable amie est aussi quelqu'un qui n'a pas la langue dans sa poche lorsqu'il est question de vous dire vos quatre vérités. Sans vous vexer inutilement, elle vous connaît si bien qu'elle sait intervenir quand elle sent que vous dérapez ou quand vous avez tort. Elle se doit d'être honnête et de vous aider à progresser

dans la vie. Être franche, cela ne veut pas dire être méchante avec votre meilleure amie ou la blesser inutilement ; cela signifie plutôt que vous êtes capable de le lui dire lorsqu'elle a tort ou lorsqu'elle commet une erreur afin qu'elle puisse en prendre conscience et s'améliorer. Les amies sont effectivement là pour nous faire avancer et évoluer, donc si votre meilleure amie vous dit que vous êtes parfois trop entêtée, ne réagissez pas en vous mettant en colère et ne cherchez pas à rétorquer en lui parlant de ses propres défauts. Laissez tomber l'orgueil et tenez compte de ses commentaires pour devenir une meilleure personne. Rappelez-vous qu'elle vous connaît très bien, et qu'elle a sûrement raison. Alors, pourquoi ne pas tenir compte de ses réflexions afin de changer pour le mieux votre comportement ? Vous en sortirez grandie et vous vous sentirez encore plus proche de votre amie.

Salut Catherine,

Je connais ma best depuis plusieurs années, et ça commence à ne plus aller très bien entre nous deux. Je sens qu'on s'éloigne et qu'on ne veut plus faire les mêmes choses quand on est ensemble. Je tiens beaucoup à elle, et je ne veux pas la perdre, mais je crois que notre amitié est en train de changer. Est-ce normal ?

Anonyme

Se faire des amies ne se fait pas non plus en claquant des doigts. Certaines amitiés se développent facilement, puisqu'on a des tas de choses en commun, tandis que d'autres prennent plus de temps, au fur et à mesure que la confiance se développe. Quoi qu'il en soit, il s'agit d'un investissement qui en vaut grandement la peine. Il se peut aussi que vous vous fassiez de grandes amies au cours du primaire et du secondaire et que vous les perdiez de vue par la suite. Ce sont des choses qui arrivent lorsqu'on franchit une autre étape et qu'on ne suit pas la même route que ses amies. Il y a des filles qui resteront vos amies tout au long de votre vie,

d'autres qui s'éloigneront peu à peu et d'autres que vous connaîtrez plus loin en cours de route. Même s'il est triste de constater qu'on a un peu perdu une amie de vue, il faut se rappeler que l'amitié que vous avez partagée avec elle vous a fait beaucoup grandir durant une certaine période de votre vie et que vous lui en serez toujours reconnaissante. Bien que vous ne lui parliez plus tous les jours, c'est tout de même quelqu'un qui restera gravé dans votre mémoire et qui aura toujours une place dans votre cœur, et c'est cela qui est important.

Bref, les amies sont extrêmement précieuses, et vous devez faire tout ce qui est en votre pouvoir pour leur faire sentir qu'elles sont importantes à vos yeux. N'oubliez pas : peu importe ce qui se passe dans votre vie, qui que soit le garçon que vous fréquentez en ce moment, vous devez accorder du temps à vos amies et entretenir vos amitiés. Non seulement cela rendra vos relations plus fortes et plus solides, mais cela vous permettra aussi de conserver un bon équilibre dans votre vie. Vous avez besoin de vos amies autant qu'elles ont besoin de vous. Par conséquent, soyez disponible, loyale et honnête. Comme le dit l'adage, les amours passent mais les amitiés restent, alors aussi bien les chérir et profiter de la vie en compagnie de ses meilleures amies !

Sujet connexe : gang de fille

SENTIMENT UNIVERSEL

Que ferait-on sans amour ? En effet, il s'agit d'un sentiment universel extrêmement important qui régit souvent nos comportements. Il existe divers types d'amour : l'amour fraternel, l'amour amical, l'amour familial, l'amour pour son chien, pour ses biens matériels, pour son confort, l'amour pour la vie, l'amour pour soi-même et l'amour pour son petit ami

En règle générale, toutes les filles veulent être aimées, que ce soit de leurs amis, de leurs parents, de leur famille ou de leur copain. Il est très important d'apprendre à aimer les autres et à être aimée. On a souvent tendance à croire qu'il s'agit d'un sentiment acquis et qu'il est facile d'aimer, mais cela peut souvent nous jouer des tours. Par ailleurs, vous devez apprendre à vous faire aimer des autres et à jouir de ce sentiment. Quand on se sent aimée, on se sent forte et confiante. L'amour nous donne le sentiment d'être importante, désirée et choyée. Ce phénomène est aussi vrai avec ses amis et sa famille qu'avec un garçon.

Je sais que la plupart des filles rêvent de connaître le grand amour, alors s'il frappe à votre porte, vous devez l'accueillir et en profiter au maximum. Même quand ça fait mal, on ne regrette jamais d'aimer ou d'avoir aimé. C'est un sentiment d'une grande intensité qui nous fait sentir vivante et qui nous donne envie de sourire à la vie.

Salut Catherine,

Toutes mes amies ont déjà été amoureuses, et j'ai vraiment l'impression que ça ne m'arrivera jamais et que je repousse les gars. Est-ce qu'il y a des trucs pour attirer les gars et connaître l'amour ?

Anonyme

Ça ne m'arrivera jamais

Si vous n'avez pas encore connu l'amour, prenez votre mal en patience. On ne sait jamais quand l'amour nous tombera dessus. C'est souvent au moment où on s'y attend le moins. Il faut simplement y croire et être ouverte à cette éventualité. En attendant, vous avez des milliers de choses à faire et à découvrir, des moments précieux et uniques à partager avec les gens de votre entourage que vous aimez d'une autre façon. On ne peut pas décider de tomber amoureuse du jour au lendemain, et on ne choisit pas non plus qui on aime. Il arrive parfois qu'on tombe follement amoureuse d'un garçon plus vieux que nous qui fait craquer toutes les filles, mais qui ne

semble même pas remarquer notre existence. Plutôt que de pleurer sur votre sort, apprenez à apprivoiser le sentiment amoureux et à en profiter au maximum. D'accord, la situation n'est pas idéale, mais c'est quand même génial de sentir votre cœur qui s'emballe chaque fois que vous le voyez ! Vous savez que cet amour est impossible, mais c'est justement ce qui le rend encore plus charmant. Dites-vous que vous rencontrerez bientôt un garçon parfait pour vous avec qui vous pourrez partager toutes ces palpitations.

L'amour rend dingue

Il existe tellement de chansons d'amour, d'histoires d'amour, de poèmes d'amour… il y a de quoi se poser des questions sur le sujet. Que dire de tous ces dictons ? L'amour n'a pas d'âge, puisqu'on ne choisit pas de qui on tombe amoureuse. L'amour est aveugle, et on ne voit que lui. Ça nous rend un peu gaga, parfois même naïve, alors il faut apprendre à se former une petite carapace ou, du moins, à ne pas laisser les autres abuser de cette naïveté.

Coup de foudre

Le coup de foudre, c'est quand vous tombez amoureuse de quelqu'un dès la première fois où vous le voyez. Il vous suffit d'un regard pour tomber sous son charme. Est-ce que le vrai coup de foudre existe ? Bien sûr. Est-ce qu'il dure pour toujours ? C'est moins évident. Quand on a un coup de foudre, on aime l'autre sans trop le connaître. C'est une sorte de chimie entre deux personnes qui est plutôt inexplicable et magique, mais il faut se rappeler que personne n'est parfait et qu'à force de côtoyer quelqu'un, on découvre ses défauts et ses petits travers. C'est souvent quand on se rend compte que l'autre n'est pas parfait que le coup de foudre s'éteint. Il peut toutefois se transformer en véritable amour parce que vous réalisez alors que les défauts de l'autre le rendent humain, et que vous l'aimez en dépit de ses petites imperfections. Après tout, ce n'est pas comme

si vous étiez vous-même parfaite… et vous vous complétez si bien !

L'amour à distance

Je vous le dis tout de suite, ce n'est pas facile de maintenir une relation à distance. Vous et votre amoureux vivez des choses que vous ne pouvez pas partager, les doutes, l'insécurité et la jalousie s'installent, vous ne savez pas quand vous pourrez vous revoir, etc. Les gens vous cassent les oreilles en vous répétant « loin des yeux, loin du cœur », et vous commencez bientôt à perdre espoir. Avec l'école, les devoirs, le boulot et les parents qui ne sont pas toujours prêts à donner leur autorisation, comment ferez-vous pour revoir votre petit ami ? Il suffit parfois d'un peu de volonté, de patience et de confiance pour faire fonctionner une telle relation. Il faut aussi établir une bonne communication. Vous devez cependant voir les choses du bon côté : vivre un amour à distance vous permet de voir vos amies quand vous voulez, et vous n'avez pas à sacrifier vos activités pour être avec votre petit ami tous les jours. Courage ! Tout est possible en amour !

L'amour de soi

On ne le dira jamais assez : il faut d'abord apprendre à s'aimer soi-même pour mieux aimer les autres. S'aimer soi-même, c'est s'accepter telle que l'on est, et apprendre à apprécier ce qui nous définit si bien. Quand on s'aime, on a confiance en soi et on dégage une énergie qui attire inévitablement les autres vers nous. Ce n'est pas en changeant de coiffure que vous ferez tomber le garçon de vos rêves, c'est plutôt en montrant que vous savez ce que vous valez et en étant sûre de vous. C'est une question d'attitude et non d'apparence physique, alors il faut cesser de douter de vous et de vos capacités. Vous devez apprendre à accepter et apprécier vos défauts et votre corps sans vous laisser abattre par vos complexes. Vous êtes géniale et les gens gagnent à vous connaître !

Inversement, quand on aime, on se sent confiante. On se sent sûre de soi, complète et bien dans sa peau. C'est pour toutes ces raisons qu'il faut vous ouvrir à l'amour. Laissez tomber votre pudeur et n'ayez pas peur de prendre des risques, car c'est l'amour qui donne du sens à la vie.

Quand ça tourne mal

Si vous avez le cœur brisé et que vous ne croyez plus en l'amour, il faut vous laisser le temps de cicatriser et de reprendre confiance en vous. Avec le temps, la blessure guérira et vous serez prête à aimer à nouveau. Vous êtes encore jeune, et ça ne sert à rien de devenir aigrie ou défaitiste. Ce ne sont pas toutes les histoires d'amour qui se terminent mal. Vous devez croire en l'amour et apprendre à aimer sans compter, car on ne regrette jamais d'avoir aimé ; bien au contraire, ce sont souvent les souvenirs qui nous restent le plus longtemps et qui nous font sourire

tout au long de notre vie. Quand on aime ou qu'on a connu l'amour, on en veut toujours plus. Vous devez donc être heureuse d'avoir vécu cela et de vous être sentie aussi vivante. Si vous attendez toujours le grand amour, soyez patiente et gardez le sourire ! Songez aux gens qui vous entourent et qui vous aiment. Ce n'est pas rien. Apprenez aussi à aimer les autres, à offrir, à vous ouvrir et à sourire à la vie. Tôt ou tard, quelqu'un fera battre votre cœur, et ce sera à vous d'écrire votre petite histoire d'amour.

Sujet connexe : amoureuse

MOMENTS DE BONHEUR
D'UNE GRANDE INTENSITÉ

Nombreuses sont les filles qui m'écrivent parce qu'elles sont amoureuses et qu'elles ressentent une sorte de fébrilité inconnue qui les insécurise. D'autres me confient qu'elles aiment en silence et souffrent de ne pas oser déclarer leur amour au gars de leur rêve. Dans les deux cas, je leur réponds qu'il vaut mieux foncer et qu'en amour, qui ne risque rien n'a rien !

Quand on est amoureuse, il y a des symptômes qui ne trompent pas. On est dans la lune, on se sent légère, heureuse, au septième ciel. On vit des moments de bonheur d'une grande intensité et on ne se reconnaît plus. On se sent complète, épanouie, bien dans sa peau. Peu importe ce qui arrive, on ressent une légèreté et une joie de vivre qui surpassent tout le reste.

Bien sûr, tout n'est pas parfait quand on est amoureuse. On apprend à connaître l'autre et on découvre ses petits défauts. On apprend également à être plus généreuse, à faire des compromis, à marcher sur notre orgueil. On a aussi parfois des disputes qui nous mettent tout à l'envers et qui nous donnent envie de pleurer, et quand on n'est pas avec notre amoureux, on ressent un vide immense et on a l'impression que le temps passe très lentement. On se sent un peu dépendante et complètement parano. Rassurez-vous, ça fait partie de l'amour.

Chère Catherine,

Je suis amoureuse d'un gars qui sait à peine que j'existe. Je tremble chaque fois que je le vois, et je n'arrive plus à penser à autre chose qu'à lui. Qu'est-ce que je devrais faire ?

Catherine

L'important, c'est de vous efforcer de laisser tomber votre peur et vos incertitudes. Il faut vaincre votre angoisse et profiter pleinement de ce qui vous arrive. L'amour ne peut pas se contrôler et il a souvent tendance à nous

pousser aux extrêmes, alors il faut simplement assumer ce sentiment de vulnérabilité et apprendre à se laisser aller. L'inconnu nous fiche souvent la trouille, surtout lorsqu'il s'agit d'un sentiment d'une aussi grande intensité. Vous devez cependant apprendre à jouir de la vie et des imprévus qui se dressent devant vous plutôt que de vous refermer sur vous-même et de craindre le pire. Si vous ne vivez pas votre amour pleinement, vous risquez de le regretter amèrement, et même si vous vous faites mal en cours de route, dites-vous que cela fait partie de l'apprentissage. Une expérience amoureuse est pleine de rebondissements et d'imprévus. Quand on est amoureuse, on traverse des moments d'extrême bonheur et des moments de détresse incommensurable. Comme on se sent vulnérable, on devient hypersensible et un rien nous affecte. Dites-vous que c'est grâce à ces expériences que vous deviendrez plus forte et que vous apprendrez à vous connaître davantage. Par conséquent, n'ayez pas peur de foncer. Si vous faites face à un obstacle, il faut apprendre à le surmonter, et si vous connaissez un échec amoureux, il faut, à un moment donné, vous relever et continuer de foncer.

Si vous n'avez jamais été amoureuse, il faut prendre votre mal en patience, car l'amour frappera bientôt à votre porte. On ne sait jamais quand on tombera amoureuse. Certaines vivent le grand amour à 10 ans, d'autres à 16 ans, d'autres à 25 ans et d'autres encore à 50 ans. L'important, c'est d'ouvrir ses yeux et son cœur, et d'apprendre à aimer et à être aimée. Profitez de votre célibat pour passer du temps avec vos amies et pour vous impliquer dans toutes sortes d'activités qui vous feront découvrir des choses nouvelles et rencontrer de nouvelles personnes. N'allez pas croire que ça ne vous arrivera jamais, car c'est faux. L'important, c'est d'apprendre à vous apprécier, à vous connaître et à avoir confiance en vous, car ce sont là des qualités qui attirent les autres vers nous et qui nous font sentir encore plus désirables. Pour le reste, il suffit d'attendre : l'amour arrive souvent quand on s'y attend le moins.!

Sujets connexes : amour, garçons

LA LANGUE LA PLUS PARLÉE DANS LE MONDE

Tous les Québécois savent que le français est la langue officielle de la province, et nous en sommes tous très fiers. On est toutefois encouragé dès un très jeune âge à apprendre l'anglais.

On se fait casser les oreilles toute notre jeunesse sur l'importance de cette langue, et on est même parfois obligée d'aller dans des camps d'immersion ou des séjours linguistiques pour parfaire notre anglais. Pourquoi donc, si tous nos amis et les membres de notre famille parlent français ?

Tout d'abord, l'anglais est l'une des langues les plus parlées au monde. On la considère souvent comme une « langue internationale », ce qui veut dire que lorsqu'on voyage ou qu'on rencontre des gens d'un autre pays ou d'une autre culture qui parlent une langue différente de la nôtre, c'est souvent l'anglais qui est utilisé comme langue intermédiaire. Il s'agit également d'une langue communément employée dans les textes professionnels et dans les organisations mondiales et humanitaires. L'anglais est aussi la langue la plus utilisée sur Internet et celle qui est parlée dans la plupart des films qui passent sur nos petits écrans. Bref, je me dois de tenir le même discours que tes parents et professeurs : l'apprentissage de l'anglais est non seulement utile, mais il est devenu plutôt nécessaire au XXIe siècle. Lorsque tu entreras dans le monde adulte, tu seras de plus en plus confrontée à des situations où tu auras à comprendre ou à communiquer en anglais, que ce soit dans le milieu professionnel, personnel ou médiatique. La plupart des gens qui travaillent doivent lire des textes en anglais ou discuter avec des anglophones de temps à autre. De plus, si tu as la chance de voyager dans un pays étranger, l'anglais te permettra de communiquer avec les gens de pratiquement tous les continents de la terre. Au point de vue des arts, tu apprécieras de voir un film dans sa langue originale ou de lire du Shakespeare sans devoir te rabattre sur les traductions.

Au Québec, l'enseignement de l'anglais langue seconde est obligatoire au secondaire. Je n'ai pas besoin de te répéter que le Canada est un pays bilingue et que l'anglais est l'une des deux langues officielles. Par ailleurs, bien qu'il soit important de préserver notre langue maternelle, pourquoi

HELLO GIRLS!

le double du temps. Garde un dictionnaire à portée de la main pour chercher les mots que tu ne comprends pas. C'est de cette façon que tu développeras ton vocabulaire et assimileras de plus en plus les subtilités de la langue. Bref, il existe des milliers de façons d'apprendre l'anglais de façon amusante et agréable. Tu n'as qu'à l'inclure dans tes activités favorites et à faire un petit effort pour le pratiquer le plus souvent possible. Lorsque tu seras bilingue ou que tu pourras t'exprimer avec beaucoup de facilité, tu seras extrêmement reconnaissante et fière d'avoir appris une autre langue.

See you !

ne pas tirer profit de notre environnement et d'apprendre une deuxième langue ? Tu constateras que l'anglais est une langue beaucoup plus simple grammaticalement que le français, et qu'elle s'apprend généralement assez vite. Il est plus facile d'assimiler une langue et ses subtilités lorsqu'on est jeune, alors profites-en pour parfaire ton accent et acquérir plus de vocabulaire. Les gens de Montréal sont davantage portés à communiquer en anglais puisqu'il s'agit d'une métropole multiculturelle, et je sais que celles d'entre vous qui habitent en région ont moins la chance de pratiquer leur anglais. C'est pour cette raison que tu dois sauter sur toutes les occasions qui se présentent à toi pour apprendre l'anglais. Tu peux participer à des immersions ou à des échanges étudiants, écouter la télé en anglais ou pratiquer avec des gens de ton entourage qui maîtrisent bien la langue. Si tu loues un film américain ou une télésérie en anglais, je te conseille également de l'écouter dans la langue originale et de mettre des sous-titres en français ou en anglais pour te familiariser avec les termes et accroître ton vocabulaire. Tu peux aussi faire imprimer les chansons anglaises qui te plaisent le plus et fouiller dans le dictionnaire pour les traduire et comprendre leur sens exact. Lire est un autre moyen efficace de pratiquer et d'apprendre l'anglais, même si ça te prend

En 1977, le gouvernement de René Lévesque adopte la Charte de la langue française, communément appelée la « Loi 101 ». Le français devient alors la langue de la majorité et la seule langue officielle de l'État québécois et force les allophones à fréquenter des établissements scolaires francophones, faisant ainsi doubler leur intégration à la culture francophone. Aujourd'hui, un débat fait rage quant à l'application d'une loi qui obligerait les jeunes allophones à fréquenter un cégep francophone afin d'augmenter le nombre de gens optant pour le français comme langue courante.

 Sujets connexes : culture, français

SORTE DE MALAISE PHYSIQUE ET PSYCHIQUE

Il nous arrive toutes parfois de nous sentir accaparées par le stress et les inquiétudes du quotidien.

Notre tête tourne, on se pose des questions existentielles, on dort mal et hop, on entre dans l'univers de l'angoisse. On se sent alors en proie à une panique irrationnelle et incontrôlable sans pouvoir en déterminer la cause. On éprouve une sorte de malaise physique et psychique qui nous fait ressentir de l'inquiétude et de l'agitation.

C'est ce qu'on appelle l'angoisse. On peut avoir de petites crises d'angoisse plus isolées qui sont attribuables, par exemple, au stress, à un examen ou à une dispute avec une copine. On sent qu'on a l'estomac noué, le cœur qui palpite et les mains moites. On essaie de se calmer, mais c'est la panique, l'angoisse, et on ne parvient pas à se ressaisir et à rependre son sang-froid.

Certaines filles subissent des crises d'angoisse qui durent plusieurs jours, voire même plusieurs semaines, et elles ne savent pas quoi faire pour remédier à la situation. Physiquement, l'angoisse peut causer de l'insomnie, des troubles respiratoires, des palpitations, une sensation de vertige ou d'étourdissement, des picotements dans les jambes et dans les bras et une sensation continue de malaise. Le problème avec l'angoisse, c'est qu'on a souvent du mal à en déterminer la cause, ce qui nous fait paniquer davantage. Ce sentiment d'angoisse peut également perturber notre vie quotidienne, puisqu'il entraîne des problèmes de concentration, des blancs de mémoire et un épuisement général. Que faire pour s'en sortir ?

Tout d'abord, ne vous affolez pas. L'angoisse est un malaise très commun, particulièrement pendant l'adolescence. Vous êtes assaillie de doutes et d'incertitudes qui vous font paniquer, car vous êtes en période d'adaptation. Votre corps et votre personnalité sont en train de se développer, et vous ne savez pas encore tout à fait qui vous êtes ou ce que vous allez faire dans la vie. Vous ressentez une grande insécurité, et c'est tout à fait normal. Ne croyez surtout pas que vous soyez seule dans cette situation. L'adolescence est une période de votre vie qui est très angoissante, car tout se transforme et se bouscule autour de vous. Vous changez rapidement sans même avoir le temps de vous y faire, et vous devez prendre des décisions sans trop savoir quelle est la bonne. Vous sentez que vous devez assumer de plus en plus de responsabilités sans être certaine d'avoir assez de maturité pour les affronter. Vous êtes déchirée entre la petite fille que vous étiez et la femme que vous êtes en train de devenir… Pas étonnant que vous soyez angoissée !

Ne soyez pas trop dure envers vous-même. Même si vous n'arrivez pas à mettre le doigt sur la source de votre angoisse, il existe des façons de maîtriser votre panique et de rationaliser vos peurs. Si vous êtes capable de déterminer la cause de votre angoisse, je vous encourage à en parler et à prendre le taureau par les cornes ! Vous êtes stressée à cause d'un examen ? Étudiez et faites vos exercices, puis essayez de vous détendre en prenant un bain et en vous répétant que vous ferez de votre mieux et que tout ira bien. Rien ne sert de paniquer avant l'examen ; cela risque seulement d'empirer les choses et de vous faire perdre la boule au moment de votre évaluation. Il faut apprendre à surmonter vos peurs et vos inquiétudes, car le stress ne fait que rendre la tâche encore plus ardue. Vous pouvez aussi écrire dans votre journal intime pour exprimer ce que vous ressentez et vous défaire du poids qui vous serre la poitrine. Parlez de votre angoisse à vos parents ; ils sont souvent les mieux placés pour rationaliser vos craintes et pour vous réconforter. Je me rappelle que lorsque j'avais un examen au secondaire et que cela m'angoissait, ma mère n'avait qu'à me dire que tout allait bien se passer pour que je me sente un peu plus légère. Vous pouvez évidemment en discuter avec une amie ; quelle que soit la cause de votre angoisse, je suis certaine qu'elle pourra vous écouter et vous comprendre, puisqu'elle a certainement déjà traversé une épreuve semblable. Bref, il faut extérioriser son angoisse et « faire sortir le méchant », même si on ne sait pas exactement ce qui nous tracasse.

J'ai personnellement vécu des crises d'angoisse au cours de ma vie. Je me revois assise sur mon lit, soudain prise de panique et de vertige. Je sentais mon cœur battre à tout rompre, j'avais de la difficulté à respirer et je sentais même des picotements dans mon corps. Je n'arrivais pas à déterminer ce qui m'angoissait autant, mais je savais que quelque chose me tracassait au point de m'empêcher de dormir la nuit. J'en ai discuté avec des gens qui avaient déjà eu des crises similaires, et ce sont eux qui m'ont dit qu'il s'agissait de crises d'angoisse. Que

faire ? Premièrement, lorsque vous êtes prise de panique, vous devez accepter l'angoisse sans la laisser vous emporter davantage. Dites-vous par exemple que tout va bien aller, que ce n'est qu'une crise passagère et que vous n'avez aucune raison de paniquer de cette façon. Vous pouvez trouver des moyens pour vous changer les idées et vous détendre : prenez un bain chaud, faites une promenade, lisez un magazine ou téléphonez à une amie. Il faut vous efforcer d'en parler pour éviter d'accumuler davantage de stress et de tout garder à l'intérieur. Je vous recommande aussi fortement de faire des activités physiques ; cela vous permettra de vous défouler et de dépenser votre énergie de façon saine. Même si vous croyez que l'angoisse ne vous quittera jamais, répétez-vous que ce n'est qu'une attaque temporaire et que tout ira mieux dans quelques minutes !

Si la cause de votre angoisse est plus sérieuse, si elle est reliée à un traumatisme personnel, vous devez en parler à une personne en qui vous avez confiance, à un professionnel de la santé ou à un psychologue. Il n'y a aucune honte à être angoissée, et ce, quelle qu'en soit la cause. Je répète qu'avec tous les bouleversements physiques et émotifs que vous traversez à l'adolescence, il est normal de paniquer de temps à autre. Bien que certaines filles soient de nature plus agitées et plus angoissées que d'autres et doivent se concentrer davantage pour ne pas laisser l'anxiété les dominer, il arrive à tout le monde de paniquer et de perdre les pédales de temps à autre. Souvenez-vous simplement de prendre une grande respiration, de vous détendre et de vous répéter que tout ira mieux demain matin !

 Sujet connexe : cafard du dimanche

NOS AMIS LES CHIENS ET LES CHATS

Fidèles compagnons, les chiens et les chats nous aiment sans condition. Ils nous réconfortent lorsqu'on a du chagrin, nous tiennent compagnie quand on se sent seule et nous font sourire avec leur bonne humeur.

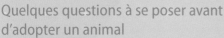

Collaboration spéciale de Sophie Gaillard

Quelques questions à se poser avant d'adopter un animal

La décision d'adopter un animal de compagnie ne se prend pas sur un coup de tête ! Il faut y réfléchir sérieusement, car s'occuper d'un chien ou d'un chat demande un investissement considérable de temps, d'énergie et d'argent. C'est un engagement à long terme, l'espérance de vie des chats étant de 20 ans et celle des chiens, de 15 ans.

Est-ce qu'on est assez souvent à la maison ?

Les chiens et les chats sont des animaux sociaux, c'est-à-dire qu'ils apprécient la compagnie humaine. S'ils passent trop de temps seuls, ils en souffrent. Ceci est particulièrement vrai pour les chiens, qui peuvent développer des problèmes de comportement (aboiement compulsif, destruction d'objets) quand on les laisse seuls trop souvent ou pendant de trop longues périodes. Il est donc important de déterminer combien d'heures par jour les membres de votre famille sont absents avant de décider d'adopter un chien. Un chien adulte peut rester seul environ sept heures par jour, tandis qu'un chiot ne peut être seul que durant le nombre d'heures correspondant à son âge en nombre de mois (par exemple, un chiot de deux mois ne peut rester seul que deux heures, un chiot de 6 mois, 6 heures, etc.). Si vous n'avez pas accès à un service de garderie ou de promenade et que vous êtes régulièrement absente pendant plus de sept heures par jour,

Catherine et son chat Gaston.

il vaut mieux s'abstenir d'adopter un chien. Les chats, pour leur part, ont également besoin de compagnie, mais peuvent tolérer des absences plus prolongées, surtout s'ils sont deux. Bien entendu, il faut également songer à qui s'occupera de votre animal lorsque vous partirez en vacances.

Ai-je assez de temps et d'énergie à lui consacrer ?

Les chats et les chiens ont non seulement besoin d'être en notre compagnie, mais ils ont également besoin d'attention, particulièrement les chiens. En effet, un chien doit être promené au minimum trois fois par jour, idéalement quatre (matin, midi, après-midi et soir). Mais attention, amener son chien au coin de la rue pour qu'il fasse ses besoins ou l'envoyer dans la cour quelques fois par jour n'est pas suffisant ! Au moins une des promenades quotidiennes devrait inclure une période d'exercice sans laisse, idéalement en compagnie d'autres chiens (au parc à chiens, par exemple). Ceci permet à l'animal de se défouler, de renifler de nouvelles odeurs et de socialiser avec ses congénères. Le jeu (lancer une balle, tirer une corde, etc.) constitue aussi une excellente façon de faire faire de l'exercice à son chien. Les chiens sont des animaux sociaux qui souffrent d'être séparés de leur « meute » humaine; il est donc déconseillé de faire vivre son chien à l'extérieur, que ce soit dans la cour ou enchaîné à une niche.

Malheureusement, les chiens ne viennent pas au monde en sachant qu'il ne faut pas faire pipi dans la maison, qu'il ne faut pas tirer sur sa laisse et que les mots « viens ici ! » veulent dire qu'il faut retourner vers sa maîtresse. C'est pourquoi, en plus d'exercice physique, tout chien a besoin d'une éducation de base. Ceci demande beaucoup de temps, d'énergie et, surtout, de patience. Des cours d'éducation canine peuvent vous guider dans le processus. Choisissez une école qui emploie des méthodes mettant l'accent sur le renforcement positif (c'est-à-dire les récompenses sous forme de biscuits, de caresses et de félicitations verbales) plutôt que sur la punition (« corrections » au collier étrangleur ou au collier électrique, par exemple). Il existe également une foule de renseignements dans des livres et sur Internet (voir la section « Ressources utiles » ci-dessous). Si votre famille n'a pas le temps ni l'énergie nécessaires pour éduquer le chien et ainsi prévenir les problèmes que pourrait occasionner ce manque d'éducation, le moment n'est peut-être pas encore venu d'intégrer un chien à votre famille.

Ai-je assez d'argent pour subvenir à ses besoins ?

Avant de décider d'adopter un chien ou un chat, il faut être certaine d'être en mesure d'assumer tous les frais que cela implique. En plus de la nourriture, il ne faut pas oublier les divers accessoires dont vous aurez besoin : bac à litière et litière (à racheter régulièrement), laisse, collier, brosse, jouets, cage, etc. Des visites régulières chez le vétérinaire sont également nécessaires afin de vérifier l'état de santé de l'animal et de lui donner ses rappels annuels de vaccins. À cela s'ajoutent les frais de stérilisation. Il faut également être capable de payer les frais vétérinaires d'urgence s'il arrive un imprévu.

Est-ce que toute la famille souhaite avoir un animal ?

Puisque l'animal de compagnie fera partie du quotidien de tous ceux avec qui vous habitez, il est important d'obtenir l'accord de tous les membres de votre famille avant de décider d'avoir un chien ou un chat. Il est également nécessaire de s'assurer que personne n'est allergique à l'animal. Si vous avez déjà des animaux à la maison, il faut songer à la manière dont ceux-ci réagiront au nouveau venu et vous attendre à ce que l'ajustement prenne un certain temps. Si vous êtes locataire, assurez-vous aussi que l'animal en question soit admis dans votre logement. Décidez à l'avance qui, dans la famille, sera en charge de nourrir le chien, de le promener, de le toiletter, de suivre les cours d'obéissance avec lui, etc. N'oubliez pas que ceci constitue un engagement à long terme et qu'un chien a besoin de se promener même quand il pleut, même quand vous préférez rester au chaud devant la télévision!

OK, c'est décidé, on veut un animal de compagnie !

Où trouver son compagnon à quatre pattes ?

Se procurer un animal de compagnie dans une animalerie n'est pas la meilleure solution. Aussi mignons soient-ils quand on les voit derrière la vitrine, les chiots à vendre dans les animaleries proviennent souvent d'« usines à chiots », c'est-à-dire d'élevages se spécialisant dans la production massive de chiens. Les chiens adultes servant à la reproduction y passent leur vie enfermés dans des cages insalubres ou attachés à des chaînes. Acheter un chiot dans une animalerie peut encourager ces pratiques cruelles, car, même si ça nous donne l'impression de « sauver » un chiot, il sera aussitôt remplacé par un autre. Nés dans des conditions misérables, issus de parents négligés, les chiots d'animalerie ont plus de chance de développer des problèmes de santé et de comportement. De plus, les employés des animaleries sont rarement en mesure de vous fournir les informations (tempérament du chiot, niveau d'énergie, etc.) qui vous permettront de prendre une décision éclairée. Sachez que les éleveurs sérieux ne vendent pas leurs animaux par le biais d'animaleries. Il est donc conseillé de bien s'informer au sujet de la provenance des animaux, et meme de visiter les chenils où ils sont nés.

Songez plutôt à adopter un animal abandonné. Des centaines de chats et de chiens sympathiques et en santé sont euthanasiés chaque année au Québec, faute de personnes prêtes à les accueillir. Rendez visite aux refuges près de chez vous pour voir les animaux qui y sont disponibles. Il existe également de plus en plus de petits groupes de secours animal qui, au lieu de garder les chiens abandonnés dans un refuge, les placent dans des familles d'accueil qui

s'en occupent temporairement en attendant qu'ils soient adoptés. Ces familles d'accueil connaissent très bien le caractère et les habitudes des animaux qui leur sont confiés, ce qui permet aux groupes de secours de créer un « match parfait » entre vous et votre futur compagnon à quatre pattes. Ce type de service est particulièrement utile quand il s'agit de choisir son premier animal de compagnie.

Si vous tenez absolument à acheter un animal chez un éleveur, assurez-vous qu'il s'agisse d'un éleveur sérieux qui se préoccupe de l'état de santé et du bien-être de ses animaux. L'éleveur sérieux ne se spécialise que dans une ou deux races, et ses animaux reproducteurs ne donnent naissance qu'à quelques portées par année. Il ou elle devrait accepter avec plaisir de vous faire visiter les lieux, qui doivent être propres et bien entretenus. Ses animaux devraient être en bonne santé, avoir un pelage, une peau, des dents et des yeux sains et avoir bon caractère. Afin de s'assurer que vous êtes en mesure de répondre aux besoins de l'animal qu'il s'apprête à vous vendre, l'éleveur sérieux vous posera une foule de questions. Lors de la vente, il ou elle devrait vous fournir – sans frais supplémentaires – un certificat d'enregistrement officiel du Club canin canadien (pour les chiens) ou du Club félin canadien (pour les chats) ; ce document certifie la race et l'identité des parents de l'animal. L'éleveur devrait également vous remettre un certificat de bonne santé et être en mesure de vous prouver qu'un dépistage de maladies génétiques a été effectué sur les parents de l'animal.

Comment le choisir ?

Une fois la décision prise d'avoir un animal de compagnie, prenez le temps de discuter avec tous les membres de votre famille pour identifier le type de chien ou de chat qui vous conviendrait le mieux. Pensez aux aspects physiques (taille, longueur et type de poil),

mais surtout au tempérament que vous souhaitez (niveau d'énergie, type de caractère, etc.). Si vous songez à un animal de race, renseignez-vous sur les besoins (en termes d'exercice physique, de toilettage, etc.) et sur les traits de caractère spécifiques à cette race. Pour ce qui est de l'âge de l'animal, la décision d'adopter un adulte ou un jeune dépend de votre disponibilité et de votre expérience, surtout en ce qui concerne les chiens. En effet, puisque les chiots ne peuvent pas être laissés seuls très longtemps et qu'ils ont tout à apprendre, ils exigent énormément de temps et d'énergie. S'il s'agit de votre premier chien, il est probablement plus sage d'opter pour un chien adulte avec un tempérament calme qui possède déjà une éducation de base. Vous seriez étonnée du nombre de chiens correspondant à ce profil qui sont présentement en attente d'une famille dans les refuges et groupes de secours du Québec !

ET SI MES PARENTS NE SONT PAS D'ACCORD ?

Prouvez-leur que vous êtes sérieuse

Nos parents refusent parfois de nous laisser avoir des animaux de compagnie parce qu'ils pensent que ce sont eux qui finiront par devoir s'en occuper, ce qui, soyons francs, est bien souvent le cas, car certains jeunes à qui on permet d'avoir un chien ou un chat finissent par s'en désintéresser après quelque temps.

Si vous êtes certaine de vouloir vous occuper de l'animal à long terme, prouvez à vos parents que vous êtes sérieuse et responsable. Engagez-vous à promener le chien du voisin tous les jours – par pluie ou par beau temps – pendant plusieurs mois. Économisez votre argent de poche afin d'être en mesure de payer les frais vétérinaires liés aux premiers vaccins et à la stérilisation de votre futur compagnon à quatre pattes. Proposez à vos parents de signer avec eux un contrat qui stipule que c'est bien vous qui êtes responsable de promener, de nourrir et de toiletter l'animal.

Faites du bénévolat

Il y a quantité d'animaux abandonnés dans les refuges à qui prodiguer votre affection en attendant de convaincre vos parents. Demandez au refuge du coin s'ils ont besoin de bénévoles pour promener les chiens, nettoyer les cages ou simplement donner de l'attention et des caresses aux animaux. Si quelqu'un de votre entourage a un animal de compagnie mais dispose de peu de temps pour s'en occuper, offrez-lui de promener son chien ou de tenir compagnie à son chat après l'école.

L'option famille d'accueil

Parfois, quand nos parents refusent que l'on ait un animal de compagnie, c'est parce qu'ils s'inquiètent avec raison de l'engagement à long terme que cela implique. Il est toutefois possible d'héberger et de soigner à court terme des chats et des chiens abandonnés. En effet, la plupart des refuges et des groupes de secours cherchent désespérément des familles d'accueil chez qui placer les animaux nécessiteux. Cette solution constitue une excellente manière pour les membres de votre famille de satisfaire leur désir d'avoir chien ou un chat tout en rendant service à un animal qui en a besoin.

Ressources utiles

www.petfinder.com
Moteur de recherche qui vous permet de localiser des chiens et des chats prêts à être adoptés, ainsi que les refuges et groupes de secours de votre région.

Note : le site est en anglais, mais les descriptions des animaux sont souvent disponibles en français.

www.ckc.ca/fr
Site du Club canin canadien.

www.clubfelincanadien.com
Site du Club félin canadien.

www.santeanimale.ca
Renseignements et conseils sur la santé animale offerts par les vétérinaires canadiens.

www.clickertraining.com
Site anglophone sur le clicker training, méthode d'éducation canine basée sur le renforcement positif.

http://pages.infinit.net/clicker
Site québécois sur le clicker training.

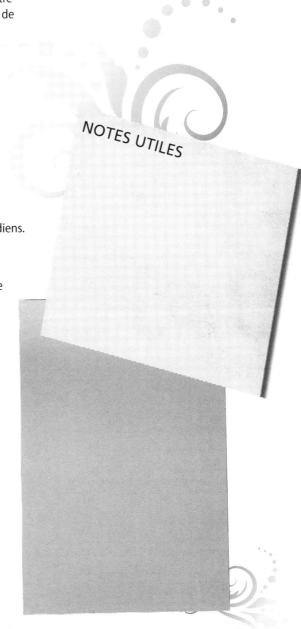

NOTES UTILES

 Sujet connexe : végétarisme

Anorexie

TROUBLE ALIMENTAIRE

Définition : « L'anorexie est un trouble alimentaire qui se caractérise surtout par des habitudes alimentaires anormales, par une peur incontrôlable de prendre du poids et par une immense préoccupation pour son image corporelle. »

(Source : http://www.anebquebec.com/html/ fr_troublesalimentaire.html)

Chère Catherine,

Je me sens grosse et mal dans ma peau. J'essaie de limiter ce que je mange, et mes parents sont très inquiets parce qu'ils ne me reconnaissent plus et se préoccupent pour ma santé. Je suis obsédée par mon poids.

Quoi faire ?

L'anorexie est causée par des facteurs mentaux, émotionnels, psychologiques et sociaux. Par exemple, les canons de beauté et l'idéal de minceur imposés par les vedettes d'Hollywood, dont les photos envahissent toutes les pages des magazines, influencent beaucoup de jeunes filles qui veulent à tout prix leur ressembler. De plus, une adolescente voit son corps se transformer et accepte plus au moins bien ces changements. C'est alors qu'apparaissent les complexes, la pudeur et une hantise de voir son corps prendre trop de formes et de devenir « grosse ». L'image corporelle devient dès lors une obsession. Les filles qui manquent de confiance en elles sont plus prédisposées à l'anorexie. Elles ont tendance à se comparer aux autres, à se trouver moches et à cesser de manger dans l'espoir de maigrir et même d'essayer de disparaître. Quoi qu'il en soit, l'anorexie est une maladie mentale qui touche plus de 8 % des filles âgées entre 15 et 25 ans au Québec. Cela signifie que, chaque année, plus de 65 000 femmes âgées entre 15 et 25 ans souffrent de troubles alimentaires. Au Canada, 90 % des anorexiques sont des filles, tandis que 10 % sont des garçons, et plus de 80 % des filles admettent avoir suivi un régime amaigrissant avant l'âge de 18 ans. Il est à noter que ces chiffres ne cessent d'augmenter au fil des années. (Source : http://www.amabilia.com/contenu/ societes/sec08_260e.html)

Dans les faits, l'anorexie résulte d'une obsession de la minceur et elle est caractérisée par un jeûne volontaire ou une baisse d'appétit qui peuvent entraîner de graves problèmes de santé, comme la sous-alimentation, et parfois même la mort.

Les anorexiques ont une image déformée de leur propre corps et sont hantées par la peur de grossir. Le jeûne volontaire, les vomissements et l'exercice physique pratiqué de façon excessive peuvent alors, entre autres, causer une importante perte de poids, des irrégularités dans le cycle menstruel, une sensation de fatigue générale et de l'insomnie. Au point de vue du comportement, une adolescente souffrant d'anorexie aura souvent tendance à s'isoler, à se renfermer sur elle-même, à se comparer sans cesse aux autres et à être obsédée par son image.

Si vous vous reconnaissez dans cette description, c'est que vous souffrez probablement de troubles alimentaires. Vous devez absolument en parler à quelqu'un en qui vous avez confiance. L'anorexie est avant tout une maladie mentale qui déforme la perception que vous avez de votre corps et qui nuit sensiblement à votre estime de vous-même ainsi qu'à votre santé psychologique et physique. Cela indique clairement que vous avez besoin d'aide, et vous ne devez pas avoir honte d'aller en chercher auprès de professionnels et de gens de votre entourage. Si vous remarquez que vos proches semblent inquiets à votre sujet, mais qu'ils ne savent pas trop comment se comporter, ne leur fermez pas la porte au nez. Même si vous n'en êtes pas consciente actuellement, ils agissent ainsi parce qu'ils vous aiment et qu'ils veulent votre bien. Si vous ne voulez pas parler de votre problème aux gens de votre entourage, allez consulter des professionnels de la santé, un médecin ou le psychologue de votre école par exemple. Croyez-moi, ils en ont vu d'autres ! Même si vous croyez avoir la maîtrise de votre malaise et de votre condition physique, rappelez-vous que vous ne vous percevez pas telle que vous êtes réellement et que votre jugement est faussé par un grand manque de confiance en vous. S'il s'agit d'un appel à l'aide, essayez de le faire comprendre aux autres et confiez-vous à une amie. Vous pouvez également lire pour mieux connaître ce problème, car l'anorexie est de plus en plus fréquente dans notre société, et il est aujourd'hui beaucoup plus facile d'obtenir de l'information à ce sujet et de tenter de trouver des solutions. Sachez toutefois que

le problème est principalement dans votre tête, et qu'il est d'abord et avant tout essentiel de reprendre confiance en vous et d'apprendre à vous accepter et à vous aimer telle que vous êtes.

Si vous remarquez qu'une de vos amies souffre d'anorexie, ou du moins qu'elle en présente tous les symptômes, tentez de lui en parler calmement. Il se peut très bien qu'elle nie le problème et qu'elle refuse de vous écouter. Faites-lui alors remarquer qu'elle a perdu énormément de poids et que son comportement a vraiment changé récemment. Si elle refuse toujours d'affronter la réalité, allez voir un médecin ou un psychologue qui saura vous donner des trucs pour intervenir auprès de votre amie. Vous aurez peut-être besoin du soutien de sa famille et de ses proches pour lui faire prendre conscience de son problème, mais surtout, n'abandonnez pas, car tant et aussi longtemps qu'elle ne reconnaîtra pas qu'elle a un problème, elle ne pourra reprendre confiance en elle et se sentir mieux. Vous pouvez aussi essayer de la pousser à manger, ou alors la persuader de se confier à vous. Quels sont ses complexes, ses inquiétudes et

son malaise ? L'anorexie est un appel à l'aide. Gardez en tête que votre amie n'est pas bien dans son corps, alors essayez de la mettre bien à l'aise et de la réconforter.

La boulimie

La boulimie est un autre trouble alimentaire se caractérisant par des fringales incontrôlables qui obligent le sujet à ingurgiter une grande quantité de nourriture sans pouvoir s'arrêter, et qui sont suivies par des comportements inappropriés visant à « remédier à la situation », tels que des vomissements répétés, des exercices physiques excessifs, la prise de laxatifs, etc. Il s'agit encore une fois d'un trouble causé par un manque d'estime de soi et par un rejet de son propre corps, et qui survient bien souvent en réaction à la forte pression sociale dont le corps féminin est l'objet, à la promotion de la minceur ou à un échec personnel.

Statistiques

De façon générale, les anorexiques perdre entre 25 et 40% de leur poids.

- Environ 5 % des anorexiques meurent à la suite d'une perte de poids importante.

- Lorsque l'anorexie devient chronique, l'hospitalisation est nécessaire et la personne atteinte par la maladie doit être nourrie par voie intraveineuse.

- Dans les cas graves, l'anorexie peut causer de l'épuisement, des troubles cardiaques et des troubles psychologiques graves comme l'anxiété et la dépression.

- Au Canada, 20% des personnes souffrant d'anorexie meurent de complications reliées à leur maladie ou commentent un suicide.

Source : Statistique Canada & Les troubles de l'alimentation par Santé Canada.

Conseils

Apprenez à aimer votre corps tel qu'il est et à accepter les changements qu'il subit. C'est tout à fait normal de devenir une femme et de se développer.

Ne vous comparez pas aux autres filles ni aux mannequins des magazines de mode. À chacune son corps et ses atouts. L'important, c'est d'avoir confiance en vous.

Si vous vous sentez mal dans votre peau et que vous avez des complexes, parlez-en à des gens de votre entourage et écrivez dans votre journal intime, mais ne gardez pas tout ce que vous ressentez à l'intérieur ; ça ne ferait qu'empirer les choses.

 Sujets connexes : confiance, secret

IMAGE EXTÉRIEURE OU LOOK

L'apparence est l'image extérieure que renvoie une personne. Cette image peut être influencée par la mode, ou encore par les gens qui font partie de l'entourage de cette personne.

Bref, il s'agit de votre look, de la façon dont vous vous habillez, coiffez et maquillez pour aller à l'école ou pour vaquer à vos occupations. Il y a des filles qui accordent beaucoup d'importance à leur apparence physique et qui peuvent passer des heures devant le miroir chaque matin pour se coiffer, se maquiller et choisir leurs vêtements, tandis que d'autres optent pour un look plus naturel et se fichent un peu plus de ce dont elles ont l'air et de ce que les autres pensent de leur apparence.

Peu importe où vous vous situez, sachez qu'il ne faut pas juger les gens en fonction de leur image extérieure. Ce n'est pas parce qu'une fille ne passe pas des heures à se préparer pour aller à l'école qu'elle est moche; ce n'est pas parce qu'une autre accorde beaucoup d'importance à son apparence qu'elle est superficielle. Chacune décide de l'importance qu'elle accorde à son apparence physique. Il appartient à chacune de trouver son propre équilibre.

Si vous vous fichez de ce que les gens pensent et que le look n'a aucune valeur pour vous, cela ne signifie pas, cependant, que vous deviez négliger votre hygiène personnelle pour autant. Par respect pour les autres et pour soi-même, il convient de se laver le corps et les cheveux, de se nettoyer et de se couper les ongles, de se coiffer le moindrement et d'avoir l'air propre, quel que soit le contexte.

Par ailleurs, passer le plus clair de son temps devant le miroir et ne penser qu'à son apparence n'est pas très sain non plus. La véritable identité d'une personne se cache à l'intérieur. Mieux vaut passer un peu plus de temps à discuter avec les autres et à apprendre à les connaître plutôt que de se concentrer uniquement sur sa propre image.

Sachez aussi qu'il est possible de vous amuser avec votre apparence, de jouer au caméléon selon le contexte dans lequel vous vous trouvez et selon votre humeur de la journée. Il y a des jours où vous avez envie de vous bichonner un peu plus, d'autres où votre image a un peu moins d'importance. Vous vous rendrez

compte que c'est génial de pouvoir changer de style tous les jours. Il y a moyen d'être extrêmement jolie tout en restant naturelle, de rester soi-même lorsqu'on se maquille, par exemple. Tout est une question d'attitude. Sachez que ce n'est pas votre look qui influence votre attitude et votre caractère, mais bien le contraire. Si vous êtes bien dans votre peau et que vous vous assumez telle que vous êtes, vous serez en mesure d'enfiler les tenues les plus originales et d'adopter tous les styles possibles en restant fidèle à vous-même et en vous inventant un look du tonnerre.

Enfin, apprenez à voir au-delà des apparences. À l'adolescence, les groupes se forment souvent en fonction du style vestimentaire et de l'apparence en général. Les filles qui se tiennent ensemble ont parfois tendance à s'habiller, à se coiffer ou à se maquiller de la même façon. N'hésitez cependant pas à sortir du moule et à nouer des liens avec les gens qui vous semblent différents de vous, car ils ont eux aussi beaucoup à offrir. Il faut cesser d'étiqueter et de juger les gens en fonction de leur look. Je sais que beaucoup de filles jugent les autres en fonction de leur apparence, mais il faut vous efforcer d'éviter de vous baser sur des critères aussi superficiels. En vieillissant, vous constaterez que vous préférez vous entourer de gens intègres avec lesquels vous avez des affinités et qui vous font sentir bien dans votre peau, plutôt qu'avec ceux dont l'apparence est semblable à la vôtre. Vous apprendrez peu à peu à vous accepter telle que vous êtes et votre propre style ne cessera d'évoluer, et ce, peu importe ce que les autres en pensent.

Il est vrai que la tâche n'est pas aussi simple au secondaire, mais rappelez-vous que chacune possède son propre style. Vous pouvez apprendre énormément de choses de ces différences. Assumez-vous telle que vous êtes et soyez bien dans votre peau, car c'est ce qui influence le plus votre façon d'être et votre apparence physique. Quand on a confiance en soi et qu'on a les yeux qui brillent, on est jolie et on dégage une assurance qui attire les autres, et ce, peu importe la façon dont on s'accoutre. Laissez tomber les clichés et les jugements. Soyez authentique et bien dans votre peau.

Sujets connexes : beauté, confiance

DES DOLLARD DIFFICILES À ÉCONOMISER !

Si vous décidez de travailler ou d'accomplir des tâches ménagères à la maison, il s'agit d'une bonne façon de commencer à amasser un peu d'argent de poche.

Je sais que les premiers dollars qu'on gagne sont ceux qui nous impressionnent le plus, et qu'ils sont difficiles à économiser ! C'est à vous de déterminer ce que vous voulez faire de votre argent de poche et quelles sont vos priorités.

Si, par exemple, vous rêvez de vous acheter une guitare, vous devrez faire un effort pour ne pas dépenser tous vos sous au fur et à mesure que vous les gagnez. C'est à cela que servent les comptes d'épargne. Si vous voulez économiser votre argent de poche, je vous recommande fortement de le déposer dans un compte en banque ; ainsi, vous ne serez pas tentée de le dépenser à tout instant. Il existe même des comptes d'épargne pour étudiants où vous ne pouvez pas avoir accès à votre argent depuis un guichet automatique. Je vous suggère d'appeler votre banque ou votre Caisse populaire pour prendre rendez-vous avec un conseiller qui pourra vous expliquer toutes les options disponibles. C'est à vous de déterminer si vous êtes de nature dépensière ou non. Si vous êtes certaine que vous ne pourrez résister à la tentation de dépenser votre argent de poche, soyez honnête et prenez les mesures nécessaires pour économiser vos sous et atteindre votre objectif. Lorsque vous pourrez enfin acheter l'article de vos rêves, vous serez doublement fière de vous. Je vous assure par ailleurs que les premiers objets et les premiers vêtements qu'on paie avec notre propre argent sont souvent les plus précieux, puisqu'on a travaillé très fort pour les obtenir. Vous pouvez aussi demander à vos parents de vous aider à faire un budget raisonnable qui vous permette de dépenser un peu de votre argent de poche tout en en économisant une partie pour parvenir à acheter ce à quoi vous rêvez.

Apprenez aussi à vous faire plaisir. Le fait de travailler et de gagner de l'argent de poche vous permettra justement de vous acheter une camisole ou une poutine sans demander constamment de l'argent à vos parents. Ces derniers seront par conséquent heureux de vous voir devenir plus autonome et apprendront à vous donner de plus en plus de liberté. S'ils voient que vous êtes sérieuse et que vous faites tout ce qui est en votre pouvoir pour amasser assez d'argent pour participer à une activité ou à un voyage étudiant qui vous intéresse, ils auront peut-être moins tendance à vous mettre des bâtons dans les roues et à vous refuser des permissions. Sachez que s'ils vous empêchent de participer à une activité, ce n'est pas simplement pour vous rendre la vie difficile, mais peut-être parce qu'ils jugent qu'il s'agit d'un projet trop dangereux et qu'ils veulent vous protéger. Je vous encourage à en discuter calmement avec eux afin de trouver un terrain d'entente et de leur prouver que vous êtes assez mature pour assumer les responsabilités qui en découlent. Amasser de l'argent de poche et gagner un petit salaire est un premier pas vers le monde adulte et vers l'indépendance. Par conséquent, si vous êtes vraiment sérieuse, il est important de montrer à vos parents votre motivation et d'apprendre à atteindre vos objectifs.

Un sentiment d'accomplissement

Par ailleurs, le fait de gagner votre propre argent de poche vous fera sentir autonome, mature et responsable. Bien que la tâche soit ardue et que la paresse nuise parfois à votre motivation, je vous assure que cette nouvelle autonomie aura une grande influence sur votre estime personnelle et sur votre confiance en vous. Vous devez apprendre à vous responsabiliser et à trouver un équilibre qui vous permette de profiter de cette nouvelle flexibilité financière sans dépasser les bornes et vos propres moyens ! Même si vous dépensez toute votre première paye et que vous le regrettez amèrement, ne soyez pas trop dure envers vous-même. Il n'est pas facile d'apprendre à gérer son argent et à respecter son budget pour la première fois. Apprenez plutôt de vos erreurs et dites-vous que vous ferez mieux la prochaine fois. N'ayez pas honte de demander de l'aide à des gens qui s'y connaissent ni d'admettre que vous avez de la difficulté à vous discipliner. Même les adultes ont parfois de la misère à économiser et doivent demander de l'aide à leur comptable. Soyez raisonnable, responsable et, surtout, profitez un peu de ces sous pour vous gâter et vous faire plaisir !

Sujet connexe : emploi à temps partiel

CROYANCE VERSUS ATHÉISME

Tu connais déjà certainement l'univers des religions. La foi est rattachée aux religions en ce sens qu'elle fait allusion à la croyance en l'existence incontournable d'un dieu ou d'un être supérieur ou surnaturel.

Les chrétiens qui ont la foi croient que Jésus de Nazareth est le Messie et le fils de Dieu envoyé sur terre pour prophétiser l'Ancien Testament, tandis que les islamistes croient en Allah et en l'unicité de Dieu. En d'autres mots, la croyance sous-entend la foi en une divinité et un être surnaturel, et ce, peu importe la religion.

À l'opposé, l'athéisme est une doctrine qui nie l'existence d'un dieu, d'une divinité ou d'un être supérieur. Bref, quand quelqu'un est athée, c'est qu'il ne croit en aucune divinité.

Il ne faut toutefois pas penser qu'une personne qui est non croyante ne peut croire en certaines valeurs et certains principes prônés par les religions et par l'Église. Par exemple, même si quelqu'un ne croit pas à l'existence d'un être divin, il peut tout de même croire en la solidarité, en l'amour et au respect et préconiser l'entraide et la paix dans le monde. Ce sont là des qualités humaines qu'il faut dissocier de la religion.

La laïcité

Quand on parle de laïcité, on fait allusion à la séparation entre l'état religieux et l'état civil. Le Québec a par ailleurs adopté une laïcité ouverte basée sur les mêmes principes que les accommodements raisonnables ; en d'autres mots, on veut assouplir certaines règles afin de respecter l'égalité de tous et la liberté d'expression dans les différences culturelles et religieuses. Par exemple, le port du hidjab est toléré dans les établissements scolaires publics, mais le gouvernement québécois a tout de même décidé de remplacer l'enseignement religieux catholique jusque-là offert dans les écoles publiques par un programme d'éthique et de culture multireligieux[1].

Agnosticisme

L'agnosticisme représente quant à lui une doctrine selon laquelle on ne peut reconnaître ni nier complètement l'existence d'un dieu. C'est une théorie basée sur le doute, tant et aussi longtemps qu'aucune explication scientifique ne peut confirmer ou infirmer l'existence divine. Les gens agnostiques croient donc qu'il sera peut-être un jour possible de déterminer ou non l'existence d'un dieu si nous obtenons les informations

---

1 http://www.mels.gouv.qc.ca/lancement/Prog_ethique_cult_reli/index.asp

nécessaires pour le savoir, tandis que d'autres croient que l'existence de Dieu ne pourra jamais être démentie ou confirmée et qu'ils resteront dans le doute.

Respect d'autrui

Que tu sois croyante, athée ou agnostique, tu devras apprendre à respecter les croyances des autres et écouter ce qu'ils ont à dire, même si ça te semble farfelu. Certaines personnes grandissent dans un cadre très religieux, et il est inconcevable pour elles de renier l'existence d'un dieu, tandis que d'autres naissent dans un contexte très athée, ne sont pas baptisées et ne croiront jamais en Dieu. Il ne faut pas généraliser et classer les gens en fonction de leurs croyances. Les différences d'opinions et de cultures peuvent nous faire grandir et nous ouvrir davantage l'esprit sur le reste du monde. L'important, c'est que tu sois en accord avec tes choix et que tu saches les assumer et t'exprimer tout en laissant les autres faire la même chose.

💚 Sujet connexe : religion, valeurs

UNE SAISON PARTICULIÈRE

L'automne au Québec est une saison très particulière, à la fois romantique, mélancolique et d'une beauté extraordinaire.

Les paysages multicolores font après tout partie de notre patrimoine. La plupart du temps, les Québécois ont droit à un redoux de quelques jours qui survient au cours de l'automne. La température redevient très douce et nous rappelle les journées d'été. C'est ce qu'on appelle l'été indien. Plusieurs profitent d'ailleurs de ces dernières journées de chaleur pour faire des activités extérieures, de la randonnée pédestre, un dernier pique-nique au parc ou même une excursion en camping !

L'automne est la saison parfaite pour faire des balades dans la nature. Les soirées peuvent parfois être un peu fraîches, mais il ne suffit que d'enfiler un gros chandail de laine et de sortir son foulard pour être vraiment confortable et pour profiter du paysage. Même si on se croit parfois un peu vieille pour cela, il n'y a pas d'âge pour jouer dans les feuilles mortes ! L'odeur vous rappellera votre enfance… Une autre activité propre à l'automne est la cueillette des pommes. On peut alors se rendre dans un verger et remplir des caisses de pommes pour en faire de la compote, des tartes ou de la confiture.

La fête de l'Halloween est également un événement marquant de l'automne. Les arbres ont souvent perdu la plupart de leurs feuilles, ce qui rend le décor encore plus terrifiant. Raison de plus pour enfiler votre plus beau costume et vous joindre à la fête ! Mieux vaut en profiter pendant que la température est assez chaude pour vous permettre de passer la soirée à l'extérieur en famille ou entre amis, à manger des bonbons !

Pour la plupart des adolescents, l'automne est aussi synonyme de rentrée scolaire. Je sais que ça peut vous donner le cafard, et que vous souhaiteriez que l'été ne se termine jamais, mais comme on ne peut pas arrêter le temps, mieux vaut voir les choses d'un œil positif. L'automne et la rentrée veulent aussi dire nouvelle année scolaire, nouveaux élèves, nouveaux profs et nouvelle garde-robe, alors pourquoi ne pas en profiter pour vous faire plaisir et vous gâter un peu ? Si vous avez travaillé au cours de l'été, vous avez sûrement économisé un peu d'argent qui vous permettra de faire quelques achats. Même les fournitures scolaires peuvent parfois être amusantes à acheter, alors soyez originale et tentez d'entamer l'automne avec une attitude positive !

Sujets connexes : été, printemps, hiver

QUE SERAIT LA SOCIÉTÉ SANS AUTORITÉ ?

Quand on parle d'autorité, on a souvent tendance à percevoir celle-ci d'un point de vue négatif. À l'adolescence, les figures d'autorité sont celles qui nous dictent la voie, qui nous imposent des règles et qui semblent bien souvent nous mettre des bâtons dans les roues.

Mais soyons honnêtes : que serait la société sans autorité ? Il ne faut donc pas la juger d'un œil trop sévère, car l'autorité existe pour nous permettre d'avancer et d'atteindre nos objectifs. C'est elle qui maintient l'ordre dans la société, dans la famille et à l'école, et ce, dans le but d'en assurer le meilleur fonctionnement possible.

À l'école, par exemple, les profs, les membres de la direction et les surveillants jouent un rôle autoritaire afin de vous permettre d'avancer dans votre cheminement scolaire et d'apprendre à vivre en groupe tout en respectant les autres. Ils sont là pour vous montrer la voie, non par la violence ni par l'imposition de sanctions injustes, mais simplement en appliquant des règles qui vous indiquent le droit chemin, vous obligent à respecter les autres et à faire ce que vous avez à faire. Vous ne fréquentez pas l'école pour sauter sur les tables; vous y allez pour apprendre. Le rôle de ceux qui y détiennent l'autorité est donc de s'assurer que tout le monde puisse atteindre cet objectif en agissant selon les règles.

Les parents, évidemment, représentent aussi une figure d'autorité. Légalement, leur devoir consiste à vous indiquer le droit chemin et à vous guider jusqu'à ce que vous soyez majeure et en mesure de vous débrouiller toute seule. C'est leur travail en tant que parents de vous imposer des règles et de vous indiquer ce qui est bon pour vous et ce qu'il vous faut éviter. Les parents ne sont pas parfaits et ils commettent parfois des erreurs, mais vous devez comprendre qu'ils agissent pour votre bien-être et pour votre bonheur. S'ils vous interdisent de faire la fête les jours de semaine ou vous demandent de terminer vos devoirs avant d'aller rejoindre vos amis, ce n'est pas parce qu'ils abusent de leur autorité. C'est plutôt parce qu'ils veulent vous apprendre à devenir responsable et vous montrer que, dans la vie, il faut respecter ses engagements et que, pour ce faire, des sacrifices sont parfois nécessaires pour parvenir à se surpasser et à se sentir fière de soi et bien dans sa peau. Vos parents sont là pour vous aider lorsque vous dérapez ou que vous perdez le contrôle, pour vous dicter la voie et pour vous venir en aide. Sans eux, vous seriez sans doute complètement perdue.

Dans la société, la police agit également à titre de figure d'autorité. Son rôle est de faire respecter les lois et de s'assurer que tout le monde puisse vivre en société en respectant les autres.

Les lois existent pour nous indiquer ce qu'il ne faut pas faire et pour permettre aux gens de vivre et de vaquer à leurs occupations en toute sécurité. Il est normal que quelqu'un qui commet un crime paie pour ses erreurs, et l'autorité est là pour s'assurer que tout se déroule dans le calme et dans le respect civil.

Quoi qu'il en soit, ce n'est pas tout le monde qui peut s'approprier l'autorité. Pour s'imposer comme figure d'autorité, on doit faire preuve de caractère et de leadership, c'est-à-dire encourager les autres à nous respecter et à suivre notre exemple pour évoluer dans la société et pour progresser dans la vie de façon saine et sécuritaire. Les figures d'autorité agissent pour pousser les gens à atteindre leurs objectifs et à faire leur travail dans le respect des règles, qu'il s'agisse de celles que nous dictent la loi, les institutions, les valeurs humaines, la morale, la bienséance, etc.

Certaines personnes ont parfois tendance à abuser de ce pouvoir en faisant du chantage, en imposant des sanctions injustes et en faisant preuve de favoritisme. Il faut alors chercher à dénoncer l'abus de pouvoir, car l'objectif de l'autorité est de nous permettre de vivre en toute égalité, dans la justice et le respect des autres. Détenir un certain pouvoir ne justifie en rien qu'on en abuse en rendant impossible la vie des gens.

Il vous faut donc respecter les règles et vous imposer des limites pour avancer, pour vous épanouir et pour vivre harmonieusement en société, pour vous faire respecter et pour revendiquer vos droits sans brimer ceux des autres. C'est ainsi que vous deviendrez une adulte responsable, à l'écoute des autres et capable de différencier le bien du mal.

Sujets connexes : punition, respect

Avortement

INTERRUPTION VOLONTAIRE DE GROSSESSE (IVG)

Définition : « Expulsion spontanée ou provoquée de l'embryon ou du fœtus avant la date de sa viabilité. »
(Source : Office québécois de la langue française – www.granddictionnaire.com

L'avortement est une interruption de la gestation, soit du procédé commençant avec la fécondation de l'ovule par le spermatozoïde et se poursuivant par la croissance du fœtus jusqu'à la naissance du bébé.

Il existe l'avortement médical, qui s'effectue par la prise de médicaments et qu'on peut envisager si la grossesse n'a pas dépassé neuf semaines. En général, on ne peut effectivement y avoir recours que durant les sept à neuf premières semaines d'une grossesse. Deux médicaments sont alors ingérés pour interrompre la grossesse : le mifépristone ou le méthotrexate, qui affaiblissent le lien entre le contenu de l'utérus et la paroi, et le misoprostol, qui fait contracter et saigner l'utérus et provoque l'expulsion du fœtus.

L'avortement chirurgical peut être effectué durant les 14 premières semaines d'une grossesse. Il s'agit d'une façon sûre et efficace d'interrompre une grossesse. On utilise généralement une technique appelée « aspiration à vide ». Cette technique consiste à introduire une pompe dans le col de l'utérus pour aspirer le contenu de ce dernier. L'intervention ne dure habituellement que de 15 à 20 minutes. Les réactions sont nombreuses face à la douleur ressentie au cours d'un tel avortement. Cependant, la plupart des femmes considèrent qu'il s'agit d'une sensation désagréable mais tolérable. Par ailleurs, lorsqu'on subit un avortement chirurgical, on peut en général reprendre ses activités dès le lendemain, en autant que les séquelles émotives et psychologiques laissées par cette interruption de grossesse le permet-

tent. En effet, celles-ci s'avèrent souvent plus graves que les séquelles physiques.

L'avortement est devenu légal en 1969 dans les hôpitaux du Québec, et la Cour suprême du Canada a confirmé sa légalité en 1988. Bien qu'il s'agisse aujourd'hui d'une intervention médicale fortement pratiquée dans la province (voir tableau), l'avortement demeure un sujet très controversé au sein de la société. Certaines personnes considèrent qu'il s'agit d'un geste égoïste et d'un crime contre la nature humaine, tandis que d'autres voient dans cet acte une façon d'exercer une liberté, une égalité et un droit longtemps recherchés par les femmes. Quoi qu'il en soit, la légalité de l'avortement au Québec et au Canada permet à chaque femme de prendre sa propre décision en tenant compte de ses valeurs, de ses options et de ses sentiments. Bien que l'avortement ne soit pas une situation désirable, il s'agit parfois d'une intervention nécessaire. Par conséquent, il revient à chacune de peser le pour et le contre et de prendre une décision qu'elle puisse entièrement assumer.

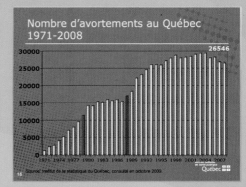

Source : Institut national de santé publique, 2008

Nombre d'avortements et de
naissances vivantes au Québec

Année	1994	2004	variation
Naissances vivantes	90 417	74 068	- 18%
Avortements	26 131	29 460	+ 13%
Taux d'avortement pour 100 naissances vivantes	28,9	39,8	+ 38%

Source : Institut de la statistique du Québec, 2006.

Source : Institut national de santé publique, 2008

Si vous décidez de vous faire avorter, il est avant tout essentiel de consulter un médecin qui puisse vous examiner pour déterminer combien de semaines de grossesse se sont déjà écoulées et ainsi décider quelle intervention est la plus appropriée dans votre cas. Au Québec, l'âge légal pour la confidentialité du dossier médical est de 14 ans : si vous avez atteint ou dépassé cet âge, votre médecin sera tenu de ne pas répéter ce que vous lui confierez, et la décision d'en parler ou non à votre entourage vous reviendra.

Rappelez-vous qu'au Québec, les avortements sont généralement pratiqués entre la sixième et la quatorzième semaine de la grossesse. Vous pouvez téléphoner à un CLSC, à un hôpital ou à une clinique privée pour prendre un rendez-vous. Vous devez cependant prévoir que l'attente sera plus longue dans les endroits où les services sont gratuits que dans les cliniques privées, où on vous demandera de payer une partie des coûts. Vous devrez normalement consulter deux fois le médecin au cours du processus ; tout d'abord pour subir un examen gynécologique, et ensuite pour l'avortement en tant que tel. La plupart des médecins vous inviteront également à revenir quelques semaines après l'intervention chirurgicale pour s'assurer que tout se passe bien. Il est fortement recommandé de se présenter à ce dernier rendez-vous.

À l'adolescence, la venue d'un bébé ou l'interruption d'une grossesse peuvent tous deux transformer votre vie. Il est donc important de bien réfléchir à ce que vous voulez faire avant de prendre votre décision finale. Sachez que des conseillers, des infirmiers, des psychologues ou même les gens de votre entourage sont là pour vous écouter et vous conseiller si vous en avez besoin. Cette décision étant extrêmement marquante et importante, il est recommandé de ne pas refouler vos senti-

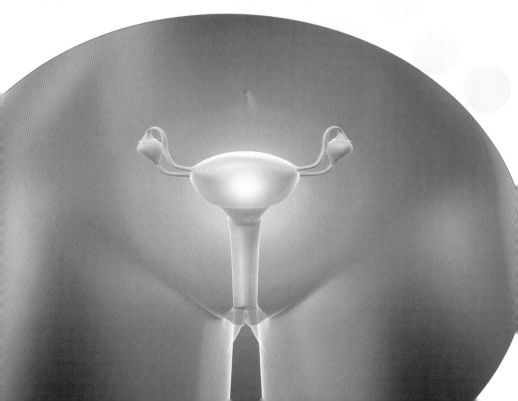

ments, mais plutôt d'en parler avec des gens de confiance. Si vous décidez de vous faire avorter, il est tout aussi recommandé de consulter un médecin ou de parler à quelqu'un après l'avortement pour exprimer ce que vous ressentez, et pour bien vous informer au sujet de la contraception afin d'éviter qu'une telle situation se reproduise. L'avortement est parfois la solution qui convient le mieux à une situation, mais il ne doit en aucun cas être considéré comme une méthode de contraception.

Quoi qu'il en soit, ne laissez pas le jugement des autres influencer votre décision. Après tout, c'est vous qui devrez en subir les conséquences par la suite. Il est d'ailleurs préférable de ne vous confier en premier lieu qu'à des gens de votre entourage en qui vous avez confiance pour éviter les réactions et commentaires mesquins des autres. L'avortement est un choix basé sur des principes, des valeurs, des responsabilités et des sentiments très personnels, et la prise de décision ainsi que la convalescence psychologique et émotive peuvent parfois être longues. N'hésitez donc surtout pas à consulter un professionnel en toute confidentialité si cela peut vous aider.

CONSEILS :

L'avortement est un sujet délicat et controversé. Soyez donc diplomate lorsqu'une discussion est lancée sur le sujet. Certaines filles peuvent être très sensibles, tandis que d'autres qui ont vécu une telle expérience ne désirent en aucun cas se sentir jugées par les autres.

Si vous choisissez de vous faire avorter et que vous assumez votre décision, il pourrait être bon de partager votre expérience avec d'autres filles qui vivent ou ont déjà vécu la même expérience. Le réconfort est souvent le meilleur remède dans une telle situation.

Après un avortement, tentez d'éviter de vous refermer sur vous-même et d'assumer seule le sentiment de perte. Il est normal de se sentir vide, abandonnée et coupable. Parlez-en à des gens de confiance ou alors écrivez dans un journal intime pour ne pas vous laisser submerger par la douleur. C'est un moment difficile à passer, mais sachez que vous n'êtes pas seule dans votre situation, et que plusieurs personnes ne demandent pas mieux que de vous aider si vous leur faites signe.

Sujets connexes : contraception, première fois, grosesse

Que vous soyez en 6e année du primaire ou en secondaire 5, il se peut très bien que vous ayez à vous préparer pour votre bal des finissants cette année.

Même si vous faites semblant que ça ne vous affecte pas et que vous jouez la nonchalante, la plupart des filles stressent quand même en vue de leur bal ! Certaines ont aussi la possibilité d'assister tous les ans à un bal de fin d'année, ou alors d'être invitées à un bal par quelqu'un d'autre. Quoi qu'il en soit, on veut souvent être à son meilleur lorsqu'arrive le grand soir, et je suis là pour vous aider à y arriver !

Le gars : si votre bal approche et que vous n'avez toujours pas de partenaire avec qui partager cette importante soirée, qu'à cela ne tienne ! Rien ne vous empêche de demander au gars qui vous intéresse ou à votre meilleur ami de vous accompagner ! Qu'avez-vous à perdre ? Dans le pire des cas, vos prospects sont déjà « pris » pour la soirée, et vous irez au bal en compagnie de vos amies ! Vous aurez autant de plaisir, et encore moins de pression qui pèse sur vous ! Pensez que c'est VOTRE soirée, alors mieux vaut être en agréable compagnie !

La robe : certaines filles optent pour une robe faite sur mesure, puisqu'elles ont une idée précise de ce qu'elles veulent et sont capables de l'expliquer clairement à la couturière, tandis que d'autres préfèrent magasiner et attendre le coup de foudre ! C'est un peu comme une robe de mariage : quand on trouve la bonne, on le sait ! L'important, c'est de choisir une robe dans laquelle vous vous sentez confortable et jolie. Choisissez une couleur qui vous va bien et un modèle qui met en valeur vos attributs. Même si ça sonne un peu quétaine, vous avez le droit de vous sentir comme une princesse… le bal des finissants, ça n'arrive qu'une fois dans une vie !

Le maquillage : encore une fois, ça dépend vraiment des filles. Certaines optent pour un look plus naturel, tandis que d'autres préfèrent y aller à fond ! Choisissez des tons qui complémentent votre visage et votre tenue vestimentaire. Si vous êtes, comme moi, un peu étrangère au maquillage, n'hésitez pas à demander à vos amies de vous aider : après tout, c'est vraiment génial de se préparer ensemble pendant la journée et de se donner des conseils de beauté. Une vraie journée de filles ! Sachez aussi qu'il est possible de prendre rendez-vous avec un maquilleur ou une maquilleuse professionnelle qui pourra vous pomponner à votre goût pour le grand jour.

La coiffure : nombreuses sont les filles qui prennent rendez-vous chez le coiffeur en vue du jour J. Le mieux est parfois d'avoir une idée précise de ce que vous voulez comme coiffure et de l'expliquer clairement au coiffeur pour éviter les mauvaises surprises. Songez à l'agencement que vous préférez avec votre robe en l'essayant préalablement devant le miroir. Si vous voulez être bien certaine d'obtenir le résultat désiré, vous pouvez montrer une photographie de ce que vous voulez à votre coiffeur pour qu'il ait une meilleure idée de votre coiffure et lui dire très clairement si vous n'êtes pas complètement satisfaite du résultat obtenu. Si vous lui expliquez gentiment, il se fera un plaisir de faire les retouches nécessaires pour compléter votre look !

Les accessoires : je crois qu'il est préférable de choisir votre robe en premier, puis de sélectionner des accessoires (bijoux, sac à main, chaussures) qui s'agencent bien avec elle. Ce n'est pas nécessaire de dépenser une fortune ! Plusieurs boutiques vous offriront de véritables aubaines (pensez à Ardène, Le Garage, Forever XXI) !

Prenez votre temps : vous pouvez vous y mettre plusieurs semaines ou mois à l'avance pour vous préparer en vue de votre bal. Il ne suffit parfois que de feuilleter des magazines, de naviguer sur Internet ou de faire un peu de lèche-vitrine pour dénicher la perle rare ! On s'entend que ce n'est pas mortel de passer des heures à magasiner ! Si vous vous y prenez à l'avance, vous serez moins stressée lors du grand jour et vous pourrez davantage profiter de cette occasion spéciale.

Amusez-vous, mais soyez responsable : ça y est, le grand jour est arrivé ! Vous avez toutes les raisons de rire, de vous amuser et de célébrer vos accomplissements, mais ça ne veut pas dire qu'il faut boire de façon démesurée et dépasser vos limites personnelles pour avoir du plaisir. L'important, c'est d'être avec vos meilleurs amis, de passer une agréable soirée et de ne rien faire que vous risquez de regretter le lendemain matin. ;) Bon bal !

Le bal d'Aurélie

Cet automne, des milliers de lectrices d'India Desjardins auront également la chance d'assister au grand bal des finissants d'Aurélie Laflamme, lequel marquera la conclusion de cette série culte à grand succès. Dans « Les pieds sur terre », Aurélie Laflamme devra aussi affronter toutes sortes de situations cocasses et embarrassantes alors qu'elle entame la fin de son secondaire et qu'elle se questionne beaucoup sur son avenir. Avec qui ira-t-elle à son fameux bal ? Quelle tournure prendra la fin de cette année pleine de rebondissements ? On peut aussi s'attendre à des histoires d'amour et, bien sûr, à des loups-garous et des vampires. Ah non, ça, c'est dans une autre série de livres, désolée !

* Merci à India pour le petit avant-goût du tome 8 !

💚 Sujets connexes : Secondaire, amitié, amour

Beauté

La beauté est un concept plutôt abstrait et complètement subjectif. En effet, chacun possède sa propre perception de ce qui est beau et de ce qui ne l'est pas.

Dans notre société, on a tendance à établir des critères de beauté physique auxquels il faut se conformer pour être belle, mais ne vous laissez pas prendre au piège : la beauté est une notion propre à chaque individu, puisqu'elle dépend des goûts de chacun, alors il n'existe pas de définition précise de ce qui est considéré comme beau, ni des attributs physiques que vous devez posséder pour être belle. Certaines cultures valorisent davantage les femmes pulpeuses ; d'autres, celles qui sont très maigres. Certains garçons raffolent des blondes ; d'autres, des brunettes. Certains mannequins sont choisis pour leur silhouette ; d'autres, pour leur regard mystérieux. Bref, tout est relatif.

En fait, vous devez toujours vous rappeler que la vraie beauté provient de l'intérieur. Je sais que ça sonne comme un cliché, mais ce sont l'assurance, la confiance et la pureté que vous dégagez qui vous rendent belle. La beauté, c'est un peu comme le reflet de l'âme. Même si une fille possède des traits délicats et un visage d'ange, si elle ne dégage rien, on aura de la difficulté à la trouver belle. La beauté physique est souvent reliée à notre charme et à la simplicité avec laquelle on l'exprime. Ne vous basez pas sur les critères de beauté hollywoodiens pour juger si vous êtes jolie ou non. Il existe toutes sortes de beautés différentes, et l'important, c'est que vous vous sentiez bien dans votre peau et que vous soyez capable de montrer cette assurance et ce bien-être aux gens qui vous entourent. Lorsque vous avez le regard lumineux et le sourire aux lèvres, les gens vous trouvent belle. De plus, au lieu de vous fier à la perception que certaines personnes ont de la beauté, apprenez à vous sentir belle et à vous regarder dans la glace sans grimacer. Nous avons toutes nos petits complexes, mais chacune possède des traits particuliers et une beauté intérieure dans laquelle elle doit aller puiser pour se sentir encore plus radieuse.

En conclusion, n'oubliez jamais que c'est dans votre cœur que se trouve votre véritable beauté. Vous devez apprendre à exprimer cette pureté et à vous sentir bien dans votre peau. Que vous ayez les cheveux blonds, bruns, frisés ou raides, que vous soyez maigre ou grassouillette, grande ou petite, je vous assure que cela n'a aucune importance, puisque c'est l'éclat de votre âme qui reflète votre beauté. Rappelez-vous ces mots de Victor Hugo : « Aucune grâce extérieure n'est complète si la beauté intérieure ne la vivifie. La beauté de l'âme se répand comme une lumière mystérieuse sur la beauté du corps. » Bref, ne vous fiez pas aux apparences, car peu importe à quoi vous ressemblez, c'est votre pureté intérieure qui vous rend belle, alors ayez confiance en vous !

 Sujet connexe : cheveux

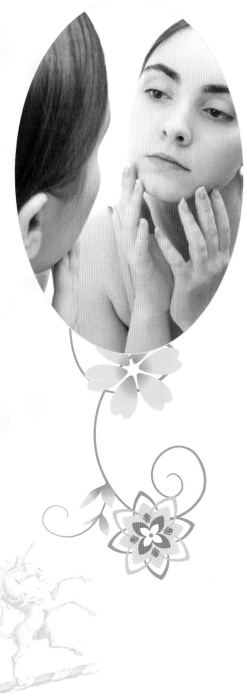

DONNER AUX AUTRES

Ensemble des activités, conduites par dès individus ou des groupes, sans obligation et sans rémunération.

Source : http://www.granddictionnaire.com/btml/fra/r_motclef/index800_1.asp)

Être bénévole, c'est offrir une partie de son temps et de son énergie sans être payé en retour. C'est faire preuve d'une grande générosité, et faire sa part dans la société de façon altruiste en aidant les gens ou les organismes qui en ont besoin.

Il existe différents secteurs dans lesquels vous pouvez faire du bénévolat. Vous pouvez par exemple travailler dans un centre de santé, aider les jeunes dans le besoin, les personnes âgées, les enfants orphelins, les démunis, les malades, etc. Sachez que les possibilités sont illimitées et que, peu importe celle que vous choisirez, votre aide sera grandement appréciée.

De grands organismes, voués à aider des clientèles dans le besoin, embauchent des professionnels en plus de solliciter l'aide de bénévoles. De plus petites organisations, pour leur part, fonctionnent uniquement grâce à la contribution de volontaires. Vous pouvez ainsi offrir vos services pour amasser des dons, des vêtements ou de la nourriture, ou encore pour faire du porte-à-porte afin d'aider à financer l'organisme dont la cause vous tient le plus à cœur. Certaines écoles encouragent d'ailleurs fortement les élèves à s'engager comme bénévoles au sein de la société, tandis que d'autres exigent carrément qu'ils le fassent, imposant le bénévolat comme une façon d'obtenir des crédits scolaires. Même si cela peut vous sembler exagéré et que cela vous embête de consacrer autant d'heures à une telle activité, dites-vous bien qu'à long terme, vous serez heureuse d'avoir contribué, d'une façon ou d'une autre, à aider les gens dans le besoin, et rappelez-vous qu'une expérience

de bénévolat est un grand atout sur le plan professionnel et que cela fait bonne impression dans un curriculum vitæ.

Exemples d'endroits où vous pouvez vous adresser pour offrir vos services :
- Centraide
- Hôpitaux
- Fondation québécoise en environnement
- Foyers pour personnes âgées
- Mouvement scout
- Téléthons
- Collecte pour les paniers de Noël
- Croix-Rouge

Rêver de l'étranger

Si vous désirez aller travailler comme bénévole à l'étranger, sachez qu'il faut bien vous renseigner avant de prendre une décision : plusieurs organismes refusent la candidature de mineurs, ou alors n'acceptent de les engager que sous diverses conditions, comme l'accompagnement d'un adulte. De plus, le fait de séjourner dans un pays étranger comporte des risques et des dangers dont vous devez être consciente. Cela exige également beaucoup de préparation. Aussi, je vous encourage à bien vous informer auprès des organismes en question (par exemple : Croix-Rouge, Jeunesse Canada Monde, CECI, YMCA, Student Volunteer Program, Oxfam Québec, Carrefour Canadien International, Conseil canadien pour la coopération internationale, etc.).

Pourquoi devenir bénévole ?

Plusieurs raisons peuvent vous pousser à travailler bénévolement au sein d'un organisme ou de la société. Vous pouvez le faire par obligation, par altruisme, pour découvrir et apprendre de nouvelles choses, pour vous ouvrir l'esprit et acquérir une plus grande conscience sociale ou pour des raisons plus personnelles (aider des proches dans le besoin, soutenir une cause qui vous est chère,

travailler dans un domaine qui vous intéresse, prendre de l'expérience, etc.). Il s'agit donc d'un choix personnel. Quelles que soient vos raisons, sachez que vous ne regretterez pas cette expérience. Il se peut que vous vous engagiez dans un secteur et que vous vous aperceviez par la suite que vous n'y êtes pas tout à fait à l'aise. Il n'est jamais trop tard pour vous informer et pour changer de voie. Les organismes vous accueilleront à bras ouverts !

Lorsqu'on travaille en tant que bénévole, on acquiert des tas de connaissances ainsi qu'une expérience de vie qui sont loin d'être négligeables. Ce sont ces expériences qui nous font grandir et avancer dans la vie. Alors, même si votre contribution vous semble minime, soyez fière des résultats obtenus et de l'expérience que vous avez acquise, et sachez que tout apport, aussi petit soit-il, peut changer les choses au sein de la société. De cette façon, vous éprouverez un sentiment d'accomplissement et de bien-être, car vous aurez soutenu une cause qui vous tient à cœur sans rien demander en retour.

Rappelez-vous toutefois que travailler en tant que bénévole est une responsabilité sérieuse et que vous ne pouvez vous engager sans être prête à faire des compromis et à vous investir à fond. Il est normal d'avoir des empêchements, et je ne vous dis pas de vous impliquer au détriment de votre réussite scolaire et de votre vie sociale, mais lorsque vous prenez un engagement, vous devez être prête à en assumer les conséquences, autrement dit, à agir de façon responsable. Si vous avez un examen ou un rendez-vous qui vous empêche de vous rendre à l'endroit où vous faites du bénévolat, avertissez-en les responsables pour qu'ils puissent prendre les dispositions nécessaires. Essayez aussi d'être réaliste : si vous croyez que votre horaire est déjà trop chargé, ne vous engagez pas à faire plus que ce que vous pouvez faire. Allez-y progressivement, et augmentez vos heures au fur et à mesure que vous prenez de l'expérience. Le but du bénévolat n'est pas de vous surmener, ni de voir cette activité comme une obligation ou comme un fardeau lourd à porter ; il s'agit plutôt d'une expérience enrichissante qui vous permet d'en apprendre davantage sur vous-même et d'acquérir des connaissances tout en offrant vos services de façon volontaire et altruiste.

Un petit exemple…

J'ai moi-même fait du bénévolat lorsque j'étais adolescente. J'ai d'abord travaillé auprès des personnes âgées, et je dois avouer que cette expérience m'a beaucoup appris. Elle m'a forcée à laisser tomber mes préjugés et à devenir plus responsable. Aussi, à 19 ans, je suis partie au Honduras pendant 6 mois pour travailler comme volontaire dans les bidonvilles auprès des enfants démunis. Je me suis vite rendu compte que je ne pourrais pas changer le monde ni faire baisser la pauvreté en quelques mois. Quand je me suis aperçue que mes objectifs n'étaient pas réalistes et que mes ressources étaient très limitées, je me suis

sentie abattue, mais j'ai vite constaté que non seulement ma présence changeait la vie de ces enfants, mais que j'acquérais pour ma part une une immense maturité et une expérience inoubliable. Ces enfants qui avaient vécu des choses très difficiles et qui grandissaient dans la misère la plus extrême m'apprenaient des tas de choses sur la vie et sur moi-même, et même si je n'ai pas changé le monde et que mon expérience ne s'est pas déroulée comme je l'avais imaginé avant mon départ, j'ai la certitude d'avoir rendu ces enfants heureux pendant quelques semaines, et leurs sourires ont suffi à me convaincre de l'importance de mon travail. Bref, ne vous découragez pas, et sachez que votre aide sera grandement appréciée et fera du bien aux gens qui en bénéficieront.

Sujets connexes : emploi à temps partiel, CEGEP

Le bitchage se rapproche du potinage en ce sens qu'il consiste à parler dans le dos de quelqu'un et à répandre des rumeurs sans qu'elles soient fondées.

Cependant, de façon générale, il a une connotation plus négative et découle d'une intention plus cruelle. Bitcher, ça veut dire parler en mal de quelqu'un, dire à son sujet des choses haineuses qui dépassent souvent notre pensée sans s'adresser directement à la personne concernée.

Que ce soit au cours de notre adolescence ou de notre vie adulte, il est tout à fait normal d'être parfois énervée par la conduite de quelqu'un et de perdre patience face à ses comportements. Chaque personne est différente, et nous avons tous nos forces, nos faiblesses, nos qualités et nos défauts. Bien qu'il soit normal que les gens vous tapent parfois sur les nerfs, vous devez savoir que le bitchage peut avoir des conséquences plus graves que vous ne le croyez, et qu'il risque surtout de blesser ceux qui en sont la cible. Même si vous êtes persuadée que vos paroles cruelles ne se rendront pas aux oreilles de la personne concernée, vous devez vous rappeler que tout finit par se savoir, surtout dans une école secondaire ! Et même si vous vous croyez discrète, la personne contre qui vous médisez risque de se rendre compte que vous n'êtes pas franche avec elle. S'il s'agit d'une amie proche, ne croyez-vous pas qu'elle remarquera votre changement d'attitude et qu'elle sentira votre rejet ?

Le bitchage est une activité particulièrement féminine et, croyez-moi, on peut s'y adonner à tous les âges ! Je sais qu'il est parfois difficile d'affronter les gens et de leur dire les choses en face, mais, au bout du compte, l'honnêteté s'avérera moins blessante pour la personne qui vous énerve, et vous vous sentirez mieux après avoir discuté avec elle des vrais problèmes.

Si vos reproches ne sont pas fondés sur des faits concrets, mais relèvent plutôt de votre appréciation personnelle d'un individu et de vos affinités avec celui-ci, je vous conseillerai de garder vos commentaires pour vous. Il est impossible d'aimer tout le monde, et je sais que certaines personnes vous donnent envie de vous frapper la tête contre votre casier, mais ce sera ainsi pour le reste de votre vie, alors aussi bien vous habituer tout de suite à fréquenter des gens qui vous plaisent moins. Vous n'avez qu'à faire en sorte de ne pas vous retrouver dans les mêmes activités qu'eux et de leur parler le moins possible, mais vous n'avez pas à dénigrer quelqu'un simplement parce qu'il a une tête qui ne vous revient pas. Si vous avez des raisons concrètes d'être en colère contre quelqu'un, alors mieux vaut lui en parler ou lui écrire pour lui faire part de vos sentiments. Parler dans son dos vous permettra peut-être de vous défouler sur le coup, mais cela ne changera rien à ce que vous ressentez, et la personne en question ne pourra s'excuser ou changer son attitude si elle ne connaît pas le fond de votre pensée, et encore moins si elle entend de fausses rumeurs provenant des quatre coins de l'école.

Effet boule de neige

À l'adolescence, il est normal de former des clans, soit de petites bandes d'amies qui ont plus d'affinités. Le « bitchage » entre amies a par conséquent un effet boule de neige, puisqu'il pousse les filles à se réunir pour parler méchamment dans le dos de quelqu'un ou à partager les médisances et les frustrations des autres pour ne pas se sentir exclues. Même si elles n'ont pas les mêmes sentiments que vous, vos amies se laisseront con-vaincre par vos arguments et se joindront au « bitchage » collectif pour faire partie de la bande et éviter de se sentir rejetées à leur tour. Rappelez-vous que cela n'aidera en rien votre cause et que cela risque grandement de blesser quelqu'un. L'honnêteté et la franchise sont décidément des solutions plus matures et plus efficaces pour régler les problèmes.

Si c'est vous qui êtes la victime du bitchage, dites-vous que vous valez mieux que cela et tentez de ne pas vous laisser atteindre par les rumeurs qui courent. Vous pouvez plutôt affronter la personne qui répand ces méchancetés à votre sujet pour savoir quel est son problème et ce que vous avez fait pour l'énerver autant. Sachez aussi que vous ne pouvez pas plaire à tout le monde, alors tâchez d'être mature et de laisser passer la vague ; les gens auront tôt fait de passer à autre chose, surtout si vous n'embarquez pas dans leur petit jeu. Si une amie semble vous en vouloir et bitcher contre vous, écrivez-lui une lettre ou allez la voir pour lui dire que son comportement vous blesse et que vous préféreriez qu'elle soit honnête avec vous et qu'elle vous en parle lorsqu'elle est triste ou en colère.

Je sais que le « bitchage » fait partie de votre vie et que vous parlez parfois dans le dos de vos amies parce que vous croyez que c'est mieux que de leur dire la vérité et de leur faire de la peine, mais vous et vos amies devez apprendre à vous serrer les coudes et à agir de façon mature. Si vous vous laissez emporter par vos frustrations ou si vous cédez à la pression de votre entourage, songez à la personne que vous attaquez gratuitement et essayez de vous mettre à sa place quelques instants ; cela vous fera peut-être changer d'attitude ! Quelles que soient les raisons de votre colère et de votre irritation, dites-vous que le fait de blesser quelqu'un ne changera rien à votre problème et risque de vous faire sentir encore plus misérable. Alors, prenez votre courage à deux mains et optez pour l'honnêteté.

❤ Sujets connexes : gang de filles, potins, amitié

Blogue

Un blogue est un « site Web personnel tenu par un ou plusieurs blogueurs qui
s'expriment librement et selon une certaine périodicité, sous forme de billets
ou d'articles, informatifs ou intimistes, datés, à la manière d'un journal de bord,
signés et classés par ordre antichronologique, parfois enrichis d'hyperliens,
d'images ou de sons, et pouvant faire l'objet de commentaires laissés
par les lecteurs[1].»

En d'autres mots, le blogue est un petit site Web monté par une ou plusieurs personnes sur un
ou des sujets de leur choix. Par exemple, quelqu'un peut décider de faire un blogue pour décrire
ses vacances dans le Sud et publier ses photos, tandis qu'un autre s'en servira comme carnet
de voyage pour rester en contact avec ses amis et sa famille pendant la durée de son séjour à
l'étranger.

D'autres se servent des blogues pour entretenir des discussions sur des thèmes d'actualité
comme la politique, l'économie, le tourisme, les jeux vidéo, etc. Plusieurs sont ceux qui créent un
blogue pour parler de leurs passions (que ce soit les voitures, les chiens, les films ou la musique)
avec les gens de leur entourage ou alors avec ceux qui partagent la même ferveur. Le blogue
encourage la libre expression et est généralement ouvert au grand public. Certains vont parfois
le rendre privé et les utilisateurs auront alors besoin d'un nom et d'un mot de passe pour y
accéder, mais dans la plupart des cas, la majorité des internautes peuvent intervenir et interagir
avec le blogueur en publiant une opinion, un article, des photographies, des vidéos, etc.

Ainsi, que le blogue soit à caractère social, musical ou personnel, les visiteurs sont invités à réagir
et à publier des liens, des billets, des notes ou des commentaires sur le sujet. Il y a également

---

1   Office québécois de la langue française, http://www.olf.gouv.qc.ca/ressources/bibliotheque/dictionnaires/Internet/fiches/8370242.html

ceux qui publient d'autres liens pour faire suite à un article ou à une idée. Ainsi, le blogueur peut accéder à d'autres sites ayant trait à la thématique de son blogue ou commenter lui-même les interactions des autres. Les liens, interventions et billets sont publiés du plus récent au plus ancien. En résumé, un blogue, c'est une sorte de site web qui permet de clavarder et de publier toutes sortes de liens sur une thématique ou sur plusieurs sujets. Par exemple, le célèbre blogueur américain Perez Hilton[2] attire des millions de visiteurs chaque mois sur son site qui traite des célébrités mondiales et des potins de vedettes. Sur une note plus sérieuse, certaines personnes vivant un deuil créeront un blogue en l'honneur de l'être disparu afin que ses proches puissent lui rendre hommage.

En conclusion, il existe des centaines de types différents de blogues. C'est une excellente façon pour les gens de partager leurs états d'âme, leurs opinions, leurs goûts, leurs préférences et leurs passions avec les autres, mais tu dois tout de même rester vigilante lorsque tu navigues sur Internet. Bien que tout le monde te casse les oreilles avec cela, sache que nombreux sont ceux qui ont de mauvaises intentions et qui ne publient pas du matériel convenant à de jeunes filles, alors contente-toi de visiter les blogues célèbres ou ceux des gens de ton entourage, et si tu crées toi-même un blogue, évite d'accepter les gens que tu ne connais pas. Mieux vaut être prudente lorsqu'on publie des liens en ligne, même si ça te paraît super inoffensif !

Sujets connexes : internet, facebook

---

2 http://perezhilton.com/

Bonheur

Tout au long de votre vie, vous serez confrontée à la fameuse question : êtes-vous heureuse ? Les gens vous la poseront sans cesse.

Vous devrez vous-même vous questionner pour évaluer vos choix de vie et pour déterminer si vous êtes bien dans votre peau et si vous vous sentez heureuse dans la situation dans laquelle vous vous trouvez.

Mais au fond, c'est quoi, le bonheur ? Comment déterminer si on est heureuse, et comment atteindre ce sentiment de plénitude et de satisfaction personnelle ?

Il y a beaucoup de choses qui peuvent nous rendre heureux. Pour certains, c'est l'aisance matérielle et financière ; pour d'autres, c'est la liberté et le sentiment d'accomplissement, tandis que d'autres encore se sentent heureux simplement lorsqu'ils sont entourés des gens qu'ils aiment et qu'ils se sentent bien dans leur peau. Le bonheur, ça ne se définit pas en trois lignes. C'est plutôt un concept personnel, quelque chose que tous les humains recherchent en se fixant des objectifs et en s'efforçant de les atteindre.

Le bonheur, c'est d'abord les petits plaisirs du quotidien. Lorsque vous partagez un repas entre amis, ou que vous vous sentez fébrile à l'idée de partir en vacances ou d'assister à une fête, vous êtes heureuse. Il faut par ailleurs apprendre à jouir de ces moments de joie et à profiter du moment présent pour bien comprendre ce qu'est le bonheur. C'est à vous d'établir vos priorités et de découvrir les choses, ou encore les gens, qui vous rendent vraiment heureuse dans la vie. Il y a bien sûr la famille, les amis, le sentiment de réussite, les rêves qu'on a, les objectifs qu'on se fixe, les petits cadeaux qu'on reçoit, que ce soit sur le plan matériel ou sur le plan émotionnel. Par exemple, quand on se sent aimée, on a confiance en soi et on se sent bien. On est heureuse. De façon plus générale, quand on se lève le samedi matin et qu'on peut faire la grasse matinée et écouter la télé sans devoir songer aux devoirs, on est également heureuse. Le bonheur, ce n'est pas seulement une façon de se sentir qui nous mène au septième ciel ; ce sont aussi les plaisirs de la vie, petits et grands, qui surviennent tous les jours et dont il faut savoir profiter.

Apprendre à être heureuse

Même s'il existe des gens et des choses qui vous rendent heureuse, sachez en outre que le bonheur est une question d'attitude, et que vous pouvez (et devez !) apprendre à être heureuse. Tout d'abord, il faut savoir profiter du moment présent. C'est génial de se fixer des objectifs et des buts à atteindre, car cela vous pousse à aller plus loin et à vous surpasser, mais vous ne pouvez pas toujours vivre en songeant au futur, au même titre qu'il n'est pas très sain de vivre sans cesse dans le passé et de vous épancher avec nostalgie sur les moments de bonheur que vous avez déjà vécus. La vie se déroule maintenant, et il faut saisir chaque occasion d'être heureuse et de profiter des petits plaisirs. Il faut apprendre à rire, à mordre dans la vie, à se trouver belle et intelligente, et à s'aimer telle qu'on est.

Déterminer les moments de bonheur

C'est souvent quand on traverse une période difficile qu'on prend vraiment conscience de ce qu'est le bonheur. Le contraste est si frappant qu'on se met à regretter les moments de bien-être qu'on a vécus sans même sans rendre compte. Parfois, on se retrouve aussi dans une situation où on s'arrête quelques instants pour réaliser à quel point on est bien. Il faut apprendre à profiter de ces moments et à identifier ce qui en fait des moments heureux. Songez à vos priorités, ou alors faites une liste des choses, des rêves et des gens qui sont indispensables à votre bonheur. Non seulement cela vous permettra de jouir davantage de ces plaisirs de la vie, mais vous pourrez ainsi atteindre certains objectifs plus rapidement, ou encore réaliser que vous êtes choyée, bien entourée et aimée de tous.

Quoi qu'il en soit, le bonheur est beaucoup moins rare qu'on ne le croit. Le problème, c'est que lorsqu'on est heureuse, on a moins tendance à le remarquer que lorsqu'on est triste. Il existe toutefois des règles toutes simples pour vous aider à jouir du moment présent et à vous sentir heureuse et bien dans votre peau. En plus de profiter de chaque instant et de mordre dans la vie, apprenez à voir les choses d'un œil positif et à affronter les épreuves sans jouer les victimes et sans être trop négative. Il faut voir le bon côté des choses et se dire que tout ira mieux demain. Apprenez également à aimer les autres sans compter. L'amour est l'une des choses qui nous font sentir vivante et légère. N'ayez pas peur de vous fixer des buts et de foncer pour les atteindre. L'ambition et les accomplissements nous procurent généralement bonheur et fierté. Rappelez-vous aussi que vous êtes jeune et que vous avez la vie devant vous, alors profitez-en au maximum pour réaliser vos rêves les plus fous tout en savourant le moment présent !

Sujet connexe : bonne humeur

Bonne humeur

VOIR LA VIE EN ROSE

Je ne vous apprends rien quand je vous dis que notre humeur varie souvent de jour en jour. Il y a des matins où on se lève et où on a envie de danser et de crier sur tous les toits que la vie est belle, et d'autres où on se sent maussade et où on plaint les gens qui croisent notre route.

L'humeur peut être liée à des événements externes, à nos hormones ou à notre état physique. Bien qu'il y ait des journées où on se sent en meilleure forme que d'autres, il revient à chacune de nous d'adopter une attitude généralement positive face à la vie et de s'efforcer de voir la vie en rose. Bref, malgré les hauts et les bas de la vie quotidienne, il est toujours mieux d'être de bonne humeur que de se renfrogner et d'être négative.

Chaque fille a son propre caractère : certaines sont de nature plus joviale et plus optimiste que d'autres. Le caractère, c'est ce qui nous définit, et il est parfois difficile de changer des comportements qui semblent si profondément ancrés en nous, mais on se rend vite compte que la bonne humeur nous permet généralement de nous sentir plus épanouie et mieux dans notre peau. Par exemple, quand on sourit et qu'on adopte une attitude positive, les gens autour de nous ont tendance à nous répondre de la même façon. Notre bonne humeur est contagieuse et incite les autres à sourire et à voir le bon côté des choses. Si, au contraire, on décide d'être de mauvaise humeur et d'adopter une attitude négative et maussade, tout est susceptible de nous irriter, et on risque parfois de blesser les gens autour de nous à cause de notre air renfrogné. En plus, on a tendance à se sentir incroyablement nulle et on s'en veut à soi-même d'être aussi aigrie, ce qui nous nous fait inévitablement tomber dans un cercle vicieux. Non seulement on repousse les gens avec notre attitude, mais on devient encore plus morose, car les choses ne font qu'empirer ! Je ne vous dis pas que vous devriez être un rayon de soleil à tout moment de la journée, mais il vaut mieux rire que maugréer, tant pour votre bien-être que pour celui des autres. Quand on sourit et qu'on voit la vie en rose, on dégage une attitude positive qui attire les autres et qui donne davantage confiance en soi. Plutôt que de se méfier de vous et de votre mauvaise humeur, les gens viendront vous voir pour mettre un peu de couleur dans leur journée et pour puiser un peu d'énergie. Il est tout à fait normal que vous vous sentiez de mauvaise humeur de temps à autre, mais plutôt que d'être de compagnie désagréable et de lancer des méchancetés à tout le monde pour décharger votre mal de vivre, efforcez-vous de limiter vos contacts avec les autres jusqu'à ce que vous vous sentiez mieux. Il n'y a rien de mal à être honnête et à admettre qu'on traverse une journée plus difficile, alors mieux vaut dire à vos amis et à vos parents que vous préférez être seule car vous vous trouvez insupportable que de leur faire subir votre mauvaise humeur et vos commentaires négatifs.

La bonne humeur n'est pas un signe de faiblesse de caractère ou d'imbécillité. C'est au contraire une force interne dans laquelle on doit aller puiser pour lutter contre nos instincts plus sombres. Vous pouvez avoir du caractère et dire ce que vous pensez tout en gardant le sourire. Votre force de caractère est bien ancrée en vous, mais c'est votre bonne humeur qui vous permettra de vous exprimer de façon plus positive et de faire passer votre message de manière plus constructive. De plus, il faut se rappeler que quand ça va mal, la mauvaise humeur, les critiques et le renfrognement ne font souvent qu'empirer les choses et ne changent en rien la situation. Par conséquent, plutôt que de vous apitoyer sur votre sort et de jouer les victimes en prétendant que

la vie est injuste, prenez les choses avec un grain de sel, souriez et affrontez les difficultés avec une attitude positive. Non seulement la situation vous semblera moins pénible, mais vous pourrez y faire face avec beaucoup plus de facilité et ainsi trouver des solutions plus rapidement. Bref, mettez du soleil dans votre vie, souriez et rappelez-vous que la vie est belle !

💚 Sujet connexe : bonheur

Bouder

Quand vous décidez de bouder, c'est souvent pour manifester votre mauvaise humeur et votre colère sans vouloir affronter le problème qui vous a mise dans cet état. C'est une façon délibérée de faire comprendre votre mécontentement à quelqu'un en faisant la tête et en étant maussade.

Vous décidez alors d'ignorer votre interlocuteur et de vous replier sur vous-même pour le punir et le faire sentir mal.

Bien que toutes les filles boudent à un moment ou à un autre, en y songeant bien, vous devez admettre qu'il s'agit d'une attitude immature qui ne vous avance à rien. Par exemple, si vous êtes en colère contre une amie et que vous décidez de lui faire la tête pour le lui faire comprendre, vous optez pour une stratégie et une sorte de chantage émotif dans le but de lui faire sentir que vous êtes blessée plutôt que de lui expliquer clairement pourquoi vous êtes blessée. Si elle ne sait pas ce qui vous a contrariée, elle aura de la difficulté à régler le problème, surtout si elle a devant elle quelqu'un qui lui tourne le dos et refuse de lui adresser la parole. La situation risque de devenir encore plus frustrante pour vous, puisque vous n'obtiendrez pas la réaction désirée. Vous risquez alors de vous replier davantage sur vous-même et d'entrer dans une espèce de cercle vicieux d'où personne ne sort gagnant. Tout cela pour un simple malentendu…

Je sais que l'habitude de bouder est parfois un trait de notre personnalité et qu'on ne peut faire autrement. C'est simplement plus fort que nous. Mais il faut essayer de lutter contre cette tendance à punir les autres en se disant que cela ne nous avancera à rien. Il est difficile de changer certains traits de sa personnalité du tout au tout, mais on peut quand même s'efforcer de travailler nos points faibles ; après tout, cela fait partie de la maturité. Quand on boude, on adopte une attitude d'autodéfense et on cherche à se protéger et à attirer l'attention de l'autre sans affronter directement le problème. On fronce les sourcils, on pince les lèvres, on se crispe et on se referme sur soi. On cherche le réconfort de l'autre et ses excuses sans lui expliquer clairement la source du problème, et on opte pour la susceptibilité et le refoulement plutôt que d'adopter une attitude plus mature et plus responsable. En effet, il serait beaucoup plus efficace de discuter et d'affronter la situation plutôt que de se réfugier dans la bouderie et la manipulation. Votre attitude risque d'entraîner l'autre dans votre jeu, et dites-vous que l'un des deux boudeurs devra bien finir par céder !

Si vous faites face à quelqu'un qui boude, tentez de l'approcher avec diplomatie sans le contrarier davantage. Essayez de vous excuser et de vous expliquer, ou conseillez-lui de réfléchir et de vous parler plutôt que de vous ignorer. Si rien ne fonctionne, laissez-le tranquille et accordez-lui un peu de temps pour faire passer la tempête. La bouderie est difficile à supporter, mais elle n'est souvent que de courte durée.

Pour éviter de bouder à la suite d'une dispute, prenez un peu de recul, allez faire une promenade et réfléchissez à ce qui s'est produit plutôt que de monter sur vos grands chevaux et de vous replier sur vous-même. Si vous apprenez à exprimer vos sentiments et à partager vos émotions, vous constaterez que les conflits se régleront de façon plus saine et plus rapide, et vous serez par conséquent fière de vous.

Sujets connexes : amitié, colère, gang de files

Cafard du dimanche

Phénomène universel

C'est dimanche et la journée s'achève. Sans trop savoir pourquoi, vous sentez une boule dans l'estomac et une vague de déprime vous envahir...

Suffit de penser aux devoirs qui recommencent et à l'école le lendemain matin pour avoir carrément envie de vous mettre en boule et de pleurer toutes les larmes de votre corps ! Du calme... c'est le cafard du dimanche, soit un sentiment de spleen, de tristesse ou d'angoisse qui nous envahit face aux responsabilités qui nous attendent.

Il est d'abord important de préciser que le cafard du dimanche est un phénomène universel ! Après une fin de semaine remplie d'activités, de sorties, de balades et de plaisir, on a du mal à faire face à la nouvelle semaine qui commence. C'est le retour à l'école, le retour des devoirs, bref, le triste retour à la réalité !

Ne désespérez pas ! Bien qu'il soit tout à fait normal de se sentir un peu accablée le dimanche, il existe plusieurs façons d'éviter la déprime et de terminer la semaine en beauté !

La famille

Pour plusieurs, le dimanche est le jour international de la famille. C'est souvent la journée de la semaine où on peut se réunir et préparer un bon repas. Alors, plutôt que de déprimer, pourquoi ne pas mettre la main à la pâte et en profiter pour vous changer les idées ? Vos parents vous cassent les oreilles dès 8 h le matin pour que vous les aidiez à préparer la tourtière ? Deux options s'offrent à vous. Si vous êtes une lève-tôt, alors aucun problème, joignez-vous à la fête ! Si, par contre, vous aimez dormir tard, vous devez leur expliquer (calmement) que vous êtes prête à les aider, mais que vous êtes complètement improductive avant 10 h ! Après tout, le dimanche est votre dernière journée de repos. Suffit donc de trouver un terrain d'entente !

Activités du dimanche

Le dimanche est aussi la journée idéale pour faire des activités extérieures et respirer un peu d'air frais. Journée chaude et humide ? Pourquoi ne pas aller au parc ou se baigner à la piscine ? Il fait 15 degrés sous zéro et il neige ? Alors, mieux vaut enfiler ses skis ou faire de la randonnée en raquettes ! Si la météo vous en empêche ou que vous n'avez pas l'âme très sportive ce jour-là, allez magasiner ou faites du lèche-vitrine ! Presque toutes les filles en raffolent, et ça vous fera bouger sans même

vous en rendre compte ! Vous pouvez aussi aller au cinéma, louer un film, jouer à un jeu de société avec les membres de votre famille ou avec vos amis, écrire dans votre journal intime, aller au musée, aller au restaurant, lire un livre ou des revues, écouter de la musique… Bref, les possibilités sont infinies lorsqu'il est question de se changer les idées, de se faire plaisir et d'éviter de se laisser emporter par ce cafard dominical…

Ne vous laissez pas crouler sous les devoirs !

Vos devoirs se sont accumulés tout au long de la semaine, et la fin de semaine a filé plus que vite que vous ne l'auriez voulu. Oups ! C'est dimanche soir, et vous êtes coincée avec vos devoirs de maths, de français, de géo et d'anglais… Rien pour calmer la déprime qui vous envahit ! Ne vous en faites pas, l'erreur est humaine, et bien que la philosophie de la « dernière minute » soit très populaire, le fait de répartir vos travaux tout au long de la semaine vous permettra d'avoir plus de temps libre le dimanche. Vous pourrez ainsi vous adonner à des activités qui rendront votre journée plus agréable.

Relaxez sans trop penser au lundi…

D'accord, je sais, l'aspect le plus déprimant du dimanche, c'est de savoir que le lundi s'en vient et qu'on doit affronter une autre semaine de classe, mais c'est essentiel de faire un effort pour vivre le moment présent. Après tout, la fin de semaine n'est pas encore terminée ! Que ce soit en prenant un bon bain, en lisant votre magazine préféré ou en écoutant de la musique, tâchez de consacrer quelques minutes de votre journée à la relaxation. Chassez toutes les idées noires et tentez de vous concentrer sur le positif : lundi n'est pas encore arrivé, alors on traversera le pont quand on y sera rendu ! Le dimanche vous appartient ! Si vous êtes incapable de chasser les pensées sombres de votre esprit, il faut encore une fois vous efforcer de songer aux choses positives : le lundi, vous pourrez revoir vos copines ou encore le gars qui vous fait rêver, entendre tous les derniers potins, porter les vêtements que vous venez d'acheter et exhiber votre super nouvelle coupe de cheveux. Pensez aussi aux matières que vous préférez, aux profs que vous tolérez… Au fond, l'école, ce n'est pas si mal.

Faites-vous un horaire

Si, comme moi, vous êtes de nature plutôt stressée et appréhendez le test de maths du jeudi, faites-vous un horaire. Ça vous permettra de bien répartir votre temps et de planifier votre horaire de façon à ne pas vous sentir submergée par le travail et le stress. En plus, votre dimanche sera beaucoup moins ennuyeux si vous n'avez pas à le consacrer uniquement à vos devoirs !

 Sujet connexe : déprime

Cafés

Endroit qui permet de changer d'air, de fuir la maison et la routine, ainsi que de rencontrer ses amis.

Lorsqu'on est adolescent, on a souvent besoin d'un endroit qui nous permette de changer d'air, de fuir la maison et la routine, ainsi que de rencontrer ses amis. C'est alors qu'on découvre les cafés, ces petits établissements qui envahissent toutes les rues de notre ville. Un café est plus qu'une boisson chaude qui nous aide à nous réveiller les lundis matin ; c'est aussi un lieu de rencontre, un endroit pour changer d'air, pour étudier, pour réfléchir, pour méditer, pour se confier ou tout simplement pour voir de nouvelles têtes. On s'y retrouve entre amis ou entre camarades de classe pour discuter de tout et de rien ou pour faire les travaux scolaires dans un environnement différent et stimulant.

Il existe toutes sortes d'établissements différents : les cafés de quartier, les grandes chaînes, les cafés Internet, les cafés étudiants, les cafés « branchés », les cafés plus « grano »… C'est à vous de choisir le style qui vous convient et qui vous plaît le plus, et d'y établir votre quartier général. Profitez-en pour savourer tous les types de thé, de café et de jus proposés, ou pour goûter aux spécialités de la maison. Cela fait partie du plaisir !

Vous pouvez y rencontrer toutes sortes de gens de tous les âges et de toutes les nationalités. Certains vont dans les cafés pour travailler, pour lire, pour étudier, pour jouer aux échecs, pour regarder un match à la télé ou pour discuter entre amis. À l'adolescence, les cafés servent souvent de point de rassemblement des étudiants qui, après les cours, s'y rejoignent pour discuter, rigoler ou faire leurs devoirs. En effet, si vous êtes capable de vous concentrer dans une atmosphère un peu plus

FAIR TRADE CERTIF

CERTIFIÉ ÉQUITABLE

chaotique, les cafés offrent une alternative amusante aux bibliothèques ou à la petite table de travail qui occupe les trois quarts de votre chambre !

Les serveurs qui travaillent dans les cafés sont habituellement très sympathiques et ne demandent pas mieux que de vous servir et de vous recommander leurs spécialités. Alors, n'hésitez pas à leur demander conseil. N'oubliez pas qu'ils sont souvent payés au salaire minimum et qu'un petit pourboire est toujours bienvenu…

Ils seront généralement encore plus heureux de vous aider !

Quelques cafés qu'on trouve aux quatre coins du Québec :

- Café Dépôt
- Van Houtte
- Presse Café
- Tribune Café
- Café Crème
- Second Cup
- Starbucks
- Café Suprême
- Java U

ALLEZ-Y !
GOÛTEZ ET GÂTEZ-VOUS !
- Chai latté (lait ou lait de soja)
- Café au lait
- Chocolat chaud
- Cappuccino
- Café moka
- Brownies
- Muffins
- Gâteaux
- Scones
- Biscottis

Le café équitable, c'est quoi ?

Le commerce équitable permet aux petits producteurs des pays du Sud regroupés en coopératives de vendre leurs produits à un prix plus juste, en éliminant les intermédiaires entre eux et les importateurs ou exportateurs. Cela leur permet notamment d'améliorer leur qualité de vie et d'investir dans leurs propres projets de développement durable.

« L'étiquette Certifié équitable et son équivalent anglais Fair Trade Certified sont des appellations réservées contrôlées par des organismes de certification. Ce logo apposé sur les emballages garantit que le café a été produit et commercialisé dans le respect de certaines normes relatives entre autres à la qualité du café, aux conditions de travail des paysans et au respect de l'environnement. » *(Source : http://www.granddictionnaire.com/btml/fra/r_ motclef/index800_1.asp)*

Sujets connexes : Gang de filles, sorties, party

Caresse

Une caresse est une façon toute simple d'exprimer sa tendresse, son affection et son amour. Il s'agit d'un langage corporel servant à manifester ses sentiments envers quelqu'un, qu'il s'agisse d'un parent, d'une amie ou de son amoureux.

Il est important d'apprendre à donner et à recevoir des caresses, et de s'ouvrir à l'affection des autres. À l'adolescence s'installe souvent une sorte de pudeur émotionnelle qui nous empêche de témoigner notre amour et de manifester nos sentiments par des gestes. Sachez toutefois qu'une caresse peut véritablement rendre les autres heureux et vaut parfois plus que mille mots.

En effet, quand vous faites une caresse à quelqu'un, vous lui communiquez vos émotions ainsi que les mouvements de votre âme et de votre cœur, et personne n'est indifférent à un tel témoignage d'amour. Même s'il vous arrive de jouer les dures, une accolade est parfois tout ce dont vous avez besoin pour retrouver le sourire et vous sentir mieux. La difficulté dans tout cela, c'est d'exprimer ce besoin d'affection et de laisser tomber sa pudeur pour recevoir un câlin. Si vous apprenez à faire des caresses et à manifester votre amour pour les autres, ceux-ci auront tôt fait de vous rendre la pareille.

Quand c'est plus que de la simple affection...

Les caresses peuvent également avoir un caractère sexuel. Il s'agit non seulement d'une façon de témoigner son amour et son affection, mais aussi d'un moyen d'apprendre à connaître le corps de son partenaire et de manifester son désir. Pour une fille, il est extrêmement important de se sentir aimée et désirée. Les caresses servent entre autres à établir ce rapport de confiance avec son partenaire. À l'adolescence, les garçons ont parfois tendance à ignorer ce désir d'affection et de tendresse, alors il est important de dire clairement ce que vous voulez et d'exprimer vos sentiments pour que votre amoureux sache ce que vous aimez et pour que vous vous sentiez respectée.

Vous devez non seulement apprendre à écouter les besoins de votre partenaire, mais aussi être fidèle à vous-même et aller à votre propre rythme. Si vous ne vous sentez pas prête, dans les caresses, à dépasser un certain stade, expliquez clairement à votre petit ami que vous préférez attendre et faites-vous respecter. S'il insiste et qu'il n'est pas à l'écoute de vos sentiments, alors il n'en vaut certainement pas la peine.

Une caresse, s.v.p. !

N'oubliez pas qu'une caresse peut changer bien des choses. Que ce soit avec votre père, votre mère, votre amie ou même votre petit frère, il ne vous coûte rien d'exprimer votre amour et votre affection par une caresse de temps à autre. Vous devez aussi apprendre à laisser votre pudeur de côté et à accepter la tendresse des autres sans faire la tête. Une caresse n'est qu'une manifestation de la tendresse qu'on ressent pour quelqu'un d'autre, et on ne réalise pas toujours à quel point une simple caresse sur la joue ou une accolade peuvent mettre du soleil dans notre journée et nous faire sentir importante aux yeux des autres. Dites-vous qu'il en est de même pour les gens de votre entourage et que, quelquefois, il est bien de leur manifester votre amour et votre attachement. Si vous vous sentez seule ou triste, n'hésitez pas à réclamer une caresse à vos proches. Ils vous la donneront avec plaisir, et vous constaterez qu'une caresse peut être extrêmement thérapeutique !

Sujets connexes : amitié, premier baiser, première fois

Cégep

COLLÈGE D'ENSEIGNEMENT
GÉNÉRAL ET PROFESSIONNEL

Après six ans d'école primaire et cinq ans d'école secondaire, les jeunes Québécois entament une nouvelle étape de leur cheminement scolaire : ils entrent au cégep, soit dans un établissement public d'enseignement collégial.

Le mot « cégep » est l'acronyme de « collège d'enseignement général et professionnel ». Les cégeps ont été créés en 1967 et servent de transition entre les études secondaires et les études universitaires. Durant leurs années au cégep, les jeunes doivent choisir un domaine de spécialisation, et traversent par conséquent une importante période d'orientation. En effet, au cours de cette formation qui dure généralement deux ans, les jeunes choisissent une orientation de carrière pour poursuivre leurs études et leur vie professionnelle. Par exemple, les cégeps offrent un programme de sciences humaines, dont les cours se concentrent sur le comportement humain (psychologie, anthropologie, sociologie), un programme de sciences pures, dont les cours se concentrent sur les sciences (chimie, physique, mathématiques) et un programme d'arts où les étudiants sont invités à suivre une formation plus artistique (arts plastiques, théâtre, cinéma, etc.).

Les jeunes peuvent aussi opter pour une formation technique qui les prépare à entrer directement sur le marché du travail après l'obtention du diplôme plutôt que de poursuivre des études universitaires. Quel que soit le programme qu'ils choisissent, tous les étudiants doivent suivre un certain nombre de cours communs faisant partie de la formation générale (français, anglais, philosophie, éducation physique, etc.).

Une étape extrêmement importante

Non seulement le cégep constitue une étape cruciale sur les plans scolaire et professionnel, mais il s'agit aussi d'un échelon indispensable dans le cadre du développement humain d'un jeune adulte. Les adolescents qui entrent au cégep ont normalement entre 16 et 17 ans, et ils en sortent à l'âge de 18 ou 19 ans. C'est donc à cet âge qu'une adolescente devient une jeune adulte, qu'elle atteint la majorité et qu'elle doit faire des choix importants. Le cégep permet ainsi aux jeunes de s'épanouir dans un milieu plus mature et plus adapté aux gens de leur génération. À la fin du secondaire, tu es habituée de côtoyer des jeunes de 12 ou 13 ans qui, eux, viennent de terminer l'école primaire, et les gens ont tendance à te considérer comme une enfant. Lorsque tu entres au cégep, les choses changent complètement. Tu fréquentes des gens de ton âge, tu fais toi-même tes horaires et choisis tes cours et tes activités. L'enseignement collégial encourage en effet les jeunes à devenir plus autonomes. Les profs ne te dictent plus la voie ; c'est à toi de faire preuve de jugement. De plus, ils ne te disent plus quoi faire ou quoi prendre en note ; il est temps pour toi d'apprendre à écouter en classe et à distinguer les informations importantes de celles qui sont superficielles. N'oublie pas que le cégep est un passage obligé vers l'université, où tu seras encore plus indépendante et laissée à toi-même, alors cela fait partie du travail des enseignants de t'apprendre à devenir plus autonome et plus responsable. Note également que les profs du cégep ont tendance à être moins indulgents que ceux du secondaire, car ils tiennent pour acquis que tu es assez vieille pour assumer tes responsabilités et demander de l'aide si tu en as besoin.

Comment être responsable dans cette ambiance de fête ?

Je ne te le cacherai pas, le cégep est également une période de ta vie où tu élargiras ton cercle d'amis et développeras tes aptitudes sociales. La plupart des cégeps organisent des fêtes et des événements, au cours de l'année, pour célébrer les moments importants de la vie étudiante, l'Halloween, la fin de l'année scolaire, etc. Ce sont de bonnes occasions pour s'amuser, aller dans les bars et flirter avec l'alcool. En effet, tu seras normalement au cégep lorsque tu célébreras tes 18 ans et auras le droit d'entrer dans les bars et les discothèques. Je sais que tout cela te semble bien attrayant à première vue, mais fais bien attention de ne pas abuser des bonnes choses et de ne pas tomber dans l'excès. Tes notes du cégep sont extrêmement importantes pour la poursuite de tes études, car ce sont elles qui détermineront si tu pourras être admise dans le programme universitaire de ton choix. Tu devras donc apprendre à trouver un équilibre entre les amis, les copains, les activités, les fêtes et les études. Si tu te sens égarée, tes parents s'assureront certainement de te ramener sur le droit chemin ! Ce n'est pas parce que tu as 18 ans qu'ils cesseront de te faire la morale !

Si tu es en première année de cégep, il se peut fort bien que tu ne sois pas encore majeure et que tu sois tout de même invitée à boire et à participer à des fêtes. Fais alors preuve de jugement et ne sois pas surprise si les agents de sécurité t'interdisent l'entrée à la porte des bars et des discothèques. Leur travail consiste à s'assurer que les jeunes qui se trouvent à l'intérieur soient majeurs. Ne t'en fais pas, ce sera ton tour dans quelques mois, et tu auras le reste de ta vie pour fréquenter les bars ! Profites-en pour passer du temps avec tes amies et pour t'impliquer dans les différents comités du cégep. Ce type d'implication contribuera à te donner la cote lors de ta demande d'admission à l'université.

L'importance du cégep

Bien que tu sois fière d'avoir obtenu ton diplôme d'études secondaires (je t'en félicite d'ailleurs !), sache que, de nos jours, la plupart des employeurs exigent au moins un diplôme d'études collégiales (DEC) pour t'engager. De plus, le cégep est une étape essentielle dans ton développement personnel, ainsi que dans le développement de ton autonomie et de tes aptitudes sociales. Les études collégiales te permettent également de t'orienter sur les plans scolaire et professionnel, et d'apprendre à te connaître davantage en côtoyant des gens de différentes cultures et de différents horizons. Par conséquent, n'hésite pas à t'inscrire à plusieurs activités et à t'impliquer dans des équipes sportives ou dans divers comités culturels ou sociaux. Cela te permettra de t'ouvrir l'esprit et de découvrir tes intérêts.

Il existe une cinquantaine de cégeps publics au Québec. Il y a également plusieurs collèges privés. Si tu veux avoir plus d'informations sur les cégeps de ta région ainsi que les divers programmes d'études qui y sont offerts, consulte le site de la Fédération des cégeps : http://www.fedecegeps.qc.ca/ et assiste aux journées d'information et d'orientation qui ont lieu normalement en février. Tu pourras ainsi choisir le cégep qui te convient le mieux et le programme qui t'intéresse le plus.

♥♥ Sujet connexe : échec scolaire

LISTE DES CÉGEPS PUBLICS

Montréal et les environs

1 - Collège Ahuntsic

2 - Cégep André-Laurendeau

3 - Collège de Bois-de-Boulogne

4.1 -   Champlain Regional College Campus Saint-Lambert

5 - Collège Dawson

6 - Collège Édouard-Montpetit

7 - Collège John Abbott

8 - Cégep régional de Lanaudière

9 - Collège Lionel-Groulx

10 -   Collège de Maisonneuve

11 -   Collège Montmorency

12 -   Collège de Rosemont

13 -   Cégep de Saint-Hyacinthe

14 -   Cégep Saint-Jean-sur-Richelieu

15 -   Cégep de Saint-Jérôme

16 -   Cégep de Saint-Laurent

17 -   Cégep de Sorel-Tracy

18 -   Collège de Valleyfield

19 -   Collège Vanier

20 -   Cégep du Vieux Montréal

47 -   Cégep Marie-Victorin

48 -   Collège Gérald-Godin

Québec et les environs

36 - Cégep Beauce-Appalaches

4.3 - Champlain Regional College
Campus St.Lawrence

37 - Collège François-Xavier-Garneau

38 - Cégep de Lévis-Lauzon

39 - Cégep Limoilou

39.1- Cégep Limoilou
Campus de Charlesbourg

40 - Cégep de Thetford

41 - Cégep de Sainte-Foy

Centre du Québec

32 - Cégep de Drummondville

33 - Collège Shawinigan •

34 - Cégep de Trois-Rivières

35 - Cégep de Victoriaville

Côte-Nord

42 - Cégep de Baie-Comeau

43 - Cégep de Sept-Îles

Outaouais-Nord-Ouest

44 - Cégep de l'Abitibi-Témiscamingue

45 - Cégep de l'Outaouais

46 - Collège Héritage

Estrie

4.2 - Champlain Regional College
Campus Lennoxville

21 - Cégep de Granby Haute-Yamaska

22 - Cégep de Sherbrooke

Saguenay—Lac-Saint-Jean

23 - Collège d'Alma

24 - Cégep de Chicoutimi

25 - Cégep de Jonquière

26 - Cégep de Saint-Félicien

Bas-Saint-Laurent—Gaspésie

27 - Cégep de la Gaspésie et des Îles

28 - Cégep de Matane

29 - Cégep de Rimouski

30 - Cégep de Rivière-du-Loup

31 - Cégep de La Pocatière

Tu fais peut-être partie des filles qui ont pris goût au cheerleading. Il y a plusieurs années, on croyait à tort que ce sport ne servait qu'à divertir les foules durant des matchs et à représenter les différentes équipes sportives. Aujourd'hui, le cheerleading est considéré comme un sport à part entière et est de plus en plus populaire dans les écoles du Québec.

L'historique[1]

Le cheerleading existe depuis déjà plus d'un siècle aux États-Unis. Les meneuses de claques arborent les couleurs d'une équipe sportive et exécutent des acrobaties et des numéros de danse sur de la musique en vue d'animer la foule et d'encourager l'équipe qu'elles représentent. Aux États-Unis, le cheerleading fait partie non seulement des traditions sportives (particulièrement au football), mais aussi de la culture du pays. Les équipes de meneuses de claques étaient autrefois reliées à des équipes sportives, à des écoles et à des universités, mais au cours des années 80, on assista à la création d'équipes indépendantes désirant s'affronter dans des compétitions. Au fil des années, le cheerleading s'est de plus en plus développé et a acquis une grande popularité au Québec et au Canada.

Au Québec

C'est en 1968 que naît l'Association de North-Shore dans l'ouest de Montréal, soit la première association de cheerleading au Québec. Dans les années 80, on assiste à la formation d'une association provinciale appelée l'Association québécoise des Meneuses de Claques (AQMC). C'est également à cette époque qu'on peut voir les premières compétitions provinciales. L'AQMC devient ensuite la CPC (Commission provinciale de cheerleading), puis en 2003, l'Association des cheerleaders du Québec (ACQ) est créée dans le but de faire reconnaître le cheerleading comme un sport dans la province. À la suite de ces efforts, la Fédération de cheerleading du Québec (FCQ) ouvre ses portes en août 2007, permettant ainsi au cheerleading d'être reconnu officiellement comme sport auprès du ministère du Loisir et de l'Éducation. Aujourd'hui, la FCQ compte 7500 membres dans la division scolaire et civile et organise chaque année son championnat provincial de cheerleading. La FCQ offre également de la formation pour les entraîneurs et des cliniques d'entraînement pour les meneuses de claques afin de développer et d'approfondir leurs techniques. Comme la sécurité et le bien-être des jeunes sont des enjeux importants aux yeux de la Fédération, cette dernière exige que les équipes inscrites au champion-

1 Source : Fédération de cheerleading du Québec, http://www.cheerquebec.com/

nat provincial disposent d'au moins un entraîneur qualifié et certifié. La Fédération impose également une réglementation stricte à l'égard de la pratique du sport qui se base sur les règlements de l'USASF (United States All Star Federation), qui regroupe déjà plus de 1,5 million de meneuses de claques.

Le cheerleading est un sport qui exige une excellente condition physique ; non seulement les filles doivent exécuter des acrobaties et des numéros de danse et de gymnastique, mais il s'agit aussi d'un exercice cardiovasculaire très intense. Si tu as envie d'essayer un sport original qui prône l'égalité, le respect et l'esprit d'équipe, le cheerleading est un bon choix pour toi. Non seulement tu feras la connaissance d'une bande de filles avec qui tu t'entraîneras régulièrement et avec qui tu tisseras des liens étroits, mais tu apprendras également à développer un sentiment d'appartenance à l'égard de ton équipe, de ton école et des gens qui t'entourent et qui

t'encouragent. En plus, c'est une excellente façon de rester active, de garder la forme et d'être entourée de garçons ! Informe-toi auprès de ton école pour savoir comment t'inscrire ou visite le site www.cheerquebec.com pour plus d'information sur la Fédération et les championnats !

♥♥ Sujet connexe : secondaire, sport

CONNAÎTRE SES CHEVEUX

Il suffit de regarder les pubs de shampoing pour se rendre compte qu'il existe beaucoup de types de cheveux différents, et encore plus de produits qui conviennent à chacun d'eux. Il y en a des frisés, des raides, des ondulés, des secs, des abîmés, des soyeux, des fins, des gras, etc.

Chaque fille possède des cheveux différents, et on traverse toutes des moments où on a l'impression qu'il n'y a rien à faire avec notre tête et qu'il ne nous reste plus qu'à tout raser. Il y a de ces matins où on ne sait vraiment plus comment se coiffer. On s'est littéralement réveillée de mauvais poil ! On passe toutes par là, alors inutile de paniquer et d'envisager des solutions radicales. Vous devez seulement apprendre à connaître vos cheveux et à savoir ce qui vous convient le mieux.

Si vous ne savez pas quel est votre type de cheveux et quel shampoing ou revitalisant utiliser, la meilleure chose à faire est sans doute de demander l'avis de votre coiffeur ou de votre coiffeuse. Ceux-ci sont des spécialistes du cuir chevelu, et ils se feront un plaisir de vous donner des conseils pour vous aider à maîtriser votre tignasse.

Il existe toutefois quelques règles générales qui peuvent vous aider à avoir une belle chevelure. Le fait de laver vos cheveux tous les jours risque par exemple de les abîmer, au même titre que l'usage quotidien d'un fer à friser, d'un fer plat, de laque, de gel et de mousse coiffante. Les teintures qui contiennent des produits oxydants assèchent les cheveux et les rendent souvent ternes. Par conséquent, je vous encourage à utiliser des teintures naturelles et non permanentes qui s'estompent au bout de quelques lavages – cela vous évitera en plus d'être coincée pendant des mois avec une couleur qui vous plaît moins, et cela vous donnera la possibilité de faire des essais sur vos cheveux sans trop les abîmer.

Si vous en avez assez de votre tête et que vous avez envie de changement, n'hésitez pas à prendre des risques et à essayer une coupe différente. Demandez à votre coiffeur ce qui vous irait le mieux. Cela dépend de la forme de votre visage et de votre type de cheveux. Par exemple, si vous avez le visage rond, on ne vous conseillera sûrement pas une coiffure très courte ; et si vous avez les cheveux très fins, vous vous rendrez vite compte que vous avez de la difficulté à les faire pousser sans que des nœuds se forment ou qu'ils perdent tout leur volume. Vous pouvez aussi consulter des magazines de mode pour connaître les dernières tendances et pour pouvoir décrire ou montrer précisément ce que vous voulez à votre coiffeur. Les moments passés dans les salons de coiffure sont souvent très agréables, car non seulement vous vous gâtez et vous satisfaites votre besoin de changement, mais vous pouvez aussi vous faire plaisir en bavardant de tout et de rien et en étant coquette. Dans certains salons de coiffure, il est possible de recevoir des massages du cuir chevelu durant le shampoing, et même de déguster toutes sortes de boissons au cours de votre visite, alors gâtez-vous ! Par ailleurs, lorsque vous trouvez un coiffeur qui vous plaît et qui tient compte de vos envies et de vos besoins, ne le laissez pas vous glisser entre les doigts, car ce n'est pas toujours facile à trouver.

Si vous prévoyez une sortie spéciale, vous pouvez aussi vous coiffer dans le confort de votre chambre en ajoutant une touche particulière qui s'harmonise avec votre tenue et qui vous rend unique. Vous pouvez vous friser les cheveux, les raidir, les coiffer en un élégant chignon, leur donner davantage de volume, ajouter une jolie broche, un bandeau, etc. Bref, n'ayez pas peur d'essayer de nouvelles coiffures pour savoir laquelle vous va le mieux. Ne soyez toutefois pas trop radicale dans vos décisions, car, en certaines circonstances, vous pouvez trouver que vos cheveux prennent un temps fou à repousser. Par exemple, si, sur un coup de tête, vous vous faites raser la tête ou teindre en bleu, vous risquez non seulement de faire pleurer vos parents, mais aussi de le regretter amèrement chaque fois que vous vous regarderez dans le miroir. Si vous songez à un changement important de coupe ou de couleur, prenez le temps d'y réfléchir pour être bien certaine de ce que vous voulez.

Enfin, ne vous laissez pas leurrer par la coiffure des autres ! Si vous avez les cheveux raides, vous ne pouvez pas avoir la même coiffure que votre meilleure amie qui a les cheveux frisés ! Les filles ont toujours tendance à envier la coiffure et la chevelure des autres. Apprenez plutôt à dompter vos cheveux et à mieux les connaître. C'est ainsi que vous pourrez savoir quelle coupe et quelle coiffure mettent le plus votre visage en valeur et vous font sentir le mieux dans votre peau.

Sujet connexe : beauté

PAS TOUJOURS FACILE DE S'Y RETROUVER

Vers la fin du secondaire, vous serez amenée à réfléchir à ce que vous voulez faire dans la vie. La plupart des écoles offrent un cours d'éducation au choix de carrière pour aider les élèves à décider de leur avenir professionnel.

Tant d'options s'offrent à vous ! Il n'est pas toujours facile de s'y retrouver. Il existe cependant diverses façons de vous informer pour faire un choix éclairé.

Certaines filles savent quel métier elles veulent exercer depuis qu'elles sont toutes petites. Pour quelques-unes d'entre elles, il s'agit d'une passion, comme la danse, le théâtre ou la médecine vétérinaire, qu'elles veulent développer pour en faire leur carrière. Pour d'autres, il s'agit simplement d'une ambition et d'un rêve qu'elles veulent absolument réaliser. Peut-être êtes-vous toutefois de celles qui sont indécises...

À l'adolescence, il est tout à fait normal de ne pas savoir exactement où la vie vous mènera ni ce que vous voulez en faire. Évidemment, vous êtes capable de déterminer les domaines qui vous plaisent le plus, les activités qui vous branchent et, surtout, les matières scolaires qui vous déplaisent. Il s'agit là d'une première étape vers le choix de carrière. Vous pouvez procéder par élimination, ou simplement faire une liste des domaines que vous aimez ou qui vous passionnent réellement. Les cours d'éducation au choix de carrière offrent parfois des « journées carrière » où vous êtes invitée à intégrer un milieu professionnel pour voir comment les choses s'y déroulent. Aussi, divers tests existent afin de déterminer les domaines où vous vous démarquez ou qui sont davantage susceptibles de vous plaire.

L'important, au secondaire, c'est de déterminer une branche dans laquelle vous désirez poursuivre vos études. Préférez-vous les sciences humaines, les sciences médicales, les sciences pures, les arts, les sports, les communications, l'administration ou les maths ? Aimeriez-vous étudier dans un domaine plus général, ou vous sentez-vous prête à vous orienter immédiatement vers un métier particulier ou vers une technique

professionnelle ? Pour vous aider, ne songez pas seulement aux études que vous entreprendrez, mais bien à la profession que vous voulez exercer plus tard. Qu'importe de bûcher à l'école pendant encore quelques années si, au bout du compte, vous passez votre vie à faire un métier qui vous stimule tout en subvenant à vos besoins ?

Si, malgré tous les moyens mis à votre disposition pour vous aider à prendre une décision, vous ne savez toujours pas quel travail vous voulez faire, allez-y par élimination et choisissez le domaine qui correspond le plus à vos intérêts, même s'il s'agit d'une branche très générale. Il est encore tôt pour savoir où la vie vous mènera, et ce sont souvent les expériences professionnelles que vous vivrez ou les opportunités que vous saisirez qui vous feront découvrir vos véritables passions. Beaucoup de portes s'ouvriront à vous en cours de route, alors ne vous rongez pas tout de suite les sangs si vous ne savez pas exactement ce que vous voulez faire plus tard. Vous avez encore plusieurs années pour y penser, et il faut laisser le temps faire son œuvre. L'important, c'est d'avoir de l'ambition et de faire ce qui vous passionne. Si vous vous sentez vraiment perdue et que vous ne savez pas trop dans quel domaine vous diriger, vous pouvez aussi consulter un conseiller en orientation qui pourra vous aider à déterminer ce qui vous plaît, en plus de cibler vos forces et vos faiblesses. Il existe des milliers d'emplois différents et, souvent, on finit par exercer un métier que l'on n'aurait jamais envisagé durant

notre adolescence. Plus vous avancerez dans vos études, plus vous serez en mesure de déterminer ce que vous aimez faire et quelles sont vos véritables forces. Vous êtes jeune et tout est possible, alors n'ayez surtout pas peur de foncer et de réaliser vos rêves. Après tout, vous avez la vie devant vous !

Sujets connexes : emploi à temps partiel, CEGEP

Colère

La colère est une émotion qui survient le plus souvent de façon vive et spontanée, sans crier gare, dans un moment d'intense frustration. On se met en colère lorsqu'une situation nous fait sortir de nos gonds et qu'on se sent sur le point d'exploser.

C'est une émotion qui peut être difficile à dominer, car elle nous prend par surprise et nous pousse souvent à dire des choses qui dépassent notre pensée ou à agir de façon regrettable, voire violente.

On se retrouve parfois dans des situations qui nous font monter la moutarde au nez ou avec des gens qui nous mettent franchement en colère. Par exemple, si une amie vous donne rendez-vous au coin d'une rue et qu'elle se pointe avec une heure de retard sans vous avoir prévenue, il est fort probable que vous serez en colère contre elle. Vous ruminez peut-être même dans votre for intérieur depuis plus de soixante minutes. Quand elle finit enfin par arriver avec un air coupable et désolé, vous avez eu tout le temps de mûrir votre colère. Peu importe ses raisons et ses excuses, vous sentez la vapeur qui vous sort par les oreilles et vous éclatez.

Quand on est en colère, des manifestations physiques en témoignent. On devient parfois toute rouge et tendue. Notre corps se raidit, on hausse le ton, on se met à crier, parfois même à pleurer de rage, et on a dans certains cas recours à des gestes violents. Bref, ça n'a rien de très joli ! Quand la tempête passe et qu'on prend le temps de se calmer, on regrette souvent de s'être emportée ainsi et on réalise qu'on a dépassé les bornes.

C'est normal d'être en colère de temps à autre. Il y a des journées où on est plus sensible, donc plus susceptible de se mettre en colère. Il survient parfois des événements qui nous font vraiment perdre les pédales. Sachez qu'il existe toutefois des façons de maîtriser sa colère ou, du moins, de l'évacuer autrement qu'en agressant les gens qui nous entourent. Quand vous vous sentez sur le point d'éclater, mieux vaut parfois le dire et vous éloigner durant quelques minutes. Allez prendre l'air, écoutez de la musique, écrivez pour vous défouler, ou pratiquez un sport pour faire « sortir le méchant ». Vous pouvez aussi vous enfermer entre quatre murs et hurler à pleins poumons ! Ça peut sembler un peu fou, mais ça fait un bien immense.

Lorsque vous éclatez, vous devez toutefois tenir compte de l'endroit où vous vous trouvez pour ne pas agir de façon déplacée. Bien que la colère puisse provoquer une réaction spontanée et irrationnelle souvent difficile à contenir, vous devez vous efforcer de retrouver votre sang-froid et de vous calmer. Évitez les coups bas et les paroles blessantes que vous risquez de regretter amèrement par la suite. La colère ne justifie en aucun cas le fait de vous montrer injuste et de blesser les autres, alors prenez une grande respiration et réfléchissez avant de parler. De plus, évitez de réagir de façon violente et de casser des objets pour faire valoir votre point de vue ou pour exprimer votre colère. La violence et l'agressivité ne règlent absolument rien et vous feront sentir complètement ridicule après coup.

Enfin, sachez que la colère permet parfois de faire valoir son opinion, d'exprimer un point de vue qui nous tient à cœur ou tout simplement de se faire respecter quand on sent que les gens abusent de nous. Ce n'est pas mauvais de sortir de ses gonds de temps à autre et d'exprimer ses sentiments en toute sincérité et en toute vulnérabilité, mais il ne faut pas dépasser les limites. Il arrive à tout le monde de dire des choses regrettables sous l'effet de la colère. Aussi, une fois calmée, assurez-vous de vous excuser auprès des personnes concernées. Si vous faites preuve de sagesse et que vous assumez vos torts, les autres auront tendance à avoir de la compassion et à pardonner vos élans d'agressivité. Apprenez toutefois à prendre une grande respiration lorsque vous sentez la colère vous gagner et tournez votre langue sept fois avant de parler pour éviter de jeter de l'huile sur le feu !

Sujet connexe : bouder

Complexe

Toute fille développe de petits complexes de temps à autre. Certaines trouvent que leurs cuisses sont trop grosses, que leur poitrine est trop petite, que leurs jambes ne sont pas assez effilées, etc.

À l'adolescence, il est commun de développer des complexes. Le corps se transforme, on ne le reconnaît plus et on sent qu'on en perd la maîtrise. De plus, les filles ont la fâcheuse habitude de se comparer aux autres ou encore de croire que les critères de beauté véhiculés dans les magazines de mode constituent une norme. Par conséquent, elles se pensent ultramoches.

La première chose à faire quand on a des complexes, c'est de ne pas les laisser prendre le dessus. Il ne faut pas en faire une obsession. Personne n'est parfait. Toutes les filles voudraient changer certaines parties de leur corps si elles en avaient la possibilité.

Mais comme ce n'est pas le cas la plupart du temps, aussi bien apprendre à vivre avec votre corps et à vous aimer telle que vous êtes. Vous devez apprendre à maîtriser vos complexes pour éviter qu'ils deviennent de véritables handicaps qui vous empêchent de vous sentir confiante et bien dans votre peau. Vous êtes la seule juge de votre corps, alors ne soyez pas trop sévère. Si vous vous trouvez vraiment trop maigre, faites du sport, mangez davantage et développez vos muscles; si vous croyez que vous avez quelques kilos à perdre, prenez les mesures nécessaires pour le faire, sans vous rendre malade évidemment.

Apprenez aussi à identifier les aspects de votre corps et de votre personnalité que vous appréciez, et mettez-les en valeur plutôt que de vous acharner à penser à vos complexes. Vous devez apprendre à aimer votre corps tel qu'il est, car quoi que vous fassiez, vous ne parviendrez pas à ressembler comme par magie à Angelina Jolie. Vous êtes telle que vous

êtes, et il est primordial de ne pas laisser des complexes souvent superficiels et superflus gâcher votre existence.

Il se peut aussi que vous développiez des complexes relativement à votre personnalité, ou à vos con- naissances générales, par exemple. Peut-être trouvez-vous que vous n'en savez pas assez sur l'actualité, que vous êtes nulle en maths, que vous ne comprenez rien aux sports ou que vous n'avez pas suffisamment d'expérience avec les garçons. Et alors ? Personne ne réussit dans tout. Vous avez certainement des domaines de prédilection et des talents qui vous distinguent des autres, alors songez à ce qui vous rend satisfaite de vous-même plutôt qu'à ce qui vous embête. De plus, il n'est jamais trop tard pour vous améliorer et en apprendre davantage dans les domaines que vous connaissez moins. Alors,

plutôt que de pleurer sur votre sort et de vous apitoyer, foncez !. Même si vous n'obtenez pas les résultats voulus, vous serez tout de même fière d'avoir essayé et d'avoir cherché à vous surpasser. Il vous faut vaincre vos complexes et vos peurs, et apprendre à foncer pour atteindre vos objectifs.

Il va sans dire que les complexes sont directement liés à la confiance en soi. Ce n'est pas parce que vous ne raffolez pas de votre nez que vous avez une piètre estime de vous-même, mais vous ne devez pas laisser ce petit complexe prendre le dessus sur tout le reste. Il importe d'apprendre à vous aimer telle que vous êtes et à vous mettre en valeur pour vous sentir jolie et intelligente. Les complexes se forment dans votre tête, et ils ne constituent en rien des indices de la perception qu'ont les autres de vous. Il n'en tient qu'à vous de les dominer et de les vaincre. Vous ne pouvez pas changer qui vous êtes, mais vous pouvez faire un effort pour vous améliorer et pour vous sentir mieux dans votre peau. Certains complexes disparaîtront d'eux-mêmes au fil du temps, avec le passage de l'adolescence ou lorsque votre corps aura terminé de se développer, mais, d'ici là, apprenez à vous apprécier, à vous valoriser et à accorder la priorité à vos qualités et à vos atouts plutôt qu'aux aspects de votre corps et de votre personnalité qui vous plaisent le moins. Tant et aussi longtemps que vous ne maîtriserez pas vos complexes et que vous ne serez pas capable de faire taire cette petite voix intérieure qui a tendance à vous rabaisser, vous ne pourrez pas vous sentir complètement épanouie. Alors, soyez forte et assumez-vous telle que vous êtes. Vous êtes la maîtresse de votre estime personnelle et de votre confiance en vous. Ne soyez pas trop dure envers vous-même, et prenez conscience de vos qualités et de votre beauté !

Sujets connexes : beauté, confiance

SENTIMENT DE SÉCURITÉ

Il est parfois si facile de dire à quelqu'un qu'on lui fait confiance, ou de promettre à une amie qu'elle peut se fier à vous, et à vos parents qu'ils n'ont pas à s'inquiéter puisque vous êtes une personne digne de confiance, mais concrètement, qu'est-ce que cela signifie ?

La confiance est un sentiment de sécurité lié à une relation qu'on entretient avec quelqu'un. On éprouve ce sentiment quand on sait pertinemment qu'on peut compter sur une personne, car elle tient sa parole, elle est honnête et elle ne nous ferait jamais délibérément de la peine. Quand on fait confiance à une personne, on a la certitude qu'elle ne va pas nous trahir et qu'elle nous

respectera quoi qu'il arrive. Songez par exemple à votre meilleure amie. Vous pensez certainement qu'il s'agit d'une personne loyale et qu'elle sera toujours là pour vous. Si quelque chose vous tracasse, vous savez que vous pouvez vous confier à elle, puisqu'elle est muette comme une carpe et qu'elle respecte votre intimité. Vous n'avez pas peur qu'elle aille raconter vos secrets à toute la classe, ou qu'elle vous laisse tomber sans crier gare. En d'autres mots, vous lui faites confiance.

La confiance prend du temps à se développer. On peut rarement se fier aveuglément à quelqu'un qu'on ne connaît pas, mais lorsqu'on gagne cette confiance, on se sent vraiment importante aux yeux de cette personne, et ce sentiment est tout à fait unique. Aussi, quand on peut compter sur quelqu'un, on se sent beaucoup plus légère, puisqu'on n'a aucune inquiétude. On n'a pas à se casser la tête et à se ronger les sangs en imaginant le pire. Par exemple, si vous passez la soirée chez une copine et que vous informez vos parents que vous ne dormirez pas à la maison, ils n'auront pas à s'inquiéter s'ils vous font suffisamment confiance. Ils n'iront pas s'imaginer que vous êtes dans une fête délirante ou que vous traînez dans la rue, puisque vous tenez toujours parole et que vous êtes honnête. La confiance est directement liée à l'honnêteté. Ça ne veut toutefois pas dire que vous devez toujours faire le bien et agir comme un ange. Il arrive à tout le monde de commettre des erreurs, et ce n'est pas parce que vous rentrez cinq minutes en retard que vos parents n'auront plus confiance en vous, mais vous devez apprendre à assumer vos erreurs, à prévenir vos parents en cas d'imprévu, à être responsable dans ce que vous faites. S'ils vous font confiance, ils auront tendance à vous donner plus de liberté. Si vous jugez que vous êtes digne de cette confiance et qu'ils sont complètement paranos, il faut en discuter avec eux pour leur expliquer que, jusqu'à preuve du contraire, vous êtes responsable et qu'ils peuvent toujours se fier à vous.

Une confiance réciproque

C'est bien beau de faire confiance aux gens, mais il n'y a rien de plus valorisant que de sentir que les gens peuvent vous faire confiance. Vous devez gagner cette loyauté en agissant de façon à ce que les personnes que vous aimez sachent qu'elles peuvent compter sur vous, sur votre honnêteté, sur votre respect et sur votre parole. Concrètement, cela veut dire que vous devez tenir vos engagements. Ne faites pas de promesses tout en sachant que vous ne pourrez pas les respecter. Soyez réaliste dans ce que vous dites. Pour gagner la confiance des autres, il est aussi important d'être là pour eux et de leur faire sentir qu'ils peuvent vraiment compter sur vous, sur votre présence et sur votre soutien. Si l'une de vos copines traverse un moment difficile, faites-lui comprendre que vous êtes là pour elle et qu'elle peut vous parler en toute confidentialité. Il s'agit en effet d'une autre caractéristique essentielle. Vous devez savoir garder des secrets et être discrète pour que les gens aient confiance en vous. Laissez faire les ragots et concentrez-vous sur la vraie amitié. Évidemment, si vous voulez gagner la confiance d'une personne, il faut éviter d'être malhonnête ou de la trahir. Tout est question d'honnêteté, de respect, de loyauté et de fidélité avec sa famille, ses amies et son amoureux.

Les deux extrêmes

D'une part, il ne faut pas être trop naïve et faire aveuglément confiance à tout le monde. Certaines personnes ne sont pas dignes de cette confiance et risquent de vous blesser. C'est à vous de déterminer qui, dans votre entourage, mérite ce respect et cette ouverture de soi. D'autre part, vous ne devez pas devenir complètement parano et ne faire confiance à personne, car vous passerez à côté de plein de belles choses. Même si quelqu'un vous blesse

et abuse de votre confiance, dites-vous que nous apprenons toutes de nos erreurs et que, la prochaine fois, vous serez plus prudente. Apprenez à donner et à recevoir. La confiance se construit souvent à deux, et il est très facile de voir si vous êtes seule à tenir le fort ou si vous pouvez véritablement compter sur l'autre.

Quoi qu'il arrive, soyez patiente. Certaines personnes prennent plus de temps à s'ouvrir et à faire confiance aux autres. Si vous montrez que vous êtes digne de confiance, les gens n'auront aucune raison de douter de vous. Par ailleurs, ne soyez pas surprise si les gens à qui vous pouvez toujours vous fier se comptent sur les doigts d'une main. L'important, c'est de savoir que vous pouvez compter sur eux, et qu'ils peuvent se fier à vous et vous faire confiance sans la moindre inquiétude. La confiance est un immense atout dans les relations avec vos amies, vos parents, vos frères et vos sœurs, vos professeurs et, bien évidemment, celui qui fera battre votre cœur. Non seulement la confiance est-elle essentielle en amitié, mais c'est aussi l'une des bases de l'amour. Par conséquent, aussi bien apprendre à la développer tout de suite pour vivre de façon plus épanouie et vous sentir mieux dans votre peau.

💟 Sujets connexes : apparence, ambition,

DÉVOILER SON JARDIN SECRET

Une confidente, c'est quelqu'un sur qui on peut compter et à qui on peut se confier, raconter ses petits secrets, ses hauts et ses bas, ses angoisses, ses malheurs et ses chagrins sans avoir peur de se faire juger ou de ne pas se faire respecter

Quand on choisit un confident ou une confidente, on lui dévoile notre jardin secret, on partage une intimité unique et très précieuse. Aussi, il faut savoir valoriser ce sentiment. C'est à vous et à vous seule de déterminer qui sont vos confidents. Il peut s'agir d'une amie, d'un copain, de votre journal intime, de vos parents, de votre sœur ou de votre chien, mais ce doit être quelqu'un de loyal et d'honnête sur qui vous pouvez compter. Ces personnes-ressources sont parfois difficiles à trouver, alors

ne vous étonnez pas si vous constatez que vous n'avez qu'un ou deux vrais confidents. Lorsqu'on se confie à quelqu'un, on dévoile son jardin secret et on partage des confidences, ce qui peut nous faire sentir extrêmement vulnérable. Il faut toutefois apprendre à s'ouvrir aux autres et à ne pas avoir peur de discuter des choses qui nous tracassent ou qui nous perturbent avec les gens qu'on considère comme étant dignes de confiance.

Devenir la confidente de quelqu'un ne se fait pas du jour au lendemain. L'autre doit d'abord être convaincue qu'elle peut compter sur vous et vous faire confiance. Elle sait que vous êtes là en tout temps pour l'écouter, pour lui offrir une épaule sur laquelle pleurer ou une oreille pour se confier. Bref, elle peut non seulement compter sur votre loyauté et votre respect, mais aussi sur votre discrétion. Quand quelqu'un se

confie à vous, vous devez apprécier la confiance qui vous est accordée, et apprendre à respecter les confidences de cette personne et à ne pas dévoiler ses secrets aux autres, même s'ils vous paraissent anodins. Après tout, ce qui vous semble sans importance est peut-être extrêmement précieux à ses yeux et, de toute façon, ce n'est pas à vous d'en juger. Si vous voulez qu'une copine vous fasse confiance et se confie à vous, vous devez lui montrer que vous êtes disponible, discrète, loyale, respectueuse et que vous ne porterez pas de jugement sur ce qu'elle vous racontera. La liste semble assez longue, mais ce sont des qualités qui vont souvent de soi en amitié. On ne doit pas se forcer à être loyale ou disponible, puisque quand on aime quelqu'un, c'est souvent naturel d'être là pour lui et de l'écouter en lui offrant notre soutien. Si une amie est bouleversée, angoissée ou stressée et qu'elle se confie à vous, vous pouvez aussi décider de l'écouter, puis de lui proposer une activité qui saura lui changer les idées et la sortir de sa torpeur. C'est à vous, la confidente, de lui donner des conseils ou de lui proposer des activités amusantes. Soyez attentive aux besoins des autres et apprenez à les écouter lorsqu'ils en ont besoin. Inversement, apprenez à vous ouvrir aux autres et à partager vos émotions avec les gens en qui vous avez confiance.

Sachez aussi qu'il existe toutes sortes de confidentes : il y a les copines que vous irez voir lorsque vous voudrez parler de vos émotions et de vos angoisses un peu plus profondes, celles à qui vous voudrez parler lorsque vous aurez envie de lâcher votre fou ou de vous changer les idées, et celles qui ont toujours le don de vous faire sentir mieux en un rien de temps. L'important, c'est que vous puissiez leur faire confiance et compter sur elles et sur leur discrétion, tout en leur faisant bien comprendre qu'elles peuvent également compter sur vous et que vous vous acquitterez tout aussi bien de votre rôle de confidente. C'est ça, la vraie amitié !

Sujets connexes : amitié, secret, journal intime

LA PETITE VOIX QUI SE CACHE À L'INTÉRIEUR

La conscience est « l'état nerveux de vigilance et de réceptivité aux signaux provenant de l'environnement interne et externe, qui fonde la pensée, les comportements et l'identité de l'individu ».

(Source : Grand Dictionnaire terminologique)

En d'autres termes, c'est la petite voix qui se cache à l'intérieur de vous, qui vous rend capable de distinguer le bien du mal et qui vous incite à faire des choix conformes à vos valeurs.

Prenons un exemple concret. Si vous volez dans un magasin, vous savez que vous avez commis un délit et que vous avez mal agi. Même si personne ne s'en rend compte, au fond de vous, vous êtes rongée par la culpabilité et par la honte parce que vous êtes tout à fait consciente du fait que votre geste n'était pas conforme à vos valeurs et à la loi. Bref, votre conscience ne cesse de vous répéter que vous avez mal agi, de sorte que vous avez

de la difficulté à assumer votre crime et qu'il devient impossible pour vous d'avoir l'esprit en paix. Bien que la conscience soit bien ancrée au fond de vous et que personne d'autre que vous ne puisse la diriger, c'est presque impossible de la faire taire ou de l'ignorer quand elle vous indique que quelque chose cloche. La conscience constitue la base de votre identité; c'est en elle que se trouvent les repères qui vous guident dans la vie et qui vous poussent à agir correctement, à vous questionner sans cesse sur vos agissements, à vous améliorer en cas d'erreur et à vous surpasser.

La conscience vous permet souvent de vous remettre sur le droit chemin et d'agir en fonction de vos valeurs et de votre vision de la vie. C'est elle qui vous pousse à vous remettre en question et à déterminer vos priorités, vos rêves et vos objectifs. Non seulement elle vous fait réfléchir sur le fondement de vos valeurs lorsque vous commettez une erreur ou que vous n'êtes pas fière de vous, mais elle vous trace aussi la voie par laquelle atteindre vos

objectifs. C'est elle qui vous permet de bien percevoir vos émotions et de vous ouvrir à votre propre état d'esprit, de réfléchir à vos actes. Ainsi, elle peut vous guider vers le bonheur et l'épanouissement, en plus de vous permettre de déterminer les fondements de votre morale.

Ce n'est toutefois pas toujours facile de s'y retrouver. Parfois, on ne sait pas trop quelle est la meilleure décision, et notre conscience se fait toute petite ou semble tout aussi confuse que nous. Bref, on cogite dans une zone grise et on n'y voit plus très clair. De plus, votre conscience ne peut pas vous garantir que vous ne commettrez jamais d'erreur : il arrive à tout le monde de se tromper. L'important, c'est que vous en soyez consciente et que vous appreniez de ces erreurs pour ne plus les reproduire, ce qui vous permettra de vous améliorer. Il ne sert à rien de vous perdre en regrets, car de toute façon ce qui est fait est fait et, jusqu'à preuve du contraire, vous ne pouvez pas réécrire le passé. Vous pouvez toutefois accepter votre erreur et vous dire que vous ferez mieux la prochaine fois. C'est à cela que sert la conscience. Elle agit comme un guide pour que vous puissiez devenir une meilleure personne.

Sujets connexes : valeurs, religion

LES MÉTHODES CONTRACEPTIVES

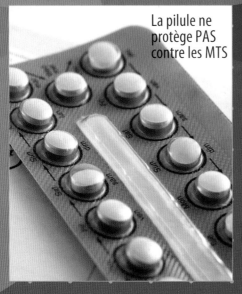

La pilule ne protège PAS contre les MTS

Quand vous vous sentez prête à avoir vos premières relations sexuelles, il est essentiel de songer à la contraception.

Les méthodes contraceptives sont indispensables pour empêcher la grossesse et pour prévenir les maladies transmises sexuellement (MTS – aussi appelées infections transmissibles sexuellement, ou ITS).

La pilule

La pilule anticonceptionnelle est la méthode contraceptive la plus efficace et la plus répandue chez les adolescentes. Les hormones qu'elle contient empêchent l'ovulation. Il existe divers types de pilules. Les effets secondaires varient selon les filles, mais la plupart des pilules possèdent une concentration d'hormones si faible que ces effets sont très minimes. Le corps a besoin d'environ trois mois pour s'habituer à la pilule, mais cette dernière contribue notamment à rendre les règles plus régulières, celles-ci devenant souvent plus courtes et moins abondantes. Certaines pilules règlent également les légers problèmes d'acné. Il est important de souligner que la pilule ne protège PAS contre les MTS. Aussi, l'utilisation du condom demeure tout de même fortement recommandée.

Le Depo-Provera

Le Depo-Provera est une injection d'hormone progestative qu'on effectue tous les trois mois pour prévenir la grossesse. Ce produit bloque la libération d'ovules par les ovaires et épaissit la muqueuse utérine, ce qui empêche les spermatozoïdes de pénétrer dans l'utérus et d'y survivre. L'efficacité du Depo-Provera est supérieure à 99 %, et il ne faut que 24 heures, après l'injection, pour qu'il fasse effet. Lorsque vous allez chez le médecin pour recevoir l'injection, il est important de prendre rendez-vous pour la suivante, puisque son efficacité dure 13 semaines. Cette méthode contraceptive est relativement nouvelle, et plusieurs effets secondaires mineurs (nausées, étourdissements, prise de poids) ont été signalés.

Le condom

Le condom est la seule méthode contraceptive qui protège contre les MTS et le sida ; il est donc important de toujours en utiliser un lorsque vous avez des relations sexuelles, et ce, même si vous employez une autre méthode de contraception. Le condom se trouve dans un petit sachet individuel que vous devez ouvrir délicatement pour être bien certaine de ne pas l'abîmer. Quand le garçon éjacule, le sperme demeure à l'intérieur du préservatif plutôt que de se répandre à l'intérieur du vagin. Par conséquent, au moment d'enfiler le condom, il est important de laisser un petit espace au bout pour recueillir le sperme. La plupart des préservatifs sont pourvus d'un petit réservoir qui simplifie les choses. Vous devez ensuite pincer légèrement le haut du condom pour chasser l'air, mais faites-le avec vos doigts plutôt qu'avec vos ongles pour éviter de le déchirer. Vous devez ensuite bien le dérouler, avant la pénétration, jusqu'à la base du pénis en vous assurant qu'il est dans le bon sens (le petit anneau que vous déroulez doit être tourné vers l'extérieur). Après l'éjaculation, il est important de retirer le condom alors que le pénis est encore en érection. Pour ce faire, il faut bien tenir la base du condom. Jetez-le immédiatement. Lorsque le condom est bien utilisé, son efficacité est de 97 % ou 98 % (*source : Gouvernement du Canada*).

Le stérilet

Le stérilet est un dispositif qu'on place à l'intérieur de l'utérus. Il existe des stérilets hormonaux et des stérilets en cuivre qui empêchent la nidation de l'ovule fécondé (l'œuf ne peut s'accrocher aux parois) et ralentissent l'épaississement de la muqueuse utérine. Le stérilet doit être inséré par un médecin au fond de l'utérus et peut causer d'importants saignements. Il n'est donc pas recommandé aux jeunes adolescentes qui n'ont pas encore eu d'enfant, car il comporte un risque de causer la stérilité. De plus, bien qu'il s'agisse d'une méthode efficace contre la grossesse, il peut provoquer des menstruations plus douloureuses et plus abondantes.

Le diaphragme

Le diaphragme est aussi efficace que le condom pour prévenir la grossesse, mais il ne protège pas contre les MTS. Il s'agit d'une membrane en latex qu'on place au fond du vagin juste avant le rapport sexuel, de façon à recouvrir le col de l'utérus et à éviter que les spermatozoïdes ne rencontrent l'ovule. C'est votre médecin qui déterminera d'abord la taille du diaphragme dont vous avez besoin et qui vous montrera comment l'installer adéquatement. Le diaphragme peut être accompagné d'une crème spermicide (qui détruit les spermatozoïdes), que l'on doit appliquer avant la pénétration.

Les méthodes naturelles

Les méthodes naturelles sont très peu efficaces. Non seulement elles ne protègent pas contre les MTS, mais elles entraînent un risque important de grossesse à cause du liquide pré-éjaculatoire qui est émis par le garçon au cours de la relation sexuelle et qui contient des spermatozoïdes. Les deux principales méthodes naturelles sont le coït interrompu, où le garçon se retire avant l'éjaculation, et l'abstinence durant les périodes d'ovulation (souvent difficiles à déterminer avec précision). Ces méthodes naturelles ne sont pas recommandées.

Le condom à tout prix !

Bien que vous ayez une confiance aveugle en votre amoureux, il peut être atteint d'une MTS sans même le savoir, alors plutôt que de courir le risque de contracter une maladie, utilisez le condom. Si vous êtes ensemble depuis très longtemps et que vous ne voulez plus utiliser le condom, ou encore que son usage cause un désagrément important pour l'un d'entre vous, allez voir le médecin pour passer un test de dépistage du sida et des autres MTS. Ce test se fait de façon anonyme et confidentielle. Lorsque vous aurez obtenu les résultats et que vous aurez tous les deux

la certitude que vous êtes en bonne santé et que vous ne courez aucun risque, vous pourrez songer à arrêter d'avoir recours au préservatif, mais continuez d'utiliser une méthode contraceptive complémentaire pour prévenir la grossesse. Je vous suggère toutefois de prendre votre temps avant de laisser tomber le condom. Bien que vous soyez certaine que votre partenaire vous aime et vous est fidèle, il suffit d'une petite malchance pour que vous ayez de sérieux ennuis. Si vous faites preuve de jugement et que vous êtes très responsable, tout devrait bien se dérouler !

	Quelques avantages	Quelques inconvénients	Accessibilité[5]
Les méthodes hormonales			
La pillule anticonceptionnelle	• Très efficace si utilisée comme il faut (97 - 99,9 %) • Facile à utiliser • N'affecte pas la fécondité • Régularise les menstruations : moins de crampes menstruelles	• Ne protège pas contre les ITS • Effets secondaires possibles (gain pondéral, nausées, maux de tête) • Doit se prendre au même moment de la journée tous les jours • Autres méthodes contraceptives requises lors du premier mois ou en cas d'oubli • Le coût peut être un facteur limitant pour certaines femmes	• Centres médicaux • Cliniques • Médecin de famille
Depo-Provera	• Très efficace (99,7 %) • Pratique • Ne s'injecte que tous les 3 mois	• Ne protège pas contre les ITS • Irrégularités menstruelles • Gain pondéral possible • Les effets secondaires ne sont réversibles qu'une fois le dépôt injecté épuisé • Risque de diminution de la densité osseuse en cas d'usage prolongé. Cela est d'autant plus préoccupant pour les adolescentes et les femmes dans la vingtaine.	• Centre médicaux • Cliniques • Médecin de famille

Source : *Agence de la santé publique du Canada - Les méthodes contraceptives*

	Quelques avantages	Quelques inconvénients	Accessibilité[5]
Les méthodes barrières			
Le condom	• Protège contre la grossesse et la plupart des ITS • Efficace à 88 % pour la prévention des grossesses s'il est utilisé constamment et correctement • Accessible et peu coûteux • Implique la participation directe du partenaire • Aucune visite chez le médecin ni ordonnance ne sont requises	• Les deux partenaires doivent être consentants et en mesure de l'utiliser pour chaque rapport sexuel • Peut se déchirer s'il n'est pas utilisé comme il faut (date de péremption passée, lubrification insuffisante) • Nécessite une planification/ manque de spontanéité	• Pharmacies • Cliniques jeunesse • Infirmière scolaire
Le diaphragme et la cape cervicale (utilisés avec un gel ou une crème spermicide)	• Peuvent s'insérer quelques heures avant les rapports sexuels • Efficacité de 92 % à 96 % dans la prévention des grossesses s'ils sont utilisés constamment et correctement • Peu d'effets secondaires	• Ne protègent pas contre les ITS • Leur insertion demande une certaine expérience et une bonne motivation de la part de l'utilisatrice • Une perte ou un gain pondéral d'environ 10 livres peut compliquer leur ajustement • Rendez-vous chez un médecin requis pour ajuster le diaphragme	• Centre médicaux • Cliniques • Médecin de famille
Les spermicides	• Offerts sans ordonnance • Efficacité de 79 % à 94 % s'ils sont employés seuls (79 % pour un usage habituel, 94 % pour un usage parfait) • Efficacité maximale en association avec une méthode barrière comme le condom, le diaphragme ou la cape cervicale	• Ne protègent pas contre certaines ITS • Comportent un risque de réaction allergique pouvant causer des fissures microscopiques du vagin • La recherche indique que le principe actif dans les spermicides, le nonoxynol-9, peut en fait augmenter le risque de transmission du VIH, car il peut fissurer la paroi génitale	• Pharmacies
Le stérilet	• Son introduction ne dépend pas des rapports sexuels • Efficacité à 98 % • Contraception à long terme pouvant durer jusqu'à 8 ans • Sans danger et efficace pour les femmes non exposées au risque d'ITS (partenaire stable et fidèle) • Généralement utilisé par les femmes ayant déjà eu un enfant	• Ne protège pas contre les ITS • Peut causer des douleurs et un saignement après son insertion • Risque de saignements menstruels plus abondants • Risque de pelvipéritonite 3 mois après l'insertion • Son coût varie de 50 $ à 150 $	• Centres médicaux • Cliniques • Médecin de famille

Source : Agence de la santé publique du Canada - Les méthodes contraceptives

	Quelques avantages	Quelques inconvénients	Accessibilité[5]
Les méthodes naturelles			
Abstinence (pas de rapports sexuels ; aucune pratique sexuelle pouvant causer un échange de liquides organiques ; pas de contact cutané dans la région génitale ; aucun contact buccal avec les organes génitaux)	• Méthode la plus efficace pour la prévention des grossesses et des ITS • Aucun effet secondaire • Aucun coût	• Chaque partenaire peut avoir une conception différente de l'abstinence • Elle n'est pas un bon choix si l'un des partenaires n'est pas consentant ou si l'un d'eux exerce des pressions ou subit des pressions de son entourage pour avoir des rapports sexuels • Les partenaires peuvent changer d'avis pendant les jeux sexuels ; ils doivent donc toujours avoir un condom à leur disposition	
Le retrait	• Aucun effet secondaire • Aucun coût • Convient lorsque aucune autre méthode n'est accessible (c'est toujours mieux que rien...)	• Du sperme provenant d'un pré-éjaculat du pénis en érection peut entrer dans le vagin avant le retrait du pénis • Ne protège pas contre les ITS • Pas hautement efficace. Des études ont démontré des taux d'échec de 19 % chez les utilisateurs typiques et de 4 % chez les utilisateurs expérimentés • Requiert une grande maîtrise de soi-même et de la pratique	
La contraception d'urgence (pilule du lendemain)	• Peut prévenir une grossesse après des rapports sexuels non protégés ou lorsque la méthode contraceptive a échoué ou n'a pas été utilisée correctement • Efficacité maximale dans un délai moindre. jusqu'à 72 heures après les rapports sexuels non protégés	• Ne protège pas contre les ITS • Il faut suivre les directives à la lettre • Peut causer des nausées et vomissements • Coût relativement élevé	• Centres médicaux • Hôpitaux • Cliniques • Pharmacies (dans certaines provinces) • Médecin de famille

Source : Agence de la santé publique du Canada - Les méthodes contraceptives

♥ Sujets connexes :première fois, sexualité, avortement

PERSONNE AVEC QUI ON PARTAGE DES INTÉRÊTS

Lorsqu'on fréquente l'école secondaire, on a des tonnes de copains. On les croise dans les corridors, dans les salles de classe, dans les cours de danse, dans l'autobus, dans le métro, dans la cour de l'école.

Un copain (ou une copine), c'est une personne avec qui on a des intérêts communs ou avec qui on fait des activités. Il faut faire la distinction entre les amis, à qui on se confie et sur qui on peut toujours compter dans les moments difficiles, et les copains, qu'on fréquente de façon plus désinvolte et avec qui on entretient des rapports plus légers.

Un copain peut bien entendu devenir un ami, mais tout dépend de la confiance que vous établissez, des liens qui vous unissent et des affinités que vous avez. Par exemple, si vous faites partie de l'équipe de basket de votre école, les autres joueuses sont vos copines : c'est avec elles que vous pouvez discuter de sport, que vous prenez l'autobus avant et après les parties, et que vous participez aux tournois. Vous passez des moments précieux ensemble, mais ce n'est pas nécessairement celles que

vous invitez le vendredi soir à aller au cinéma. Vous choisissez plutôt votre meilleure amie, à qui vous confiez tous vos secrets.

Il ne faut toutefois pas sous-estimer l'importance des copains. Ce sont eux que vous croisez dans les couloirs ou dans la cour de l'école et qui mettent de la vie dans votre quotidien. Ce sont aussi eux qui se joignent à vos fêtes et qui rendent votre vie plus joyeuse. Sans les copains, la vie serait triste et monotone, car il est bon d'avoir plusieurs groupes de compagnons avec qui on a des intérêts différents. C'est ce qui met de la diversité dans notre train-train quotidien et qui nous permet de connaître toutes sortes de cultures, de traditions et de personnalités.

Il est facile de se faire des copains ; il vous suffit d'être joviale, sociable et de vous montrer assez ouverte pour bavarder de tout et de rien. Si vous restez toujours dans votre coin et que vous ne montrez aucun désir de discuter avec les gens, ceux-ci seront moins portés à venir vers vous et à parler de la pluie et du beau temps. Même si vous croyez que certaines personnes sont différentes de vous et que vous n'avez pas les mêmes intérêts, faites un effort,

et vous pourriez être très surprise. Inscrivez-vous à des activités parascolaires, participez aux excursions qu'on vous propose, joignez-vous à une équipe sportive ou au conseil étudiant ; c'est là que vous ferez la connaissance de personnes avec qui vous aurez des intérêts communs. Les vraies amies se font plus rares ; ce sont les personnes les plus proches de vous, celles qui vous connaissent par cœur et qui vous acceptent telle que vous êtes, mais peut-être ne partagent-elles pas votre amour pour la peinture à l'huile. C'est à cela que servent les copains de votre cours d'arts plastiques ! Avec eux, vous pouvez discuter des toiles et des pinceaux avant de rejoindre votre meilleure amie pour discuter de choses qui vous tiennent à cœur.

Même si les copains ne sont pas les personnes les plus proches de vous, il faut tout de même faire un effort pour entretenir ces liens d'amitié. Envoyez-leur une carte postale de la Répu-blique dominicaine ou une jolie carte de Noël pour qu'ils sachent que vous pensez à eux, même si vous ne passez pas tout votre temps en leur compagnie. Prenez de leurs nouvelles par courriel, faites des blagues dans l'autobus et saluez-les lorsque vous les croisez à l'école.

Les camarades de classe sont eux aussi vos copains, car ils sont ceux avec qui vous assistez à vos cours durant toute l'année scolaire et avec qui vous partagez le plus clair de votre temps. Bien que la plupart d'entre eux soient différents de vous, il y a tout de même entre vous une grande camaraderie et une grande complicité. Que seraient les cours sans leur présence ? Lorsque vous vieillirez, les souvenirs de classe et des camps de vacances en compagnie des copains resteront gravés dans votre mémoire.

Avec les copains, on n'a pas trop à s'en faire : pas de disputes, pas de grandes confidences ou de fortes émotions. Les relations demeurent légères et on peut rigoler sans se faire de souci, et ce qui est génial, c'est qu'on peut se faire des copains un peu partout et ouvrir son esprit aux différences et à la diversité. Si vous partez en voyage et que vous rencontrez des copines qui vivent en Allemagne, vous ne pourrez pas rester en contact quotidien avec elles, mais vous pouvez quand même leur écrire de temps à autre, puisque vous partagerez à jamais ces souvenirs de vacances. Les copains serviront aussi à développer votre estime personnelle, car vous constaterez que même s'ils ne vous connaissent pas de fond en comble, ils apprécient beaucoup votre personnalité et votre dynamisme, et qu'ils aiment bien passer du temps en votre compagnie. Profitez donc des copains pour rigoler, pour jouir de la vie et pour montrer à quel point vous êtes géniale !

Sujets connexes : amitié, gang de filles

UN PREMIER PETIT AMI

Il n'est pas rare de vivre son premier amour à l'adolescence. On se fait un petit ami et on se sent au septième ciel. Une première relation amoureuse vous en apprendra énormément sur vous-même et sur la vie de couple.

Après quelques semaines, il est normal que la période de « lune de miel » se termine; vous devez alors commencer à vous adapter à la personnalité de votre amoureux et à faire des compromis. Je ne vous apprends rien lorsque je dis que les gars et les filles sont très différents, mais, en plus, chaque individu possède ses qualités et ses défauts. C'est ce qui nous rend si unique. Quand on sort avec un garçon et qu'on forme un couple, on doit apprendre à le connaître de façon plus intime et à accepter ses petits défauts. On doit aussi s'habituer à un nouveau rythme de vie et à une nouvelle routine. C'est normal de vouloir passer tout son temps avec son amoureux, mais il faut faire attention de ne pas tout sacrifier pour lui.

Tout d'abord, il y a vos amies. Vous aviez sans doute l'habitude de passer tout votre temps libre avec elles, de dîner en leur compagnie et de les retrouver après l'école. Maintenant, vous devez apprendre à partager votre temps entre votre amoureux et vos meilleures copines. Il se peut très bien que l'adaptation soit difficile au début. Vos amies seront peut-être jalouses de l'attention que vous portez à un garçon et du temps que vous lui consacrez, et votre petit ami vous demandera peut-être de sacrifier vos après-midis de magasinage avec vos amies pour passer plus de temps avec lui. L'important, c'est de trouver un équilibre qui vous permette de voir votre amoureux sans négliger complètement vos amies.

Attention, danger !

Quand on est follement amoureuse, on sent que notre cœur s'emballe pour un rien et on désire passer tout notre temps avec notre amoureux. Rappelez-vous toutefois que l'amour ne dure pas toujours pour l'éternité, surtout au secondaire, et que les amies, elles, sont là pour rester. Si vous passez des mois entiers seule avec votre amoureux et que la relation se termine, vous risquez de vous sentir extrêmement seule, surtout si vous avez abandonné vos amies pendant tout ce temps et qu'elles ne sont plus là pour vous. Les amies sont là pour vous aider dans les moments difficiles, mais il est essentiel d'entretenir l'amitié, de demeurer disponible pour elles et de leur faire comprendre qu'elles sont encore très importantes à vos yeux.

Quand la jalousie s'installe

Il se peut aussi que vos amies éprouvent de la jalousie envers votre copain et soient en colère contre vous parce que vous ne leur accordez pas assez de temps. Bien que vous ayez un devoir à accomplir en tant qu'amie, elles doivent quant à elles se montrer plus indulgentes. Expliquez-leur que vous êtes amoureuse et que vous avez aussi envie d'être avec votre petit ami. L'ajustement sera peut-être difficile au début, mais elles comprendront si vous leur en parlez calmement, surtout si certaines d'entre elles ont déjà été en couple. Vous pouvez discuter avec elles au sujet de votre relation et leur faire des confidences pour qu'elles se sentent impliquées dans votre vie. Vous pouvez aussi essayer d'organiser une activité où vous aurez l'occasion de passer du temps avec votre amoureux et avec vos amies (repas au restaurant, film à la maison ou au cinéma, activité sportive, etc.) pour qu'ils apprennent à se connaître davantage et pour détendre l'atmosphère.

Les parents et le couple

Il est aussi normal que vos parents ne soient pas très chauds à l'idée de vous voir en couple. Ils vous diront peut-être que vous êtes encore jeune pour vous engager dans une relation sérieuse et mettront de la pression pour que vous ne négligiez pas votre famille, vos études et vos activités parascolaires pour passer le plus de temps possible avec votre amoureux. Dites-vous qu'ils sont inquiets et qu'ils doivent s'adapter au fait que vous grandissiez. Vous devez encore une fois essayer de trouver un compromis et éviter de sacrifier votre vie pour votre petit ami, tout en expliquant à votre père et à votre mère qu'il est normal que vous désiriez passer du temps avec lui. S'il s'agit d'une relation plus sérieuse, je vous suggère de présenter votre amoureux à vos parents pour que ces derniers apprennent à le connaître et pour qu'ils aient davantage confiance en vous et en votre couple.

Suis-je trop jeune pour découcher ?

Au secondaire, vous allez parfois à des fêtes chez des amis qui vous proposent de passer la nuit chez eux. Vous aurez alors peut-être envie de dormir avec votre petit ami et d'en profiter pour avoir un peu plus d'intimité. Soyez responsable et prudente ; allez à votre propre rythme et assurez-vous que votre chum respecte votre décision. Si vos parents vous interdisent de dormir avec lui, tentez de ne pas leur désobéir ; cela risquerait de nuire à leur confiance et à votre indépendance. Si vous vous sentez prête à dormir avec votre amoureux et que vos parents sont d'accord, alors vous êtes la fille la plus chanceuse du monde !

Une question d'équilibre

On ne le dira jamais assez : si vous formez un couple, il est important de trouver un équilibre qui vous permette de ne pas négliger vos amies, votre famille et vos études tout en passant suffisamment de temps avec votre petit ami. Vous discutez peut-être pendant de longues heures au téléphone avec lui, ce qui embête votre grand frère qui doit appeler quelqu'un, ou vos parents qui préféreraient vous voir étudier. Soyez juste et raisonnable, et pensez aux autres sans toutefois vous négliger. Vous pouvez par exemple consacrer une journée de la fin de semaine à votre amoureux ou dîner avec lui deux midis par semaine, et partager le reste du temps entre vos devoirs, votre famille et vos amies. L'ajustement sera peut-être un peu compliqué au début, mais si vous trouvez un équilibre, les gens de votre entourage auront tôt fait de s'habituer à votre statut, et vous apprécierez quant à vous tous les moments précieux que vous passerez en compagnie de votre amoureux.

💜 Sujets connexes : amour, amoureuse

MON CHUM HABITE À 3 HEURES DE CHEZ MOI, ALORS UNE CHANCE QUE LES COURRIELS EXISTENT ! ANNIE

Quand on se retrouve dans une situation difficile, qu'on a besoin d'exprimer un sentiment ou de partager une expérience personnelle, on ne trouve pas toujours les mots pour en parler.

Dans plusieurs des courriels que j'ai reçus, les filles me demandaient par exemple comment s'y prendre pour révéler leurs sentiments à un gars ou comment faire une déclaration d'amour quand on est gênée et qu'on a peur d'être rejetée. Évidemment, les plus courageuses opteront pour l'approche directe, mais beaucoup d'entre vous préféreront exprimer ce qu'elles ressentent par écrit. Voici l'un des innombrables avantages du courrier électronique. En 2009, les courriels font partie de notre quotidien. C'est à se demander comment on se débrouillait avant leur arrivée !

Bien qu'ils soient moins personnels qu'une lettre écrite à la main, les courriels permettent d'échanger rapidement de l'information, de rester facilement en contact avec des gens qui habitent loin de nous ou de transmettre un message à plusieurs destinataires, permettant évidemment un échange super rapide et sans frontières. De plus, comme je l'ai mentionné précédemment, les courriels permettent parfois d'exprimer par écrit des choses qu'on n'ose pas dire en personne. Que ce soit à vos parents, à vos amies ou à un gars qui vous rend dingue, l'écriture permet à plusieurs filles d'y voir plus clair et d'exprimer plus facilement ce qu'elles ressentent.

Les courriels vous permettent aussi de communiquer rapidement avec vos camarades de classe si vous avez des questions concernant un cours ou un devoir, ou de transmettre vos travaux par l'intermédiaire de vos ordinateurs. C'est rapide et ça économise du papier !

Danger !

Vous êtes sûrement familière avec le principe des virus informatiques. Sachez toutefois que beaucoup d'entre eux se transmettent par l'intermédiaire d'un courriel ou d'un message envoyé par messagerie instantanée. Si vous ne connaissez pas le destinataire d'un courriel ou que l'objet vous en semble douteux, effacez tout de suite le message sans l'ouvrir pour éviter les mauvaises surprises. Vous pouvez aussi personnaliser les paramètres de votre boîte courriel pour bloquer des gens dont vous ne désirez pas avoir de nouvelles, ou encore pour filtrer les courriels entrants de façon à ce que ceux qui proviennent d'une certaine adresse se retrouvent directement dans votre boîte « courrier indésirable ».

Clavardage

Beaucoup de gens utilisent aussi la messagerie instantanée pour correspondre avec leurs amis ou leur amoureux. MSN Messenger est l'un des logiciels les plus connus et les plus utilisés. Le clavardage permet à un internaute « d'avoir une conversation écrite, interactive et en temps réel avec d'autres internautes, par clavier interposé » (Source : Grand dictionnaire terminologique). En d'autres mots, ça vous permet de parler aux amis de votre réseau en direct sur l'ordinateur. Bien qu'il s'agisse d'un moyen de communication un peu impersonnel, cela permet tout de même de sauver du temps et de discuter en direct avec des gens aux quatre coins de la planète. Certains sites, comme Facebook ou Gmail, offrent aussi un logiciel de clavardage assez simple, mais d'autres, comme MSN Messenger ou Skype, vous permettent même d'avoir une conversation audio et vidéo avec votre interlocuteur, d'envoyer

des fichiers, de partager des photos, etc. Vous devez toutefois rester prudente et filtrer les informations et les documents qu'on vous envoie pour vous assurer qu'ils soient sécuritaires et qu'ils ne contiennent aucun virus. N'acceptez pas d'ajouter à votre liste de contacts des gens que vous ne connaissez pas, et n'engagez pas de conversation vidéo avec des inconnus. Certaines personnes ont des intentions malveillantes, et vous devez toujours être alerte lorsque vient le temps d'utiliser Internet. Aussi, bien que la messagerie instantanée permette aux gens de rester en contact, d'entretenir de longues discussions et d'exprimer des sentiments qu'ils n'oseraient jamais dévoiler en personne, ne devenez pas trop accro à ce moyen de communication; si vous avez un chum qui vous ignore à l'école et ne vous adresse la parole que sur MSN, ce n'est pas sain pour vous ; il ne s'agit alors plus d'une relation interpersonnelle, mais bien d'une relation cybernétique superficielle. Par ailleurs, n'oubliez pas qu'il n'y a rien de tel qu'une bonne promenade pour s'aérer l'esprit et se changer les idées, alors évitez de passer vos journées entières devant votre ordinateur et prenez soin d'entretenir aussi des relations réelles avec les gens de votre entourage ! C'est plus personnel et plus bénéfique pour la santé !

Les messages SMS

Les messages SMS, ou textos, sont de plus en plus populaires chez les utilisateurs de téléphones cellulaires. Ils permettent d'envoyer rapidement un court message à un autre utilisateur de cellulaire sans avoir à faire gonfler le montant de sa facture. Par exemple, les gens enverront des messages textes pour confirmer une heure de rencontre, pour savoir où se trouve tel commerce, pour prendre rapidement des nouvelles, etc. Il s'agit d'une façon expéditive et informelle de communiquer avec quelqu'un et d'obtenir des informations. Il existe même tout un langage alphanumérique pour les habitués afin de simplifier les messages et économiser du temps. Il faut toutefois savoir qu'il s'agit

encore ici d'un moyen de communication pratique, mais très impersonnel, et qu'il ne faut pas en abuser. De plus, sachez qu'il est impoli d'envoyer et de lire des messages lorsque vous êtes accompagnée de quelqu'un, lorsque vous mangez en famille ou lorsque vous faites une activité avec une amie, alors apprenez à contrôler l'usage de votre messagerie texte et ne sous-estimez jamais l'importance des contacts humains ! Mieux vaut un vrai câlin et un contact humain qu'un émoticone ☺ !

Sujets connexes : Facebook, Internet

VALEURS ET TRADITIONS

La culture, c'est l'ensemble des facteurs et des caractéristiques d'un environnement qui le rendent unique et le distinguent des autres.

Ainsi, lorsqu'on parle de la culture québécoise, on parle des arts, de la cuisine, de la langue française, du hockey, de l'hiver, de notre système social et politique, et de toutes les valeurs et traditions que nous partageons en tant que communauté. C'est ce qui fait de nous une société distincte et unique, et qui nous différencie de toutes les autres.

La culture se définit donc par des traits distincts qui caractérisent une société ou un groupe de gens partageant les mêmes valeurs. Lorsqu'on parle d'une culture, quelle qu'elle soit, on fait référence à une philosophie de vie et à un ensemble de valeurs propre à cette culture (on parlera par exemple de culture européenne, nord-américaine, latino-américaine, indienne, de culture populaire, de culture punk, etc.). Ainsi, même si, au Québec, on s'associe à la culture québécoise, car on se distingue par un ensemble de valeurs et de traditions qui nous est propre, chacun peut aussi appartenir à une autre culture qui le définit de façon plus personnelle. Les immigrants qui vivent au Québec se sentiront par conséquent inclus dans la culture québécoise, sans toutefois nier leur appartenance à la culture de leur pays d'origine. C'est le mélange de ces deux cultures qui forme leur identité culturelle et fait d'eux des gens uniques.

De plus, un jeune peut par exemple considérer qu'il fait partie de la culture alternative parce

Musé du Louvre, Paris

que, non seulement il raffole de ce style de musique, mais il partage en outre les idées et les valeurs qui sont prônées par le mouvement alternatif.

À l'échelle de la société, il s'agit donc d'un ensemble de facteurs ayant trait aux arts, aux lettres, aux droits, à la religion, aux croyances, aux valeurs, à la langue ou alors aux traditions culinaires, culturelles et sportives qui définit une société ou un groupe de gens et qui leur donne un sentiment d'appartenance et une immense fierté de faire partie de cette culture.

La culture québécoise

La culture québécoise ne se définit pas seulement par le pâté chinois, la gigue et les hivers rigoureux. Elle constitue aussi un croisement du caractère européen et du caractère nord-américain, puisque le Québec est une société relativement jeune qui cherche encore à faire sa place dans un pays aussi vaste que le Canada. C'est une culture bien distincte de celle du reste de l'Amérique du Nord, puisqu'elle se différencie par sa langue, sa musique, sa nourriture, ses sports, son climat, ses arts, les droits de ceux qui la composent, ses paysages, son système social-démocrate et son histoire. Bref, tous ces éléments nous unissent en tant que société et nous rendent uniques. Soyons fières d'être Québécoises !

💚 Sujet connexe : Québec, musique

ADAPTATION 101

Catherine,

Ma meilleure amie a déménagé il y a quelques mois. Depuis, je ne l'ai vue qu'une fois ou deux. Ça me rend vraiment triste, puisqu'elle habitait sur ma rue et qu'on avait l'habitude de se voir tous les jours… Depuis, notre amitié a beaucoup changé.

Une fille déçue

Pas facile de changer de ville, de maison ou de quartier et de recommencer une nouvelle vie ailleurs ! Il faut s'accorder une période d'adaptation qui nous permette d'apprivoiser notre nouvel environnement et de s'accoutumer à notre entourage.

Un déménagement consiste en un changement majeur de domicile, et parfois même de quartier, de ville ou de pays. Cette période d'adaptation et de changements entraîne souvent du chagrin, du stress et de l'angoisse. En effet, bien qu'un déménagement nous pousse vers l'inconnu et nous permette de sortir de notre zone de confort et de flirter avec de nouvelles expériences, il représente aussi la fin d'une étape de notre vie. Quand on est jeune, on accorde souvent beaucoup d'importance et de valeur sentimentale à notre domicile, à notre maison d'enfance et à notre quartier. On se familiarise avec notre entourage, on se fait de bons amis, on connaît les recoins et les cachettes et on se sent en sécurité dans son chez-soi. Au primaire, on fréquente souvent l'école de quartier, et il arrive fréquemment que nos bons amis ne demeurent qu'à quelques pas de la maison. Ainsi, pas étonnant que plusieurs perçoivent le déménagement comme une véritable rupture et qu'ils aient de la difficulté à traverser cette période de deuil.

C'est normal d'accorder de l'importance à nos habitudes, à notre mode de vie et de rechercher une certaine stabilité. Plusieurs détestent les déménagements et ont horreur du changement. La différence, c'est que, lorsqu'on est grande, on est maître de nos actions et c'est à nous que revient le choix de décider si l'on veut rester ou partir, tandis que, quand on est jeune, on doit suivre nos parents et on se sent négligée dans la prise de décision. Si tes parents t'annoncent que vous devez déménager, il se peut donc que tu vives de la tristesse, et même de la frustration face à ton impuissance. Tu aimes ton quartier, tes amis et tes habitudes de vie, et tu n'as pas envie de changer. Sache toutefois qu'un déménagement entraîne aussi des avantages et qu'il est préférable de voir les choses du bon côté. Le fait de vivre dans une nouvelle maison te permettra de redécorer à ton goût et de repartir à zéro. Bien que la transition soit souvent stressante et difficile à vivre, une fois installée, tu te sentiras prête à tout puisque tu auras des tonnes de défis à relever.

De petits et de grands changements

Si tu ne fais que changer de rue sans changer de quartier, ne panique pas ; tu auras besoin d'une période d'adaptation pour te familiariser avec ta nouvelle maison et pour te sentir chez toi, mais dis-toi que tu n'as pas perdu tes points de repère et que tes amis sont encore tout près. Si tu changes de quartier ou même de ville, il est évident que la transition

sera plus difficile à vivre. Non seulement tu devras t'habituer à une nouvelle maison, mais tu devras aussi explorer un nouvel environnement, développer de nouvelles habitudes de vie et peut-être te faire de nouveaux amis. Un changement de pays entraîne, quant à lui, une période d'adaptation beaucoup plus profonde. Il se peut que tu te sentes déracinée et que tu aies besoin de temps pour apprécier le changement. Qu'il s'agisse d'un déménagement temporaire ou permanent, les filles qui changent de pays doivent souvent apprendre une nouvelle langue et se familiariser avec des mœurs, des habitudes de vie et des valeurs différentes des leurs. Pas toujours facile de se sentir à l'aise dans un milieu qui semble si différent du nôtre. À long terme, je t'assure qu'une telle expérience te fera grandir et que tu apprendras à t'adapter à différents milieux. En d'autres mots, quand on apprend à vivre dans un monde différent du nôtre, on devient comme un caméléon ; on développe des habitudes locales tout en restant soi-même.

Je sais que ce n'est pas facile de laisser un monde derrière soi et d'aller de l'avant pour plonger vers l'inconnu, mais tu peux percevoir un déménagement comme une sorte de renouveau ; tu peux recommencer à zéro, chan-

ger de chambre, refaire la décoration, te faire de nouveaux amis, changer tes habitudes et t'ouvrir à de nouvelles sensations et à de toutes nouvelles expériences. Laisse-toi le temps de t'acclimater, mais essaie de rester ouverte ; sors de ta coquille, parle aux gens et explore ton nouvel environnement. Ne sois pas trop dure envers tes parents ; ils ne font pas ça pour te rendre la vie impossible – la vie est remplie de hauts et de bas, et lorsque tu te seras habituée à ton nouvel environnement et que tu te sentiras plus en confiance, tu sauras apprécier les changements qu'ils t'ont fait vivre. Pour ma part, j'ai quitté la ville de Québec à 14 ans pour m'installer à Montréal, et bien que la transition ait été difficile à vivre au cours de la première année, je ne regrette rien. Il faut t'accorder du temps et ne pas te sentir mal si tu angoisses au début. Un déménagement est une cause importante de stress et d'anxiété, et ce n'est pas facile de changer ses points de repère et de recommencer à neuf, mais au fil du temps, tu sauras apprécier l'expérience et tu réaliseras qu'elle t'a permis de devenir plus courageuse et plus aventureuse !

Sujet connexe : copains, famille, école

Déprime

BROYER DU NOIR

La déprime est un sentiment de léthargie, de fatigue et de cafard. Quand on est déprimée, on broie du noir, on sent que rien ne va plus et on n'est vraiment pas dans son assiette.

Il existe les blues passagers où on se lève de mauvais poil, et la déprime qui s'empare de nous lorsqu'on traverse un moment difficile. Par exemple, il est tout à fait normal que vous vous sentiez déprimée lorsque vous vous disputez avec vos parents ou avec une amie, que vous ne réussissez pas très bien à un examen ou que vous avez une peine d'amour. De plus, on se sent parfois déprimée sans pouvoir en déterminer la raison. Cela peut être dû au stress, à l'anxiété, à un sentiment de solitude ou simplement aux hormones qui s'emballent au cours de l'adolescence. Vous devez aussi savoir qu'il est normal d'être un peu

plus sensible, voire même un peu dép[.] quelques jours avant l'arrivée de vos règles. Ce n'est qu'un état passager et ça ne vaut pas la peine de consulter un psychologue pour autant. Il y a aussi les petits moments de cafard liés aux saisons, aux jours de pluie, à l'hiver interminable, au manque de lumière, à l'inertie, au dimanche soir ou à la fatigue. Il s'agit alors d'une petite déprime mineure et passagère. Ne vous inquiétez pas, ça arrive à toutes les filles de se sentir un peu morose, et il est tout à fait normal que votre humeur soit influencée par des facteurs externes comme la température, les saisons ou la tension prémenstruelle.

Si toutefois vous ressentez un sentiment de déprime plus profond qui s'étend sur une longue période, et que vous sentez que vous vous enfoncez sans être capable de reprendre le dessus ou que vous perdez goût à la vie, il s'agit peut-être d'une dépression, c'est-à-dire d'un trouble affectif ou psychologique

qui doit souvent être traité avec l'aide de professionnels de la santé. La dépression demeure plutôt mystérieuse, puisque les causes sont parfois inconnues. Elles peuvent provenir d'un déséquilibre hormonal, d'une sensibilité excessive, d'une prédisposition, de l'hérédité, ou encore être simplement le fruit du hasard. Les jeunes qui souffrent de dépression ressentent souvent des effets physiques tels qu'une grande fatigue, une perte d'appétit ou une extrême sensibilité qui leur donne sans cesse envie d'éclater en sanglots et qui leur enlève toute joie de vivre. Il faut alors agir vite et tenter d'affronter le problème et de trouver une solution. N'ayez pas honte de consulter un médecin, un psychologue ou un psychiatre. Ils sont là pour vous écouter et pour déterminer le traitement qui peut mettre fin à votre déprime. Que votre dépression soit due à un déséquilibre hormonal, à un drame personnel ou à n'importe quel autre trouble émotif, il se peut fort bien que les médecins vous prescrivent des médicaments ou vous encouragent à suivre une thérapie qui vous permettra d'extérioriser votre mal de vivre et de mettre le doigt sur ce qui vous tracasse.

Si vous sentez qu'une amie a le cafard ou qu'elle semble déprimée depuis quelque temps, changez-lui les idées en lui proposant une activité qui lui fera plaisir. Encouragez-la aussi à se confier à vous et à vous raconter ce qui la tracasse. Rassurez-la et tentez de lui remonter le moral. Si vous sentez que tous vos efforts sont vains, suggérez-lui d'en discuter avec quelqu'un qui pourra l'aider ; faites-lui comprendre que vous vous inquiétez à son sujet et que vous l'aimez.

Quelle que soit la nature de votre déprime, il faut vous ressaisir et apprendre à voir les choses du bon côté. Après tout, vous êtes jeune, vous êtes pleine d'espoir et vous avez la vie devant vous pour réaliser vos rêves les plus fous. Il faut que vous sachiez affronter vos peurs et faire face à la situation. Efforcez-vous de prendre les choses avec un grain de sel et de voir la vie avec un regard positif. Chassez les idées noires et le négativisme. Tout ira bien ! Il est tout à fait normal de traverser des journées plus moroses et de se sentir maussade de temps à autre, mais lorsque cela arrive, mieux vaut l'extérioriser, l'écrire dans un journal intime, en discuter avec des proches ou simplement vous changer les idées pour que votre état ne se détériore pas. Il ne faut pas chercher à nier l'évidence ou à refouler ce que vous ressentez. Laissez simplement la crise passer et apprenez à vous faire plaisir. Il suffit parfois d'une nouvelle coupe de cheveux, d'un ajout à sa garde-robe, d'un bon roman ou d'un peu de changement pour vous sortir de votre torpeur. Évitez de jouer les victimes et de vous apitoyer sur votre sort. Cela risquerait de vous enfoncer dans votre déprime et de vous encourager à vous complaire dans votre tristesse. Secouez-vous, et apprenez à sourire et à adopter un regard positif sur la vie. Si, par contre, votre déprime est plus profonde et que vous sentez que vous avez réellement perdu le goût de rire et de vivre, il est essentiel que vous en parliez et que vous cherchiez le soutien dont vous avez besoin. Vous n'avez pas à avoir honte de demander de l'aide et d'avoir recours aux traitements nécessaires pour vous sentir mieux. Il s'agit au contraire d'un acte d'humilité et de courage, ainsi qu'un premier pas vers la guérison et vers une existence beaucoup plus épanouie.

Sujets connexes : cafard du dimanche, bonne humeur, suicide

PICOTEMENTS, PAPILLONS ET SERREMENTS AU COEUR

Quand on éprouve du désir, on ressent des picotements dans le bas-ventre et des papillons dans l'estomac, et il arrive même parfois que notre cœur se serre à l'intérieur de notre poitrine.

Chez les garçons, il va sans dire que le désir est beaucoup plus manifeste que chez les filles. Lorsqu'un garçon a une érection, le pénis augmente de volume et devient très dur, ce qui peut être très gênant lorsque ça se produit dans un endroit public.

Le désir chez les filles se manifeste aussi par des réactions physiques. Quand vous regardez quelque chose qui vous excite, quand vous apercevez un garçon qui vous fait craquer ou quand vous avez des rapports intimes avec votre amoureux, il est fort probable que votre sexe devienne humide et lubrifié, que vos mamelons se dressent et que votre clitoris se durcisse. Si c'est le cas, ne paniquez surtout pas : vous êtes en train d'éprouver du désir sexuel, et il n'y a aucun mal à être à l'écoute de votre corps et de ses réactions.

À l'adolescence, vous êtes en train de vous épanouir et de découvrir votre sexualité. Par conséquent, il se peut que vous soyez attirée par des gens ou excitée par certaines situations qui vous semblent très embêtantes. Par exemple, il arrive à plusieurs filles d'éprouver du désir pour un professeur, ou encore de développer un fantasme impliquant plusieurs individus. Cela ne veut pas dire que vous soyez une obsédée sexuelle; ça vous indique simplement que vous êtes curieuse et que vos désirs sont à fleur de peau. Il se peut aussi que vous éprouviez du désir pour une autre fille ou que vous fassiez un rêve érotique où vous avez des rapports intimes avec une fille de votre entourage. Ne vous sentez pas mal pour autant. Votre sexualité en pleine floraison, votre curiosité sans précédent et votre imagination fertile peuvent pousser votre inconscient à inventer des scénarios assez étranges, mais cela ne veut pas nécessairement dire que vous soyez lesbienne. Laissez libre cours à votre imagination et cessez de vous censurer, car tous ces comportements sont normaux à l'adolescence, et même à l'âge adulte.

D'autre part, il ne faut pas confondre l'amour et le désir. Ce n'est pas parce qu'on est attirée par quelqu'un qu'on est amoureuse de lui. Parfois, ce n'est que notre corps qui manifeste ses besoins et ses désirs face à quelqu'un qui nous plaît physiquement. Si vous apercevez par exemple un garçon dans l'autobus et que vous craquez pour lui, il se peut que vous soyez saisie de désir et même que vous fantasmiez le soir en vous imaginant l'embrasser. Vous n'avez toutefois aucune affinité avec lui et vous ne le connaissez pas assez pour vous considérer comme amoureuse. Je sais que l'intensité des deux sentiments peut porter à confusion, mais ne vous laissez pas leurrer par la force d'une attirance physique.

Par ailleurs, lorsqu'on est amoureuse, il est tout à fait normal d'éprouver du désir pour son amoureux. On se sent alors proche de l'autre et on a envie de se rapprocher physiquement pour sceller cette intimité et succomber à cette envie de ne faire qu'un. Si vous n'éprouvez aucun désir pour votre amoureux, c'est peut-être parce que vous ne le percevez que comme un ami.

En conclusion, il est très sage d'être à l'écoute de vos désirs et des besoins de votre corps en reconnaissant que vous êtes à l'âge où votre sexualité s'emballe et où votre curiosité prend le dessus. Il est normal que vous éprouviez du désir pour un garçon ou pour votre amoureux, mais il est d'autant plus important que ce sentiment ne vous amène pas à franchir une étape que vous n'êtes pas prête à franchir. C'est que le désir peut parfois vous faire perdre la tête ! Bien que votre corps ait envie d'aller plus loin, vous devez être consciente de vos limites et ne pas aller trop loin si vous ne vous sentez pas prête. Vous n'avez qu'à vous arrêter quelques instants afin de reprendre vos esprits. Ne faites pas l'amour pour la première fois sur un simple coup de tête parce que votre désir est trop fort. Si le cœur n'y est pas, vous risquez de le regretter par la suite. Il y a toutes sortes d'étapes à franchir avant d'en arriver là, et je vous conseille d'apprendre à écouter, mais aussi à gouverner vos désirs pour respecter vos limites et aller à votre rythme.

Sujets connexes : première fois, premier baiser, sexualité

Désordre

ON PERD TOUTES NOS CHOSES ET C'EST LA PANIQUE !

À l'adolescence, on devient souvent très désordonnée. On ne sait pas trop pourquoi; parfois, c'est parce qu'on a de la difficulté à s'organiser, parfois, parce qu'on court à droite et à gauche et qu'on n'a pas le temps de ranger sa chambre, d'autres fois, c'est carrément pour embêter nos parents !

Quoi qu'il en soit, vous devez admettre que ce n'est pas très agréable de vivre dans une chambre sens dessus dessous. On ne sait plus, de nos vêtements, lesquels sont propres et lesquels sont sales, on perd toutes nos choses et c'est la panique !

Le désordre est l'une des causes de dispute les plus communes entre adolescents et parents. Ces derniers détestent l'odeur qui émane de votre chambre et ils ont franchement honte de vous voir vivre ainsi. Ils doivent absolument fermer la porte de votre chambre lorsqu'ils reçoivent des invités parce qu'ils ne veulent pas les confronter à un tel désastre. Ils vous font la morale, vous demandent de ranger votre chambre et la dispute éclate. Il est vrai

que vous n'êtes plus une enfant, que vous avez droit à votre intimité et à votre « bulle », mais cela n'empêche pas que vous vivez sous le même toit qu'eux et que vous vous sentirez sans doute mieux en mettant un peu d'ordre dans vos affaires.

Le désordre, ou plus communément le bordel, qui s'est installé dans votre chambre n'est pas pratique. Ça vous embête peut-être que vos parents vous disent quoi faire et qu'ils exigent que vous nettoyiez votre chambre, mais, soyez honnête, ça vous déprime de vivre dans un tel désordre et de ne jamais retrouver vos affaires, et vous devez bien admettre qu'ils ont peut-être raison, après tout.

Certaines filles sont d'une nature plus ordonnée. Les autres doivent faire des efforts pour s'améliorer. Plutôt que de laisser les vêtements s'empiler sur le sol de votre chambre et sur les chaises, de laisser la vaisselle traîner sur le comptoir ou dans l'évier, apprenez à nettoyer et à ranger au fur et à mesure; c'est beaucoup moins décourageant que d'avoir à faire le ménage après des semaines de laisser-aller !

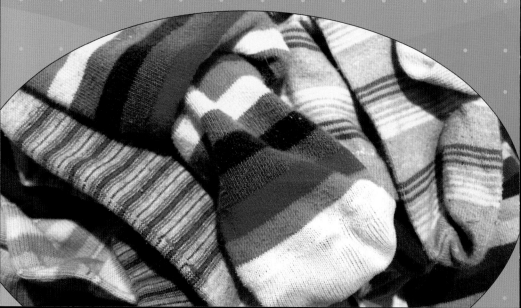

Pour vous attaquer au ménage, commencez par tout ranger et par jeter les choses inutiles (ainsi que les aliments qui pourrissent sur votre bureau), puis frottez en profondeur. Je sais que ça demande un effort, mais vous vivrez beaucoup mieux dans une chambre propre que dans un bordel total. Mettez de la musique pour rendre le moment plus agréable, ou demandez à quelqu'un de vous aider ou de vous tenir compagnie pour faire passer le temps plus rapidement. Notez toutefois que faire le ménage demande un certain degré de concentration, alors je vous conseille plutôt de mettre vos écouteurs, de danser aux quatre coins de votre chambre tout en la nettoyant et de profiter de ce petit moment de solitude !

Pour que tout ne soit pas à refaire dans une semaine, vous pouvez adopter certaines habitudes qui vous aideront à être mieux organisée. Achetez par exemple des classeurs, des cartables ou des pochettes pour ranger vos papiers et les classer par catégorie. L'effort en vaut vraiment la peine. Rangez vos vêtements chaque soir avant de vous coucher et prenez deux minutes pour faire votre lit le matin ; je vous assure que ça fera toute la différence et que ça vous évitera nombre de conflits avec vos parents. Vous pouvez aussi acheter un diffuseur ou de petites bougies parfumées pour que votre chambre sente toujours bon. Cela vous motivera à la garder propre (n'oubliez pas d'éteindre les bougies lorsque vous sortez de votre chambre). Installez des crochets derrière votre porte, dans votre garde-robe ou sur le mur pour y accrocher vos manteaux, vos vestes et votre serviette lorsque vous sortez de la douche. Vous constaterez bientôt que tous ces efforts auront un effet très positif sur votre humeur et sur votre quotidien. Il est beaucoup plus sain de vivre dans un environnement propre et ordonné, et vous perdrez beaucoup moins de temps à retrouver vos choses le matin. Sans devenir maniaque du nettoyage ni tomber dans l'autre extrême, je vous conseille donc de suivre ces petits conseils et de vivre dans la propreté pour votre bien-être et pour celui de vos parents !

Sujets connexes : déménagement, violence

Deuil

AFFRONTER LA MORT
D'UNE PERSONNE QU'ON AIME

Si vous avez déjà dû affronter la mort d'une personne que vous aimiez, vous savez que le moment qui suit est extrêmement étrange, déchirant et difficile à traverser. Vous vous réveillez un jour, et une personne de votre entourage n'est plus là.

Vous ne pouvez plus l'appeler, vous ne pouvez plus la voir, vous ne pourrez plus jamais partager des instants de votre vie avec elle… et vous ne pouvez rien y changer. Vous devez alors commencer votre deuil.

Pourtant, tous les jours, à la télévision, vous entendez parler de la mort : bombardement en Irak, inondation en Inde, tuerie aux États-Unis… Les morts se comptent par centaines sur votre écran et, malgré votre sensibilité, tout cela vous bouleverse à peine… Par contre, lorsque la mort s'abat sur une personne que vous connaissez, une seule, cela vous apparaît comme le pire drame au monde. Le deuil, c'est lorsque quelqu'un meurt et qu'une immense vague de tristesse vient nous happer.

Au cours de notre existence, nous devrons plusieurs fois affronter la mort. Celle de nos grands-parents assurément, celle de nos parents probablement, celle de certains de nos amis peut-être et, un jour, nous devrons faire face à notre propre mort. Le deuil est un moment très intense et douloureux à vivre, mais dites-vous que ce passage peut également vous faire grandir et vous aider à réaliser l'importance d'apprécier la vie et de jouir du moment présent.

LES ÉTAPES DU DEUIL

Selon l'Association canadienne pour la santé mentale, on peut diviser le processus du deuil en trois grandes étapes. Cette division permet de mieux comprendre ce qu'est le deuil. Cependant, rappelez-vous que chaque personne réagit différemment à la mort d'un proche et que tous ne traversent pas ces trois phases de la même façon.

Étape 1
L'état de choc

Après avoir appris la nouvelle, on est sous le choc, on est troublée. Cependant, par une sorte de mécanisme de survie, certaines personnes ne verseront pas de larmes pendant plusieurs jours. On éprouve également une impression d'irréalité durant cette phase; on peut avoir le sentiment d'être comme un zombie.

Collaboration spéciale de Marie-Charles Boivin

Étape 2
La désorganisation
Ça y est, la peine nous envahit et les émotions font surface : la gorge se serre, on pleure, on est fatiguée, on peut même ressentir de la colère. On repense aux moments passés avec la personne qui vient de nous quitter. On est triste.

Étape 3
La réorganisation
On n'oublie pas le disparu, mais on se remet à vivre plus normalement. On retrouve tranquillement l'envie de faire des activités. On accepte peu à peu la perte de l'être aimé.

Comment passer au travers
Il est normal et même sain d'éprouver des émotions intenses et d'avoir des sautes d'humeur lorsqu'on perd une personne qui nous est chère. Le deuil est une sorte de peine d'amour.

Lorsque vous vivez un deuil, surtout, ne gardez pas vos émotions à l'intérieur. C'est éprouvant de vivre une telle perte et c'est tout à fait normal de pleurer. Ne niez pas votre douleur. Au fond, c'est une partie de vous-même, une partie de votre vie qui s'arrache à vous. Si vous n'évacuez pas la tristesse que vous ressentez, vous risquez simplement de repousser votre deuil à plus tard.

Pour parvenir à guérir, il est important d'en parler : avec des amis, avec sa famille et aussi avec les gens qui connaissaient la personne décédée. Exprimez vos sentiments et partagez vos souvenirs. Parlez des qualités du disparu et des agréables moments que vous avez passés avec lui : cela vous réconfortera de vous rappeler les bons souvenirs. Confiez-vous au travailleur social de votre école ou à votre professeur préféré. Non seulement ces derniers peuvent vous aider à passer au travers, mais, dans les circonstances, ils peuvent également faire preuve d'indulgence en ce qui concerne la remise de vos devoirs, par exemple. De plus, assurez-vous de faire des activités de temps en temps pour vous sortir de votre chagrin. Entourez-vous des personnes qui prennent soin de vous ou qui ont déjà vécu le même genre d'expérience. Prenez le réconfort qu'on vous offre. Acceptez les mots doux qui vous sont adressés; vous y avez droit en cette période difficile. Écrivez dans votre journal intime : défoulez-vous, racontez tout ce que vous ressentez et ce que vous pensez de la situation. Vous serez par la suite mieux en mesure d'exprimer vos sentiments, ce qui pourra vous aider à passer peu à peu à travers cette période.

C'est peut-être difficile à concevoir, mais les funérailles peuvent également vous aider à cheminer dans votre processus de deuil. C'est un dernier au revoir, un dernier hommage à la personne perdue. La cérémonie permet de réaliser ce qu'elle représentait pour vous. Vous pouvez également écrire un petit mot pour l'occasion. Pas besoin d'être complètement dramatique. Vous pouvez simplement raconter des anecdotes liées à la personne décédée, ce qui vous aidera et aidera l'assistance à mieux comprendre qui elle était. Et si vous ne vous sentez pas la force de le lire, demandez à un membre de votre famille de le faire à votre place.

Mon amie est en deuil…

Doit-on lui en parler ou éviter le sujet ? Tout dépend de votre personnalité et du lien que vous entretenez avec cette personne, mais voici quelques trucs.

Tout d'abord, il est normal d'être mal à l'aise avec le sujet. Ce n'est pas facile de choisir les bons mots dans une telle situation. On est tentée de rassurer son amie, de lui dire qu'on comprend ce qu'elle traverse, mais ce n'est pas toujours vrai. Il est impossible de savoir réellement comment la personne peut se sentir.

Le plus simple, c'est de faire comprendre à votre amie que vous êtes là pour elle. Ne l'excluez pas de votre vie parce qu'elle n'est plus aussi joyeuse qu'auparavant. Au contraire, c'est le moment de lui dire que vous tenez à elle et de lui démontrer à quel point vous pouvez être une bonne amie. Vous pouvez acheter une fleur, fabriquer une carte ou encore demander aux autres élèves de la classe de préparer un petit quelque chose pour elle : un dessin, une belle lettre, une carte signée par tous. Vous pouvez aussi essayer d'aider votre amie

grâce à des gestes plus concrets. Par exemple, rapportez-lui ses devoirs à la maison ou prenez des notes pour elle dans les cours qu'elle doit manquer. De plus, essayez de lui changer les idées : parlez-lui au téléphone, organisez une activité avec elle. Cela peut paraître anodin, mais cela lui fera extrêmement plaisir. Elle a besoin de sentir que vous êtes présente pour elle.

Le deuil est pénible. Lorsqu'on perd quelqu'un, notre cœur se déchire et on doit se résoudre à accepter le fait que cette personne ne reviendra jamais. Par contre, cela ne signifie pas qu'on oublie cette personne. On trouve simplement une nouvelle façon de vivre sans elle. Il le faut bien. Qu'aurait-elle préféré ? Que vous viviez dans la douleur et dans la peine… ou que vous arriviez à être heureuse malgré son absence ? Bien sûr, vous continuerez de penser à elle. Certains événements, certaines choses vous la ramèneront parfois en mémoire (une fête, un objet, une chanson, une odeur…), mais apprenez à ne pas laisser la tristesse vous envahir. Dites-vous que cette personne serait fière de vous voir heureuse, de vous voir forte, de vous voir continuer à vivre et à rire.

Et c'est ce qui arrivera après le deuil. Vous aurez vécu de grandes émotions, mais vous serez sans doute plus mature, plus sensible à l'égard des autres. Vous serez peut-être même portée à faire vos choix différemment, car vous serez plus consciente du fait que la vie est précieuse et bien éphémère…

Livre recommandé :
Passages obligés, de Josélito Michaud, Libre Expression, 2006

Référence : Association canadienne pour la santé mentale : http://www.cmha.ca.

♥ Sujet connexe : mort

Divorce

2 CHAMBRES, 2 MESURES...

Au Québec, plus de la moitié des mariages se terminent par un divorce. En 2004, le taux de divorce s'élevait à 52,4 % *(Source : Statistique Canada, Institut de la statistique du Québec).*

Bien que le divorce soit devenu un phénomène commun dans notre société, il n'en demeure pas moins une étape difficile à franchir pour les couples qui vivent une telle rupture, ainsi que pour leurs enfants. Qui dit divorce dit fin du mariage et annulation du contrat unissant deux personnes. Une simple séparation, par ailleurs, n'implique pas toute la procédure légale et officielle.

Lors d'un divorce, le couple peut décider de se séparer légalement ou sans recourir aux services d'un avocat. Dans ce dernier cas, les deux partenaires doivent faire une demande conjointe et en arriver à une entente « à l'amiable » concernant tous les aspects de leur vie commune (la garde des enfants, le partage des biens, la pension alimentaire, etc.). En ce qui concerne la garde des enfants, les parents doivent décider de quelle façon ils procéderont en tenant compte du bien-être de leur famille. Il peut s'agir d'une garde exclusive d'un seul parent, d'une garde partagée (moitié du temps chez la mère, moitié du temps chez le père, ou alors la semaine chez l'un et la fin de semaine chez l'autre). Quoi qu'il en soit, les jeunes adolescents ont leur mot à dire dans cette histoire. Légalement, le tribunal tient compte de l'avis des jeunes âgés entre 12 et 17 ans. Pour ce qui est des enfants de moins de 12 ans, le tribunal aura moins tendance à tenir compte de leur opinion, mais cela dépendra généralement de leur maturité et des motifs qui justifient leur demande. *(Source : Gouvernement du Québec, Services aux citoyens, séparation et divorce au Québec)* Il n'en demeure pas moins que les jeunes ont la possibilité de s'exprimer, et du moins de donner leur opinion devant le tribunal ou directement à leurs parents, mais c'est à ces derniers qu'il revient de faire preuve de tact et de prendre une décision responsable et réfléchie qui convienne le mieux aux enfants.

Bien que le divorce soit devenu monnaie courante, il s'agit tout de même d'une situation extrêmement difficile pour les jeunes qui vivent cette rupture. Ce n'est pas facile de voir ses parents se séparer et de perdre l'image de famille unie qu'on s'était bâtie dans sa tête, au même titre qu'il n'est pas facile pour les parents d'admettre l'échec de leur couple et de traverser cette période de deuil. C'est pour cette raison qu'il est important d'essayer de rendre la situation le moins pénible possible. Pour ce faire, les parents doivent à tout prix éviter de placer les enfants dans une position délicate ou de se disputer devant eux, ce qui a souvent pour effet de bouleverser les jeunes et de leur causer des blessures qui peuvent prendre un temps fou à cicatriser.

Prise entre les deux

Lors d'un divorce, il peut arriver qu'on se retrouve prise entre les deux parents, que ce soit à cause de leurs disputes, ou simplement parce qu'on doit choisir avec qui on désire habiter. Si vous vous sentez mal à l'aise et que vous jugez que vos parents ne tiennent pas compte de vos sentiments et vous mêlent trop à leurs disputes, vous devez essayer de leur en parler pour qu'ils prennent conscience de la situation. Dans la plupart des cas, ils n'agissent pas ainsi pour mal faire, mais plutôt parce que la rupture est si douloureuse qu'ils ne mesurent pas la portée de leurs actes et qu'ils ne se rendent pas compte de la tristesse que vous ressentez. Vous pouvez aussi vous confier à des proches ou à des professionnels pour exprimer vos émotions et, ainsi, mieux comprendre ce qui se passe. Évitez de tout garder à l'intérieur, car cela risquerait de vous suivre longtemps, et même de vous faire perdre confiance en l'amour.

De plus, certains jeunes éprouvent de la culpabilité lorsque survient le divorce de leurs parents. Ils croient que s'ils avaient agi différemment, la rupture n'aurait pas eu lieu. Si c'est votre cas, détrompez-vous. Un divorce représente la fin d'un mariage, soit de la relation amoureuse entre deux personnes. Vos parents décident de divorcer pour des raisons qui les concernent, et c'est le couple qui prend fin, non la famille, et tout l'amour qu'ils ont pour vous n'a pas changé. Si leur couple ne fonctionne plus, ce n'est pas à cause de vous, alors ne culpabilisez pas pour ce qui leur arrive.

Courage !

Je sais que c'est décourageant de voir ses parents divorcer, et qu'il peut être plus difficile par la suite de croire à l'amour ou au mariage, mais je vous invite fortement à ne pas vous décourager et à ne pas devenir pessimiste. L'amour existe, et si vos parents divorcent, cela ne veut pas dire qu'ils n'ont pas passé, l'un à côté de l'autre, des années de bonheur et d'amour. Outre le fait qu'ils vous ont conçue, tous ces moments d'intimité et de bonheur qu'ils ont vécus ensemble ne seront jamais considérés comme un échec. Au contraire, vous devez essayer de voir les choses d'un œil positif et vous rappeler que ce ne sont pas tous les mariages qui se terminent par un divorce. Vous êtes jeune et il est important que vous croyiez à l'amour et aux relations. On ne sait jamais si une histoire d'amour durera pour l'éternité, ni de quelle façon elle se terminera ; l'important, c'est de la vivre au maximum et de ne jamais regretter d'avoir aimé. Même si vos parents divorcent, je suis convaincue qu'ils vous diront la même chose, alors ne perdez surtout pas confiance en l'amour !

💟 Sujets connexes : parents, père, mère

ATTENTION DANGER !

Plus on vieillit, plus on est confrontée aux différentes drogues. Les drogues sont des substances chimiques ou naturelles qu'on consomme et qui ont un impact sur notre cerveau et sur notre corps.

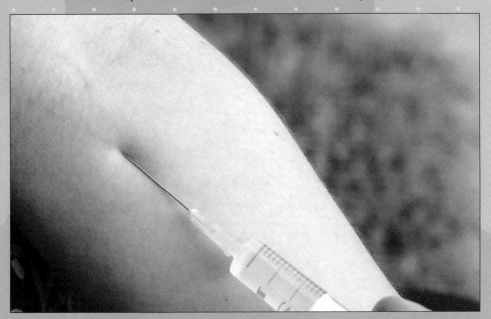

Tout le monde vous dit d'éviter les drogues et s'acharne à vous mettre en garde contre leurs effets nocifs. Vous ne devez pas prendre ces avertissements à la légère. Non seulement la drogue peut avoir de lourdes conséquences sur votre santé physique, mais elle risque également de détruire votre vie.

Certains jeunes consomment de la drogue sous l'influence de leurs amis et des gens qu'ils fréquentent, d'autres le font pour fuir la réalité, pour vaincre l'ennui ou pour se rebeller, tandis que d'autres encore consomment pour rechercher un bonheur et un plaisir artificiels, pour se sentir plus en confiance ou pour gérer le stress qu'ils vivent. Peu importe les raisons qui poussent les gens à la consommation de drogues, celles-ci représentent un véritable danger.

On fait souvent une distinction entre les drogues dures et les drogues douces. Ces termes sont apparus lors de l'entrée en vigueur de la réglementation internationale sur les drogues. Par le terme « drogues douces », on désigne presque exclusivement le cannabis, puisque les risques de dépendance psychique et physique que présente sa consommation sont moins élevés et que les risques de décès sont pratiquement nuls. Les drogues dures sont quant à elles celles qui entraînent des risques élevés de dépendance physique et psychologique, comme la cocaïne, l'héroïne et leurs dérivés. On entend aussi souvent parler des drogues naturelles, comme le cannabis ou les champignons hallucinogènes, qui proviennent d'une substance naturelle n'ayant presque pas subi

de transformations. Les drogues chimiques synthétiques, telles que l'ecstasy et le LSD, sont quant à elles fabriquées en laboratoire et leur consommation comporte des risques extrêmement élevés puisqu'on ne sait jamais avec exactitude ce qu'elles contiennent.

Un bref aperçu
La cocaïne et le crack

La cocaïne est un stimulant issu des feuilles de cocaïer d'Amérique du Sud. Elle se présente sous forme de poudre cristalline blanche. La cocaïne peut être reniflée sous cette forme ou alors dissoute dans de l'eau pour être injectée. Elle est parfois mélangée à d'autres ingrédients d'aspect similaire, comme le sucre, pour la revente. Les sous-produits de la cocaïne, tels que le crack, sont destinés à être fumés. Ils apparaissent sous forme de petits cristaux ou de petites pierres et sont le produit d'une transformation chimique de la poudre de cocaïne *(source : Stratégie nationale antidrogue, Gouvernement du Canada)*. La cocaïne est dangereuse, car elle crée une dépendance de façon sournoise et rapide. Elle augmente la quantité de dopamine dans le cerveau,

ce qui fait augmenter la sensation de plaisir. Quand les effets s'atténuent, on a souvent envie de retomber dans le paradis artificiel puisque la vie normale ne nous semble pas aussi rose que sous l'effet de cette drogue. Les consommateurs de cocaïne auront parfois tendance à se sentir nerveux et agités ou alors très enthousiastes et remplis d'énergie. C'est ce qui rend la descente du high aussi pénible, et c'est ce qui les encourage à consommer toujours davantage.

L'ecstasy

Meilleure amie de plusieurs amateurs de rave, l'ecstasy est également appelée MDMA, qui est son nom chimique lorsqu'elle se trouve à l'état pur. Chimiquement, elle s'apparente à la mescaline (un hallucinogène) et à l'amphétamine (un stimulant). Comme elle est fabriquée dans des laboratoires clandestins et qu'il s'agit d'une drogue mise au point chimiquement, elle est extrêmement dangereuse, car il n'existe aucun

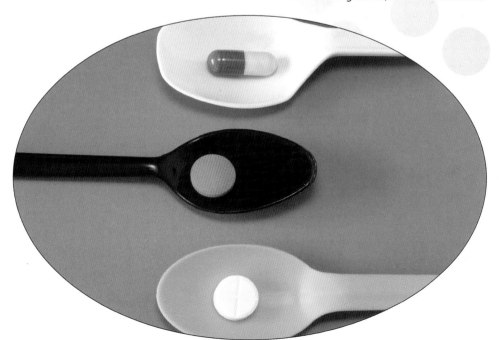

moyen pour le consommateur de savoir précisément ce qu'elle contient. Elle peut avoir des effets très graves sur le cerveau et sur la santé en général. Elle peut même entraîner la mort. Lorsqu'elle est consommée, elle se dirige vers le cerveau, où elle libère entre autres de la sérotonine qui influence le sommeil et l'appétit. Cette amphétamine a également pour effet de causer l'euphorie, une sensation de bien-être et de confiance en soi. Certains consommateurs peuvent aussi traverser des crises d'angoisse et d'anxiété. Lorsque le high se termine, la plupart des sujets éprouvent un sentiment de déprime, des maux de ventre et de la difficulté à dormir.

LSD

Le LSD est un hallucinogène qu'on appelle souvent acide ou buvard. Il se consomme surtout par voie orale et est diffusé dans toutes les régions du corps, y compris le cerveau. Les effets durent parfois jusqu'à douze heures et créent des hallucinations, un mélange d'émotions et une distorsion des sens. Le LSD est une substance très concentrée : un petit comprimé représente près de 3000 doses *(source : Stratégie nationale antidrogue, Gouvernement du Canada)*. Il est vendu sous forme de poudre contenue dans des petites capsules ou dans des comprimés. Les cristaux peuvent être consommés de toutes sortes de façons (timbre, carré de sucre, etc.), mais la forme la plus commune est le petit carré de papier buvard imbibé de LSD. On peut facilement reconnaître ces buvards, car ils sont souvent ornés de dessins représentant, la plupart du temps, des personnages de bandes dessinées.

L'héroïne

« L'héro » est fabriquée avec de la morphine. À l'état pur, elle apparaît comme une poudre cristalline blanche au goût amer. La couleur et la consistance de l'héroïne vendue dans la rue varient selon le mode de fabrication et les substances qui y ont été ajoutées. Elle peut ressembler soit à une poudre blanche (comme la cocaïne), soit à une substance granuleuse brune, soit à une gomme collante brun foncé *(source : Stratégie nationale antidrogue, Gouvernement du Canada)*. Elle peut être reniflée, fumée ou dissoute dans l'eau pour être injectée dans le sang. L'effet est alors instantané. La drogue agit comme de la morphine, c'est-à-dire qu'elle modifie la perception de la douleur et fait temporairement disparaître l'anxiété et l'angoisse. Il s'agit d'une drogue extrêmement dangereuse qui entraîne une forte dépendance. Les effets varient selon la pureté de la drogue consommée, mais, de façon générale, elle crée une sorte d'apathie et de tranquillité qui durent une heure. Les héroïnomanes ont souvent énormément de difficulté à vaincre leur dépendance et deviennent rapidement résistants aux effets ; ils doivent donc consommer de plus fortes doses dans des délais plus rapprochés pour éviter de connaître un sevrage. L'héroïne entraîne aussi beaucoup de risques de maladies, comme le sida par exemple, lorsqu'elle est consommée par injection.

La kétamine

La kétamine est une drogue anesthésique qui agit très rapidement et qui est surtout utilisée par des vétérinaires ou par des chirurgiens. Elle provoque une impression de détachement, comme si l'esprit se séparait du corps. Elle peut causer des évanouissements, des étourdissements et une perte complète de l'orientation.

Elle est souvent vendue sous forme de poudre, dont certains se servent pour mettre dans des boissons à l'insu des gens. C'est d'ailleurs pour cette raison qu'on l'appelle la drogue du viol; ses effets sédatifs peuvent faire perdre connaissance aux victimes ou leur faire perdre la notion du lieu où elles se trouvent et de ce qu'elles y font. Ainsi, elles ne peuvent pas résister à l'agresseur et, bien souvent, elles n'arrivent pas à se rappeler de ce qui s'est produit.

Si vous vous êtes déjà fait opérer et qu'on a dû vous endormir, sachez que les effets de la kétamine ressemblent un peu l'anesthésie. Ce n'est pas pour rien que les gens vous répètent de ne pas laisser votre verre sans surveillance lorsque vous êtes dans un endroit public.

Attention, danger !

Les drogues ont des effets nocifs sur le corps. Ils ont un impact direct sur le cerveau et peuvent entraîner des séquelles à long terme (problèmes de santé sévères, difficulté à se concentrer, pertes de mémoire, etc.). La dépendance entraîne quant à elle une difficulté à se prendre en main et à poursuivre sa vie de façon à ne pas tout détruire pour se procurer de la drogue. Quand on est en sevrage, le corps s'agite de telle façon qu'il devient difficile de maîtriser son comportement. On est prête à tout pour se procurer de la drogue et pour cesser de souffrir. Plusieurs consommateurs vont même jusqu'à voler et jusqu'à proférer des menaces aux membres de leur famille pour se procurer l'argent nécessaire à l'achat de leur drogue. Ils deviennent violents, imprévisibles et incohérents. Leur entourage ne les reconnaît plus et éprouve de la pitié à les voir dans cet état. Non seulement les drogues ont un effet sur votre corps, sur votre cerveau et sur votre entourage, mais elles peuvent carrément détruire vos relations et votre vie en général. Elles peuvent aussi entraîner la mort.

Aider une amie

Si l'une de vos amies a des problèmes de consommation de drogue et souffre de dépendance, sachez que vous pouvez l'aider. Bien que les consommateurs de drogue aient parfois tendance à se montrer manipulateurs et à faire vibrer la corde de la pitié pour vous soutirer de l'argent, sachez qu'en offrant à votre amie les moyens de se procurer de la drogue, vous ne l'aidez pas à s'en sortir. Refusez de l'aider à s'enfoncer davantage et encouragez-la à visiter un centre de désintoxication et à faire un sevrage. Parlez-en à un adulte ou à un intervenant social si la situation devient trop éprouvante. Je sais que c'est difficile de voir quelqu'un qu'on aime souffrir ainsi, mais dites-vous que vous le faites pour son bien. Lorsqu'elle ira mieux, votre amie vous en sera extrêmement reconnaissante. N'assumez pas la responsabilité d'une personne dépendante à la drogue. C'est un fardeau beaucoup trop lourd à porter pour quelqu'un de votre âge qui a peu d'expérience et qui risque de se laisser embobiner par la personne dépendante. En d'autres mots, allez chercher de l'aide auprès des centres antidrogues, des CLSC, de vos parents, d'un professeur ou d'un adulte responsable. Il est essentiel d'agir au plus vite pour le bien-être et la survie de votre amie.

En ce qui vous concerne, efforcez-vous de dire non lorsqu'on vous offre de la drogue et ne vous laissez pas prendre au piège. La vie est trop courte pour la gâcher en consommant des substances chimiques dispendieuses et extrêmement nocives pour votre santé. Même si vous êtes enthousiaste à l'idée de vivre de nouvelles expériences et d'essayer de nouvelles choses, les drogues ne vous apporteront rien de bon, à part un risque de dépendance, des effets nocifs sur votre santé et un sentiment d'angoisse extrême, alors dites non et optez plutôt pour les nouvelles expériences qui seront bonnes pour vous et pour votre épanouissement personnel.

Sujet connexe : marijuana

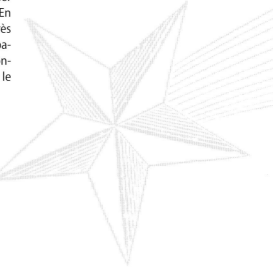

Droit de vote

Lorsque vous aurez 18 ans, vous serez invitée à voter lors des élections municipales, provinciales et fédérales, car vous aurez l'âge légal pour voter.

On ne s'en rend pas toujours compte, mais le droit de vote fait intégralement partie de la démocratie dans laquelle nous vivons, et c'est une chance que nous avons d'avoir la possibilité de nous exprimer librement et d'élire les dirigeants en qui nous avons confiance.

Liberté d'expression et responsabilité

Quand on vote, on peut exprimer notre volonté et notre désir d'élire les représentants que nous croyons les plus aptes à diriger notre ville, notre province ou notre pays, mais il en revient à nous de comprendre l'importance de notre voix au scrutin. Nous avons la chance de vivre dans une démocratie qui tient compte de la volonté du peuple, qui peut lui-même élire ses gouvernants contrairement aux dictatures dans lesquelles une seule personne ou un groupe restreint de hauts dirigeants exercent tous les pouvoirs sans loi qui les limitent ou qui donnent la parole à la population. Nombreux sont les peuples et les pays qui se battent encore aujourd'hui pour la démocratie et pour avoir le droit de parole au sein de leur société, alors c'est à nous de réaliser la chance que nous avons de vivre dans une société telle que la nôtre, et aussi d'assumer notre rôle de citoyen et d'électeur pour que les résultats du scrutin témoignent de l'opinion générale, et non pas seulement d'une partie restreinte de la population qui s'est déplacée pour voter. En effet, il arrive parfois que des changements de gouvernement surviennent en raison du nombre limité d'électeurs qui se sont donné la peine de voter. Il va de soi que les gens qui désirent le plus changer les choses seront ceux qui tiendront à voter lors de la tenue d'une élection, mais il est aussi dans le devoir des autres électeurs d'exprimer leur opinion et d'assumer leur responsabilité. C'est un honneur et une chance que nous avons de pouvoir exprimer librement ce que nous désirons, alors il revient à nous de faire honneur à ce droit et de voter lorsque le temps est venu.

On passe au vote !

Toutes les femmes du Canada se sont vues accorder le droit de voter aux élections fédérales à partir du 1er janvier 1919, tandis qu'au Québec, ce n'est qu'à partir du 25 avril 1940 que les femmes ont obtenu le droit de vote aux élections provinciales. Aujourd'hui, il en revient autant aux hommes qu'aux femmes de prendre le droit de parole qui leur est offert et d'exprimer leur opinion lors des scrutins afin d'élire les représentants choisis par une majorité d'électeurs. Nous vivons dans une démocratie qui fait l'envie de plusieurs millions de gens sur la planète, alors il vaut mieux rendre hommage à cette liberté d'expression et voter, que ce soit pour exprimer un désir de changement, un sentiment d'insatisfaction ou une volonté de continuer dans la même direction.

Sujet connexe : esponsabilité, politique, droits humains,

REVENDIQUER LES DROITS HUMAINS

Est-ce que vous trouvez juste que certains enfants doivent travailler au lieu d'aller à l'école?

Est-ce que vous trouvez juste que des enfants-soldats soient enrôlés dans des armées et qu'ils doivent aller se battre à la guerre? Est-ce que vous trouvez juste que des personnes se fassent emprisonner et même torturer parce qu'elles osent émettre une opinion contraire à celle de leur gouvernement ? Est-ce que vous trouvez juste qu'il y ait chaque jour des femmes, des hommes et des enfants qui meurent de faim ?

Non ? Sur quoi vous basez-vous pour dire que cela est injuste?

Cela est injuste car tous ces exemples illustrent des violations des droits humains : le droit à l'éducation, le droit d'être protégé, le droit de s'exprimer librement, le droit à un niveau de vie décent ! Ces violations de droits humains représentent de réelles attaques à la vie d'une personne ; ce sont des atteintes à sa dignité humaine.

Petite question : selon vous, qui peut revendiquer des droits humains ? Peut-on refuser à certaines personnes la jouissance de ces droits ? La réponse : Tous les êtres humains ont des droits! Oui, tous, sans exception, et ce, peu importe où nous vivons dans le monde, qui sont nos parents ou quel est le genre de gouvernement qui gère la société dont nous faisons partie. Et ces droits, vous ne pouvez pas les perdre, on ne peut pas vous les enlever. Ils peuvent être violés, bafoués, mais ils sont toujours présents pour chacun d'entre nous.

Avez-vous déjà entendu cette phrase : « Tous les êtres humains naissent libres et égaux en dignité et en droits » ? Elle est tirée de la Déclaration universelle des droits de l'homme, un document qui réunit la liste des droits humains. Les droits contenus dans cette liste ne devraient jamais, sous aucun prétexte, être violés ! La Déclaration universelle des droits de l'homme a été adoptée par l'Assemblée générale des Nations unies (l'ONU) le 10 décembre 1948, juste après la Deuxième Guerre mondiale, durant laquelle des atrocités sans nom ont été

Collaboration spéciale de Marie-Charles Boivin

Auteur de Mafalda : Quino
Source : www.amnistie.ca

commises, notamment par le régime nazi. Après la guerre, les chefs de pays du monde entier se sont rassemblés et se sont entendus sur ce que devraient être les droits des êtres humains, pour éviter que de telles souffrances soient répétées. Ils ont déclaré que ces droits appartenaient à tous les individus, quels que soient leur identité, leur sexe, leur origine, leur état de santé mentale ou physique, leur religion ou leur âge.

Il n'y a pas de hiérarchie entre les droits : tous les droits sont aussi importants les uns que les autres. Cependant, on a divisé les droits humains en deux catégories. Il y a les droits civils et politiques - comme le droit à la liberté d'expression, à subir un procès juste et équitable, le droit de s'associer librement avec d'autres –, et il y a les droits sociaux, économiques et culturels - comme le droit à la santé, le droit à l'éducation ou le droit de participer à la vie culturelle.

Il existe aussi des textes qu'on appelle « conventions » et qui énumèrent et protègent les droits de certains groupes plus vulnérables de la population : des groupes dont les droits ont été très souvent violés dans l'histoire. Par exemple, il existe une convention pour protéger les droits des femmes, une autre pour protéger les droits des migrants et des réfugiés, une autre encore pour protéger les individus contre la discrimination raciale. Il existe également une convention pour protéger les droits des enfants. Les enfants sont très vulnérables, car ils sont dépendants des adultes. En effet, pour survivre et pour faire respecter leurs droits, ils doivent compter sur l'aide des plus grands. On a donc écrit un texte pour s'assurer que les États comprennent bien quelle est leur responsabilité en ce qui concerne le respect des droits des enfants.

Selon vous, dans le monde, quel est le pourcentage d'enfants qui n'ont jamais eu la chance d'aller à l'école et qui ne peuvent ni lire, ni écrire, ni compter ? Selon l'Unicef, sur 100 enfants nés en 2000, ce sont 17 enfants qui ne fréquenteront jamais l'école. De plus, l'Unicef estime que, de ces 100 enfants, 30 souffriront très certainement de malnutrition au cours des 5 premières années de leur vie, et 19 n'auront pas accès à de l'eau potable. Cette situation est bien sûr inadmissible, et c'est pour tenter d'y remédier que les droits humains ont été écrits et proclamés par et pour les gouvernements des pays du monde entier.

Vous voulez en apprendre davantage sur les droits humains ou encore vous impliquer auprès d'organismes qui travaillent à les faire respecter ?! Faites comme les Cowboys Fringants et soutenez les actions d'organisations telles qu'Amnistie internationale. Amnistie internationale est un mouvement mondial mobilisant des personnes qui choisissent, par solidarité, de consacrer une partie de leur temps et de leur énergie à défendre les victimes d'atteintes aux droits humains. L'organisation compte 2,2 millions de membres et de sympathisants dans plus de 150 pays et territoires.

Vous pouvez vous inscrire dans un groupe d'Amnistie international. Ces groupes sont établis un peu partout au Québec, et ils sont même présents dans des centaines d'écoles. Si votre école n'a pas encore le sien, vous pouvez mettre sur pied votre propre groupe. C'est une super activité à entreprendre avec des amis et qui est bien moins bête que de passer tous vos temps libres devant la télévision. Vous pourriez faire un geste pour militer en faveur de la libération d'un prisonnier d'opinion, ou encore pour empêcher une compagnie de polluer la terre ou d'exploiter des enfants.

Les Cowboys Fringants ont récemment appuyé une campagne d'Amnistie internationale concernant l'adoption d'un traité international fort et contraignant sur le commerce des armes à feu. Ils ont gracieusement accepté de tourner un petit clip pour appuyer cette campagne et faire pression sur le gouvernement canadien. Depuis cette campagne, les pays membres des Nations unies ont accepté le principe d'un traité international sur le commerce des armes, et le Canada a bel et bien soutenu cette initiative. En ce moment même, des experts se penchent sur les éléments qui composeront ce traité.
Source : www.amnistie.ca

♥ Sujet connexe : accomodement raisonable,
égalité, justice

Salut, on est les Cowboys Fringants. On souhaite que le Canada appuie la signature du traité sur le commerce des armes à feu. Il y a présentement des millions d'armes, surtout de petit calibre, qui circulent librement sur la planète. À chaque minute, il y a une personne qui meurt dans le monde à cause de la violence armée. Il y a plus de 14 milliards de balles qui sont produites chaque année. Ça, c'est assez de balles pour tuer tout le monde deux fois sur la planète. Ces balles se retrouvent dans des armes qui son utilisées dans des conflits partout à travers la planète et se retrouvent souvent dans les mains des enfants. Alors, on vous suggère de faire comme nous, de faire le tour des sites d'Amnistie internationale, d'Oxfam, de regarder tous les liens, de vous informer sur ce sujet-là, de signer des pétitions, d'envoyer un petit courriel au premier ministre, de dire que c'est vraiment important de donner suite à ce traité.

Merci ! »

Pour voir le vidéo : http://www.amnistie.ca/content/view/10208/314/

OBSTACLES SURMONTABLES

Les échecs scolaires sont souvent difficiles à accepter. On se sent nulle, retardée et pas à la hauteur. Ne sois pas trop dure avec toi.

À l'adolescence, on vit toutes sortes de choses et, entre les amis, les cours, les activités parascolaires, la famille, le développement de notre corps, les hormones et le premier amour, on est souvent dépassée par les événements, et ce sont les résultats scolaires qui en subissent les conséquences.

Lorsque tu as un échec scolaire, la première chose à faire est d'en déterminer la cause. As-tu plus de difficulté dans cette matière ? As-tu fait tes devoirs ? As-tu étudié suffisamment pour l'examen ? Il est important d'être honnête. Si tu sais que tu n'as pas fait les efforts nécessaires pour réussir un examen, alors tu dois travailler davantage et consacrer plus de temps à tes études, et un peu moins à la télé. Si tu crois que tu as vraiment des difficultés en mathématiques, il ne faut pas avoir honte de l'admettre et de demander de l'aide.

Les écoles offrent souvent des services de tutorat conçus pour les élèves qui ont besoin d'un coup de main dans certaines matières. De plus, les professeurs sont là pour t'expliquer les choses que tu ne comprends pas. Même si cela t'embête, ça vaut sûrement la peine d'assister au cours de rattrapage ou à la séance de révision avant l'examen. Tu peux aussi demander de l'aide à tes camarades de classe. Certains sont plus doués en arts, d'autres en sciences. À chacun ses forces et ses faiblesses, alors pourquoi ne pas s'entraider entre amis ? Ton père, ta mère, ton frère ou ta sœur peuvent aussi t'aider si tu penses qu'ils connaissent bien la matière. Si ton problème est plus grave, tu peux prendre des cours privés et en discuter avec ton professeur. Il te donnera certainement de bons conseils pour que tu réussisses ton cours. L'objectif d'un prof n'est pas de te faire couler, mais plutôt de te faire réussir.

Si tu éprouves de grandes difficultés à l'école et que tu as des mauvaises notes dans plusieurs matières, il se peut que la direction décide que tu n'es pas prête à passer à un autre niveau, et que tu doives par conséquent doubler ton année. Même si cette solution peut te sembler extrême, et même te donner envie de tout abandonner, tu dois persévérer et trouver la source du problème pour t'améliorer. Cela ne veut pas dire que tu es moins intelligente que la moyenne ou que le monde entier est contre toi ; les résultats scolaires ne déterminent en rien ton intelligence, et les gens qui t'entourent cherchent seulement à te faire avancer à ton propre rythme en étant conscients de tes difficultés. Courage !

Trouver la raison

Si tu éprouves des problèmes liés par exemple au divorce de tes parents, à une peine d'amour ou à une crise personnelle, tu auras peut-être de la difficulté à te concentrer sur tes travaux scolaires. Tu dois donc t'efforcer d'affronter ton problème, ou de parler aux personnes concernées pour tenter de trouver une solution. Je sais que lorsqu'on a la tête ailleurs, il est difficile de se concentrer sur son travail et de se motiver, mais il faut faire un effort pour se secouer et pour chercher de l'aide en cas de besoin. Certaines filles éprouvent des difficultés à l'école pour des raisons physiques : stress, dyslexie, troubles d'attention ou de concentration, etc. Il faut alors en parler franchement avec le professeur ou le directeur pour qu'ils soient au courant de ton problème.

Les échecs, ça arrive à tout le monde

Si tu échoues à un examen, ne panique pas tout de suite. Sache d'abord que même les plus doués ont parfois des mauvaises notes à l'école, et que cela ne fait pas de toi une personne stupide et nulle. Les échecs scolaires tendent souvent à influer sur l'estime de soi et à nous dévaloriser. L'important, c'est d'en déterminer la cause et de se dire qu'on fera mieux la prochaine fois. Si tu te mets trop de pression, tu risques d'échouer encore en raison du stress. Reste calme et sois consciente de tes forces et de tes faiblesses. Tu auras peut-être besoin de travailler un peu plus fort au secondaire pour réussir tes cours d'arts, mais tu sais que tu es bonne en informatique et que c'est vers ce domaine que tu veux te diriger, alors prends ton mal en patience ! Si tes échecs scolaires sont principalement liés à ton manque de motivation et à ta paresse, tu dois faire un effort supplémentaire et chercher une solution à ton problème. Demande de l'aide à quelqu'un de ton entourage, consulte un professionnel ou participe aux séances d'étude en groupe ; plus on est de fous, plus on étudie !

L'annoncer aux parents…

Si tu as un échec scolaire, il se peut très bien que le professeur désire contacter tes parents pour les en informer. Si cela t'angoisse et que tu redoutes leur réaction, tente de leur en parler calmement et sois honnête avec eux. Dis-leur que tu travailleras d'arrache-pied pour t'améliorer, ou alors avoue-leur que tu as besoin d'aide dans une matière. Ils seront sans doute inquiets parce qu'ils savent à quel point l'école est importante pour ton avenir. Quoi qu'il en soit, fais de ton mieux pour garder ton calme et trouver une solution. Tes parents t'aiment et sont toujours prêts à t'aider, alors ne sous-estime pas leur rôle dans le processus, et ne perds pas confiance en toi à cause d'un échec scolaire ; songe plutôt à tes forces et à tes talents, et dis-toi bien que tu feras mieux lors du prochain examen.

Quelques données

• Le taux d'obtention d'un diplôme du secondaire était de 85,1% en 2006-2007. Source : Ministère de l'Éducation, du Loisir et du Sport, Indicateurs de l'éducation, édition 2008.

• Le taux d'obtention d'un diplôme du secondaire chez les jeunes de moins de 20 ans était estimé en 2007 à 69 %. Il était de 63,5 % chez les garçons et de 74,7 % chez les filles. Source : Ministère de l'Éducation, du Loisir et du Sport, Indicateurs de l'éducation, édition 2008.

• Le taux des sans diplôme au Québec, en 2006, s'élevait à 12 %. Source : Statistique Canada (EPA 2006).

Sujet connexe : CEGEP, secondaire

Égalité

DROIT NATUREL ET INALIÉNABLE DE L'HOMME

L'égalité est une notion complexe. En premier lieu, il s'agit d'un droit naturel et inaliénable de l'homme. Tous les humains sont égaux, et ce, peu importe leur culture, leurs traditions, leurs origines, leur profession, leur sexe ou la couleur de leur peau.

Toutefois, lorsqu'on songe au racisme, à l'esclavagisme et aux hiérarchies sociales, on se rend compte que l'égalité entre les hommes est loin d'être acquise. Il est cependant important de mentionner que tout le monde a le droit de s'exprimer, d'agir, de penser et de se faire entendre. Peu importe le statut social, la profession ou le groupe ethnique auquel appartient un individu, il a droit au respect et à l'égalité. Tout le monde a le droit d'aimer et de se faire aimer. Ça peut sembler évident, mais ce n'est pourtant pas si simple.

Par exemple, bien qu'on se dise que nous sommes tous égaux et que nous avons tous des droits protégés par la Constitution et par la loi, nous faisons parfois face à des situations qui nous semblent injustes. Ne vous est-il jamais arrivé de vous insurger contre le fait que le prof ait un « chouchou », ou encore que certaines filles partent toujours en vacances et soient exagérément gâtées par leurs parents ? Pourquoi certaines personnes semblent-elles plus chanceuses que d'autres ? Pourquoi certaines sont-elles riches et d'autres pauvres ? Pourquoi des individus ont-ils droit à une deuxième chance alors que d'autres, non ? Toutes ces questions nous font inévitablement douter de l'existence d'une véritable égalité entre les hommes.

Ce que vous devez savoir, c'est que nous sommes égaux au chapitre des valeurs, des droits et des besoins primaires. Chaque personne a le droit de dormir, de manger, d'aimer et de penser, mais cela ne change pas le fait que certaines personnes atteignent des objectifs, se surpassent en tant qu'individus ou possèdent plus de biens matériels que d'autres. Je sais que la barrière entre les riches et les pauvres peut parfois nous sembler insurmontable, mais sachez qu'il y a moyen d'agir pour atténuer ces distinctions.

Le communisme, par exemple, est une idéologie sociale qui prône l'égalité de tous les individus par l'abolition des classes sociales, privilégiant la propriété commune de tous les produits de la société. Ce principe, basé sur de belles valeurs sociales, est malheureusement utopique. Dans les faits, le communisme entraîne la violence et la répression, puisqu'on doit retirer leurs possessions aux riches pour les distribuer aux pauvres. Par conséquent, bien qu'il s'agisse d'une idéologie qui prône l'égalité, les moyens employés pour atteindre celle-ci vont directement à l'encontre du principe d'égalité entre les individus.

Au Québec, il existe divers systèmes sociaux qui aident à répartir également les richesses et à aider les gens dans le besoin, comme les systèmes d'assurance-maladie, d'assurance-emploi et d'aide sociale. Certes, notre charge fiscale est importante, mais dites-vous que les impôts que nous payons servent justement à appliquer ce concept d'égalité et de justice entre les individus.

En d'autres mots, l'égalité relève d'un équilibre qui n'est pas facile à atteindre. Bien que tous les individus soient égaux du point de vue des droits et des valeurs fondamentales qui nous guident dans la vie, il ne faut pas ignorer le mérite de chacun. Si un artiste se surpasse, qu'un sportif gagne une compétition ou qu'un élève obtient une bonne note à un examen, il mérite d'être récompensé pour ses efforts et pour ses accomplissements. Si vous obtenez 100 % dans un cours, ce serait injuste de vous donner 65 % pour que tout le monde obtienne la même note; vous avez travaillé fort pour obtenir cette note, et vous méritez qu'elle apparaisse sur votre bulletin !

Vous avez le droit de penser, de vous exprimer et d'agir comme bon vous semble, dans la mesure où vous respectez le principe d'égalité qui assure aux autres de pouvoir jouir de ces mêmes droits. Pour promouvoir l'égalité et ainsi favoriser la justice et l'équité au sein de la société,

apprenez à partager vos talents et vos qualités. Montrez-vous généreuse avec les gens dans le besoin. Non seulement vous participerez à l'avancement de notre société, mais vous vous sentirez extrêmement fière d'avoir collaboré au bien-être collectif.

Sujets connexes : droits humains, respect, tolérance

Égoïsme

L'égoïsme se définit comme la tendance à ne chercher que son propre bien sans tenir compte de celui des autres. C'est le fait de ne penser qu'à soi et qu'à son propre bien-être sans s'ouvrir au bonheur d'autrui.

Bien qu'il s'agisse d'une attitude peu souhaitable dans nos rapports avec les autres, celle-ci est toutefois très normale chez les humains. Après tout, nous cherchons toutes à nous protéger et à nous assurer d'être bien dans la vie. C'est une sorte d'instinct de survie qu'il faut cependant apprendre à maîtriser. Il est sain de penser à soi et à son propre bonheur, mais il faut chercher un équilibre qui nous pousse à donner autant qu'à recevoir des autres, à nous montrer plus généreuse avec les gens qui nous entourent.

Vous avez certainement déjà été en présence de quelqu'un qui ne faisait que parler de lui-même, de ses réussites et de toutes les belles choses qu'il possédait. Vous devez admettre que ce n'est pas très agréable d'entendre quelqu'un parler autant de sa propre personne, de ses rêves, etc., sans tenir compte du bien-être des autres et sans jamais s'informer de leurs projets. Vous devez garder cet événement en mémoire et vous en servir comme d'une leçon ; il vous rappellera de ne pas toujours placer votre bonheur avant celui des autres. Vous éprouverez une grande satisfaction à donner aux autres et à voir s'afficher un sourire sur leur visage. Quand on donne aux gens qu'on aime et qu'on leur accorde de l'importance, on se sent très fière de soi et on a envie de continuer dans cette direction. Quand on agit de façon égoïste et qu'on ne pense qu'à soi, on a souvent tendance à faire fuir les gens et à se replier sur nous-mêmes sans apprendre à partager et à nous ouvrir à tout ce que les gens ont à offrir.

En d'autres mots, vous constaterez que vous êtes beaucoup plus heureuse et mieux dans votre peau lorsque vous vous ouvrez aux autres et que vous donnez sans compter. Pour ce faire, vous devez développer une générosité matérielle, physique et affective qui vous permettra de rendre les autres heureux et vous procurera un immense bien-être. Si vous jugez que vous êtes quelqu'un d'égoïste, sachez qu'il n'est jamais trop tard pour changer. Apprenez à écouter les besoins des gens qui vous entourent, à leur donner de l'attention, des soins et de l'amour. La satisfaction que vous en retirerez vous poussera à poursuivre dans la même veine. Quand on ne pense qu'à soi, on se retrouve souvent seule, et on perd des gens importants en cours de route. Mieux vaut être généreuse de votre temps et de votre énergie et faire sentir aux personnes que vous aimez qu'elles sont très importantes à vos yeux.

La générosité ne se développe pas seulement sur le plan matériel. Certes, vous pouvez apprendre à partager, à offrir des cadeaux, à faire des surprises et à prêter toute votre garde-robe à vos amies, mais vous devez aussi être généreuse de votre temps et leur montrer que vous êtes toujours là pour elles. Informez-vous sur ce qu'elles font, sur leurs joies, sur leurs peines. Plutôt que de vous regarder le nombril, apprenez des expériences que les autres ont vécues. Offrez aussi de l'aide à vos parents et montrez-vous généreuse lorsqu'ils vous demandent un service. Ils seront touchés par votre comportement et ceci permettra certainement d'améliorer vos relations.

Combattre l'égoïsme exige par ailleurs que vous fassiez de petits efforts quotidiens pour vous ouvrir davantage aux autres et pour faire taire vos propres insécurités. Rappelez-vous qu'il est sain de penser à votre bonheur, d'apprendre à vous protéger et à être plus forte, mais vous acquerrez énormément de confiance et de satisfaction en vous ouvrant aux autres et en apprenant à les rendre heureux. Vous éprouverez un sentiment de fierté, d'accomplissement et de grande maturité, car vous aurez enfin réussi à surmonter vos peurs et à donner sans compter. Tout le monde mérite d'être heureux, alors mieux vaut s'entraider pour atteindre nos objectifs que d'agir chacun pour soi. La vie est trop courte pour rester seule dans son coin; aussi bien en profiter avec les gens qu'on aime.

Sujet connexe : narcissisme

Emploi à temps partiel

ACQUÉRIR DE L'INDÉPENDANCE

À l'adolescence, vous allez commencer à ressentir le besoin d'acquérir un peu plus d'indépendance. Vous aurez peut-être envie de vous acheter un joli chandail sans devoir demander la permission à vos parents, ou de partir en voyage en ayant les moyens de le faire.

Vous aurez donc sans doute envie de travailler à temps partiel pour pouvoir jouir d'une telle autonomie. Vos parents seront d'ailleurs peut-être les premiers à vous encourager à le faire, non pas parce que vous êtes un poids pour eux, mais plutôt parce qu'ils pensent qu'il s'agit d'un bon moyen pour vous de devenir plus responsable et d'avoir une plus grande autonomie.

Au Québec, les jeunes de moins de 14 ans ne peuvent travailler sans le consentement de leurs parents ou de leur tuteur. Il faut avoir 16 ans pour devenir apprenti dans un métier régi par la loi, et les employeurs ne peuvent demander aux jeunes de moins de 17 ans de travailler durant les heures de classe (la priorité étant évidemment donnée à l'éducation, et la loi indiquant que les jeunes doivent fréquenter l'école jusqu'à l'âge de 16 ans) ou entre 23 h et 6 h, sauf pour la livraison de journaux. *(Source, et pour plus d'informations : http://www.hrsdc.gc.ca/fr/pt/psait/rltc/lmnec/minage(f).pdf)*

Mettre les priorités à la bonne place

Même si vous désirez vraiment travailler et amasser votre propre argent de poche, il est important d'accorder la priorité à vos études. Ainsi, durant l'année scolaire, efforcez-vous de ne pas travailler tous les soirs après l'école ou toutes les fins de semaine. Gardez-vous du temps pour étudier, faire vos devoirs et vous détendre. Vous aurez toute la vie pour travailler à temps plein. Par ailleurs, si votre employeur vous demande de travailler plus souvent et que vous trouvez que c'est trop, n'hésitez surtout pas à le lui dire. Durant l'année scolaire, vous pouvez opter pour un emploi dans le cadre duquel il est possible de faire vos devoirs à temps perdu (gardienne, réceptionniste, caissière, etc.). Vous pouvez aussi demander à vos parents de vous payer pour accomplir des tâches ménagères, un travail que vous pourrez faire dans vos moments libres sans que cela empiète sur vos heures d'étude.

Un été à temps plein

Même si vous n'avez pas le temps de travailler beaucoup durant l'année scolaire, vous pourrez amplement vous rattraper au cours de l'été. Les vacances estivales durent généralement deux mois, et plusieurs employeurs offrent des postes aux étudiants qui cherchent un emploi d'été, que ce soit dans le cadre des festivals, ou alors dans les crèmeries, les cafés, les restaurants, les établissements culturels, les camps de vacances, etc. Je vous conseille par ailleurs d'envoyer votre curriculum vitæ quelques semaines avant la fin des classes pour ne pas vous retrouver coincée à la dernière minute. Parlez-en aux gens autour de vous, appelez ou allez voir un ancien employeur ; bref, utilisez vos relations pour vous faire connaître et décrocher l'emploi qui vous convient le mieux. Choisissez un travail qui saura vous motiver et où vous pourrez vous épanouir et avoir du plaisir. Rappelez-vous qu'il s'agit d'un emploi d'été et non de votre choix de carrière !

Le C.V. et l'entrevue

Lorsque vous posez votre candidature pour un emploi à temps partiel ou un emploi d'été, l'employeur vous demandera de lui remettre un curriculum vitæ qui contient vos coordonnées (nom, adresse, numéro de téléphone), ainsi qu'une énumération et une courte description des diplômes obtenus jusqu'à présent et de l'expérience professionnelle que vous avez acquise. S'il s'agit de votre premier emploi et que vous n'avez pas encore votre diplôme, ne paniquez pas ! Nous passons toutes par là (après tout, il faut bien commencer quelque part !). Inscrivez les études que vous êtes en train de poursuivre, l'année où vous devriez obtenir votre diplôme et toutes les expériences communautaires et bénévoles que vous avez acquises jusqu'à maintenant. Vous avez par exemple travaillé en tant que bénévole dans un centre pour personnes âgées ou dans le centre communautaire de votre quartier, ou vous gardez des enfants depuis que vous avez 12 ans ? Ne négligez rien s'il s'agit de votre première expérience professionnelle. Les employeurs sont généralement très indulgents à l'égard des jeunes qui entrent sur le marché du travail. Mentionnez toutes les activités parascolaires auxquelles vous avez participé et les comités dans lesquels vous vous êtes impliquée, que ce soit le théâtre, le conseil étudiant ou le basket. Votre employeur pourra alors voir que vous aimez participer à différentes activités et que vous êtes une personne motivée et responsable. Si vous avez obtenu des mentions d'honneur ou de mérite à l'école, indiquez-le aussi dans votre C.V. afin de mettre en valeur vos aptitudes.

Si un employeur sélectionne votre C.V., vous serez normalement invitée à le rencontrer pour une entrevue. Il vous posera diverses questions d'ordre professionnel, scolaire et personnel. C'est le moment de vous « vendre » et de lui démontrer que vous êtes la candidate idéale, alors ayez confiance en vous et n'ayez pas peur d'énoncer vos principales qualités. Les employeurs aiment les candidates responsables, matures, polies et qui ont de l'entregent. Efforcez-vous ne pas avoir l'air trop coincée, mais demeurez polie et vouvoyez toujours votre employeur lors des premières rencontres. Les entrevues vous permettront d'apprendre à vous connaître et d'acquérir davantage de confiance en vous. Si vos premières entrevues se déroulent mal, ne vous en faites pas, cela fait partie de la période d'apprentissage !

Pas de sots métiers

Rappelez-vous que vous êtes encore jeune et que tous les emplois offerts vous donneront une expérience unique et vous permettront de devenir plus endurante, plus indépendante et plus mature. Ne jugez pas les emplois par le titre et ne levez pas le nez sur ceux qui vous sont proposés. Nous devons toutes commencer quelque part, et même si vous ne pensez pas qu'un emploi de caissière ou de réceptionniste puisse vous aider dans votre carrière, il vous permettra au moins d'acquérir des aptitudes sur le plan personnel qui sont loin d'être négligeables. Alors, n'hésitez surtout pas à foncer !

♥♥ Sujet connexe : argent de poche

Quand on est en colère, qu'on se sent irritée pour un tout et pour un rien et qu'on habite sous le même toit que sa famille, il est normal que les engueulades éclatent.

Une engueulade, cela sous-entend souvent des cris, des insultes. L'étincelle qui provoque la dispute peut être un incident très anodin autour de la table, ou un sujet plus délicat comme le couvre-feu imposé par les parents, par exemple. Les engueulades surviennent aussi avec les amies qui n'ont pas le même point de vue que vous ou qui vous énervent sans raison.

Il y a des gens avec qui vous avez peut-être plus tendance à vous engueuler. Par exemple, certaines personnes n'ont pas la langue dans leur poche ou aiment simplement vous provoquer et vous voir piquer une crise. Même si vous êtes de nature soupe au lait, vous devez apprendre à vous contrôler et à ne pas entrer dans ce petit jeu. L'indifférence est souvent l'arme la plus efficace contre ceux qui vous narguent. Si vous avez des frères et des sœurs, je suis certaine que les engueulades surviennent assez souvent. Sachez d'abord qu'il est tout à fait normal de manquer de patience lorsqu'on cohabite avec des gens. Les membres de certaines familles s'engueulent moins que d'autres, mais cela ne veut pas nécessairement dire qu'ils se respectent davantage. C'est parfois dû à une distance qui les sépare ou à un froid qui s'est installé dans la maison. Dans d'autres familles, les gens ont au contraire l'habitude de s'engueuler à tous les repas. Encore une fois, il n'existe aucune règle générale, et cela ne signifie pas qu'ils s'aiment moins. Cela peut être lié au fait qu'ils ne parviennent pas à discuter calmement, car ils sont de nature plus explosive ou plus têtue.

Quand les parents s'engueulent

Vous devez avant tout vous rappeler que votre père et votre mère ne sont pas seulement des parents, mais qu'il s'agit aussi d'un couple et de deux individus à part entière qui sont parfois irrités ou qui ont de la misère à se supporter l'un l'autre. Si vos parents se disputent, essayez de ne pas vous en mêler et de les laisser régler leur problème. Ils auront tôt fait de se réconcilier, et vous ne vous sentirez pas impliquée dans leur querelle. S'ils s'engueulent sans cesse et que cela vous dérange ou vous bouleverse, alors mieux vaut leur en parler calmement pour qu'ils prennent conscience du fait que vous êtes là et que vous ne voulez pas nécessairement assister à leurs disputes.

Une engueulade à caractère thérapeutique

Les engueulades nous permettent parfois d'extérioriser notre peine ou notre frustration. Sachez qu'il n'est pas mauvais de s'engueuler de temps à autre avec les gens qu'on aime. L'important, c'est de ne pas dépasser les bornes et de ne pas dire des choses méchantes dans le but de blesser les autres. Quand on s'engueule pour un rien, on finit souvent par en rire de bon cœur, alors ne dramatisez pas toutes les querelles que vous avez avec les membres de votre famille ou avec vos amis. Si vous croyez être allée trop loin, excusez-vous et tentez de vous expliquer pour faire comprendre à l'autre que vos paroles ont dépassé votre pensée. Si vous jugez, par exemple, que votre sœur vous a manqué de respect et qu'elle vous a blessée, dites-le-lui calmement pour qu'elle comprenne que cela ne sert à rien de vous insulter de la sorte et que ses paroles peuvent parfois vous faire du mal.

Les engueulades font partie de notre quotidien et il est tout à fait normal d'avoir les nerfs en boule par moments. Chacun a son propre caractère, et certains peuvent être plus susceptibles que d'autres. Par conséquent, apprenez à connaître vos adversaires et à éviter que la situation ne dégénère. Rappelez-vous toutefois que cela arrive dans les meilleures familles et qu'il n'y pas toujours de quoi en faire un plat. Il suffit parfois de laisser la tempête passer et d'en rire quelques heures après.

Quelques trucs pour survivre aux chicanes ou éviter les engueulades

- Ne soyez pas trop soupe au lait et apprenez à rire de vous-même lorsqu'on se moque gentiment de vous.

- Ne soyez pas trop brusque quand on vous parle, même si vous vous sentez particulièrement irritée.

- Ne soyez pas méchante dans ce que vous dites. Si vous vous sentez vraiment sur le point d'éclater, allez prendre l'air, faites une promenade ou appelez quelqu'un qui n'est pas impliqué dans la querelle pour exprimer ce que vous ressentez.

- Apprenez à vous excuser si vos paroles ont dépassé votre pensée.

- Apprenez à rire durant les engueulades ou une fois qu'elles sont terminées. Ça permettra de détendre l'atmosphère et de dédramatiser la situation.

 Sujets connexes : amitié, parents

Ennui

ÉTAT D'ÂME DÉPLAISANT

« Sentiment d'insatisfaction rencontré, par exemple, lorsque la vie nous paraît trop uniforme. [...] L'ennui est principalement couplé avec un déplaisir ou même une incapacité intérieure à agir pour son propre compte. L'ennui apparaît si on contraint un être à un ordre rigide et monotone, et il est atténué si on lui aménage un espace ludique où il peut faire ce qu'il désire. »

(Source : http://www.granddictionnaire.com)

L'ennui est un état d'âme qui se rapproche grandement de la lassitude. On a alors tendance à trouver le temps long ou à ne pas savoir quoi faire de ses dix doigts. On trouve que la vie est monotone et on a de la difficulté à trouver une activité originale qui puisse nous sortir de notre état d'insatisfaction. L'ennui peut survenir à tout moment : un lundi soir, au cours d'une fin de semaine pluvieuse, durant une semaine de vacances ou pendant un cours qu'on trouve interminable ! Il existe diverses façons de ne pas se laisser sombrer dans l'ennui. Il suffit de se secouer un peu et de trouver une activité qui nous plaise ou qui nous sorte de notre torpeur. Je sais bien que lorsqu'on s'ennuie, il peut être difficile d'être original et créatif, mais il ne suffit parfois que d'un petit effort, de téléphoner à un(e) ami(e), d'écrire dans son journal intime ou de faire une promenade pour parvenir à se changer les idées et à cesser de se morfondre.

L'adolescence est une période de la vie où les minutes semblent parfois interminables. Les adultes ont alors tendance à vous dire : « Profites-en ! Lors-qu'on vieillit, le temps passe trop vite et on n'a parfois pas le loisir de profiter de la vie. » Sans vouloir être moralisatrice, je dois dire que ce n'est pas tout à fait faux. Avec l'âge viennent les responsabilités, le travail, l'accumulation des tâches, la famille, les amis, les petits amis... Bref, on a de moins en moins de temps à se consacrer. Les dimanches après-midi passés à ne rien faire ne sont plus ennuyeux ; ils deviennent au contraire si rares qu'on veut profiter de chaque minute ! À l'adolescence, on a normalement plus de temps pour réfléchir, pour songer à ses rêves, à ses ambitions. Même si ça peut parfois sembler effrayant, il faut s'efforcer de passer un peu de temps seule et de faire le vide. Si vous en êtes incapable, écrivez dans votre journal intime ou confiez-vous à quelqu'un en qui vous avez confiance. Ces minutes qui vous paraissent si longues vous seront très utiles, puisqu'elles vous permettront d'apprendre à vous connaître davantage et à faire face à votre insécurité.

Si l'ennui fait bientôt place au cafard, vous devez vraiment faire un effort pour vous secouer et vous changer les idées. Pourquoi ne pas aller voir un film au cinéma, faire du lèche-vitrine ou une promenade en bicyclette, passer du temps en famille ou avec vos amis ? Personne n'est disponible et aucune de ces options ne s'offre à vous ? Lisez un livre, prenez un bon bain, écoutez de la musique ou louez un film. Lorsqu'on y pense bien, les activités que vous pouvez faire sont illimitées. Il ne suffit parfois que de se secouer les puces !

Sujet connexe : cafard du dimanche

Environnement

Depuis plusieurs années, l'environnement est devenu une priorité d'ordre social, culturel et politique. Les catastrophes naturelles qui sont survenues au cours des dernières années, le réchauffement planétaire, l'épuisement des ressources naturelles et l'état de plus en plus préoccupant de notre planète n'inquiètent plus seulement les écologistes, mais aussi le reste de la population mondiale.

Plusieurs éléments expliquent l'aggravation de la situation et l'importance donnée à la conscientisation. Tout d'abord, on connaît un phénomène de surpopulation mondiale assez important. Il y a plus de six milliards d'habitants sur la Terre et, dans certaines régions du monde, comme au tiers-monde, les gens se reproduisent à une vitesse alarmante. La surpopulation entraîne évidemment un accroissement des besoins de matières premières, que ce soit sur les plans de l'énergie, de l'alimentation, de l'eau potable ou même du territoire habitable. On craint donc l'épuisement des ressources naturelles si on n'agit pas rapidement pour améliorer la situation, en encouragent par exemple le développement des énergies renouvelables, soit les sources d'énergie qu'on peut renouveler assez vite pour qu'elles deviennent inépuisables, et ce, même à l'échelle mondiale. Vous avez sûrement déjà vu des moulins à vent au bord des autoroutes du Québec. L'énergie éolienne est un exemple d'énergie renouvelable, puisqu'elle permet de transformer l'énergie cinétique du vent en énergie électrique. L'énergie hydraulique (de l'eau) est un autre bon exemple, puisqu'on se sert du mouvement de l'eau pour produire de l'électricité. Il s'agit d'ailleurs d'une ressource importante au Québec. Bref, on se rend maintenant compte que nos ressources naturelles ne sont pas inépuisables, et qu'on se doit d'agir rapidement pour améliorer la situation.

Au point de vue de l'agriculture, la situation est également grave. L'homme ne cesse de défricher des terres, de couper la végétation, de raser des forêts et d'utiliser des engrais et des agents pollueurs qui nuisent aux sols et à la production agricole, et qui accélèrent l'érosion. L'accroissement de la population mondiale et de ses besoins a évidemment un effet direct sur la dégradation des sols et sur le phénomène de déforestation aux quatre coins de la planète. L'intensification de la production animale a également une influence sur la dégradation de la terre, puisqu'elle encourage le surpâturage et entraîne la réduction de la fertilité des sols, la désertification et l'érosion. (Source : Organisation des Nations Unies pour l'alimentation et l'agriculture)

On entend aussi souvent parler du réchauffement de la planète. Ce phénomène est principalement lié à une augmentation de la température moyenne de l'atmosphère et des océans s'étalant sur plusieurs années. Depuis quelques décennies, on constate un changement important sur le plan climatique. On n'a qu'à penser aux hivers étranges qu'on connaît au Québec, aux ouragans qui frappent de plus en plus fort le Sud des États-Unis et les Antilles, aux tremblements de terre et aux tsunamis qui ont secoué gravement l'Asie, sans parler des milliers de personnes ayant péri lors de ces catastrophes qui semblent trop souvent survenir dans les régions les plus pauvres du monde. Le réchauffement planétaire a aussi des effets catastrophiques sur les sols, les glaciers et la production agricole. Le phénomène du réchauffement planétaire est par ailleurs principalement dû aux émissions de gaz à effet de serre qui deviennent de plus en plus importantes à

cause de la déforestation, des décharges de déchets, du CO_2 produit par les voitures, par le smog, par la pollution des grandes et des petites villes, etc. Par ailleurs, les probabilités que le réchauffement planétaire soit d'origine humaine sont de plus de 90 % (source : Groupe d'experts intergouvernemental sur l'évolution du climat), et on note qu'au cours du xxe siècle, l'augmentation de la température moyenne de la Terre aurait été de 0,6 °C (source : NASA GISS).

Le protocole de Kyoto

Pour contrer ce problème, environ 180 pays ont signé le Protocole de Kyoto, au Japon, en décembre 1997. « Dans le Protocole, 38 pays industrialisés s'obligent à abaisser leurs émissions de gaz à effet de serre entre 2008 et 2012 à des niveaux inférieurs de 5,2 % à ceux de 1990. » (Source : Gouvernement du Canada) Le Protocole vise en effet à stabiliser l'émission de gaz à effet de serre dans l'atmosphère pour réduire les dangers qui menacent le système climatique. Il propose ainsi des mesures concrètes afin de prévenir et de réduire les causes du changement climatique. Les pays signataires se sont donc ainsi engagés à faire un inventaire de leurs émissions de gaz à effet de serre et à mettre sur pied des programmes visant à contribuer à atténuer les changements climatiques. Le Protocole propose aussi un calendrier pour la réduction des gaz à effet de serre au cours des 50 prochaines années, puisque ceux-ci représentent la cause principale du réchauffement climatique qui met la survie de notre planète en danger. Le Canada a ratifié le Protocole de Kyoto en décembre 2002, mais un fort débat s'est ouvert lorsque le gouvernement conservateur a voulu s'en retirer en 2006, jugeant ses objectifs irréalistes.

L'accord de Copenhague

En décembre 2009 se tenait à Copenhague la 15e Conférence des Parties sur les changements climatiques afin de renégocier un accord international sur le climat qui remplacerait le protocole de Kyoto. L'accord vise à réduire de moitié les émissions de gaz à effet de serre d'ici 2050. Chaque pays participant devait formuler avant la fin du mois de janvier 2010 ses objectifs concernant la baisse d'émission de gaz à effet de serre. Certains pays se sont entendus pour lutter contre la déforestation. Pour ce qui est du Canada, le pays s'est engagé à réduire de 20 % ses émissions de carbone d'ici 2020, mais le Québec, l'Ontario et la Colombie-Britannique considèrent que ces engagements ne sont pas assez ambitieux. Le Québec à lui seul veut atteindre des baisses de 20 %. Il est à noter que l'Inde et la Chine (le plus important émetteur de gaz à effet de serre), se sont officiellement jointes à l'accord de Copenhague, mais que les discussions entre les différents participants et les objectifs réels à atteindre sont encore en cours à ce jour.

Un effort mondial

La préservation de l'environnement est une philosophie qui doit être adoptée à l'échelle mondiale. Chacun doit mettre du sien pour améliorer le sort de notre planète et permettre aux générations futures, c'est-à-dire à vos enfants, d'y vivre de façon saine. Nous devons pour cela acquérir des habitudes de vie plus écologiques. Il est toutefois important de ne pas nous refermer sur nous-mêmes et d'éviter de ne penser qu'à notre propre bien-être et qu'à la survie de notre ville, de notre province et de notre pays. La préservation de la Terre doit être un objectif mondial, et il est essentiel de poursuivre le travail de conscientisation et de sensibilisation qui a été entrepris dans les dernières années. Certains pays du tiers-monde ont par ailleurs beaucoup d'autres problèmes à résoudre, tels que la pauvreté, la famine, le sida et le manque d'eau potable. Nous pouvons donc nous estimer chanceux de pouvoir tenir certaines choses pour acquises et de pouvoir nous concentrer sur les phénomènes environnementaux qu'il ne faut absolument plus négliger. Plutôt que de jouir de cette liberté et de cette richesse en nous refermant sur nous-mêmes, nous devons profiter de notre image et de notre prospérité pour agir à l'échelle mondiale et poursuivre la sensibilisation et la mobilisation de groupes écologiques dans le monde entier. Quant à vous, il existe des tas de petites choses que vous pouvez faire au quotidien pour aider l'ensemble de la population à reprendre le contrôle de la situation. Je vous invite à consulter l'article « Sauvons la planète » pour en savoir davantage.

♥ Sujet connexe : sauvons la planète

États-Unis

Les États-Unis sont situés au sud du Canada et au nord du Mexique. Ils sont bordés par l'océan Atlantique à l'est et par l'océan Pacifique à l'ouest. Le pays regroupe 50 États, et sa capitale nationale est Washington. En 2008, les États-Unis comptaient plus de 302 millions d'habitants, ce qui les situe au troisième rang des pays les plus peuplés, après la Chine et l'Inde. Leur superficie de 9,4 millions de kilomètres carrés en fait le quatrième plus grand pays au monde, après la Russie, le Canada et la Chine (Source : Institut géographique national).

Au niveau mondial, les États-Unis sont perçus comme une superpuissance. Il s'agit d'un pays riche et développé qui possède une économie très diversifiée. Qu'on aime ou non le peuple américain, son influence mondiale est indéniable, et le pays est un partenaire économique très important du Canada et du Québec.

Culturellement, les États-Unis offrent un véritable panorama sur le monde. En effet, l'immigration abondante rend la population américaine extrêmement cosmopolite, et ce, tant au plan ethnique que culturel. On trouve par exemple une forte proportion de Latino-Américains dans l'ensemble du pays, et l'espagnol est la deuxième langue la plus parlée aux États-Unis. D'une côte à l'autre, on peut explorer des cultures et des décors très variés. Par exemple, la côte ouest, ce sont les plages, la chaleur, Hollywood, Los Angeles, San Francisco, les grandes vedettes de cinéma, le surf, tout ça dans une ambiance plutôt exaltée. Sur la côte est, vous trouverez bien sûr New York, la plus grande ville des États-Unis, et Miami, tout au sud, qui est reconnue pour ses plages, son ambiance festive et son influence hispanique. Bien que les États-Unis, en raison de leur proximité, ne nous semblent peut-être pas aussi exotiques que les Caraïbes, sachez qu'il y a des tas de choses à découvrir dans ce vaste pays, comme le Grand Canyon, la Nouvelle-Orléans, les déserts de l'Arizona et du Nevada, les immenses montagnes enneigées pour celles qui raffolent du ski et des centaines de villes débordantes de trésors culturels et artistiques.

Une élection historique

Le 4 novembre 2008, Barack Hussein Obama a été élu 44e président des États-Unis. Il a défait le candidat républicain John McCain et a permis aux démocrates de reprendre le pouvoir. Originaire d'Hawaï, Barack Obama est le premier Afro-Américain de l'histoire à accéder à la Maison-Blanche. Il entre au pouvoir dans un contexte de guerre en Irak et en Afghanis-

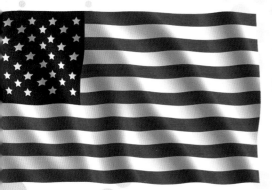

mes pas d'accord avec nos voisins du sud. N'empêche que, si vous avez la chance de parcourir un peu le pays, vous vous rendrez compte qu'il y a beaucoup plus de choses à y découvrir que des hamburgers et du football américain, alors n'hésitez pas à vous y rendre, la frontière est tout près !

♥ Sujet connexe : New York, voyage

tan, d'importantes tensions en Orient et d'une grave période de récession qui a engendré une crise économique mondiale. En d'autres mots, la pression est forte sur le nouveau président, mais l'accession d'Obama au pouvoir a soulevé une vague d'optimisme, tant au niveau national qu'international, et les gens croient sincèrement qu'il pourra faire une différence et aider à rétablir la paix dans certaines régions du monde, en plus de stabiliser l'économie mondiale.

En effet, les États-Unis ont une influence très importante sur le reste du monde. Suite à la déclaration de l'Indépendance des États-Unis en 1776 et de leur indépendance de l'Angleterre obtenue en 1783, le développement du territoire s'est poursuivi tout au long du XIXe siècle. Depuis le milieu du XXe siècle, l'influence exercée par les États-Unis sur les plans économique, culturel, politique, social et militaire s'est tant accrue que le pays est devenu une véritable superpuissance. C'est souvent pour cette raison qu'on éprouve des sentiments partagés à son égard : nous dépendons de lui à plusieurs niveaux et, même si nous ne sommes pas toujours d'accord avec les décisions politiques et militaires qui sont prises par ses dirigeants, il serait très difficile pour le Canada de couper les ponts avec les États-Unis. Cela ne veut toutefois pas dire qu'il faut porter un jugement sur les habitants et leur culture. Il faut apprendre à respecter les différences tout en sachant exprimer notre point de vue lorsque nous ne sommes

Été

Pour tous les Québécois, l'été est synonyme de liberté ! Après un rude hiver, les bottes mouillées et le rhume, la saison du barbecue, des festivals et de la piscine est enfin de retour.

Que vous soyez de nature sportive, artistique ou bohème, les activités sont illimitées, alors sortez vos sandales, votre minijupe et votre bikini, car l'été passe souvent trop vite !

Durant les vacances d'été, certaines d'entre vous doivent partir en voyage avec leur famille. Ne ronchonnez pas trop. Les occasions de passer du temps en famille se feront de plus en plus rares, alors aussi bien en profiter pour vous préparer de bons petits repas, vous baigner tous ensemble, visiter des musées ou simplement vous balader dans les rues. D'autres filles optent pour les camps de vacances, que ce soit à titre de monitrice ou de campeuse. Ce sont alors des tas d'aventures qui vous attendent, à commencer par les randonnées en vélo, le camping sauvage, les guimauves près du feu, les potins entre filles et la baignade dans le lac !

Pour celles qui décident de rester chez elles, toutes les régions du Québec offrent une foule d'activités et organisent toutes sortes de festivals tout au long de la période estivale. Pourquoi ne pas en profiter pour faire des choses différentes et mettre un peu de piquant dans votre quotidien ?

En voici quelques exemples :
- Festival de Saint-Honoré dans l'vent, Saguenay-Lac-Saint-Jean
- Les Cartonfolies, Bas-Saint-Laurent
- Festival d'été de Shawinigan, Mauricie
- L'International des Feux Loto-Québec, Montréal
- Festival International de Jazz de Montréal, Montréal
- Festival Juste pour rire, Montréal
- FrancoFolies de Montréal, Montréal
- Festival International du Domaine Forget, Charlevoix
- Festival d'été de Tremblant, Laurentides
- Festival d'été de Québec, Québec
- Les Fêtes de la Nouvelle-France, Québec
- Festival forestier de Senneterre, Abitibi-Témiscamingue
- Circuit des Arts, Memphrémagog Cantons-de-l'Est

Si vous optez toutefois pour des activités plus traditionnelles, je vous suggère les balades en bicyclette (mais soyez prudente et portez un casque, même si ce n'est pas le plus beau look qui soit !), la baignade, les journées au parc, les promenades dans la nature ou dans les rues de la ville, les pique-niques sur les plaines d'Abraham, sur le mont Royal… Ah ! me voilà bien nostalgique ! C'est fou comme l'été nous manque quand il neige et qu'il fait -20 degrés dehors !… Mais rappelez-vous qu'au Québec, c'est grâce à l'hiver qu'on apprécie autant l'été !

Petits conseils

La crème solaire !!! Elle est essentielle pour vous protéger des rayons du soleil et elle vous donnera une plus belle peau. Après tout, aucune fille n'a envie de se retrouver prématurément ridée !

Plutôt que de vous enfermer pour lire, allez dans un parc, profitez de l'air frais, faites de l'exercice, marchez ! Souriez ! L'été est si vite terminé !

Consultez le site :

http://www.festivals.qc.ca/ pour tout savoir au sujet des festivals et autres activités organisés dans votre région.

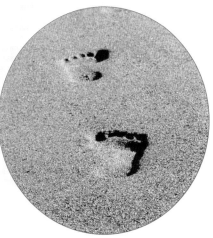

Ne croupissez pas dans la routine ! Profitez de l'été pour partir à l'aventure, faire du camping et vous balader dans la nature !

Sujets connexes : Printemps, automne, hiver

Être cool

Ce n'est pas nouveau : quand on est adolescent, on devient plus conscient du monde qui nous entoure et on accorde beaucoup plus d'importance à notre apparence physique. Plusieurs filles traversent également une période de questionnements intenses à propos de leur identité. C'est normal de se poser des questions quand on traverse une période de changements aussi drastiques.

Premièrement, ton corps se transforme, et deuxièmement, tu dois affronter un univers social très différent où tu cherches ta place et où tu ne veux surtout pas déplaire.

Nombreuses sont les filles qui m'écrivent pour me demander des trucs pour plaire aux garçons ou pour sortir du moule. C'est une réaction normale ; je me souviens qu'entre 12 et 16 ans, je lisais parfois des articles dans les magazines qui suggéraient aux filles de rester elles-mêmes et je ne comprenais pas tout à fait à quoi ils faisaient référence. Aujourd'hui, je suis la première à prodiguer les mêmes conseils. Ce n'est pas évident de comprendre le concept de « rester soi-même » à une étape où on se cherche et où on ne sait pas clairement qui on est, mais l'important, c'est de se baser sur nos valeurs et sur nos principes. Dès l'adolescence, tu sais au fond de toi quelles sont tes priorités, quelles sont tes principales caractéristiques et aussi quelles sont les qualités les plus importantes à tes yeux. Ne fais rien contre ta volonté, même si tu crois que c'est cool de le faire. Il faut savoir s'écouter et se faire respecter, car nous sommes toutes responsables de notre propre bien-être. Si une fille se retrouve dans une situation précaire avec un gars qui fait pression sur elle pour faire l'amour alors qu'elle ne se sent pas prête, il faut qu'elle sache dire non et écouter ce que lui dicte son instinct. Si quelqu'un te propose de fumer un joint et que tu as peur et que tu n'as pas envie d'essayer, il faut aussi savoir t'écouter et t'assumer telle que tu es. « Être cool », ça ne veut pas dire faire ce que les autres veulent que tu fasses, ou faire ce qui semble cool aux yeux des autres ; ça veut plutôt dire être assez bien dans ta peau pour être naturelle et pour exprimer tes idées et tes opinions sans avoir peur du ridicule. Ça ne signifie pas qu'il faut imposer ta loi et ne pas être à l'écoute des autres ; tu peux croire en tes idées et être à la fois ouverte à écouter les gens discuter des leurs. Il faut simplement trouver un équilibre entre le deux et pouvoir rire de soi-même et être ouverte aux différences.

Plusieurs sont celles qui se basent sur des caractéristiques superficielles ou physiques pour déterminer si elles sont cool ou non. C'est une chose de vouloir suivre la mode ou de vouloir s'arranger pour se sentir belle, mais ça n'a rien à voir avec le fait d'être cool ou non. Tristement, je sais qu'au secondaire les choses ne sont pas aussi simples et que le look compte pour beaucoup ; cependant, tu peux adopter un look à la mode tout en restant naturelle. Il faut tout simplement apprendre à agir selon tes principes et développer une confiance en toi qui ne te fasse pas douter de toi à tout instant. Si tu n'as pas encore de poitrine, ça ne veut pas dire que tu n'es pas cool. Il faut simplement attendre que ton corps se développe ; ça ne sert à rien de complexer et de se sentir inférieure puisque ça ne changera rien à la situation. Si tu n'aimes pas le techno, ça ne fait pas de toi quelqu'un de pas cool ; tu as simplement d'autres goûts que les autres.

Il faut aussi apprendre à t'entourer de gens qui te font sentir bien et qui t'acceptent comme tu es. Ne reste pas dans une gang si tu n'es pas bien, si tu n'as aucune affinité ou simplement parce que c'est cool. Les vrais amis, ce sont ceux qui t'aiment telle que tu es, qui te respectent et avec qui tu passes de bons moments. Vous devez avoir des affinités, des choses en commun ou même vous compléter dans vos différences. Les gens qui te poussent à agir contre ta volonté, qui t'encouragent à faire des choses que tu ne veux pas faire ou qui te poussent à changer qui tu es ne sont pas des amis.

En conclusion, je sais que ce n'est pas facile de trouver sa place dans un monde qu'on ne comprend pas encore et d'être bien dans sa peau sans se fier aux apparences et à des critères superficiels, mais apprends à te faire confiance. Sois bien dans ta peau, et n'aie pas peur de dire ce que tu penses et d'exprimer tes sentiments. Au fond, c'est ça être cool : c'est être prête à s'assumer sans se préoccuper du regard et de l'opinion des autres et adopter une attitude positive qui attire les gens vers nous. Pour le reste, tu apprendras à mieux te connaître au fil des années ; il suffit de laisser le temps faire son œuvre !

💬 Sujets connexes : copains, amitié, gang de filles

En 1859, Charles Darwin publie « L'Origine des espèces par le moyen de la sélection naturelle, ou la préservation des races favorisées dans la lutte pour la vie ».

Son œuvre vient littéralement révolutionner la théorie de l'évolution de l'homme puisqu'il présente un caractère scientifique et émet l'hypothèse que tous les humains sur terre descendent d'ancêtres communs, qu'ils ont subi des transformations biologiques et qu'ils ont connu une évolution graduelle dans la nature. En d'autres mots, l'espèce humaine est une espèce animale issue d'une autre espèce animale (le singe) qui a connu des transformations biologiques au fil du temps pour s'adapter à son environnement. Cette théorie s'oppose radicalement à celle du créationnisme selon laquelle Dieu est le créateur de la Terre et des êtres qui l'habitent. Cette dualité a causé plusieurs discussions et polémiques au fil des années. Le débat entre la théorie du créationnisme (Dieu a créé la Terre) et de l'évolutionnisme (théorie de Darwin) fait encore rage aujourd'hui, bien que la théorie de l'évolution soit reconnue et prouvée scientifiquement. Certains groupes religieux refusent effectivement de croire à l'évolution et de rejeter Dieu de l'équation, et ce, malgré les preuves scientifiques qui soutiennent cette théorie.

La théorie de l'évolution de Darwin a eu un impact majeur sur toute la communauté scientifique et sur notre compréhension de l'arrivée de l'espèce humaine sur terre et de son évolution au fil des siècles.

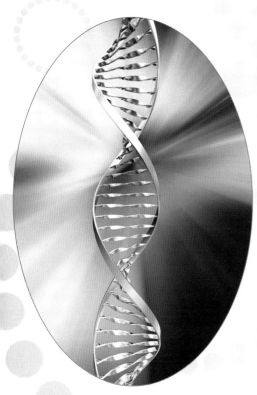

En résumé, cette théorie ne repose pas sur des croyances religieuses. Au contraire, elle se détache complètement des théories selon lesquelles Dieu aurait créé l'homme et la Terre. Il s'agit d'une explication scientifique et logique qui présente l'homme comme un descendant direct des singes ayant évolué à travers l'histoire pour s'adapter à son environnement et pour survivre. Le principe de sélection naturelle repose encore aujourd'hui au centre de la théorie de l'évolution, qui a, quant à elle, été adoptée et acceptée officiellement par la communauté scientifique depuis le milieu du XXe siècle.

💚 Sujets connexes : religions, croyances, valeurs

Exclusion sociale

L'exclusion sociale est une « action exercée par une société qui rejette hors d'elle-même un ou plusieurs de ses membres ou effet de cette action sur la ou les personnes à l'encontre desquelles elle s'exerce[1]. » En d'autres mots, l'exclusion sociale est un phénomène de marginalisation où l'on exerce une rupture avec le reste de la société dans laquelle on évolue et où l'on rejette un ou plusieurs individus d'un groupe social.

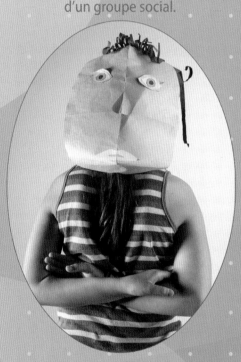

L'exclusion sociale peut être exercée pour des raisons culturelles, sociales ou personnelles. Par exemple, il se peut qu'une fille subisse l'exclusion sociale d'un groupe parce qu'elle est différente. En effet, nombreux sont les jeunes qui se font rejeter simplement parce qu'ils ont une apparence différente ou parce qu'ils ne correspondent pas au moule ou à l'attitude requise pour faire partie d'un groupe ou pour être acceptés socialement. Plusieurs filles m'écrivent parce qu'elles se sentent rejetées simplement parce qu'elles ont des lunettes, qu'elles sont considérées comme des « bolées » ou parce qu'elles n'ont pas de succès avec les garçons.

Ce qu'on doit savoir, c'est que l'exclusion sociale a un impact majeur sur le développement d'un individu. Une fille qui se fait rejeter sans raison valable et qui fait rire d'elle à tout bout de champ sent qu'elle n'appartient à aucun réseau social et qu'elle est seule au monde. De là, elle a tendance à se dénigrer, à se sentir mal, seule et à perdre confiance en elle. En effet, elle doute de ses capacités, de son apparence, de ses qualités et de sa personnalité en général. Le rejet et l'exclusion sociale sont des fléaux difficiles à vivre pour ceux qui les subissent, et certains se rendent même jusqu'au suicide.

Il arrive également qu'un jeune se rejette lui-même de la société ou du groupe social auquel il appartient (par exemple à l'école) en raison de traumatismes vécus dans son enfance ou au domicile familial. Les jeunes qui ont été abusés, violentés ou rejetés dans leur enfance ont tendance à se méfier des autres et à se tenir à l'écart, car ils ont peur d'avoir mal. Si tu as été victime d'un abus, il est donc important d'en parler et de te confier pour t'aider à passer au travers et à évoluer le plus sainement possible. Si tu constates qu'une fille ou un gars s'exclut du reste du groupe, ne l'humilie pas. Reste à l'écoute et offre-lui ton soutien, car tu ne connais pas les raisons qui le poussent à agir ainsi et qu'il ne faut pas simplement se fier aux apparences.

1 http://www.granddictionnaire.com/BTML/FRA/r_Mot-clef/index800_1.asp

Si tu fais partie de celles qui se font exclure et que tu te sens mal dans ta peau, il n'est pas trop tard pour agir. Confie-toi, sors de ta coquille et ne perds pas confiance en toi. Je sais que ce n'est pas facile de ne pas se laisser abattre par les commentaires mesquins ou le rejet d'autrui, mais il faut apprendre à t'entourer de gens qui t'aiment comme tu es, qui te respectent et avec qui tu te sens à l'aise. Il faut éviter de te terrer dans ton trou et de fuir les autres de peur du ridicule. Tout le monde est différent, et tout le monde vit du rejet à un moment ou à un autre, alors mieux vaut t'armer de patience et tirer profit des moments difficiles. Même si c'est difficile à croire pour l'instant, je t'assure que ces expériences te feront grandir et que tu apprendras à gérer ces moments d'angoisse. L'important, c'est d'en parler à des gens de confiance, d'apprendre peu à peu à faire confiance aux autres et à te faire confiance, et surtout, de ne pas faire subir aux autres ce que tu ne voudrais jamais subir toi-même.

Sujets connexes : Droits humains, amitié, gang de filles

Facebook

UNE POPULARITÉ JAMAIS VUE

En décembre 2009, Facebook regroupait plus de 400 millions de membres actifs partout sur la planète *(source : Statistics : Facebook)*. Ce site de réseautage est maintenant offert dans plus de 70 langues et offre des centaines de milliers d'applications. Au Canada, on révèle que la moitié des internautes sont maintenant membres de Facebook *(Source : Branchez-vous !)*.

Ce site de réseautage social a vu le jour à Harvard. Au départ, il permettait aux jeunes de cette université de communiquer entre eux, mais est bientôt devenu accessible aux autres universités américaines. À l'époque, l'étudiant devait entrer son adresse courriel pour s'identifier. C'est finalement en septembre 2006 que Facebook est devenu ouvert à tous.

Le réseautage personnel permet aux gens d'établir un réseau de relations interpersonnelles sur Internet. Les utilisateurs de Facebook peuvent ainsi agrandir leur réseau social par l'intermédiaire de leurs amis ou en adhérant à des groupes populaires avec lesquels ils ont des affinités. Par exemple, si tu es une admiratrice incontestée de Rihanna, tu peux joindre son groupe d'admirateurs sur Facebook pour partager des informations à son sujet et en apprendre davantage sur sa musique et sur les sites à visiter. Facebook permet également de reprendre contact avec de vieux amis ou avec des connaissances qu'on a un peu perdues de vue. De plus, Facebook facilite la publication d'albums de photos où il est possible d'identifier les gens et de créer davantage de liens. Ce site de réseautage est aussi très utile pour organiser des événements et lancer l'invitation aux gens de notre réseau d'amis.

En d'autres mots, Facebook permet à ses utilisateurs d'entrer des informations personnelles et de gérer leur vie scolaire et professionnelle, d'afficher des photos et d'exprimer leurs opinions tout en interagissant avec les gens inclus dans leur réseau d'amis. C'est à toi de décider de l'usage que tu désires faire de ta page Facebook. La plupart s'en servent pour partager des infos, des photos et pour exprimer leurs sentiments, tandis que d'autres en profitent pour partager des informations telles que leurs champs d'intérêt et leur scolarité, pour ensuite lier connaissance avec des gens partageant ces mêmes informations. Le cercle d'amis et de connaissances de ceux-ci est donc étendu à des inconnus partageant leurs goûts et leurs intérêts.

Sois prudente !

Lorsque tu joins un site de réseautage personnel tel que Facebook, tu dois évidemment prendre garde aux informations que tu révèles et qui pourraient attirer les regards indiscrets et malveillants. Il ne faut jamais sous-estimer les dangers d'Internet et il faut se protéger contre les gens qui abusent de ce type de réseautage. Heureusement, Facebook t'offre une option de sécurité qui te permet de choisir qui peut consulter ton profil et voir chaque type d'information (photos, statut, babillard) que tu publies sur ta page. Prends soin de bien lire et de choisir les options qui te conviennent le plus. Aussi, évite d'accepter des gens que tu ne connais pas du tout comme amis, et ne publie pas d'informations trop personnelles ou de photos compromettantes sur ta page. Facebook te permet avant tout de donner des nouvelles aux gens de ton entourage et de rester en contact avec eux tout en restant à jour. Tu peux également façonner des listes d'amis pour que certains aient accès à ton profil entier, et que d'autres n'aient accès qu'à ton profil limité (c'est-à-dire tes informations générales, ta photo de profil et ton statut, mais c'est à toi qu'il revient encore de choisir les infos visibles sur le profil limité). Si tu es prudente et tu utilises correctement tes options de sécurité, tu éviteras les mauvaises surprises et tu pourras consulter ta page en toute tranquillité d'esprit.

 Sujets connexes : Courriel et clavardage, Internet

Famille

Pas besoin de vous dire toute l'importance de la famille. Même si la vôtre vous énerve souvent, vous savez que vous ne pourriez pas vous en passer et que vous l'aimez plus que tout au monde, alors aussi bien s'assumer.

Il y a la famille élargie, c'est-à-dire celle qui inclut les oncles, les tantes, les cousins et les cousines, et la famille nucléaire, qui est composée des parents et des enfants. Certains ont des liens très étroits avec les membres de leur famille élargie, tandis que d'autres ne les voient que pour des occasions spéciales, comme les mariages ou les enterrements. Cela varie d'une famille à l'autre, et cela dépend souvent de plusieurs facteurs comme l'éloignement, l'âge, les valeurs, etc. Cependant, c'est auprès des membres de votre famille nucléaire que vous évoluez et que vous vous épanouissez tout au long de votre adolescence. Ils ont beau vous taper sur les nerfs de temps à autre, ils jouent aussi un rôle essentiel dans votre développement personnel et social.

On ne choisit pas sa famille, et on voudrait parfois l'échanger avec celle des voisins ou de nos amies, mais dites-vous qu'aucune famille n'est parfaite et que si vous vous engueulez si souvent à table, c'est justement parce que vous avez des tas de points en commun et entretenez des liens très étroits. C'est avec les membres de votre famille que vous vivez quotidiennement. Ce sont eux qui vous voient traverser les bons et les mauvais moments de la vie de tous les jours et qui vous accompagnent depuis que vous êtes toute petite. Par conséquent, il est clair que vous entretenez des rapports très intimes avec eux, ainsi qu'une complicité que vous n'avez avec personne d'autre.

Il existe toutes sortes de familles. Les petites, les grandes, les recomposées, celles qui sont très unies et celles qui le sont moins. Cependant, la famille est l'une des choses les plus importantes dans la vie. Il faut apprendre à respecter et à chérir les gens qui la composent, car ce sont eux qui vous aiment inconditionnellement et qui seront toujours là pour vous, quoi qu'il arrive.

Ils m'énervent !

Il faut tout de même souligner qu'il est normal de s'engueuler avec les membres de sa famille. Non seulement on les côtoie tous les jours, mais, dans la plupart des cas, on vit sous le même toit et on a les mêmes habitudes. Il est donc normal que ça explose de temps à autre. De plus, il est évident que vous partagez des traits de personnalité avec les gens de votre famille, et c'est souvent cette ressemblance qui déclenche les chicanes. On se connaît tellement qu'on sait exactement sur quel bouton appuyer pour énerver l'autre et lui faire perdre la boule ! Ce sont toutefois ces engueulades et ces affrontements qui forgent votre caractère et qui vous rendent plus forte. Non seulement vous apprenez à vous défendre et à vivre en société, mais la famille vous transmet aussi des valeurs qui sont essentielles à votre épanouissement, et elle vous enseigne l'art du compromis, ce qui vous servira tout au long de votre vie. De plus, même si votre famille vous rend parfois dingue, vous lui y êtes fidèle car vous partagez des valeurs et une sensibilité qui vous rapprochent et vous unissent. Il faut apprendre à rester fidèle à sa famille, malgré les conflits et les affrontements. C'est souvent lorsqu'on se trouve avec des étrangers qu'on se montre extrêmement fière de notre famille et qu'on interdit à qui que ce soit de s'y attaquer. Comme on en fait partie, on a le droit de s'en plaindre comme bon

Catherine avec son frère Marc-André

nous semble, mais, au fond, on est fière d'appartenir à sa famille, et pas question que quelqu'un ose la critiquer devant nous !

L'importance de la famille

La famille est votre microsociété. C'est dans son sein que vous grandissez et que vous vous développez. C'est aussi avec les membres de votre famille que vous vivez des moments inoubliables dont vous vous souviendrez toute votre vie. Même lorsque vous quitterez le nid familial et que vous volerez de vos propres ailes, votre famille demeurera toujours aussi importante à vos yeux. Un jour, vous rencontrerez quelqu'un et vous formerez peut-être votre propre famille. Si vous avez des enfants, vous comprendrez encore plus l'importance de ces liens qui vous unissent et de l'amour inconditionnel que partagent les membres d'une même famille.

Famille recomposée

Au Québec, le taux de divorce étant supérieur à 50 %, il existe de plus en plus de familles recomposées. Certaines évoluent de la même façon que les familles normales, et les relations entre demi-frères, demi-sœurs, belle-mère et beau-père ne posent aucun problème. Pour d'autres, il s'agit véritablement d'un défi, car on ne sent pas qu'on appartient à la « belle-famille ». Si votre père se remarie, cela ne veut pas dire que sa nouvelle femme est votre deuxième mère ; mais vous devez tout de même faire un effort pour la respecter, car elle est l'amoureuse de votre père et elle fait maintenant partie de votre famille. Il suffit de voir la chose d'un œil plus positif ; votre famille s'est agrandie, et vous pouvez à présent compter sur deux entourages différents qui vous apportent tout autant l'un que l'autre. Il faut chercher à tirer le maximum de leçons de chacune d'elles. Tâchez également de respecter vos demi-frères et demi-sœurs le plus possible, car, que vous le vouliez ou non, ils font désormais partie de votre famille et vous devez les côtoyer quotidiennement. Il est normal d'avoir plus d'affinités avec certaines personnes, mais vous seriez surprise de constater tout ce que vous pouvez apprendre de quelqu'un qui vous semble de prime abord très différent de vous. Bref, ne jugez pas trop vite et efforcez-vous de rendre l'atmosphère agréable, car vous ne pouvez rien changer à la situation. Qui sait, vos demi-frères et demi-sœurs

deviendront peut-être de grands confidents, et même de grands amis, alors ça vaut la peine d'apprendre à les connaître. Il suffit d'un peu d'efforts et de bonne volonté.

Un sentiment d'appartenance

La famille nous procure un sentiment d'appartenance et de sécurité qu'il ne faut pas négliger. C'est grâce à elle que nous nous formons un caractère et que nous évoluons en société. La famille nous permet de nous sentir aimées et respectées. C'est vraiment génial de pouvoir compter sur l'appui et l'amour inconditionnels de notre famille et de savoir que, quoi qu'il arrive, elle sera toujours là pour nous. C'est grâce à elle que vous pourrez apprendre à former votre propre petite famille, que ce soit avec un partenaire et des enfants, ou avec votre bande d'amies. La famille est un milieu d'apprentissage incomparable, et souvenez-vous que même si elle vous énerve souvent, vous ne la changeriez pour rien au monde.

💕 Sujets connexes : père, mère, frère et soeur

CAUSÉE PAR TOUTES SORTES DE FACTEURS

La fatigue résulte d'un fonctionnement excessif de l'organisme. Qu'elle soit physique ou mentale, elle nous affecte à plusieurs niveaux.

Elle réduit nos forces, notre concentration et notre rendement général, et elle nous met souvent dans un état exécrable ! La fatigue peut être causée par toutes sortes de facteurs : d'importants efforts physiques ou mentaux, une maladie, un stress, une grande sortie, un manque de sommeil, etc.

À l'adolescence, les filles grandissent et dépensent une immense quantité d'énergie. Elles bougent sans cesse, elles se développent, se transforment et sont souvent épuisées. Il ne faut donc pas confondre la fatigue biologique, normale à cet âge, avec la fatigue chronique ou la paresse.

Le stress peut lui aussi provoquer une certaine fatigue. Par exemple, si on traverse une période difficile, une peine d'amour, un deuil ou n'im-porte quelle autre expérience traumatisante, il est normal de se sentir au bout du rouleau. Les larmes, l'angoisse et les idées noires sont toutes susceptibles d'entraîner un sentiment de lassitude et de surmenage. Vous devez alors apprendre à vous relaxer et à vous reposer pour permettre à votre corps de reprendre le dessus avant d'être à bout. Les efforts physiques constants ou les activités sportives peuvent également causer de la fatigue. Bien qu'il soit fortement conseillé de faire de l'exercice et de dépenser son énergie, apprenez à écouter votre corps et à lui accorder le repos dont il a besoin.

Et la paresse dans tout ça ?

Il ne faut pas confondre la fatigue et la paresse. Par exemple, si vous n'avez pas envie de faire vos devoirs ou de passer l'aspirateur, vous pourriez ressentir une sorte de lassitude qui vous incitera à repousser ces corvées à plus tard. Il vous suffit alors de vous secouer et de vous efforcer d'accomplir vos tâches. Lorsque vous aurez terminé, vous pourrez vous reposer en ayant l'esprit tranquille. Dites-vous que vous

trouverez toujours une bonne raison pour ne pas faire vos devoirs tout de suite, mais qu'au fond, vous devrez inévitablement vous y mettre à un moment ou à un autre ! Ne vous laissez pas submerger par les responsabilités et les tâches non accomplies. Cela pourrait entraîner un stress inutile qui vous empêcherait de dormir et vous ferait tomber dans un cercle vicieux.

La fatigue chronique

Si toutefois vous éprouvez un sentiment de lassitude continu qui vous empêche de vivre normalement, ou encore des douleurs musculaires persistantes, des migraines, des vertiges et une grande faiblesse générale, il se peut que vous souffriez de fatigue chronique. Les causes sont mitigées et rendent cette maladie très mystérieuse. De façon générale, elle peut être causée par un virus, par du surmenage ou par un dérèglement de votre mode de vie. Il est alors conseillé de consulter un médecin pour déterminer les causes exactes de votre fatigue et pour tenter de trouver des solutions. Il vous suggérera peut-être de vous reposer ou d'apprendre à gérer votre stress.

Une alimentation saine, une santé de fer

On ne le dira jamais assez : l'alimentation est un élément clé de votre développement et il est essentiel de vous alimenter sainement au cours de l'adolescence. Votre corps se transforme et a besoin de tous les nutriments nécessaires pour se développer adéquatement et vous permettre de bien fonctionner. Si vous êtes fatiguée, ne prenez pas d'excitants tels que du café, du thé ou du sucre avant de vous mettre au lit. Mangez de façon saine et équilibrée, et optez pour des fruits, des légumes et des protéines qui sauront vous fournir l'énergie nécessaire plutôt que de céder à la facilité du fast-food.

Soyez à l'écoute de votre corps et ne lui en demandez pas trop. Si vous souffrez de courbatures, reposez-vous et détendez vos muscles en prenant un bon bain chaud. Si vous sentez que vous couvez un rhume, mangez sainement et ne vous forcez pas à dépasser vos limites ; vous le regretterez amèrement lorsque vous serez clouée au lit pendant des jours !

Le meilleur remède : une bonne nuit de sommeil !

Un adolescent a besoin de dormir en moyenne de 8 à 9 heures par nuit pour pouvoir fonctionner à plein régime. Je sais que vous êtes parfois débordée par les sorties, les examens, bref, par les activités de toutes sortes qui vous empêchent de dormir de façon régulière. Sachez toutefois qu'une bonne nuit de sommeil est le meilleur moyen de remédier à la fatigue et d'offrir à votre corps le repos qu'il réclame.

Trucs et astuces

Si vous êtes stressée, essayez de vous détendre en prenant un bain, en buvant une tisane et en écoutant de la musique douce. Cela vous aidera à trouver le sommeil.

Vous pouvez aussi lire une revue ou un bon roman pour vous changer les idées.

Ne faites pas d'activité physique intense avant d'aller vous coucher ; cela aurait plutôt pour effet de vous exciter et de vous empêcher de vous endormir.

Essayez de ne pas manger beaucoup avant de vous mettre au lit. La digestion pourrait nuire à votre sommeil. Optez plutôt pour une collation légère.

Mettez toutes les chances de votre côté en créant une atmosphère propice au sommeil : éteignez les lumières, évitez la musique trop forte et maintenez une température fraîche dans votre chambre plutôt qu'une chaleur tropicale !

Sujets connexes : cafard du dimanche, sommeil

Fidélité

INTIMEMENT LIÉE À LA CONFIANCE ET À LA LOYAUTÉ

La fidélité est un concept qui soulève beaucoup de questions au xxie siècle. Elle est intimement liée à la confiance et à la loyauté.

Être fidèle, ça ne veut pas seulement dire ne pas tromper celui qu'on aime ; ça veut aussi dire qu'on est capable de tenir ses promesses, qu'on est là pour les autres et qu'on est digne de confiance.

Pour ce faire, il faut d'abord être fidèle à soi-même, c'est-à-dire respecter ses propres valeurs et sa propre façon de penser sans trop se laisser influencer par les autres. Quand on est fidèle à soi-même, on se respecte et on est à l'écoute de ses désirs et de ses limites. Il ne faut toutefois pas utiliser ce concept pour excuser toutes les erreurs de jugement qu'on peut commettre. C'est bien de reconnaître ses défauts et de s'assumer telle qu'on est, mais plutôt que de continuer à faire des bêtises en les imputant à ses défauts « naturels », mieux vaut

tâcher de s'améliorer, ce qui nous permettra de nous épanouir davantage.

La fidélité entre deux individus se base principalement sur le concept de loyauté et de respect. Quand on aime quelqu'un, on veut éviter de le tromper et de lui faire du mal. Cela va de soi. Dans une relation amoureuse, on parle donc de monogamie, soit d'une relation avec un seul conjoint. Cette relation d'exclusivité s'établit non seulement sur le plan physique, mais aussi sur le plan psychologique et émotionnel. Quand on est fidèle à quelqu'un, c'est avec lui qu'on partage notre quotidien, nos joies, nos peines et nos espoirs. Il s'agit d'une relation basée sur la confiance, sur l'ouverture et sur la communication.

Ce type de relation est aussi vrai en amitié. tre une amie fidèle, ça veut dire qu'on est loyale et qu'on est disponible. On ne trahira pas la confiance qui nous est accordée, car on respecte nos amies et elles peuvent toujours comp-

ter sur nous. Une vraie amie, c'est quelqu'un à qui on peut se fier et en qui on a aveuglément confiance, car on sait qu'elle ne nous laissera pas tomber ; en d'autres mots, c'est une amie fidèle qui nous respecte et qui nous aime.

Beaucoup de gens ne croient pas vraiment en la fidélité, surtout dans le couple. Dans une société aussi ouverte et libre que la nôtre, le concept de monogamie peut sembler étrange, mais il n'en demeure pas moins que c'est une question de respect et de loyauté, deux notions qui ne changent pas selon les normes et les valeurs sociales ; elles sont ancrées en nous et guident nos comportements. On ne peut évidemment pas se forcer à aimer certaines personnes, ni à leur être fidèle, mais quand on aime vraiment, c'est souvent une attitude qui va de soi. La fidélité demande parfois des efforts et de la volonté, mais quand on est réellement amoureuse de quelqu'un, on ne veut pas lui faire du mal, ni même s'imaginer avec quelqu'un d'autre. Bien que les tentations soient parfois fortes, il faut s'efforcer de rester fidèle à soi-même et à sa tendre moitié, car, quand on tient vraiment à l'autre, ça vaut la peine de se battre. La fidélité est parfois une question de travail et de compromis, mais au fond, quand on aime vraiment quelqu'un, il est assez naturel de le respecter et d'être loyale. Beaucoup de gens sont tout simplement incapables de tromper les autres parce qu'ils ne pourraient pas vivre avec cela sur la conscience. Ils ne peuvent concevoir d'être malhonnêtes ou infidèles sans se sentir extrêmement déchirés à l'intérieur.

Bref, pour être fidèle, vous pouvez commencer par être simplement là pour les autres. Soyez disponible et digne de confiance.

Apprenez à tenir vos promesses et votre parole, et vous verrez que bien que cela demande parfois un petit peu d'effort, on se sent beaucoup mieux quand on agit en toute sincérité et quand on respecte les gens qu'on aime. Pensez

au mal que vous auriez si on vous trompait, et vous n'aurez certainement pas envie de faire subir cette souffrance aux autres. La loyauté et la fidélité sont des défis beaucoup plus satisfaisants à relever, alors efforcez-vous de le faire pour vous sentir bien dans votre peau.

Sujets connexes : couple, amour, divorce

BIEN PLUS QU'UNE SIMPLE LANGUE!

BIEN PLUS QU'UNE SIMPLE LANGUE!

Vous savez probablement que le français est la langue officielle du Québec, et l'une des deux langues officielles du Canada (avec l'anglais).

Au sein de notre pays, le français est majoritairement parlé au Québec, ainsi que dans certaines régions du Nouveau-Brunswick, de l'Ontario et des Prairies.

Nous apprenons le français depuis que nous sommes toutes petites et, pourtant, la plupart d'entre nous éprouvent encore beaucoup de difficulté à l'écrire correctement. Bien que certaines personnes ne fassent pas les efforts nécessaires pour maîtriser correctement l'orthographe, la syntaxe et la grammaire, il faut bien admettre qu'il s'agit d'une langue très complexe et assez difficile à posséder. Presque tous les immigrants qui ont dû apprendre le français vous le diront. Le vocabulaire que nous utilisons au Québec est par ailleurs très différent de celui de la France ou d'autres régions du monde. Le français que nous utilisons ici tient ses racines de l'ancien et du moyen français, en plus d'être influencé par la langue anglaise qui est omniprésente dans notre vie de tous les jours.

Un accent bien à nous

On nous dit souvent que l'accent québécois est très particulier. Vous n'avez qu'à le demander à un Français, et il se fera un plaisir de confirmer la spécificité de notre accent, qui reflète bien l'unicité de notre culture. De plus, si on se balade à travers le Québec, on remarque par exemple que les gens du Saguenay, de la Gaspésie, de Québec et de Montréal n'ont pas du tout le même accent. Nous sommes tous Québécois, certes, et nous partageons certaines expressions et une façon bien à nous de nous exprimer, mais chaque région se distingue tout de même pas ses tonalités et par ses petites expressions qui, mises ensemble, traduisent toute la splendeur et toute la diversité de notre patrimoine.

Quoi qu'il en soit, le français fait partie de notre identité culturelle et de notre folklore. Cette langue nous distingue du reste de l'Amérique du Nord et fait de nous un peuple tout à fait unique. Quand on y pense, il est incroyable de parler encore français après avoir vécu dans une mer anglophone pendant plus de 300 ans, et d'avoir su protéger notre langue malgré la prise de pouvoir de l'Angleterre et l'influence de nos voisins du sud !

Un peu d'histoire

C'est en 1848 qu'il devient légal de parler français au Parlement, et c'est en 1974 que le gouvernement libéral de Robert Bourassa adopte la Loi sur la langue officielle. En 1977, le gouvernement péquiste de René Lévesque adopte la Charte de la langue française, communément appelée la loi 101. Le français devient alors la langue de la majorité et la seule langue officielle de l'État québécois. L'Office québécois de la langue française a été créé le 24 mars 1961, et on a augmenté ses responsabilités lors des modifications à la Charte en 2002. De façon générale, l'Office occupe un rôle à la fois normatif et consultatif. Il s'assure de suivre les règles communes et les normes générales du français, de suivre les règles de la Charte, de faire la promotion du français et d'encadrer notre variante nord-américaine dans le respect des règles générales du français *(source : Office québécois de la langue française)*. Aujourd'hui, environ 80 % des Québécois sont de langue maternelle française[] *(source : Statistique Canada)*.

La langue de chez nous

Comme le disait Albert Camus : « [Ma] patrie, c'est la langue française. » C'est aussi vrai pour le Québec. Le français fait non seulement partie de notre histoire et de nos traditions, mais c'est aussi ce qui nous définit et nous distingue des autres nations. Par conséquent, nous devons non seulement chérir notre langue et la protéger, mais également faire un effort pour la parler et l'écrire correctement. Le français est une langue poétique. On dit souvent qu'en français, il y a des milliers de façons de dire une seule chose, alors qu'en anglais, on va directement au but. Il faut célébrer la diversité et la richesse de notre langue tout en l'étudiant avec assiduité pour apprendre ses règles afin de lui faire honneur. Je sais que ce n'est pas simple, mais le français nous définit et nous rend si fières que c'est la moindre des choses que de l'utiliser de façon adéquate. Vive la langue de chez nous !

 Sujets connexes : culture, anglais

Frères et sœur

Dans la vie, on veut souvent ce qu'on ne peut pas avoir. C'est la même chose dans le cas des frères et des sœurs.

Si vous êtes enfant unique, vous rêvez sûrement d'avoir des gens autour de vous avec qui partager votre quotidien, à qui vous confier ou même avec qui vous disputer. Si vous avez des frères et des sœurs, je suis certaine que, parfois, vous ne demanderiez pas mieux que de les faire disparaître pour ne plus avoir à les endurer et à partager avec eux l'attention de vos parents.

La vérité, c'est qu'on ne peut pas changer sa situation familiale. Je sais que vous n'avez pas choisi les gens de votre famille, mais c'est tout de même avec eux que vous grandissez et que vous vivez tous les jours. Allons, soyez honnête : je suis certaine que vous avez aussi une grande complicité avec vos frères et vos sœurs, ainsi que des tas de choses en commun. L'important, c'est de tirer avantage de la situation dans laquelle on se trouve et de faire en sorte que la vie soit le plus agréable possible.

Une grande famille

Si vous faites partie d'une famille recomposée digne de celle de la série télévisée Ramdam, alors vous avez des tas de frères, de sœurs, de demi-frères et de demi-sœurs avec qui vous devez partager votre vie et votre maison. Je sais qu'il n'est pas facile, dans cette situation, de trouver un peu de tranquillité et d'arriver à passer plus de 10 minutes sous la douche le matin, mais vous devez voir les bons côtés : vous êtes entourée de gens et vous pouvez compter sur eux en tout temps. Les frères et les sœurs ne sont pas seulement des rivaux ; ils peuvent aussi être de grands alliés, voire même de grands confidents. Il se peut par exemple que vous ayez plus d'affinités avec votre sœur parce que vous dormez dans la même chambre, parce que vous avez presque le même âge ou tout simplement parce que vos personnalités se ressemblent davantage. Il n'y a rien de mal à se sentir mieux avec sa sœur ou avec son frère, ou à être plus proche de l'un que de l'autre. L'important, c'est de réaliser que vous les aimez tous à votre façon et de ne pas rejeter ceux avec qui vous avez moins d'atomes crochus.

Son rôle dans la famille

Si vous êtes l'aînée, vous sentez peut-être que vous avez trop de responsabilités et vous trouvez cela injuste. Sachez que vos parents vous donnent probablement ces responsabilités parce qu'ils ont confiance en vous et qu'ils pensent que vous êtes assez mature pour les assumer. De plus, n'oubliez pas que vos petits frères ou vos petites sœurs vous voient sûrement, en tant qu'aînée, comme leur mentor ou leur héroïne. Vous êtes en quelque sorte leur modèle et, croyez-moi, ils envient certainement votre autonomie, votre indépendance et votre liberté. Pourquoi doivent-ils se coucher à 20 h alors que vous avez la permission de traîner dans la maison jusqu'à 22 h 30 ? Cela fait partie des privilèges de l'aînée : plus de responsabilités, mais plus de permissions et plus de liberté !

Si vous êtes la cadette, c'est probablement vous qui enviez les autres parce qu'ils ont le droit de faire plus de choses que vous, mais c'est vous aussi qui vous faites le plus cajoler par vos parents et par vos frères et sœurs. Même s'ils vous énervent par moments, ces derniers sont en quelque sorte vos modèles et vos idoles. Ils ne sont pas parfaits, mais vous pouvez apprendre de leurs erreurs, ce qui vous permettra de ne pas commettre les mêmes lorsque vous aurez leur âge. N'hésitez pas à leur demander conseil si quelque chose vous tracasse, car ils ont certainement vécu une situation similaire dans le passé. Par ailleurs, si vous vous sentez étouffée et que vous trouvez qu'ils vous traitent encore comme si vous étiez un bébé, il faut leur prouver qu'ils ont tort. Faites preuve de maturité plutôt que de claquer la porte. Apprenez à discuter et à exprimer vos sentiments pour leur faire comprendre que bien que vous soyez la cadette, vous vieillissez quand même et vous voulez qu'ils vous voient telle que vous êtes.

L'école de la vie

Lorsqu'on vit avec des frères et des sœurs, on apprend à faire des compromis, à partager, à vivre en communauté et à s'écouter les uns les autres. Même si vous avez parfois envie d'arracher la tête des vôtres et que vous vous sentez incomprise, sachez que cette situation au sein de votre famille vous donne une expérience inestimable. Vous acquérez des traditions, des habitudes de vie et vous connaissez l'importance de la famille. Vous apprenez à vous ouvrir aux autres et à être plus altruiste. Même s'il est difficile de partager et que vous aimeriez parfois avoir toute l'attention, le fait de vivre avec des frères et des sœurs vous apprend à être à l'écoute des besoins des autres et à être moins égoïste, et toutes ces choses vous seront très utiles au cours de votre vie adulte.

La rivalité

La complicité entre frères et sœurs se transforme bien souvent en rivalité, que ce soit parce qu'on veut attirer l'attention des parents, ou parce qu'on veut être la meilleure ou le chouchou. Vous devez être consciente du fait que, peu importe ce que vous faites, vous êtes bien différente de votre frère ou de votre sœur, et que vous avez des talents et des traits de personnalité qui vous rendent unique. Alors, tâchez de développer ces caractéristiques personnelles plutôt que d'essayer d'être

quelqu'un d'autre. Il est par ailleurs normal de se disputer et de se bagarrer avec ses frères et ses sœurs, de claquer la porte de temps à autre ou de leur jouer des mauvais tours, mais, avec le temps, ces accrochages se transformeront certainement en souvenirs que vous chérirez et conserverez au fond de votre cœur. Même si la vie avec vos frères et sœurs vous semble parfois insoutenable, sachez que lorsque l'un d'entre eux quittera le nid familial, cela vous brisera quand même le cœur. N'est-ce pas votre grand frère qui venait toujours vous défendre quand on vous embêtait dans la cour de l'école ? N'est-ce pas avec votre petite sœur que vous bavardiez, le samedi, en vous faisant les ongles ? La bonne nouvelle, c'est que vos liens avec vos frères et vos sœurs n'ont pas à prendre fin lorsque l'un d'eux part habiter ailleurs. Il suffit parfois d'un peu de recul, distance et de maturité pour développer une grande complicité avec votre frère ou avec votre sœur, et ces derniers peuvent même devenir de grands confidents et de grands amis.

Si vous avez des frères ou des sœurs, il est important que vous preniez conscience de la place que vous occupez dans la famille et que vous en tiriez profit plutôt que de jouer les victimes. Si vous êtes au milieu, vous servez peut-être de médiatrice et vous bénéficiez du respect de tout le monde. Si vous êtes la cadette, apprenez à apprécier le fait qu'on vous surprotège et qu'on vous trimballe un peu partout ; cela prouve qu'on vous aime. Si vous êtes l'aînée, n'oubliez pas que vous servez de modèle et que vos petits frères et vos petites sœurs vous regardent avec admiration. C'est génial pour l'estime de soi, non ? Quelle que soit votre position dans la famille, efforcez-vous d'apprendre à connaître vos frères et vos sœurs, et de les respecter tels qu'ils sont. Si vous vous disputez, ne soyez pas méchante ni rancunière, et si vous avez le cafard, n'hésitez pas à chercher refuge auprès d'eux. Quoi qu'il arrive, ils seront toujours là pour vous et vous partagerez des liens qui vous uniront pour la vie, alors autant en profiter au maximum !

Sujets connexes : famille, père, mère, engueulade

Fugue

ENVIE DE DISPARAÎTRE

Faire une fugue, c'est quitter temporairement l'endroit où on habite. Il y a les petites fugues, qui sont généralement de courte durée et qui s'expliquent par un désir de flirter avec l'interdit ou d'attirer l'attention, et les grandes fugues, motivées par une envie de disparaître pour un temps illimité.

Il existe plusieurs raisons pour expliquer une fugue. Certains jeunes décident de plier bagage parce qu'ils se sont disputés avec un membre de leur famille ou un ami, ou encore parce qu'ils ressentent un besoin d'aventure, tandis que d'autres sont aux prises avec des problèmes plus sérieux, tels que le viol, l'inceste ou la violence verbale ou physique. La fugue représente une sorte d'échappatoire qui est souvent liée à une situation conflictuelle. Par ailleurs, l'adolescence est une période de l'existence où on est à la recherche de liberté et d'indépendance, et une fugue peut sembler être la solution. Sachez toutefois que la fugue n'est jamais une bonne façon de faire face à un problème.

Tout d'abord, on peut éprouver de la difficulté à se procurer l'argent dont on a besoin pour se nourrir et à trouver un endroit où dormir et se laver. Les fugues peuvent également être très dangereuses. On fait face à l'inconnu sans trop savoir où aller et on rencontre souvent des gens douteux qui peuvent profiter de notre naïveté et de notre situation précaire.

La plupart du temps, une fugue constitue une sorte d'appel à l'aide. L'adolescent disparaît pour exprimer son besoin de liberté ou, au contraire, pour indiquer qu'il n'est pas suffisamment encadré et qu'il manque d'attention. Certains jeunes décident de fuguer à cause de la pression exercée par leurs pairs ou parce qu'ils éprouvent de graves problèmes scolaires ou de toxicomanie, par exemple, et qu'ils ont peur de faire face à la réalité.

L'angoisse des parents

Les fugues sont extrêmement éprouvantes pour les parents et les proches du fugueur, qui demeurent sans nouvelles. Ceux-ci ont tendance à s'imaginer et à craindre le pire, et ils ne demandent pas mieux que d'être rassurés. C'est pour cette raison que, quelle que soit la nature du problème, la fugue n'est jamais une solution souhaitable pour le résoudre.

Si vous songez à faire une fugue pour lancer un appel à l'aide ou parce que vous souffrez d'un manque d'attention, il est préférable d'en parler à des gens de votre entourage ou de vous confier à des professionnels qui sauront vous aider durant vos moments de panique. Si l'idée de faire une fugue répond à un désir de liberté, mieux vaut en parler à vos parents et tenter de trouver un terrain d'entente, ou alors planifier un voyage, ce qui vous permettra de voler de vos propres ailes en toute sécurité.

Si vous faites face à des problèmes plus graves, tels que le divorce de vos parents, un échec scolaire, une peine d'amour, de la violence physique ou verbale, un viol ou de l'inceste, il est essentiel d'en parler à des gens en qui vous avez confiance ou de demander l'aide de professionnels. Il existe également plusieurs services d'aide téléphonique d'urgence, auxquels vous pouvez vous adresser en tout temps pour vous confier et pour demander l'avis d'intervenants qualifiés.

Quelques numéros utiles en cas d'urgence
- Jeunesse J'écoute : 1-800-668-6868
- Tel-jeunes : 1-800-263-2266
- À Tire-d'aile (centre d'aide et de lutte contre les agressions à caractère sexuel) : 1-866-835- 8342
- Drogue : Aide et référence : 1-800-265-2626
- Gai Écoute : 1-888-505-1010

Statistiques
Année après année, plus de 4000 jeunes de moins de 18 ans sont portés disparus sur l'île de Montréal.

(Source : http://www.montrealexpress.ca/article-137763-Reconnaissezvous-ces-enfants-portes-disparus.html, 11 septembre 2007)

53 459 cas de fugues ont été recensés au Canada en 2003.

(Source : http://www.centrejeunessedequebec.qc.ca/ institut/texteSaviezVousQue.aspx?id=saviez6)

Près de 8000 enfants ont fait des fugues au Québec en 2003, et 86 % d'entre eux ont été retracés en moins d'une semaine. (Source : http://www.canoe.com/ archives/lcn/infos/regional/2004/10/20041022-170447-tv.html)

 Sujet connexe : déprime

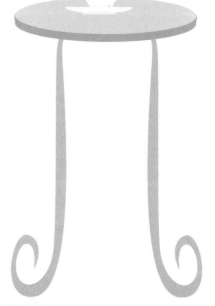

PAS TOUJOURS FACILE

Chère Catherine,
Ça ne va plus du tout avec mes amies. Depuis quelques semaines, elles parlent dans mon dos et me niaisent quand je dis quelque chose. Je sens que je ne peux plus leur faire confiance, et je ne sais plus quoi faire, car je réalise que ce ne sont peut-être pas de bonnes amies après tout.

Au secondaire, il arrive souvent que les filles forment des groupes en fonction de leurs affinités, de leurs personnalités et de leurs goûts. Une bande d'amies, c'est souvent synonyme de soirées cinéma, de journées de magasinage, d'heures passées au téléphone, de potins partagés à côté des casiers et de fêtes qu'on organise chez l'une et chez l'autre. En d'autres mots, c'est génial de pouvoir compter sur des amies proches et de sentir qu'on appartient à un groupe, mais on doit s'assurer que les amitiés restent saines et que personne ne souffre de cette alliance amicale.

Le sentiment d'abandon

Il va sans dire que le «bitchage» fait partie de la vie d'une fille. Rares sont celles qui n'y ont jamais recours. Après, on se sent souvent mal d'avoir parlé dans le dos d'une amie, mais c'est plus fort que nous : quand on n'en peut plus, il faut que ça sorte ! Quand on fait partie d'un groupe de filles, il faut toutefois faire attention à ce genre de comportement. Par exemple, quand certaines ne sont pas d'accord avec d'autres ou qu'elles jugent que leurs comportements sont inacceptables, il peut survenir des affrontements à l'intérieur même d'un groupe d'amies. Parfois, cela provoque la formation de plusieurs petits groupes à l'intérieur de la bande. Il est normal que vous vous sentiez plus proches de certaines amies et que vous ayez plus de facilité à vous confier à elles, mais cela ne veut pas dire que vous devez parler dans le dos de celles avec qui vous avez moins d'affinités. Ce n'est pas facile de se faire rejeter des autres. On se sent abandonnée et extrêmement perturbée. Quand on fait partie des filles qui décident de rejeter quelqu'un de la bande, on ne se rend souvent pas compte de l'impact que cela peut avoir sur la ou les victimes, mais sachez que le fait de rejeter quelqu'un et de lui faire de la peine ne règle pas le problème. Si le comportement d'une fille de la bande ne vous plaît pas ou que vous n'êtes pas d'accord avec ses agissements, le fait d'en parler aux autres pour former une « coalition » contre elle et la rejeter de la bande ne vous fera pas sentir mieux et ne réglera pas la situation. Comment peut-elle savoir ce qui vous dérange si vous ne lui en parlez pas? La communication est souvent la clé du problème et vous évite de blesser inutilement les autres.

Allô Catherine,

Je suis vraiment fâchée contre ma best parce qu'elle m'a trahie et a répété à tout le monde que j'aimais un gars quand je lui avais fait promettre de ne rien dire. Comment devrais-je la confronter ?.

Éviter un conflit

Prenons un exemple précis : si une fille de la bande révèle vos secrets et que vous trouvez qu'elle est indiscrète et qu'elle ne respecte pas les autres, il vaut mieux lui en parler pour qu'elle se rende compte que son comportement vous déplaît et que vous ne pouvez pas lui faire confiance. Ce sera ensuite à elle de réagir à vos propos et de faire en sorte que la situation s'améliore. Si vous réagissez en la rejetant de la bande et en vous alliant aux autres pour l'humilier, vous entrerez dans un cercle vicieux en la blessant inutilement. Non seulement votre comportement ne sera pas plus acceptable que le sien, mais en plus, vous n'en tirerez aucun profit puisque vous saurez que vous lui avez fait de la peine sans même lui donner d'explications. En bref, la théorie de l'« œil pour œil, dent pour dent » n'attire rien de bon lorsqu'il est question d'une bande de filles. Avant de parler dans le dos des autres, mieux vaut régler personnellement le conflit avec la ou les personnes concernées. Si vraiment il y a une division dans le groupe, alors rien ne vous empêche de vous asseoir ensemble et d'en discuter. Il arrive parfois que les groupes d'amies éclatent et se reforment, mais il vaut toujours mieux aborder le problème en discutant plutôt qu'en «bitchant» et en tournant le dos aux autres.

Malheureusement, il faut parfois vivre le sentiment de rejet pour comprendre à quel point il est dévastateur. C'est facile de s'allier à la majorité et de rejeter quelqu'un quand on ne se sent pas menacée, mais quand c'est à nous que ça arrive, c'est une autre paire de manches. On ne comprend pas pourquoi nos meilleures amies nous boudent et parlent dans notre dos, ni pourquoi elles s'acharnent à nous rejeter sans même nous fournir d'explication. Cela entraîne souvent une perte de confiance en soi et un sentiment d'insécurité qui peut nous hanter pendant des années. Croyez-moi, rien ne justifie de faire mal à quelqu'un. Si vous sentez qu'une amie se détache du groupe ou que son comportement est inadéquat, mieux vaut lui en parler que risquer de la blesser. Si une fille de la bande vous énerve pour des raisons plus superficielles ou que vous sentez que ça ne clique pas beaucoup avec elle, rien ne vous empêche de vous tenir un peu plus avec celles avec qui vous avez plus d'affinités et de vous en tenir aux activités de groupe avec celle avec qui ça clique moins. Il n'est pas nécessaire de «bitcher» contre celles qui vous ressemblent moins et de rallier les autres contre elles pour prouver votre point. Quand quelque chose de la sorte se produit, demandez-vous si vous aimeriez vous faire rejeter de cette façon. En gros, les filles, ne faites pas subir aux autres ce que vous n'aimeriez pas subir vous-mêmes.

Je sens que je n'ai pas ma place dans ma gang et que je ne peux jamais exprimer mes idées sans faire rire de moi.

La dictature de la bande

Dans une gang de filles, il arrive aussi que certaines s'affichent comme les chefs du groupe. Sans être des dictatrices, certaines filles ont plus de facilité à mener les discussions et à prendre des décisions pour le groupe. Si vous n'êtes pas d'accord avec les « leaders », ça ne veut pas dire que vous devez vous taire de peur de vous faire rejeter. Dans les gangs de filles, on confond parfois l'admiration et la peur. Par exemple, si une fille de votre bande exerce plus d'influence que les autres et que vous la trouvez « cool », vous aurez tendance à agir pour lui plaire et pour vous attirer ses faveurs, car vous ne voulez surtout pas perdre son amitié ou vous la mettre à dos de peur de ce qui pourrait arriver. Si toutefois vous n'êtes pas d'accord avec ses agissements et qu'elle vous pousse à aller contre vos principes, vous ne vous sentirez pas mieux dans votre peau. Dites-vous que la relation la plus importante est celle que vous entretenez avec vous-mêmes, alors restez fidèles à vos valeurs et apprenez à vous exprimer lorsque quelque chose vous déplaît. Si la fille « cool » ne peut accepter que quelqu'un s'oppose à ce qu'elle dit, dites-vous que vous n'avez pas besoin de quelqu'un comme cela dans votre vie. Vous devez trouver des amies qui vous font sentir bien dans votre peau, qui vous mettent à l'aise et avec qui vous pouvez être vous-mêmes. La vie est trop courte pour perdre son temps à jouer des jeux visant à blesser les autres, alors soyez vigilantes lorsque vient le temps de régler un conflit. Ceci étant dit, amusez-vous avec vos amies et profitez de la bande !

Sujets connexes : amitié, potin, bitchage

ATTENTION DANGER !

Depuis les années 1980, on entend de plus en plus parler du phénomène des gangs de rue. Qui sont-ils ? Que font-ils ? Sont-ils tous dangereux ?

Il s'agit de jeunes qui se rassemblent pour former une bande. Ils sont généralement âgés entre 12 et 25 ans, et partagent des valeurs et une idéologie qui leur donnent un sentiment d'appartenance au groupe. Les membres d'un gang de rue éprouvent souvent le désir de se créer une identité, une sorte de petite famille qui leur est propre et qui leur ressemble.

Cela m'amène à parler du recrutement. Comment se forme un gang de rue ? Certains sont bien organisés, et d'autres non. De façon générale, il y a, au sein du groupe, un chef, ou un leader, qui détermine les critères de recrutement. Les membres d'un gang peuvent aller traîner dans une cour d'école secondaire afin de repérer les jeunes qui leur semblent vulnérables, et ainsi d'attirer leurs proies. Ils utiliseront leurs points faibles pour les entraîner au sein de leur bande. Par exemple, ils jetteront leur dévolu sur les immigrants nouvellement arrivés, les jeunes qui se sentent exclus, ceux qui ont des problèmes familiaux, qui ont fait une fugue, qui ont des problèmes financiers ou qui cherchent simplement à appartenir à un groupe, à former une culture qui leur est propre, à se joindre à une famille ou à être libres. Internet est un moyen de plus en plus courant de courtiser les adolescents et de créer des liens. Les membres des gangs abordent souvent les jeunes en leur proposant une solution à leur problème, ou tout simplement en leur procurant le sentiment de liberté et d'appartenance que la plupart recherchent. Ils utilisent donc la manipulation pour attirer les gens vulnérables, leur promettant respect, attention, protection et aisance matérielle.

Les jeunes qui souffrent de solitude, soit parce qu'ils se sentent exclus ou parce qu'ils sont nouvellement arrivés au pays, se laissent souvent tenter, puisqu'on leur propose d'appartenir à un groupe et de former une sorte de famille ou de petite société marginale qui établit ses propres règles et dont les membres doivent se serrer les coudes et peuvent toujours compter les uns sur les autres.

Attention, danger !

Les gangs de rue ne sont pas tous dangereux, mais beaucoup d'entre eux commettent des crimes mineurs ou plongent carrément dans la violence, la drogue, le taxage, les vols, les menaces et le vandalisme. L'objectif est parfois de se renflouer financièrement, de tester ses limites,

de mettre les nouveaux membres à l'épreuve ou d'affronter les gangs rivaux. Il existe différents types de gangs de rue, et certains sont beaucoup mieux organisés et structurés que d'autres. Les gangs de rue dits « majeurs » sont ceux qui commettent des crimes plus graves. Ils recrutent généralement leurs membres dans les gangs de rue « mineurs » qui traînent aux quatre coins de la ville. Bien que 99 % de ces jeunes ne soient pas « criminalisés *(source :http://www.spvm.qc.ca/fr/ service/1_4_3_1_phenomene.asp)*, il s'agit tout de même d'un univers dangereux, corrompu et violent. Les organismes communautaires, les parents, les policiers et les professeurs s'efforcent par ailleurs de faire de la prévention auprès des jeunes pour leur faire comprendre qu'ils ont tout intérêt à se tenir loin de ces groupes dont les activités criminelles sont le plus souvent reliées au vol, au taxage, à la prostitution juvénile et au trafic de drogues. Soyez donc prudente et méfiez-vous des gens qui vous abordent pour vous proposer des solutions miracles à vos problèmes.

Appartenance

Les membres d'un gang de rue possèdent souvent des signes qui les distinguent de ceux des autres gangs, que ce soit une couleur, un style spécial, un sigle, un tatouage ou un lieu de rassemblement particulier. Les membres d'un gang partagent donc des traits communs, des valeurs et une solidarité qui leur semble à toute épreuve. Ce sentiment d'appartenance crée souvent une forte rivalité avec les autres gangs de rue, ce qui peut provoquer des affrontements violents.

Violence et statistiques

Bien que les membres des gangs de rue ne soient pas tous violents, la plupart des crimes commis dans les grandes villes sont reliés à ces groupes. Par exemple, plus de la moitié des tentatives de meurtre, ainsi que 14 des 41 meurtres commis à Montréal en 2007 sont reliés aux gangs de rue. *(Source : http://www.cyberpresse.ca/article/20080201/CPAC-TUALITES/802010616/-1/CPACTUALITES)*

Il y a à Montréal une vingtaine de gangs de rue importants qui regroupent entre 300 et 500 membres. Ces derniers se divisent en deux groupes majeurs : les Bleus et les Rouges. *(Source : http://www.spvm.qc.ca/fr/service/1_4_3_1_ phenomene.asp)*. Les plus petits gangs ont tendance à se former et à se dissoudre, et à errer d'un bout à l'autre de la ville. Dans la métropole, on trouve un fort regroupement de gangs de rue dans les quartiers Saint-Michel, Montréal-Nord, Notre-Dame-de-Grâce, Côte-des-Neiges et Côte-Saint-Luc.

La prévention

La prévention demeure l'une des meilleures solutions pour freiner le problème. Il est donc normal que des gens de votre école vous en parlent fréquemment et vous expliquent les dangers reliés aux gangs de rue. Il circule par ailleurs beaucoup d'information sur le sujet.

Si vous connaissez quelqu'un qui fait partie d'un gang de rue, tentez de lui en parler en lui expliquant les dangers et en lui démontrant que beaucoup d'autres possibilités existent pour passer du bon temps et surmonter son sentiment desolitude ou d'exclusion. Comme il s'agit d'un problème sérieux, je vous conseille également de demander l'avis d'un professionnel ou d'un membre de sa famille.

Il existe également des lignes d'écoute téléphoniques où vous pouvez appeler pour obtenir de l'information ou des conseils sur le sujet.

Info-Gang : 514-493-4104
Tel-jeunes : 1-800-263-2266

Sujets connexes : drogue, violence

Gardiennage

Quand on entre dans l'adolescence, on a parfois envie de gagner ses propres sous et d'acquérir plus d'indépendance et d'autonomie. C'est entre autres pour cette raison que plusieurs jeunes envisagent de faire du gardiennage. Si tu penses devenir gardienne, tu dois toutefois être prête à assumer toutes les responsabilités qui accompagnent cet emploi et être bien consciente de la tâche qui t'attend.

Le gardiennage est une façon de ramasser des sous, mais aussi de développer ta débrouillardise et ta maturité tout en acquérant une expérience de travail qui te sera utile durant toute ta vie. En effet, ce n'est pas une tâche à prendre à la légère puisque c'est toi qui devras prendre soin des enfants et qui seras responsable de leur bien-être pendant l'absence de leurs parents. Tu représenteras l'autorité et deviendras la personne-ressource aux yeux des enfants.

Tout d'abord, sache qu'une bonne gardienne doit faire preuve de leadership, d'autorité et de jugement. Tu dois toujours songer à la sécurité et au bien-être des enfants que tu gardes et tu dois te montrer responsable et digne de confiance aux yeux de leurs parents qui ont besoin de quitter leur domicile en ayant l'esprit tranquille et en sachant que leurs enfants sont entre bonnes mains. Quand tu interagis avec les enfants, tu dois les mettre en confiance en étant sûr de toi et en assumant ton rôle de leader. Ça ne veut pas dire que tu dois te contenter de faire la loi et d'imposer les règles ; tu dois plutôt trouver un équilibre en apprenant à les écouter et à t'amuser avec eux tout en faisant preuve d'autorité.

Trouver un emploi

Si tu cherches à gagner plus de sous et que tu désires acquérir plus d'expérience en gardiennage, assure-toi de passer le mot dans ton entourage ; il ne faut jamais sous-estimer la portée du bouche à oreille. Tu peux aussi visiter les voisins pour leur proposer tes services, ou alors mettre une annonce dans le journal local, sur Internet ou sur les babillards de ton quartier et des centres communautaires. Informe-toi d'abord sur le salaire moyen offert pour le gardiennage et sois réaliste lorsque tu donnes tes disponibilités ; n'oublie pas que tu as aussi des devoirs, des responsabilités et des tâches à accomplir, alors évite de trop t'en mettre sur les épaules.

Avant de garder

Si tu t'apprêtes à garder pour la première fois, mieux vaut y aller une étape à la fois pour te familiariser avec ton travail et pour te sentir plus en confiance. Par exemple, il est préférable de rencontrer les parents et les enfants avant d'entamer ton travail de gardiennage. Ainsi, tu peux leur poser toutes les questions qui te traversent l'esprit et connaître un peu plus ton environnement de travail. Tu peux également suivre le cours de Gardiens avertis de la Croix-Rouge qui t'apprendra les principales règles de base pour devenir une gardienne hors pair

ainsi que les lignes directrices de secourisme à appliquer en cas d'urgence. La plupart des parents préfèrent engager des jeunes ayant suivi le cours de la Croix-Rouge[1].

Prends le temps de préparer un petit curriculum vitae que tu pourras remettre aux parents pour qu'ils connaissent un peu ton parcours et tes expériences de travail. Informe-toi aussi sur les règles de la maison. À quelle heure les enfants doivent-ils se coucher ? Que doivent-ils manger ? Ont-ils des allergies alimentaires ou autres troubles de santé ? Ont-ils le droit de regarder la télé ou de lire avant d'aller dormir ? Doivent-ils prendre leur bain avant de se mettre au lit ? Ont-ils le droit de prendre une collation ? Y a-t-il des jeux et des activités à éviter ? Dois-tu superviser leurs devoirs ? S'ils sont en âge de le faire, ont-ils le droit de parler au téléphone ? Souviens-toi qu'en l'absence des parents, c'est toi qui montes la garde et qui représentes l'autorité.

1 Cours de secourisme et de RCR offerts par la Croix-Rouge canadienne : 1-877-356-3226 ou www.croixrouge.ca, http://gardiensavertis.ca/

Règles de sécurité

Assure-toi de savoir où se trouve la trousse de premiers soins en cas d'urgence. Quels sont les numéros d'urgence ? Qui dois-tu appeler en cas de problème ? Est-ce que les parents ont un cellulaire ? Demande-leur aussi où se trouvent les extincteurs en cas d'incendie et les bougies en cas de panne d'électricité. Demande aux parents quelles sont les habitudes à l'extérieur de la maison. Y a-t-il un parc qu'ils ont l'habitude de fréquenter ? Jusqu'à quelle heure les enfants peuvent-ils jouer dehors ? Peux-tu avoir un double de la clé pour être certaine de ne pas rester coincée à l'extérieur ? Assure-toi aussi d'avoir toutes les choses (vêtements, doudou, couches, nourriture, biberon) dont tu auras besoin.

Pendant que tu gardes

Tu sais déjà que pour être une gardienne hors pair, tu dois faire preuve de professionnalisme, d'honnêteté et de maturité. Respecte les directives qui t'ont été données par les parents qui t'ont engagée et assure-toi de respecter leur intimité. Sache aussi que les parents apprécient les gardiennes qui ramassent les jouets et la vaisselle avant de partir. N'impose pas ta loi aux enfants et assure-toi de leur accorder l'attention et le respect nécessaires. Enfin, si tu es malade ou que tu as un empêchement, assure-toi de prévenir les parents plusieurs jours ou heures à l'avance pour qu'ils aient le temps de trouver une solution. Laisse aussi tes coordonnées à tes parents ou à un adulte responsable pour être joignable en tout temps. Assure-toi d'écouter les jeunes que tu gardes et n'oublie pas que tu représentes un exemple de comportement, alors sois certaine d'avoir toute ta tête pour assumer une tâche aussi importante. Pour ce qui est du reste, amuse-toi et laisse-toi entraîner par ton cœur d'enfant !

 Sujets connexes : emploi à temps partiel

Consulte mon guide de gardiennage pour plus d'informations

CAPACITÉ DE SE PRÉOCCUPER DES AUTRES

La gentillesse, c'est la capacité de se préoccuper des autres sans toujours penser à soi-même. Quand on est gentille, on est serviable, attentionnée, attentive aux besoins des autres.

C'est une sorte de bonté qui émane de nous et qui nous pousse à agir de façon agréable et généreuse.

La gentillesse peut s'exprimer de toutes sortes de façons : en gardant sa nièce à la dernière minute lorsque les parents sont mal pris, en aidant un copain à étudier pour un examen ou une personne âgée à traverser la rue, en donnant un coup de main à ses parents pour peindre la clôture, ou simplement en disant « merci » dans un café ou « bonjour » en entrant dans l'autobus. Ce sont des petits gestes tout simples que vous pouvez accomplir et qui vous permettront de vous sentir bien.

Être gentille, c'est aussi savoir écouter les autres et leur accorder du temps et de l'énergie sans toujours penser à soi ni s'attendre à quelque chose en retour. La vraie gentillesse, c'est la volonté d'agir en toute bonté sans compter. La joie et la reconnaissance dans le visage des gens à qui on fait plaisir suffit à nous rendre heureuse.

La gentillesse n'est pas une qualité innée chez tous les individus ; vous devez la travailler et la développer, et ce, même si vous avez un fort caractère et que cela vous semble complètement ridicule. Il n'y a rien de mal à remercier les gens quand ils vous rendent service ou quand ils font bien leur travail, ni à saluer les gens dans la rue ou dans votre voisinage. Ce n'est certainement pas ridicule de prendre des nouvelles des gens que vous aimez pour vous assurer que tout va bien pour eux. Cela prouve au contraire que vous les aimez et que vous

Des trucs tout simples pour être gentille

Soyez serviable et donnez sans compter. Les autres vous en seront extrêmement reconnaissants et vous serez fière de vous.

Souriez aux gens, montrez-leur que vous êtes une fille pleine d'entrain et partagez votre joie de vivre.

Dites merci quand on vous donne quelque chose ou qu'on vous rend service.

Surprenez les gens que vous aimez en faisant la vaisselle, le ménage ou en préparant un bon petit repas.

Dites « je t'aime » à ceux que vous aimez de temps à autre.

Ne jouez pas les dures, soyez simplement intègre. La gentillesse n'est pas un signe de faiblesse ; au contraire, il s'agit d'une immense force qui se développe quand on se donne la peine de faire un effort.

💚 Sujets connexes : pardon, honnêteté

prenez leur bien-être à cœur. Pour faire preuve d'un peu de gentillesse, il suffit donc parfois d'être joviale et de vous intéresser aux autres, ou encore de vous montrer polie et sympathique lorsque vous croisez quelqu'un.

Il existe toutefois des gens « trop » gentils qui montrent une grande naïveté et, parfois, certaines personnes malveillantes n'hésitent pas à abuser de cet excès de confiance. Je vous encourage donc à faire preuve de gentillesse tout en restant à l'affût des gens qui pourraient profiter de votre bonne volonté et de votre bonté naturelle.

De façon générale, la gentillesse n'a toutefois pas vraiment d'inconvénients. Quand on est gentille et de bonne humeur, on dégage une énergie positive qui attire les gens et qui les rend tout aussi joyeux. Aussi bien rendre les gens heureux en leur transmettant votre joie de vivre et votre bonne humeur que de les faire fuir et de les rendre maussades avec votre air renfrogné. Je vous assure qu'en faisant preuve de gentillesse, vous vous sentirez mieux dans votre peau.

UN PHÉNOMÈNE FRÉQUENT CHEZ LES ADOLESCENTES

Le taux de grossesse des adolescentes a connu une hausse de 57 % entre 1980 et 1992, soit une hausse moyenne de 4 % par année. De 1992 à 1998, le taux de grossesse chez les jeunes filles âgées de 14 à 17 ans est resté stable – entre 19 et 20 grossesses pour 1000 adolescentes –, avant de diminuer pendant les 5 années suivantes et de s'établir à 16,6 grossesses pour 1000 adolescentes en 2003 (source : Gouvernement du Québec). Il n'en demeure pas moins que la grossesse chez les adolescentes est un phénomène qui est très présent très souvent dans notre société.

Source : http://www.inspq.qc.ca/Santescope/
element.asp?NoEle=147

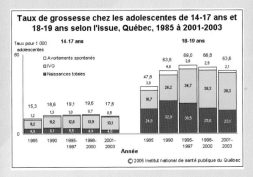

Beaucoup de jeunes prennent des risques inutiles en n'utilisant pas de préservatif ni de méthode contraceptive complémentaire. Sur le coup du désir, il est parfois difficile de reprendre la maîtrise de soi et de s'arrêter avant qu'il ne soit trop tard, mais il est préférable de vivre un peu de frustration que d'assumer des conséquences navrantes comme une grossesse non désirée. De plus, il est important de mentionner qu'une adolescente dont la puberté n'est pas achevée et dont le corps n'a pas fini de se former court plus de risques lors de la grossesse et de l'accouchement qu'une adulte. On observe plus de complications obstétricales, un risque plus élevé de donner naissance à un bébé prématuré ou de petit poids, et un taux de mortalité périnatale plus élevé que chez les bébés des femmes adultes. Aussi, on remarque chez ces enfants plus de cas d'hospitalisation, plus de consultations médicales, plus de maladies psychosomatiques et de troubles liés au langage (Charbonneau et coll., 1987). Les jeunes mamans courent par ailleurs davantage de risques de souffrir d'isolement social, de dépression, de sentiment d'échec, de solitude, de sous-scolarisation, de mauvais traitements et de stress, et d'entretenir des habitudes de vie malsaines. (Source : Gouvernement du Québec) Certaines des

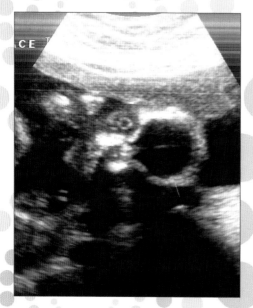

adolescentes qui décident de garder leur bébé parviennent toutefois à subvenir à leurs besoins et à réussir scolairement ou professionnellement, mais, dans la plupart des cas, la situation n'est pas très rose.

Si tu te retrouvais dans une telle situation, tu serais probablement la première à être surprise, car on croit toujours que ce genre de malchance n'arrive qu'aux autres. Détrompe-toi !

Certains symptômes te mettront d'abord la puce à l'oreille : retard dans les règles, envie constante d'uriner, sensibilité des seins et du ventre, hypersensibilité émotionnelle, etc. Si tu crois être enceinte, il faut alors passer un test. Tu peux t'en procurer un à la pharmacie. Normalement, tu dois uriner dans un petit contenant, puis y plonger un bâtonnet qui t'indiquera le résultat après quelques minutes. L'important, c'est de bien suivre les instructions indiquées sur le feuillet qui accompagne le test et d'attendre patiemment le résultat. Sache qu'il arrive qu'un résultat soit négatif, mais que tu sois tout de même

enceinte. Si le résultat est positif, il y a toutefois très peu de chances pour que tu ne le sois pas. Si le résultat est négatif mais que tes règles tardent encore à se manifester et que tu ressens tous les symptômes de la grossesse, consulte un médecin qui pourra déterminer avec certitude si tu es enceinte ou non.

Si ton résultat est positif, il se peut que tu sois prise de panique. Pourquoi moi ? Qu'ai-je fait ? Que vais-je faire ? Dois-je me faire avorter ? Puis-je garder le bébé ? Dois-je en parler aux autres ? Dois-je le dire à mon partenaire sexuel ? Malheureusement, il n'existe pas de réponses toutes faites à ces questions, car chacune vit sa grossesse à sa façon. Comme il s'agit d'une décision extrêmement importante, je te conseille toutefois d'en parler à quelqu'un de confiance qui pourrait t'aider à prendre une décision éclairée ou simplement t'écouter si tu as envie de te confier. Dans tous les cas, ne traverse pas cette épreuve toute seule, même si tu as honte d'en parler aux autres. Il s'agit de ton corps et de ta décision. Tu n'as pas à crier la nouvelle sur tous les toits, mais il existe certainement des gens qui peuvent t'écouter et t'aider, qu'il s'agisse d'un parent, d'une amie, de l'infirmière de l'école, d'un CLSC ou d'un conseiller.

Les parents

Ne sous-estime surtout pas tes parents. Bien que tu aies peur de leur réaction et qu'il soit fort possible qu'ils se montrent surpris ou bouleversés sur le coup, ils savent à quel point c'est une situation difficile à traverser et à vivre, et ils peuvent t'aider puisque, avant tout, ils veulent ton bonheur. Peux-tu vraiment t'imaginer traverser cette épreuve sans l'appui de ta mère ? Si tu as peur que tes parents te fassent la morale ou qu'ils jugent ta décision en te rendant la tâche encore plus difficile, parles-en au moins à une amie de confiance, à une confidente, à une cousine ou à ta sœur, pour qu'elle t'accompagne à travers cette épreuve.

Le temps de la décision

Lorsque tu apprends que tu es enceinte, tu dois ensuite prendre une décision extrêmement importante qui pourrait avoir un impact sur le reste de ta vie. Tout d'abord, tu peux décider de garder ton bébé et de l'élever. Comme tu n'es encore qu'une adolescente, que tu n'as pas terminé ta scolarité et que tu n'as certainement pas les moyens de subvenir seule à tes propres besoins et à ceux d'un jeune enfant, tu dois tenir compte de tous les aspects financiers et personnels avant de prendre une telle décision. Tes parents sont-ils prêts à t'aider ? Le père du bébé t'appuie-t-il dans ta décision ? Es-tu prête à assumer une telle responsabilité pour le reste de ta vie ? Rappelle-toi que ce n'est pas une décision à prendre à la légère. Lorsqu'on décide d'avoir un bébé, on prend un engagement pour la vie. Tu dois donc aussi penser à son avenir et à son bonheur. Bref, prends le temps d'y réfléchir.

Tu peux aussi opter pour l'avortement, bien que cette solution ne s'avère pas plus facile physiquement ni émotionnellement. Si tu décides de te faire avorter, je te conseille fortement de bien t'informer a priori sur le déroulement de la chirurgie et de te faire accompagner par quelqu'un de confiance. Il se peut que tu te sentes complètement anéantie et que tu ressentes un grand vide après l'opération. Je te recommande de ne pas traverser cette étape seule. Demande à quelqu'un de te soutenir dans cette épreuve. (Pour plus d'informations, voir le texte sur l'avortement.)

Sinon, tu peux décider d'avoir ton bébé et de le donner en adoption. Ne va surtout pas croire que cette option soit plus facile, car après avoir porté ton bébé pendant neuf mois, tu auras sans doute énormément de difficulté à t'en séparer. Tu dois donc y songer intensément avant de prendre une telle décision. De plus, la grossesse n'est pas toujours une étape facile; ton corps se transforme, tu es fatiguée, tu ne peux plus vaquer à tes activités, tu as la nausée et tu ressens toutes sortes d'inconforts émotionnels et physiques dont tu dois tenir compte avant d'entreprendre une telle aventure.

Un choix personnel

Quoi qu'il en soit, tu dois bien y réfléchir avant de prendre une décision. Il s'agit d'un secret extrêmement lourd à porter, alors je te conseille fortement d'en parler à quelqu'un de confiance pour exprimer ce que tu ressens et pour avoir une autre perspective.

La grossesse n'est pas quelque chose qu'on peut prendre à la légère, alors mieux vaut prendre toutes les précautions pour éviter de se retrouver dans une telle situation. Ne songe pas à tomber enceinte pour ne pas perdre ton amoureux ou pour combler un vide affectif, car c'est la vie et le bonheur de ton futur bébé dont il est question, et il serait injuste d'utiliser sa vie pour répondre à tes propres désirs du moment. Avoir un bébé est une lourde responsabilité, mais il s'agit de ton corps, et c'est tout de même à toi que revient de prendre la décision qui te semble la plus adéquate. Songe à toutes les possibilités et pense aussi à l'avenir de ton bébé ainsi qu'à son bonheur et au tien. N'hésite pas à parler à des gens en qui tu as confiance et à demander de l'aide si tu en ressens le besoin.

Sujets connexes : contraception, sexualité, parents

QUAND LA VIOLENCE RÈGNE

« La guerre, phénomène collectif, social et historique, est une manifestation de violence physique à caractère homicide puisqu'elle implique nécessairement l'utilisation d'armes. Qu'elle soit officiellement déclarée ou non, la guerre est une situation socialement reconnue, qui perdure dans le temps et dont les affrontements revêtent une certaine ampleur. La fin peut en être marquée ou non par un accord de paix (traité ou armistice). »

Source : www.granddictionnaire.com)

La guerre existe depuis le début des temps. C'est un phénomène révoltant qui nous paraît trop souvent injuste. Que dire de toutes ces personnes chassées de leur pays, de ces familles détruites, de ces territoires dévastés et de toutes les innocentes victimes qui périssent durant des conflits armés ? Il existe toutes sortes de raisons pour déclencher une guerre. Parfois, il s'agit d'une dispute au sujet de l'attribution d'un pays ou d'un territoire, ou alors d'une querelle politique, religieuse, économique ou idéologique. Il y a même des peuples qui se battent pendant si longtemps qu'ils en oublient la source initiale de leur conflit. Quoi qu'il en soit, il est attristant de constater le nombre de gens qui souffrent à cause de ces guerres, et il est normal que vous soyez révoltée et contrariée par la barbarie de ces gestes et que vous vous sentiez bien impuissante devant tant de violence. Nous avons la chance de vivre dans un pays pacifique qui opte souvent pour la neutralité dans les conflits, mais cela ne veut pas dire qu'il faille se fermer les yeux sur les injustices sociales si courantes dans le monde et sur toutes les guerres qui font rage ailleurs sur la planète.

On en vient souvent à se demander en quoi la violence peut vraiment régler un problème. Pourquoi doit-on prendre les armes et tuer pour faire valoir son point de vue ? Malheureusement, il s'agit d'un phénomène vieux comme le monde. Dans plusieurs cas, la violence éclate lors d'un règlement de comptes, à cause d'une injustice qui a été commise ou du simple désir de se venger. Les peuples en guerre tombent dans un cercle vicieux, car bien que la communauté internationale encourage la résolution du conflit et que les dirigeants soient prêts à entamer des discussions, il suffit parfois d'un extrémiste ou d'un rebelle pour commettre un crime isolé et remettre de l'huile sur le feu.

Lorsqu'on met fin à une guerre, on signe normalement un traité de paix ou une entente de cessez-le-feu. Même lorsque ces ententes sont signées, il suffit parfois d'un rien pour faire redémarrer le conflit et pour passer outre aux conditions de paix. La guerre est une situation extrêmement complexe, puisqu'elle est causée par une série de facteurs, alors il n'est pas rare que des gens se révoltent à la suite d'un traité de paix parce que celui-ci ne respecte pas leurs droits ou qu'ils sentent que leurs revendications n'ont pas été entendues.

Durant les conflits armés, plusieurs organismes comme les ONG interviennent dans les régions en guerre pour fournir des abris temporaires, de la nourriture, de l'eau potable et des soins aux gens qui ont été chassés de chez eux et aux blessés. La violence qui règne et les risques d'attentats sont toutefois parfois si élevés que les organismes en question ont de la difficulté à atteindre ces régions ou à s'établir en toute sécurité sur un territoire donné. Quoi qu'il en soit, n'hésitez jamais à faire des dons pour les victimes de guerre et à appuyer les organismes qui viennent en aide aux innocentes victimes et aux familles qui sont obligées de quitter leurs villes et leurs villages détruits par la guer-

re. C'est quand on s'informe un peu et qu'on lit sur le sujet qu'on réalise qu'on a vraiment de la chance de vivre ici. Plutôt que de nous asseoir sur nos lauriers, venons plutôt en aide aux gens qui en ont vraiment besoin.

Une menace grandissante

À la suite des événements du 11 septembre 2001, vous avez certainement entendu parler du perfectionnement de certaines armes et de la progression de la menace d'attaque terroriste, bactériologique et nucléaire. Il est vrai qu'au xxie siècle, les armes et toute l'artillerie de guerre ont beaucoup évolué et que les gens qui les fabriquent ne cessent d'améliorer leur précision et la force de leur impact. Il est sage de rester à l'affût des progrès technologiques qui sont faits dans ce domaine et d'être consciente des dangers que cela peut représenter, mais il ne faut pas pour autant devenir complètement parano, encourager le racisme et se laisser emporter par un tourbillon de panique générale. Mieux vaut prôner la paix et adopter une attitude pacifique. Il faut encourager les dirigeants à s'engager dans des discussions pouvant mener à des traités de paix et inciter la communauté internationale à se mobiliser contre la violence. Même si on se sent parfois bien loin de tous ces conflits et qu'on ne se sent pas toujours touchée par ce que leurs participants revendiquent, cela n'empêche pas de promouvoir l'égalité, la justice, le respect et la paix dans le monde. Bien que ça puisse vous sembler un peu utopiste et irréaliste, une telle attitude pourrait réellement avoir une influence à l'échelle internationale, surtout si nous nous serrons les coudes pour promouvoir la paix dans le monde.

Sujets connexes : violence, politique

Je vous propose ici quelques exercices physiques qui vous aideront à rester en fo
sans devoir vous enfermer dans un gym ! Ces exercices simples et complets peu···
être effectués dans le confort de votre salon, et ils vous permettront de raffermir vo
bras, vos cuisses, vos fesses et vos abdominaux. Allez, les filles ! C'est parti !

Les cuisses
(au moins 3 séries de 10 répétitions)

A- Extérieur de la cuisse :

Allongez-vous sur le côté en appuyant votre
tête sur votre bras ou en prenant appui sur votre
coude. La jambe d'appui peut être étendue ou
fléchie à 90° tandis que l'autre jambe est tendue
et légèrement soulevée. Élevez et abaissez lentement la jambe tendue (celle du dessus) dans le
prolongement de votre corps. Vous pouvez utiliser
un haltère pour ajouter de la résistance et faire
travailler davantage votre cuisse. Faites de même
pour l'autre jambe.

B- Intérieur de la cuisse :

Allongez-vous sur le côté en appuyant
votre tête sur votre bras ou en prenant
appui sur votre coude, puis ramenez la
jambe opposée devant vous. Tournez
l'autre jambe vers l'extérieur de façon à
effectuer une flexion du pied (les orteils
sont vers vous). Soulevez cette jambe
le plus haut possible sans bouger vos
hanches. Ne déposez pas la jambe sur
le sol entre les répétitions. Faites de
même pour l'autre jambe.

Les bras
(au moins 3 séries de 10 répétitions)

A- Poitrine

Allongez-vous sur le dos (sur un matelas de sol ou sur un tapis de yoga), tendez les bras de chaque côté et fléchissez légèrement les coudes, puis levez les haltères au-dessus de la poitrine. Redescendez ensuite jusqu'à la position de départ en vous assurant que vos bras ne descendent pas plus bas que vos épaules.

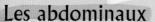

B- Biceps

Installez-vous debout, les pieds écartés de la largeur de vos hanches et les genoux légèrement fléchis. Prenez un haltère dans une main, puis fléchissez votre avant-bras en ramenant l'haltère vers votre épaule, et revenez à la position de départ. Gardez votre avant-bras légèrement fléchi en tout temps. Répétez pour l'autre bras, ou alternez d'un bras à l'autre.

Les abdominaux

A- La planche

Allongez-vous sur le ventre, puis prenez appui sur vos coudes, sur vos avant-bras et sur vos orteils en contractant les muscles de vos abdominaux et de vos fessiers de façon à allonger votre dos et à vous assurer que votre corps soit bien droit. Maintenez la position 30 secondes ou faites 3 répétitions de 15 secondes.

B - Les obliques

Allongez-vous sur le dos et fléchissez une jambe à 90° en gardant la plante de votre pied sur le sol. Soulevez l'autre jambe et posez votre cheville sur le genou de la jambe opposée. Posez les mains de chaque côté de votre tête. Soulevez légèrement le haut de votre corps en contractant les abdominaux et en dirigeant une épaule vers le genou de la jambe opposée. (Par exemple, dirigez l'épaule droite vers le genou gauche. Votre cheville gauche doit être posée sur votre genou droit. Voir l'image.) Effectuez 3 séries de 15 répétitions de chaque côté.

Les fessiers
(au moins 3 séries de 10 répétitions)

A- Flexion des jambes (squat)

Installez-vous debout et écartez les pieds de la largeur de vos hanches, puis fléchissez les genoux. Gardez toujours le dos droit. Baissez les genoux et sortez les fesses vers l'extérieur en adoptant une position légèrement accroupie, comme si vous vous apprêtiez à vous asseoir. Relevez-vous en contractant les fesses, les cuisses et les abdominaux. Vous pouvez utiliser des haltères. Faites 3 séries de 10 répétitions.

B- Fente (lunge)

Installez-vous debout en tenant un haltère dans chaque main. Faites un grand pas vers l'avant, puis pliez les genoux de façon à ce que le genou arrière se trouve à quelques centimètres du sol et que le genou avant soit en ligne droite avec votre cheville. Redressez-vous et reprenez la position de départ. Faites 3 séries de 10 répétitions pour chaque jambe.

CONTRÔLE DE QUELQU'UN EN AYANT RECOURS À DES MOYENS HUMILIANTS

« Attitudes, gestes, paroles exprimant d'une façon plus ou moins ouverte des avances sexuelles ou qui visent à blesser la pudeur de quelqu'un. » *(Source : www.granddictionnaire.com)*

En d'autres mots, on parle de harcèlement sexuel dans des situations où un individu est la cible de paroles ou d'actes visant à le réduire à son identité sexuelle. C'est une façon de rabaisser, d'humilier, d'embarrasser ou de contrôler quelqu'un en ayant recours à des propos humiliants et déplacés à caractère sexuel, ou à propos de son orientation sexuelle. Cette attitude peut porter gravement atteinte à l'intégrité et à la dignité d'une jeune fille, et il est extrêmement important de dénoncer le harcèlement sexuel lorsqu'il survient.

À l'adolescence, le harcèlement sexuel se produit parfois à l'école, dans un contexte d'abus de pouvoir. Par exemple, un professeur ou une personne d'autorité qui fait du chantage, qui promet de meilleures notes à un ou une élève en échange d'une faveur sexuelle, ou qui adresse des compliments d'ordre sexuel. Le harcèlement peut également survenir avec des camarades de classe, qui vous manquent de respect et vous font des avances déplacées. Sachez que le harcèlement sexuel auprès d'une mineure est un délit grave. Cependant, bien qu'il soit important de dénoncer tout manque de respect à votre égard, vous ne devez pas considérer une mauvaise blague comme du harcèlement sexuel. Les garçons de votre âge découvrent leur sexualité et font

souvent preuve d'immaturité quand vient le temps d'aborder le sujet avec les filles. Par conséquent, si un garçon fait une remarque déplacée au sujet de votre poitrine, dites-lui ce que vous pensez avant de courir au poste de police ! Il ne mesure peut-être pas la portée de ses paroles et la gravité de son impolitesse, alors je vous conseille tout d'abord de le lui dire, ou d'en parler à un professeur ou à un surveillant. S'il s'acharne sur vous, qu'il profère des menaces ou qu'il vous fait des avances sexuelles qui vous semblent franchement déplacées, n'hésitez pas à dénoncer son comportement. Aucune fille ne mérite d'être traitée de façon irrespectueuse.

Dans le cas d'un professeur, faites aussi preuve de jugement. Si votre prof de FPS vous parle de sexualité et vous fait une description des organes génitaux, ce n'est pas du harcèlement sexuel. S'il vous fait des avances en vous promettant une meilleure note, il faut absolument le dénoncer aux autorités. Si vous n'êtes pas certaine de ses intentions, mais que vous ne vous sentez pas à l'aise en sa compagnie, par-lez-en à vos parents ou au directeur pour qu'il soit averti et pour vous assurer que la situation ne dégénère pas.

Quoi qu'il en soit, sachez qu'il faut absolument dénoncer tout geste ou toute parole à caractère sexuel qui vise à exercer une pression sur vous ou à vous manquer de respect. Il ne faut jamais avoir honte de dénoncer quelqu'un qui veut vous réduire à votre identité sexuelle ou qui vous fait des propositions indécentes ou déplacées en abusant de sa position de pouvoir ou en vous promettant quelque chose en retour. Si vous jugez qu'on vous fait des menaces ou qu'on exerce une pression sur vous, ne vous laissez pas faire. Personne ne mérite un tel traitement, et c'est à vous qu'il revient de réagir et de condamner ce comportement pervers. Parlez-en immédiatement au directeur de l'école, à des professeurs, aux surveillants, à vos parents ou même à la police.

Sujets connexes : sexualité, droits humains

SPORT NATIONAL DU QUÉBEC

Le hockey est notre sport national. Quand on se promène aux quatre coins du Québec en plein cœur de l'hiver, on est assurée de voir des jeunes pratiquer ce sport dans la rue ou dans les arénas. La popularité du hockey est non seulement liée à notre hiver rigoureux qui nous force à pratiquer des sports hivernaux pendant plusieurs mois, mais également au club de hockey des Canadiens de Montréal, qui fait partie de la Ligue nationale de hockey.

De 1979 à 1995, la ville de Québec possédait elle aussi son équipe de hockey professionnelle, les Nordiques de Québec, mais, en 1995, la franchise a été vendue et transplantée à Denver, au Colorado. L'équipe a alors pris le nom de l'Avalanche du Colorado. Depuis environ deux ans, une rumeur court selon laquelle Québec pourrait récupérer une équipe de la ligue nationale, mais certains investisseurs sont tièdes à cette idée. Lorsqu'ils songent aux belles années de rivalité entre les Canadiens et les Nordiques, les amateurs se croisent les doigts pour que ce rêve devienne un jour réalité.

Catherine, elle-même une grande fan de hockey.

La rivalité entre les Canadiens et les Nordiques était telle que les gens se disputaient parfois durant les fêtes de famille parce qu'ils n'étaient pas partisans de la même équipe ! Depuis le départ des Nordiques, plusieurs Québécois et anciens admirateurs de l'équipe québécoise se sont rangés du côté des Canadiens de Montréal, qui ont remporté leur dernière Coupe Stanley en 1993.

Quand « la ville est hockey »

Au cours des dernières années, le hockey professionnel a atteint une popularité sans précédent. À Montréal, durant les séries éliminatoires de 2008, 2009 et de 2010, tous les autobus de la ville scandaient « Go, Habs, go ! » sur leurs tableaux d'affichage, et tous les restos et bars de la ville étaient bondés lors des matchs des Canadiens. Après une victoire des Glorieux, des centaines de personnes célébraient dans les rues et les klaxons retentissaient de toutes parts. Cet enthousiasme se faisait sentir aux quatre coins du Québec. Le Réseau des sports (RDS) enregistrait des cotes d'écoute de plus de 2 millions de spectateurs par match (source : www.rds.ca) et des gens de partout à travers la province se faisaient entendre dans la métropole pour encourager leur équipe.

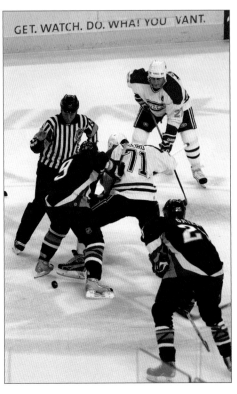

Le hockey n'est pas seulement un sport ; il s'agit aussi d'une importante part de notre culture et de nos traditions. Les gens profitent des soirées de hockey pour se réunir, bavarder et passer un bon moment entre amis. Ce sport permet aussi aux Québécois de se sentir unis et de s'allier pour encourager leur équipe. Bien qu'on ait souvent tendance à juger les joueurs de hockey, qui sont payés une fortune pour pratiquer ce sport, le Québec et le Canada ne seraient pas les mêmes sans leur sport national !

Les règles

Pour celles d'entre vous qui ne connaissent rien au hockey professionnel, voici une petite description des principales règles, qui vous aidera à comprendre davantage ce qui se déroule sur la patinoire au cours d'un match. Une fois que vous vous serez familia-

risées avec les règles, vous prendrez goût aux matchs et vous deviendrez vite de véritables mordues de hockey !

Un match de hockey est constitué de 3 périodes de 20 minutes chacune. Deux équipes s'affrontent et doivent compter dans le but adverse autant de fois que possible au cours du match. S'il y a égalité à la fin d'un match, une période de prolongation de 5 minutes est ajoutée. Si aucun joueur ne parvient à compter durant la prolongation, celle-ci est suivie d'une « fusillade » durant laquelle, tour à tour, les membres de chaque équipe tentent de déjouer le gardien de but adverse. La fusillade se poursuit jusqu'à ce qu'il y ait un gagnant. Durant les séries éliminatoires, en cas d'égalité, des périodes de prolongation de 20 minutes sont ajoutées jusqu'à ce que l'une des deux équipes compte un but.

Chaque équipe doit avoir 6 joueurs sur la patinoire : 1 ailier droit et 1 ailier gauche, 1 joueur de centre, 2 défenseurs et 1 gardien de but. L'entraîneur de l'équipe effectue des changements de joueurs environ toutes les 40 secondes au cours d'un match.

Lorsqu'un joueur est puni parce qu'il a enfreint une règle (pour cause de rudesse, pour avoir retenu l'autre joueur, pour bâton élevé, etc.), il doit se rendre au banc des pénalités pendant deux minutes dans le cas d'une pénalité mineure, et pendant quatre ou cinq minutes dans le cas d'une pénalité majeure.

Au cours d'une pénalité, l'équipe punie se voit privée d'un joueur. L'autre équipe est donc en supériorité numérique et peut attaquer plus librement.

En ce qui concerne les hors-jeu, les joueurs d'une équipe ne doivent pas précéder la rondelle dans leur zone d'attaque. Les facteurs déterminant un hors-jeu sont :

- la position des patins du joueur : un joueur est hors jeu quand ses deux patins se trouvent de l'autre côté de la ligne bleue, dans la zone d'attaque, avant que la rondelle n'ait complètement franchi cette même ligne ;

- la position de la rondelle : la rondelle doit avoir entièrement franchi la ligne bleue de la zone d'attaque. En cas de violation de cette règle, le jeu sera arrêté et devra être repris :

- au point de mise en jeu situé dans la zone neutre si la rondelle a été transportée de l'autre côté de la ligne bleue par le joueur attaquant ;

- à l'endroit d'où provenait la passe ou le lancer quand la rondelle a été passée ou lancée de l'autre côté de la ligne bleue par un joueur attaquant ;

- à l'un des deux points de mise en jeu situés dans la zone défensive de l'équipe fautive, si l'arbitre ou le juge de lignes décide qu'un joueur a intentionnellement causé un hors-jeu.

L'année 2010, l'année du changement

En mars 2009, une grande nouvelle prend tous les amateurs de hockey par surprise. Bon Gainey, qui est alors l'entraîneur-chef des Canadiens de Montréal, décide de congédier Guy Carbonneau, son entraîneur-chef et grand chouchou des amateurs québécois. La nouvelle est d'autant plus étonnante qu'elle ne survient que quelques semaines avant le début des séries éliminatoires. Carbonneau sera éventuellement remplacé par Jacques Martin. Partout, les analystes, commentateurs et amateurs y vont de leur propre interprétation et des rumeurs commencent à circuler selon lesquelles Guy n'était pas apprécié de certains joueurs et l'ambiance au vestiaire était assez tendue. Quoi qu'il en soit, cette bombe n'aide en rien les Glorieux qui s'effondrent et se font éliminer en 4 matchs lors des quarts

de finale contre les Bruins de Boston. L'été apporte également son apport de surprises tandis que les Canadiens perdent de grands noms au sein de l'équipe : Kovalev, Koivu, Komisarek font partie des joueurs qui quittent la ville. On assiste alors à l'arrivée des Gionta, Cammalleri et Gomez pour donner un nouveau souffle aux Glorieux, qui participeront de peine et de misère aux séries éliminatoires de 2010. En février 2010, Pierre Boivin, le président du club de hockey les Canadiens de Montréal, annonce la démission du directeur-gérant Bob Gainey. Les amateurs doivent alors faire face à une équipe complètement remodelée et renouvelée, ce qui a quelque peu ébranlé la fièvre des partisans. Quelle que soit l'issue des séries (inconnue au moment de mettre sous presse), espérons que nos joueurs seront raviver la flamme des partisans et les impressionner autant que l'équipe olympique masculine et féminine canadienne !

Go Habs Go !

Sujet connexe : garçons

Homosexualité

ORIENTATION SEXUELLE

Un jour ou l'autre dans sa vie, presque tout le monde se questionnera à propos de son orientation sexuelle. Pour certains, la réponse viendra très rapidement; pour d'autres, elle exigera un examen de conscience plus profond.

Après ce questionnement, il est possible qu'on découvre qu'on est plus attiré par les gens du même sexe que par ceux du sexe opposé.

Est-ce que je suis homosexuelle ?

Chose certaine, s'avouer qu'on est homosexuelle est difficile. On se dit que ça serait tellement plus simple d'être comme la majorité des gens. On a peur de ce que les autres vont penser. On craint l'homophobie qui existe autour de nous. On a peur de décevoir notre entourage. De plus, on a souvent beaucoup d'idées préconçues sur le sujet. Bien que l'homosexualité existe dans toutes les sociétés depuis le début des temps, il reste que certains tabous perdurent encore.

Essayons de démystifier un peu les choses.

Comprendre l'homosexualité

Plusieurs études sérieuses tendent à démontrer que nous avons notre propre orientation sexuelle dès la naissance et que cette orientation n'a rien à voir avec l'éducation que nous avons reçue ou l'environnement dans lequel nous avons grandi. Ce n'est donc pas un choix. Ce qui constitue un choix, c'est de l'accepter et de la vivre. L'homosexualité ne se résume pas seulement à des rapports sexuels entre deux personnes du même sexe. C'est beaucoup plus. Ça implique des sentiments de même que des préférences affectives et sexuelles. Ce n'est pas une maladie, un caprice, un vice ou une perversion; c'est une orientation sexuelle. D'ailleurs, l'homosexualité est également présente chez plusieurs centaines d'espèces animales et particulièrement chez les mammifères, dont nous faisons partie.

Hétéro, homo ou bi ?

Tout n'est pas blanc, tout n'est pas noir; il y a des zones grises. Dans les trois cas, il se peut qu'on sache très bien où l'on se situe sans même avoir

eu d'expériences. Dans d'autres cas, nous aurons besoin de faire des essais pour savoir ce qu'il en est. D'ailleurs, à l'adolescence, il arrive fréquemment que l'on se sente attiré par quelqu'un du même sexe que soi; ça ne veut pas dire qu'on est homosexuel. Il n'y a qu'un petit nombre d'adolescents qui se révéleront vraiment gais ou lesbiennes. Le plus important restera d'essayer d'être le plus franc possible envers soimême. Il n'y a pas de honte à découvrir qu'on est attiré par quelqu'un du même sexe que soi. Il est possible que vous soyez attirée autant par des gars que par des filles; c'est ce qu'on appelle la bisexualité. Ce qui est le plus difficile dans ce cas, c'est de trouver son équilibre intérieur. La bisexualité est parfois une transition entre l'hétérosexualité et l'homosexualité, mais, chez certaines personnes, il s'agit bel et bien d'une façon d'être. Cela dit, ce n'est pas parce qu'on a une relation sexuelle avec quelqu'un du même sexe qu'on est automatiquement homosexuel ou bisexuel; c'est la répétition des rapports qui confirmera notre orientation.

Pourquoi moi ?

Découvrir son homosexualité, l'accepter et l'assumer est loin d'être facile; il faut le voir comme une démarche progressive. On note six étapes importantes : la confusion, la comparaison, la tolérance envers son orientation, l'acceptation, la fierté et, finalement, la synthèse de sa personnalité. Gros travail ! Mais franchir ces étapes nous procure un sentiment de libération incroyable et nous permet enfin de se sentir bien dans notre peau.

Allô ?
Il y a quelqu'un ?

L'isolement est le problème numéro un des jeunes qui se découvrent homosexuels. On a l'impression que personne ne peut comprendre, que tout le monde va nous juger et que plus personne ne va nous aimer. Cet isolement peut mener à des problèmes graves si on ne se sent pas entouré et appuyé. Le suicide est la première cause de mortalité chez les jeunes homosexuels. Il ne faut pas en arriver là ! C'est certain qu'il y a au moins une personne à qui on peut se confier. C'est important de le faire. Si ce n'est pas à un ou une amie, il faut consulter des intervenants ou des professionnels, mais il ne faut pas vivre seul avec ce lourd secret.

Oui, je suis là !

Si un ou une de vos amis vient se confier à vous, soyez à l'écoute. C'est vraiment difficile de révéler ce genre de chose; on a l'impression qu'une bombe va exploser. Si cette personne vous a choisie, c'est que vous comptez beaucoup à ses yeux, alors considérez cette confidence comme une marque d'affection. Il faut l'aider à s'exprimer et lui expliquer que ce n'est pas la fin du monde; bien au contraire, c'est le début de la libération. C'est le meilleur moment pour jouer votre rôle d'amie à 100 %.

Le coming-out

Personne ne peut nous obliger à parler de notre orientation sexuelle. Peu importe notre situation, on est libre de dévoiler ou non son homosexualité. Par contre, même si en parler est une chose difficile à faire, c'est aussi un des gestes les plus libérateurs qui soient. Dans le cas où l'on décide de le faire pour notre intégrité et pour notre bonheur, il faut agir avec jugement et prudence. Puisqu'on ne sait pas comment les autres vont réagir à la nouvelle, il est important d'être prêt à le faire et de choisir la bonne personne à qui se confier. Il faut essayer de le faire calmement. S'ensuivra un grand sentiment de légèreté ! Voici quelques trucs pour s'assurer du meilleur déroulement possible pour notre coming-out.

Réfléchir à ce que l'on aimerait dire et à comment on aimerait le dire.

Il est plus facile d'en parler d'abord à un ou une amie qu'avec un membre de sa famille.

Prendre le temps de choisir le bon moment pour l'annoncer. Il est important que le climat soit le plus détendu possible et qu'on sente que la ou les personnes écoutent vraiment.

Si on a une sœur ou un frère compréhensif, on peut lui en parler et lui demander son aide pour l'annoncer aux parents.

Écrire une lettre est une autre façon de procéder. Cela permet de s'exprimer plus facilement, avec plus de précision et sans être interrompu.

Finalement, il faut se rappeler qu'une orientation sexuelle ne se change pas. L'acceptation de celle-ci est aussi l'acceptation de qui on est. S'accepter, c'est s'estimer à sa juste valeur ! D'ailleurs, l'estime de soi représente une des clés importantes pour accéder au bonheur et à l'épanouissement. On n'a qu'une vie à vivre, aussi bien la vivre heureux !

Sujets connexes : droits humain, sexualité, respect

UNE ATTITUDE À ADOPTER

**L'honnêteté ne se définit pas
seulement par la capacité
de dire la vérité aux autres.**

Être honnête, c'est aussi une attitude qu'on adopte et qui nous pousse à agir de façon loyale et juste, c'est-à-dire à ne pas aller à l'encontre des lois et à éviter de blesser les gens qui nous entourent. Par exemple, c'est l'honnêteté qui nous incite à ne pas tricher, voler ou trahir sans avoir mauvaise conscience. Quelqu'un d'honnête, c'est quelqu'un qui fera tout ce qui est en son pouvoir pour regarder la réalité en face et qui aura le souci de ne pas tromper les autres ou de ne pas leur manquer de respect.

Quand on est honnête, les gens ont inévitablement tendance à nous faire confiance. Par exemple, si vous dites la vérité à vos parents au sujet de vos activités ou d'une sortie que vous prévoyez faire, et qu'ils savent qu'ils peuvent compter sur vous parce que vous ne leur mentez jamais, ils seront davantage portés à vous faire confiance et à vous accorder une plus grande liberté, car ils savent per-

tinemment qu'ils n'ont pas de souci à se faire. Certains professeurs font aussi aveuglément confiance à leurs élèves et ne restent pas nécessairement postés devant la classe tout au long des examens pour s'assurer que personne ne triche. Ils préfèrent se fier à l'honnêteté des élèves. Ces derniers ont malheureusement parfois tendance à abuser de cette confiance et à se chuchoter les réponses dès que le professeur a le dos tourné. L'honnêteté est en effet un exercice de contrôle et de respect de soi et des autres ; c'est une qualité qui se travaille et se développe avec le temps. Par conséquent, même si vous avez commis des erreurs de jugement dans le passé, il n'est jamais trop tard pour vous reprendre et pour devenir plus honnête.

Si, par exemple, vous vous rappelez que vous avez volé un jujube au dépanneur quand vous étiez petite, il ne sert à rien de vous ronger les sangs pour le reste de votre vie. Le simple fait d'avoir des remords vous prouve que vous êtes au fond quelqu'un d'honnête et que vous n'approuvez pas votre comportement. Il ne

vous reste plus qu'à apprendre de vos erreurs et à ne plus jamais voler dans les dépanneurs. L'être humain est loin d'être parfait, et il doit parfois apprendre de ses erreurs pour s'améliorer et devenir une meil-leure personne, alors ne croyez pas que vous êtes un monstre parce qu'il vous est déjà arrivé de manquer de jugement !

Par ailleurs, l'honnêteté commence par soi-même. On doit apprendre à être honnête envers soi et à être capable de voir la réalité en face pour pouvoir être véritablement honnête dans les autres sphères de sa vie. Ce travail demande beaucoup de force intérieure et d'humilité, car on doit en quelque sorte faire face à ses « démons » et s'accepter telle qu'on est tout en assumant ses défauts et les erreurs qu'on a commises dans le passé afin de chercher à s'améliorer. L'hon-nêteté, c'est savoir assumer ses responsabilités, ses actes et ses fautes plutôt que de chercher à justifier son comportement à l'aide d'excuses futiles. Ce n'est pas parce que quelqu'un commet une erreur que vous devez suivre son exemple ; donc, l'erreur d'un autre n'excuse en rien le fait que vous ayez manqué de jugement. Vous pouvez toutefois être honnête et admettre que vous êtes trop influençable, mais que vous cherchez à vous améliorer. L'honnêteté, ce n'est pas seulement la capacité de ne pas agir contre la morale ou de ne pas tromper les autres ; c'est aussi la capacité de vous assumer telle que vous êtes, avec vos défauts et vos qualités, et d'admettre

vos faiblesses. Pour ce faire, vous devez faire preuve de beaucoup d'humilité et laisser tomber l'orgueil mal placé et les excès de fierté. Il faut apprendre à vous connaître plutôt que de vous dissimuler derrière un masque. La vraie personne en vous est bien plus authentique et bien plus sensible que vous ne le croyez. C'est donc en apprenant à être honnête envers vous-même que vous pourrez être plus sincère envers les autres et gagner leur confiance. C'est d'ailleurs ce sentiment de confiance et de bien-être qui vous fera sentir bien dans votre peau, alors l'effort en vaut certainement la peine !

Sujets connexes : valeurs, repect

SENTIMENT QUI PEUT ÊTRE VIOLENT

Avez-vous déjà eu l'impression de crouler sous l'effet de la honte ?
Vous vous sentez devenir rouge comme une tomate, vos yeux
sont rivés au sol, vos épaules s'affaissent et vous avez
même les larmes aux yeux.

La honte est un sentiment qui peut être violent et nous placer dans un grand embarras. Rassurez-vous : bien souvent, il n'y a pas de quoi en faire tout un plat !

Dans la vie, il nous arrive parfois d'éprouver de la honte, et ce, pour toutes sortes de raisons. Parfois, on réalise qu'on a commis une erreur et on regrette amèrement ce qu'on a fait. On est alors ravagée par la honte et par les remords. Si vous avez triché, menti ou désobéi, bref, si vous savez que vous n'avez pas agi correctement, il est fort possible que vous ayez honte de vos actes et que vous ayez de la difficulté à marcher la tête haute et à faire face à la réalité.

On peut cependant éprouver de la honte dans des circonstances tout autres. Si vous vous retrouvez dans une situation gênante, par exemple si vous pétez devant la classe, si votre jupe reste coincée et que tout le monde voit votre petite culotte, si vous apprenez que le garçon dont vous êtes amoureuse est au courant de vos sentiments, il se peut fort bien que vous vous sentiez envahie par la honte et que vous ayez envie de disparaître de la surface de la planète.

La honte survient lorsqu'on a peur du ridicule, lorsqu'on appréhende le regard et le jugement des autres. C'est un sentiment qui nous pousse à vouloir nous enfoncer six pieds sous terre ou à cesser de respirer durant plusieurs heures.

Le sentiment de honte est intimement lié à un manque d'estime de soi, à la peur de ne pas être à la hauteur et de ne pas répondre aux attentes que les autres pourraient entretenir envers nous. Vous pouvez par exemple vous sentir honteuse parce que vous n'avez pas énormément d'expérience avec les garçons, parce que vous n'avez jamais été embrassée, parce que vous n'avez jamais bu d'alcool ou parce que vous n'avez jamais consommé de drogue. Dans ce cas, la honte que vous ressentez provient de l'impression de manquer d'expérience par rap-

port aux autres filles qui, elles, ont vécu plein de choses. Par conséquent, vous vous sentez nulle, ou même attardée. Un peu de patience !

Qu'importe si vous n'avez jamais couché avec un garçon ou si vous n'avez jamais été rebelle ! Vous êtes telle que vous êtes. L'important, c'est d'être intègre et de vous assumer en tant que fille responsable. Vous n'avez pas à avoir honte de ne pas avoir franchi d'étapes que vous n'êtes pas prête à traverser ou de ne pas avoir vécu certaines expériences si elles ne se sont pas encore présentées à vous, ou encore, si vous n'en avez carrément pas envie. Chacune évolue à son propre rythme. N'ayez surtout pas honte de ce que vous êtes, car tous ces complexes et cette hantise d'être nulle ne font de tort qu'à vous-même. C'est à vous de changer votre perception des choses. Je sais qu'on a parfois honte de ce qu'on fait ou qu'on est terrifiée par le regard des autres quand on se retrouve dans une situation gênante, mais mieux vaut garder la tête haute et assumer ses erreurs que de s'enfermer dans sa coquille et de nourrir sa

propre vulnérabilité. Même les filles les plus cool commettent parfois des erreurs et sont ravagées par la honte. Tout le monde fait face au ridicule. Apprenez à vous relever lorsque vous faites une chute, à marcher la tête haute après avoir vécu une situation embarrassante et à ne pas accorder autant d'importance au regard et à l'opinion des autres. Je vous assure que tout ira mieux. Vous réaliserez alors que le problème est principalement dans votre tête et que, lorsque vous acceptez vos erreurs, que vous riez de vous-même et que vous faites face au ridicule et aux situations embarrassantes, personne ne peut véritablement se moquer de vous. L'indifférence et le rire sont de bons moyens pour surmonter le ridicule. La honte fait partie de la vie, et vous devez vous en servir pour former votre caractère et devenir plus forte. Alors, soyez courageuse et gardez la tête haute !

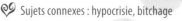 Sujets connexes : hypocrisie, bitchage

Il existe plusieurs types d'humour : l'humour léger et facile, l'humour plus subtil, l'humour sarcastique ou l'humour noir, où on se moque de situations qui sont souvent loin d'être drôles.

L'humour n'est pas une aptitude innée chez tous les individus. Il s'agit plutôt d'une qualité ou d'un trait de caractère qui peut parfois se développer avec le temps, ou d'un talent particulier qu'ont certaines personnes et qui leur permet à l'occasion de devenir le centre d'attraction.

Je suis sûre que certaines de vos amies vous font pleurer de rire tous les jours avec leurs blagues, ou qu'elles sont capables de vous faire sourire grâce à leur ton humoristique et à leur joie de vivre. Cela ne veut pas dire que les gens qui ont moins d'humour sont moins heureux

dans la vie ; cela signifie simplement que, pour certains, l'humour est plus naturel que pour d'autres.

L'humour, est-ce que ça s'apprend ?

Si vous trouvez que votre sens de l'humour n'est pas assez développé, dites-vous qu'il n'est jamais trop tard pour changer. Il vous suffit d'être un peu plus réceptive à l'humour des autres et de faire un effort pour en comprendre les subtilités tout en gardant le sourire. L'important, c'est d'adopter une attitude positive et d'apprendre à rigoler de n'importe quelle situation, même quand les événements vous semblent tragiques. Par exemple, si vous avez une peine d'amour ou que vous perdez votre portefeuille dans l'autobus, vous n'aurez certainement pas le cœur à la fête, mais vous devez faire un effort pour en rire, car votre désespoir ne changera rien à la situation.

L'humour n'est donc pas simplement relié aux blagues et au rire ; c'est aussi une philosophie de vie et une façon de réagir aux situations qui se présentent devant vous et aux imprévus. Il vous permet de prendre les choses avec un grain de sel sans dramatiser et d'adopter une attitude plus positive dans la vie.

Pour développer votre sens de l'humour, vous devez également apprendre à rire de vous-même et à vous accepter telle que vous êtes. Par exemple, si vous êtes distraite ou lunatique, il n'est pas surprenant que vous perdiez sans cesse vos effets personnels. Il faut donc apprendre à vous accepter et à rire de votre étourderie plutôt que de faire un drame chaque fois que vous égarez votre stylo. C'est une meilleure façon de faire face aux difficultés et d'affronter les obstacles qui se dressent devant vous.

De mauvaises blagues

L'humour n'est pas toujours drôle, et vous devez veiller à ne pas blesser les gens qui vous entourent quand vous décidez de faire le clown. Si quelqu'un fait une blague qui manque de délicatesse, dites-le-lui pour qu'il s'en rende compte et qu'il ne recommence plus. Si vous avez vous-même tendance à faire des blagues qui choquent les gens, essayez de vous limiter au répertoire des blagues un peu plus légères qui feront rigoler les autres sans les blesser inutilement. Chaque individu possède son propre degré de sensibilité, et ce qui vous semble anodin peut paraître énorme aux yeux d'autrui. Par conséquent, faites preuve de jugement et optez pour la simplicité et la diplomatie plutôt que pour les blagues méchantes et un peu trop lourdes.

Il ne faut toutefois pas être trop susceptible lorsque quelqu'un fait une blague. Si vous jugez que son humour est vraiment déplacé et de mauvais goût, vous pouvez le lui faire savoir, mais si vous avez tendance à vous mettre dans tous vos états pour un rien et à ne jamais rire quand les autres font des blagues, c'est peut-être à vous de faire un effort pour être plus positive et pour sourire un peu plus. L'humour sert à vous détendre et à prendre la vie avec un grain de sel. Il peut parfois vous arriver d'être de mauvaise humeur ou de traverser des moments difficiles, mais rappelez-vous qu'il vaut toujours mieux en rire qu'en pleurer, et que le fait d'être positive et de sourire vous donnera confiance en vous et saura attirer l'attention des gens qui vous entourent.

♡ Sujet connexe : bonne humeur

Hypocrisie

GESTES COMPLÈTEMENT OPPOSÉS À CE QU'ON PENSE

L'hypocrisie est une attitude commune dans la société, particulièrement entre filles.

Une personne hypocrite cherchera par exemple à faire semblant d'en aimer une autre alors qu'en fait, elle ne peut la supporter et déblatère sans cesse à son sujet. On fait donc preuve d'hypocrisie quand nos gestes sont complètement opposés à ce qu'on pense, et quand on joue la comédie et qu'on prétend aimer ou apprécier quelqu'un ou quelque chose alors que ce n'est pas vrai du tout.

Au cours de l'adolescence, l'hypocrisie est un phénomène commun. Une fille peut sourire à une camarade et lui faire des compliments sur sa coupe de cheveux, mais se mettre à « bitcher » contre elle dès qu'elle a le dos tourné.

Je sais que cette attitude est révoltante, et que c'est terriblement blessant d'avoir affaire à une personne hypocrite, puisqu'on se sent trahie et horriblement naïve. Il s'agit d'une tromperie et d'une mise en scène montée de toutes pièces pour nous faire croire qu'on nous apprécie. Au fond, on préférerait qu'on nous dise la vérité en face. Si vous n'êtes pas capable de blairer quelqu'un, pourquoi faire semblant de l'apprécier et aller parler dans son dos par la suite ? C'est normal de ne pas aimer tout le monde, mais vous pourriez simplement vous efforcer de limiter vos contacts avec cette personne sans vous montrer blessante à son endroit ni prétendre être son amie.

Bref, mieux vaut opter pour la franchise, l'honnêteté et la sincérité que de jouer la comédie et de se mentir à soi-même. Cela ne veut pas

dire que vous deviez être blessante. Par exemple, si vous n'aimez pas la nouvelle coupe de cheveux de votre amie, vous n'êtes pas obligée de lui dire que c'est super pour ensuite rire d'elle dans son dos. Vous n'avez pas non plus à aller la voir pour lui dire que vous trouvez sa coiffure horrible. La meilleure solution, c'est de faire preuve de tact. Gardez vos remarques et vos pensées mesquines pour vous-même, et si elle vous demande sincèrement ce que vous en pensez, vous pouvez simplement lui dire que ça fait changement et que vous avez besoin d'un peu de temps pour vous y faire !

En fait, il existe toutes sortes de façons d'être hypocrite. Quand une fille ne cesse de dire des méchancetés au sujet d'une autre fille, mais qu'elle se comporte comme si elle était sa meilleure amie lorsqu'elle est en sa présence, il s'agit d'hypocrisie pure et simple. Cette attitude mesquine risque de blesser profondément les gens concernés. Il ne faut toutefois pas condamner toutes les formes d'hypocrisie. Parfois, on est obligée de jouer la comédie pour faire preuve de politesse et de savoir-vivre. Si vous n'êtes pas capable de supporter les parents de votre petit ami, vous n'irez certainement pas le lui dire et vous voudrez éviter d'être désagréable en leur présence. Vous êtes obligée de rester souriante et de faire semblant de les apprécier pour faire preuve de politesse. On peut aussi être hypocrite pour éviter de blesser les gens. Si votre tante peint sa maison d'une couleur que vous trouvez sincèrement affreuse, vous ne voudrez peut-être pas le lui dire en plein visage de peur de lui faire de la peine. De plus, on doit parfois avoir recours à l'hypocrisie pour respecter la bienséance. Si vous êtes dans une soirée et que vous êtes en colère contre une personne, il vaut parfois mieux faire semblant de rien pour éviter de faire une scène devant tout le monde et de ruiner la fête. On doit alors jouer la comédie jusqu'à ce qu'on se retrouve en tête-à-tête avec cette personne et qu'on puisse lui expliquer les raisons de notre mécontentement.

Bref, bien qu'elle soit parfois nécessaire, l'hypocrisie est généralement une attitude lâche qui ne cause que des ennuis. On se méfie souvent des gens hypocrites, car on sait qu'ils risquent de nous trahir à tout moment. On ne peut pas se fier à ce qu'ils disent ou à ce qu'ils font, car on ne sait jamais vraiment ce qu'ils pensent. Il s'agit par ailleurs souvent d'une attitude d'autodéfense que des gens vont adopter pour se protéger et éviter que les autres ne s'attaquent à eux. Quoi qu'il en soit, nous avons toutes été hypocrites à un moment ou à un autre de notre vie, et je suis certaine que l'expérience ne vous a pas rendue très fière de vous. Sans être blessante ou trop directe, mieux vaut être franche et honnête envers les gens. Efforcez-vous de limiter vos contacts avec les personnes que vous ne pouvez pas supporter plutôt que de jouer la comédie. Cela évitera bien des histoires et des malentendus !

♡ Sujet connexe : honte

Identité

L'identité, ce sont les traits de personnalité et de caractère qui nous distinguent des autres.

En gros, ce sont les qualités et les défauts qui forment notre caractère et qui rendent chacune de nous si unique.

Divers facteurs façonnent notre identité : l'expérience, le bagage personnel, l'environnement social et familial, les gens qui nous entourent, la façon dont nous avons été élevées, nos amis, la société dans laquelle nous évoluons, etc.

À l'adolescence, le concept d'identité est toutefois assez ambigu. Vous êtes déchirée entre la petite fille que vous étiez et la femme que vous êtes en train de devenir. Vous êtes encore en train de cerner qui vous êtes et, la plupart du temps, vous ne comprenez même pas vos propres réactions. Comme vous êtes en train de changer et de former votre caractère, vous n'avez pas eu le temps de vous habituer à votre personnalité, ni de bien saisir qui vous êtes et ce qui vous arrive. Certes, les gens autour de vous sont capables de vous dire comment ils vous perçoivent, mais, généralement, vous ne comprenez pas vraiment pourquoi ils vous voient ainsi. Vous êtes donc déchirée entre la façon dont les autres vous voient, l'image que vous projetez en public, les attentes des gens autour de vous et la jeune femme que vous souhaitez devenir. Il n'est pas facile d'y voir clair et de bien comprendre qui vous êtes et ce qui vous distingue des autres, mais prenez votre mal en patience, car l'identité se développe tout au long de votre vie, et vous êtes en train de traverser une période de changements majeurs qui aura une influence importante sur la femme que vous deviendrez.

Il y a diverses façons d'apprendre à se connaître davantage. Lorsqu'une amie vous décrit ou vous explique de quelle façon elle vous perçoit, n'hésitez pas à lui demander pourquoi elle vous voit ainsi afin de mieux comprendre. Par exemple, vous vous considérez peut-être comme une fille extrêmement sensible, alors que votre amie s'entête à vous dire que vous êtes l'une des personnes les plus fortes et les plus fonceuses qu'elle connaisse. Cela peut vous permettre de constater que lorsque vous êtes en présence des autres, vous adoptez une attitude de dure à cuire pour vous protéger ou pour cacher cette sensibilité. On peut donc apprendre à se connaître par le regard des autres (sans toutefois se laisser leurrer par leur vision), et surtout par la perception des gens qui nous connaissent le mieux.

De plus, les expériences que vous vivez, que ce soient les crises que vous traversez ou les aventures incroyables dans lesquelles vous vous lancez, sont toutes susceptibles de forger votre identité. Nous apprenons toujours de nos expériences, et surtout des erreurs que nous commettons. C'est pour cette raison qu'il ne faut pas trop dramatiser lorsque nous traversons une période difficile ; même si nous sentons que la vie n'a plus aucun sens et que nous sommes complètement découragées, ce sentiment de vulnérabilité temporaire nous pousse à devenir plus fortes et à travailler sur nous-mêmes. C'est souvent dans les moments de grande détresse personnelle que nous faisons le plus d'introspection et que nous apprenons le plus sur nous-mêmes.

Si ce que je vous raconte vous semble étrange et que vous ne comprenez toujours pas « qui vous êtes », ne vous arrachez pas les cheveux. Je me souviens qu'à 14 ans, quand je lisais une revue et qu'on me conseillait d'être fidèle à mes principes et à moi-même, j'avais de la difficulté à comprendre car je ne savais pas encore vraiment qui j'étais. Plus de 10 ans plus tard, je sens qu'il me reste encore beaucoup de chemin à faire pour bien saisir qui je suis et ce que je vis. Par conséquent, ne vous découragez pas. L'identité se forme au fil des années, et vous apprendrez énormément des expériences que vous vivrez, des connaissances que vous acquerrez, du milieu dans lequel vous évoluerez et des gens que vous côtoierez, alors, prenez une chose à la fois ! Même les erreurs que vous commettrez vous permettront d'apprendre et d'agir différemment dans l'avenir.

Pour bien apprendre à vous connaître, soyez donc à l'écoute des gens qui vous aiment et efforcez-vous d'être honnête avec vous-même. Si vous savez que vous êtes têtue, assumez-vous, c'est ce qui forme votre caractère ! On peut corriger ses défauts et même les faire disparaître avec le temps, mais dites-vous que ce sont eux aussi qui vous rendent humaine ! De plus, ne vous laissez pas influencer par la pression ou le regard des autres et des gens que vous trouvez cool. Apprenez à fixer vous-même vos limites et à établir ce qui vous plaît et ce qui ne vous plaît pas. Trouvez votre propre style et assumez-vous telle que vous êtes, car c'est votre assurance et votre confiance qui feront de vous une meilleure personne. Ne laissez personne vous forcer la main si vous ne vous sentez pas à l'aise. C'est dans ces moments-là que vous devez prendre conscience de ce que vous êtes. Au fond, vous êtes la petite voix intérieure qui s'exprime et que vous refusez trop souvent d'écouter. Laissez-lui sa place.

Tâchez aussi de vous entourer de gens avec qui vous vous sentez bien et qui vous font grandir, plutôt que de traîner avec ceux qui vous rabaissent et qui ne vous respectent pas telle que vous êtes. Pour le reste, je vous assure que le temps fera son œuvre. Peu à peu, vous y verrez plus clair dans cette histoire d'identité et vous pourrez vous comprendre et vous décrire avec plus de certitude et de précision.

Sujet connexe : culture

MALADIES INFECTIEUSES

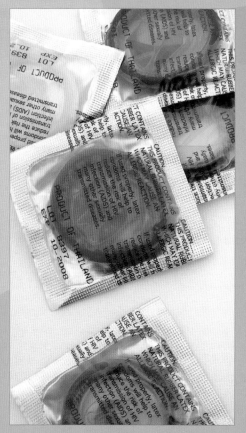

Les infections transmises sexuellement (ITS) – ou infections sexuellement transmissibles – sont des maladies infectieuses qui peuvent être contractées lors des rapports sexuels oraux, vaginaux ou anaux, que ce soit par le contact des muqueuses, de la peau, du sang ou d'autres fluides corporels.

En fait, vous pouvez attraper une ITS sans même qu'il y ait de pénétration. Un simple contact entre les muqueuses et fluides corporels peut transmettre les germes d'une infection. Par exemple, le garçon sécrète du liquide avant d'éjaculer, au même titre qu'une fille produit des sécrétions vaginales qui peuvent infecter le garçon. D'autres infections se transmettent quant à elles par le sang, comme l'hépatite B et le sida.

Les principales ITS

On entend souvent parler du sida et du VIH à cause des conséquences désolantes qu'ils en-traînent, mais sachez qu'il existe beaucoup d'autres types de ITS très communes chez les jeunes filles de votre âge. L'herpès génital, les condylomes, la chlamydia, la gonorrhée et la sy-philis sont des infections assez répandues. La plupart de ces maladies peuvent être soignées ra-pidement par la prise de médicaments. Cependant, l'herpès génital (tout comme l'herpès buccal, autrement dit, les « feux sauvages ») est incurable et se manifeste sous forme d'éruptions cutanées tout au long de la vie. Pour ce qui est du sida, il n'existe à l'heure actuelle aucune façon de guérir l'infection, mais les chercheurs ont développé des façons de limiter ses effets sur le système im-munitaire.

Le condom à tout prix !

Il n'existe pas des milliers de façons de prévenir les ITS. Le port du condom est dans la plupart des cas la solution pour éviter les mauvaises surprises. Vous devez toutefois être très prudente durant les préliminaires; évitez les contacts entre les muqueuses des organes génitaux si votre partenaire n'a pas encore enfilé le condom. Comme je vous le disais plus tôt, bien que les ris-ques soient moins élevés, un simple contact peut suffire pour transmettre une infection. Ne vous laissez surtout pas convaincre par un garçon qui insiste pour ne pas mettre de préservatif sous prétexte qu'il n'aime pas cela, que ça l'empêche d'éprouver des sensations ou qu'il est persuadé de n'avoir aucune infection. Avant de laisser tomber le préservatif et de faire confiance à l'autre, vous devez d'abord passer tous les deux un test de dépistage pour vous assurer d'être bien en santé. Et puis, pensez-y : si ce garçon vous sert ces prétextes, c'est certainement qu'il les a servis à d'autres filles, alors ça ne vaut pas la peine de prendre des risques inutiles et de jouer avec votre santé pour un garçon en qui vous n'avez pas totalement confiance. Sachez par ailleurs que plusieurs garçons ne ressentent aucun symptôme lorsqu'ils contractent une ITS, mais peuvent tout de même la transmettre à leurs partenaires. Il est donc conseillé de passer un test de dépistage de temps à autre pour vous assurer que tout va bien et que vous êtes bel et bien en santé.

Les symptômes

Dans la plupart des cas, les filles atteintes d'une ITS ont des pertes vaginales plus abondantes que d'habitude. Ces pertes sentent souvent très mauvais et peuvent être jaunâtres ou même verdâtres. Si vous ressentez des brûlures en urinant, une sensation de brûlure ou de picotement au vagin, des douleurs dans le bas-ventre (qui ne sont pas dues à vos règles !) ou si vous constatez des lésions sur vos organes génitaux (petits boutons, plaies, irritation), consultez immédiatement votre médecin. Il est important d'agir rapidement lorsque vous contractez une ITS, car bien que les conséquences à court terme ne soient pas dramatiques, une infection non traitée peut avoir des conséquences très graves à long terme (elle peut entraîner la stérilité, par exemple).

Si vous contractez une ITS, n'en ayez surtout pas honte. Je sais que c'est un peu tabou et que ça peut même vous dégoûter d'entendre toutes ces histoires de maladies, mais sachez que c'est assez commun chez les jeunes. Il ne suffit parfois que d'une simple malchance pour attraper une ITS, d'où l'importance de vous montrer extrêmement prudente lors de vos rapports sexuels. Attendez avant de faire aveuglément confiance à votre partenaire et soyez

responsable. Je vous assure que vous ne le regretterez pas.

Avoir une ITS ne signifie pas qu'on soit malpropre. Si vous apprenez qu'une amie souffre ou a souffert d'une ITS, ne la jugez pas trop vite. Ce sont des choses qui peuvent arriver à n'importe qui. Il est important d'être là pour elle et de lui faire comprendre qu'il n'y a pas de honte à cela. Ne devenez pas parano : vous ne contracterez pas son infection en la touchant ou en lui faisant un câlin ! Vous pouvez par ailleurs l'encourager à faire plus attention la prochaine fois et à utiliser le condom lors de ses rapports sexuels. Quant à vous, servez-vous de cette mauvaise expérience comme d'une leçon : les ITS peuvent frapper n'importe qui et elles n'arrivent pas qu'aux autres. Utilisez un condom, et ce, même avant la pénétration. Il ne faut pas non plus devenir psychotique en ce qui concerne les lieux publics. On n'attrape pas une ITS en frôlant les gens ou en essayant une chemise dans un magasin. Évitez toutefois de vous asseoir directement sur le siège des toilettes publiques et d'essayer des sous-vêtements sans garder les vôtres; bref, évitez les contacts entre les germes et vos organes génitaux, mais, pour le reste, ne vous inquiétez pas : les ITS ne sont pas transmissibles par la voie des airs et ne vous attaqueront pas comme des moustiques ! En d'autres mots, soyez prudente et responsable, et n'hésitez pas à vous informer auprès de l'infirmière de l'école, d'un CLSC, de votre médecin ou sur Internet si vous avez des doutes ou des questions concernant les ITS. Pour de plus amples renseignements, consultez le tableau qui suit pour connaître les symptômes particuliers, les conséquences et les traitements adéquats de chacune des principales ITS.

Sujets connexes : sexualité, contraception

	Symptômes	Mode(s) de transmission	Principales complications	Diagnostic	Traitement	Comment diminuer les risques de contamination
Herpès génital	Inexistants ou démangeaisons, brûlures, petits boutons, plaies au niveau des organes génitaux et gonflement des ganglions de l'aine.	- Par voie sexuelle, mais de simples contacts entre les muqueuses, sans pénétration, suffisent. - De la mère à l'enfant pendant l'accouchement. - Par le baiser (on parle ici d'herpès buccal).	- Impact psychologique important en raison de la chronicité de la maladie (anxiété, dépression, perte de confiance en soi…). - Conséquences graves pour le nouveau-né.	- Culture après prélèvement local. - Prise de sang dans certains cas.	Antiviraux pour diminuer la contagiosité, pour réduire la douleur, la durée et la fréquence des crises.	- Pendant les éruptions : préservatif et traitement antiviral. - En dehors des éruptions : préservatif et traitement antiviral (si éruptions fréquentes).
Gonorrhée	Parfois inexistants ou : - chez la femme, pertes blanches, inflammation du col ou du vagin, douleurs au bas-ventre; - chez l'homme, brûlures importantes lors de la miction, écoulement de pus à l'extrémité du pénis.	- Par voie sexuelle, transmissible même sans manifestations physiques. - De la mère à l'enfant.	- Risques de stérilité chez la femme comme chez l'homme. - Complications oculaires chez le nouveau-né. - Salpingite. - Infection des trompes.	Prélèvement local.	Antibiotiques.	Préservatif.
Syphilis	Petite lésion (chancre) non douloureuse sur le vagin, le gland, la marge anale, le rectum, la bouche ou dans la gorge.	- Par voie sexuelle. - De la mère à l'enfant.	- Syphilis secondaire en cas d'absence de traitement du chancre. - Apparition de petites taches roses sur le torse et les bras. - Évolution grave vers la syphilis tertiaire si non traitée.	Examen sanguin possible, car passage du microbe dans le sang.	Antibiotiques.	Préservatif.
Condylomes	Excroissances ressemblant à des verrues sur les organes génitaux et sur l'anus. Parfois non visibles à l'œil nu et non douloureuses, isolées ou groupées.	- Par voie sexuelle. - De la mère à l'enfant.	- Chez la femme : cancer du col de l'utérus.	- Observation des excroissances. - Test à l'acide acétique. - Frottis du col. - Biopsie cutanée.	Traitement local par un spécialiste : suppression par azote liquide, par laser au CO_2 ou par électro-coagulation.	- Préservatif tant que la contagion persiste. Surveillance prolongée afin de dépister une récidive.

	Symptômes	Mode(s) de transmission	Principales complications	Diagnostic	Traitement	Comment diminuer les risques de contamination
Trichomonase	Démangeaisons, brûlures au niveau de la vulve et du vagin, pertes jaunâtres malodorantes.	Par voie sexuelle.	Infection sans gravité.	Prélèvement local.	Traitement antibiotique.	Préservatif.
Chlamydia	- Inexistants ou limités à des picotements urinaires, douleurs au bas-ventre ou pendant les rapports. - Pertes vaginales. - Sécrétions à l'extrémité de la verge.	- Par voie sexuelle. - De la mère à l'enfant.	- Chez la femme : infection des trompes pouvant entraîner la stérilité ou des grossesses extra-utérines. - Chez l'homme : diminution de la fertilité. - Atteinte pulmonaire et oculaire chez le nouveau-né.	- Prélèvement cervical. - Prélèvement d'urine. - Prise de sang dans certains cas.	Antibiotiques.	Pendant le traitement, rapports protégés ou abstinence sexuelle.
VIH / Sida	Syndrome pseudogrippal au moment du premier contact avec le virus.	- Par voie sexuelle. - Par le sang. - De la mère à l'enfant.	Stade de sida déclaré : affaiblissement des défenses immunitaires, développement de maladies infectieuses, de cancers et de tumeurs malignes touchant différents organes (cerveau, peau, poumons...).	Prise de sang.	Antirétroviraux pour diminuer la multiplication du virus et ralentir la progression de l'infection.	Préservatif.
Hépatite B	- Inexistants au niveau génital. - Fièvre, fatigue, jaunisse dans % des cas.	- Par voie sexuelle. - Par le sang. - De la mère à l'enfant.	Maladies graves du foie (cirrhose et/ou cancer).	Prise de sang.	- Par la phase aiguë : traitement des symptômes (fièvre, jaunisse...). - Pendant la phase chronique : bithérapie.	- Vaccination du ou des partenaires sexuels. - Préservatif.

Source. – Association Paramour : http://www.paramour-asso.com/accueil.htm.

En décembre 2009, on dénombrait 1,8 milliard d'internautes (source : Internet World Stats) dans le monde, dont près 260 millions en Amérique du Nord. L'Internet, ou le Web, nous permet en effet de consulter quotidiennement des pages et des pages de données sur tous les sujets et en provenance des quatre coins de la planète.

Dans notre société, Internet est devenu pratiquement indispensable, que ce soit pour faire des recherches, pour avoir accès au courrier électronique, pour clavarder avec nos amis ou simplement pour y naviguer.

Internet commence à prendre forme au début des années 1960 aux États-Unis, avec la parution des premiers articles sur la transmission de données par la voie de réseaux informatiques. C'est en 1972 que la première application de grande importance, soit la messagerie électronique, voit le jour. Le système s'ouvre véritablement au trafic commercial au début des années 1990, qui marque en fait la naissance d'Internet tel que nous le connaissons aujourd'hui. Yahoo fait son apparition en 1994 et Google, le moteur de recherche le plus utilisé au monde, en 1998.

Des heures de plaisir

Non seulement Internet nous permet-il de communiquer rapidement avec les gens aux quatre coins de la planète, mais il offre aussi une banque illimitée d'informations sur tous les sujets. Lorsque vous avez une recherche à faire ou que vous voulez simplement en savoir davantage sur quelque chose, vous n'avez qu'à ouvrir votre moteur de recherche, taper quelques mots et ta-da ! tout apparaît comme par magie. Vous devez toutefois être prudente lorsque vous surfez sur le Web. En effet, certaines pages ont été créées par des amateurs et les informations qui y sont présentées ne reposent pas sur des sources officielles. Par conséquent, les données qu'elles contiennent sont parfois erronées. C'est pour cette raison qu'il vaut toujours mieux visiter les sites des gouvernements ou des organismes officiels qui mettent régulièrement leurs informations à jour et qui font un suivi assidu des données qu'ils affichent en ligne.

Attention, danger !

Aujourd'hui, on peut pratiquement tout faire sur Internet : acheter des choses, payer ses factures, consulter ses relevés bancaires, échanger des photos, s'envoyer du matériel de travail, etc. Il s'agit d'une façon rapide et efficace d'entrer en communication avec les gens et d'avoir recours à des millions de pages d'informations qui nous intéressent. Sachez toutefois que vous devez être très prudente au chapitre de la confidentialité. Certaines pages ne sont que de la frime ou ne possèdent pas de système de sécurité efficace, alors ne dévoilez pas d'informations personnelles ou confidentielles en ligne ou sur les sites de chat. Certaines personnes s'infiltrent parfois dans les réseaux pour récupérer ces informations et frauder les gens. Ne donnez jamais votre numéro de carte de crédit, votre numéro d'assurance sociale, votre adresse ou votre numéro de téléphone dans les sites ouvertement non sécurisés, ou dans ceux dont la fiabilité vous semble douteuse. Sur les sites de clavardage où vous bavardez avec des gens, méfiez-vous aussi de ceux que vous ne connaissez pas, car les prédateurs sexuels et les pédophiles profitent parfois de la vulnérabilité des jeunes et de leur grande curiosité sexuelle pour entrer en contact avec eux et éventuellement passer à l'acte. Il s'agit d'un phénomène déplorable qui ne fait que souligner le manque de contrôle exercé sur Internet. Certaines pages promeuvent aussi la violence, la colère, le crime, la drogue, la pornographie, et présentent des photographies inappropriées et des propos immoraux. Donc, tenez-vous loin de ces sites, et évitez de vous laisser berner par des inconnus. Concentrez-vous sur les sujets qui vous intéressent, et ne communiquez qu'avec les gens que vous connaissez.

Prenez garde aux virus !

Les virus sont des petits programmes conçus pour endommager ou parfois même détruire les logiciels installés dans votre ordinateur, ou même l'ensemble du contenu de ce dernier. N'ouvrez jamais les pages de publicité qui vous offrent toutes sortes d'aubaines et de prix incroyables, et ne croyez surtout pas les sites qui vous assurent que vous êtes l'heureuse gagnante d'un prix, d'un montant d'argent, etc. Aussi, n'ouvrez jamais les courriels dont vous ne connaissez pas l'expéditeur. Ceux-ci peuvent contenir des virus qui s'attaquent à votre ordinateur aussitôt que vous les ouvrez. Munissez-vous également d'un bon logiciel antivirus qui vous préviendra des dangers, vous avertira en cas d'infection et réglera le problème si virus il y a.

Réseaux sociaux

En janvier 2008, la moitié des internautes canadiens étaient membres de Facebook (source : Branchez-vous !). Le réseautage personnel permet d'établir un réseau de relations interpersonnelles sur Internet. Les utilisateurs peuvent constituer ou élargir leur cercle de connaissances par l'intermédiaire

de leurs amis, et des gens qui font partie du réseau de leurs amis. En bref, le réseautage donne la possibilité de rester en contact avec les gens de notre entourage, ou avec ceux qu'on avait un peu perdus de vue, grâce à une variété d'outils appelés « services de réseautage social en ligne ». Les réseaux sociaux permettent aussi de gérer sa carrière professionnelle, d'afficher des photographies ou des informations sur sa propre vie et même de s'exprimer sur le plan artistique en créant sa propre page (comme dans le cas de MySpace). Je dois encore une fois vous mettre en garde contre les regards indiscrets et malveillants de ceux qui pourraient être tentés de consulter vos informations personnelles ou d'entrer en communication avec vous. Bref, n'acceptez pas d'être amie avec les gens que vous ne connaissez pas, et ne publiez pas d'informations trop confidentielles ni de photos compromettantes sur ces sites. Contentez-vous de les utiliser pour donner des nouvelles aux gens de votre entourage et pour rester au courant de ce qui leur arrive.

Il y a tant d'informations et de diversité sur Internet qu'il est parfois facile de s'y perdre ou de laisser filer les heures sans même s'en rendre compte ! Si vous demeurez prudente, vous aurez un plaisir fou à surfer et à découvrir toutes les joies d'Internet, mais n'oubliez pas de sortir et de prendre l'air de temps à autre !

Sujets connexes :
Facebook courriel et clavardage

Jalousie

UN SENTIMENT PAS TOUJOURS AGRÉABLE

La jalousie est un sentiment normal chez l'être humain. Il nous arrive à toutes d'éprouver de la jalousie en voyant notre petit ami parler à une autre fille. Il est même sain d'éprouver un peu de jalousie de temps à autre; ça prouve qu'on tient aux gens qu'on aime et qu'on ne veut pas les perdre.

On peut éprouver un autre type de jalousie en admirant le nouveau pantalon de notre copine ou en contemplant une fille qu'on trouve vraiment jolie. On doit toutefois se méfier de ne pas tomber dans le piège de l'envie excessive et de la jalousie maladive. Il ne faut pas étouffer les gens qu'on aime à cause de notre propre insécurité, pas plus qu'il ne faut se montrer méchante envers ceux qu'on envie.

Quand on est jalouse, c'est souvent parce qu'on doute de soi-même et des gens qu'on aime. On ressent de l'insécurité et on ne veut surtout pas perdre leur amour et leur amitié. Rappelez-vous toutefois que ce n'est pas parce que vous manquez de confiance en vous que vous devez étouffer les autres. Pourquoi arrêteraient-ils de vous aimer du jour au lendemain ? Ils méritent votre amour tout autant que vous méritez leur tendresse et leurs attentions, et vous devez apprendre à faire confiance aux gens et à ne pas craindre sans cesse de les perdre. Vous devez apprendre à dominer vos peurs et à développer une plus grande estime de vous-même.

La jalousie est aussi souvent liée à l'envie. Chaque fille peut se révéler envieuse de la nouvelle tenue d'une camarade, du bulletin de sa copine s'il est plus respectable que le sien, du lunch appétissant de son voisin de table et de toute la liberté dont jouit son grand frère. Bien que ce soit parfois normal d'envier quelque peu les autres, vous devez apprendre à apprécier ce que vous avez et à ne pas entretenir d'envies malsaines. Parfois, on envie tellement une autre fille qu'on devient méchante envers elle. On se met à parler dans son dos et à la rejeter

du reste du groupe alors qu'au fond, on sait très bien qu'on le fait par jalousie. Vous devez donc être très prudente et ne pas vous laisser gouverner par ce sentiment mauvais. Cessez de vous comparer aux autres et appréciez-vous telle que vous êtes. À force de faire des crises de jalousie à votre amoureux, à force de vous montrer paranoïaque dès qu'il parle à une autre fille, vous risquez de l'étouffer et de le faire fuir. Lorsque vous agissez ainsi, vous faites preuve d'une grande insécurité, et il en déduira probablement que vous ne lui faites pas confiance et que vous croyez qu'il lui suffit de parler à une fille pour s'en amouracher. Ça peut être très vexant pour lui de constater qu'il ne mérite pas votre confiance. Si vous apprenez à surmonter vos propres insécurités et à acquérir davantage de confiance en vous, vous n'aurez aucune raison de vous en faire puisque vous réaliserez que vous êtes aussi géniale que la fille que vous enviez, que votre style est tout aussi original et que ni votre amoureux, ni votre meilleure amie ne vous laisseront jamais tomber sans raison.

Pour vous aider à vaincre le sentiment de jalousie malsaine qui vous assaille, apprenez donc à vous accepter telle que vous êtes et à apprécier vos propres qualités et vos propres atouts physiques. Vous constaterez bientôt que plusieurs filles sont tout aussi jalouses de vous et qu'elles vous envient tout autant. Songez à vos amis, à votre famille et à tous les gens qui vous entourent et qui vous aiment. Pensez à votre vie, à vos rêves, à ce que vous avez accompli et à tout ce que vous désirez faire dans l'avenir. Faites la liste de vos qualités et vous réaliserez que vous n'avez aucune raison d'envier les autres ni de vous sentir aussi craintive de perdre les gens que vous aimez, car vous êtes vraiment extraordinaire et que vous méritez leur amour. Vous constaterez aussi que votre vie est géniale telle qu'elle est, alors ça ne sert à rien d'avoir recours à la jalousie et de faire subir vos propres insécurités aux autres. Sachez vous faire confiance et faire confiance aux gens qui le méritent, et vous apprendrez non seulement à maîtriser votre jalousie, mais aussi à entretenir des relations beaucoup plus saines avec les gens de votre entourage.

 Sujet connexe : couple

Journal intime

UN JOURNAL NE POURRA JAMAIS VOUS JUGER

À l'adolescence, on vit souvent des choses difficiles ou on traverse des périodes de grande insécurité, et on ne sait pas trop vers qui se tourner. C'est à cela que sert un journal intime.

Quelle que soit l'expérience que vous vivez ou la crise que vous traversez, il est toujours bon d'extérioriser ce que vous ressentez et d'apprendre à exprimer vos émotions. Je sais que vous vous sentez parfois seule ou moche, et que vous croyez que personne ne peut vous comprendre, mais un journal ne pourra jamais vous juger, puisque c'est vous qui en êtes maîtresse et qui décidez ce que vous désirez y raconter.

Les journaux intimes ne sont pas pour toutes les filles. Certaines n'ont aucune difficulté à se confier à leurs amies et ne ressentent pas le besoin d'écrire. Pour d'autres, la tâche est plus ardue et elles aiment pouvoir compter sur un tel confident. La fréquence à laquelle vous écrivez dans votre journal et la façon dont vous vous adressez à ce dernier sont également des aspects très personnels. Certaines filles écrivent de façon assidue, alors que d'autres préfèrent se confier à leur journal en cas d'extrême urgence. Ce confident répond à un besoin, alors vous seule pouvez décider de ce que vous voulez en faire. Il y a des filles qui ont l'âme plus créative et qui aiment coller des photos ou écrire des poèmes dans leur journal. D'autres écrivent pour confier leurs secrets les plus intimes, exprimer leurs sentiments, leurs pensées ou leurs angoisses.

Un journal intime est donc plus qu'un confident ; il peut aussi servir de thérapie pour celles qui ont de la difficulté à se confier aux autres. Il leur donne la possibilité de s'exprimer sans pudeur et leur apprend à mettre le doigt sur leurs angoisses, leurs inquiétudes et leurs insécurités. Une fois que cette étape difficile sera terminée, vous aurez peut-être moins envie d'écrire quotidiennement dans votre journal, mais je vous conseille quand même de le conserver comme souvenir de jeunesse. C'est là que vous avez appris à vous connaître et à vous dévoiler. De plus, même si vous êtes plus vieille et que vos problèmes d'adolescente vous semblent complètement anodins, il se peut très bien que vos insécurités ressurgissent un jour ou que vous retraversiez une période difficile. Votre journal pourra alors vous servir de guide et vous rassurer dans vos moments de panique, puisqu'il vous rappellera ce que vous avez traversé et la façon dont vous vous en êtes sortie. Il vous confirmera peut-être à quel point vous avez changé et mûri, ce qui vous donnera encore plus de confiance en vous.

Si vous vous sentez triste, angoissée ou déprimée sans trop savoir pourquoi, un journal intime peut aussi vous permettre de faire le ménage dans vos pensées et d'y voir plus clair. En écrivant, on met souvent le doigt sur ce qui nous tracasse et on se sent beaucoup mieux après, comme si un poids avait été enlevé de nos épaules. Si vous ne ressentez pas du tout le besoin d'écrire un journal ou que vous savez que vous n'aurez jamais la discipline pour écrire dedans, ne vous forcez pas à le faire, mais si vous pensez que cela peut vous être utile, n'en ayez surtout pas honte. Il s'agit d'un outil de développement personnel, et rien ne vous oblige à en parler aux autres. Veillez toutefois à le tenir loin des regards indiscrets et, dans la même veine, n'allez surtout pas fouiner dans celui de quelqu'un d'autre. Un journal intime est extrêmement personnel et confidentiel, et lorsqu'on se confie à son journal, on le fait en sachant bien que personne ne pourra le lire et nous juger. On ne doit donc pas envahir le jardin secret des autres au même titre qu'on ne voudrait pas que le nôtre soit étalé à la vue de tous. À chacune ses secrets et ses petites confidences.

 Sujet connexe : secrets

VIVRE DANS L'ÉGALITÉ ET L'IMPARTIALITÉ

Du point de vue de l'individu, la justice est une qualité morale qui vise la reconnaissance et le respect des droits des individus de manière impartiale. Elle permet aux gens d'obtenir ce qui leur est dû.

Dans un contexte social, c'est le système judiciaire qui est garant de la justice. Il détermine les droits de chacun et fait appliquer les lois. Pour vivre dans l'égalité et dans l'impartialité, les gens qui composent une société doivent suivre les règles et les lois qui leur sont imposées tout en respectant les droits d'autrui. Lorsque quelqu'un commet un crime ou enfreint une règle, la justice prévoit qu'il paie pour sa faute et qu'il apprenne de ses erreurs. Les conséquences qui lui sont imposées doivent être justes et proportionnelles au crime qui a été commis. Par exemple, si vous parlez en même temps que le professeur, vous privez ce dernier de son droit de parole, et vos camarades de classe des explications auxquelles ils ont droit. Il est donc juste que vous payiez pour votre faute.

La justice est également une vertu qui encourage à la réciprocité et à l'équité. On doit payer le juste prix d'un vêtement pour l'obtenir, tout comme on a le droit d'exiger la parole lors d'un débat. La justice n'est pas là pour nous mettre des bâtons dans les roues; elle est là pour s'assurer que tout le monde soit sur un pied d'égalité et puisse vivre en société en faisant respecter ses droits et en respectant la liberté d'autrui. La justice permet aussi d'imposer des valeurs morales et des barèmes visant à assurer l'harmonie et la paix sociales.

Il ne faut toutefois pas confondre la justice et la vengeance. Si quelqu'un commet un crime, l'objectif n'est pas de lui faire subir la même chose ou de lui faire regretter amèrement ce qu'il a fait en ayant recours à la violence et au chantage. La justice doit donner le bon exemple ; elle doit encourager à faire le bien et non le mal. On doit faire comprendre au fautif qu'il a mal agi en l'obligeant à réfléchir sur ses actes par une sanction juste et proportionnelle au crime qu'il a commis. Il peut s'agir d'une amende ou d'une peine d'emprisonnement pour un criminel, ou encore d'une retenue ou d'une interdiction de sortir, dans le cas de fautes mineures comme celles qu'on peut commettre à l'adolescence. Par exemple, quelqu'un conduisant une voiture en état d'ébriété se verra confisquer temporairement son véhicule et retirer son permis de conduire puisqu'il n'a pas été capable d'assumer ses responsabilités, c'est-à-dire de conduire en suivant les règles et en respectant la sécurité des autres usagers de la route. La justice lui imposera donc des sanctions

pour lui faire comprendre qu'il a agi de façon irresponsable et irrespectueuse des lois comme
d'autrui.

Dans la vie, on est souvent confrontée aux injustices. Parfois, on se révolte quand un autre
élève reçoit un traitement de faveur, lorsqu'il
est le chouchou du prof ou lorsqu'il réussit un
cours alors qu'il devrait échouer. D'autres fois,
on s'insurge contre la liberté qui est accordée
à notre grand frère ou contre le fait que notre
sœur ait obtenu la grande chambre au sous-sol
alors qu'on est encore coincée à côté de celle
de nos parents. On peut également se révolter
face aux grandes injustices telles que la pauvreté, la guerre, le racisme, la famine, l'esclavagisme, le sexisme, les inégalités sociales et
ethniques et les maladies graves qui frappent
sans prévenir. Il y a des choses qui sont au-delà
de notre pouvoir, et on est souvent frustrée
par notre incapacité à agir. Quoi qu'il en soit,
sachez qu'il y a de petits gestes que vous pouvez faire dans votre quotidien pour réclamer la
justice et pour faire valoir vos droits. Efforcez-
vous d'être juste dans vos jugements et dans
votre façon de penser. Apprenez à traiter les
gens avec justice et impartialité, de même qu'à
respecter les droits d'autrui. N'ayez pas peur de
vous insurger contre les injustices et de réclamer votre droit de parole. C'est de cette façon
que nous construirons une société plus juste,
plus équitable et plus ouverte aux différences.

 Sujet connexe : droits humains, respect, tolérance

Liberté

AGIR À SA GUISE

Selon le Multidictionnaire de la langue française, la liberté se définit par une indépendance et un pouvoir d'agir à sa guise. Il peut s'agir d'une liberté d'action, d'esprit, de pensée, de presse, de réunion ou de culte.

Vous êtes donc libre d'avoir vos propres goûts, préférences, opinions et idées. Vous êtes libre d'agir à votre guise dans le respect des lois et des règles de la société, et vous êtes tout à fait libre d'être telle que vous êtes, de choisir votre métier, vos amis, de décider de ce que vous voulez faire de votre vie.

Tout ça semble extraordinaire, mais il peut parfois être extrêmement angoissant de jouir d'une telle liberté. Lorsqu'on est jeune, nos parents prennent des décisions à notre place et agissent en fonction de notre bien-être. Puis, peu à peu, ils nous accordent plus de liberté et d'autonomie, et parfois on ne sait pas trop quoi en faire. En effet, il y a des choix et des responsabilités qui accompagnent la liberté, et ce n'est pas toujours facile de les assumer lorsqu'on est jeune. Par exemple, vos parents ont peut-être décidé de vous laisser choisir vous-même le domaine d'études vers lequel vous souhaitez vous diriger après le secondaire. Au départ, vous êtes enchantée et vous commencez à feuilleter toutes sortes de dépliants sur les choix de carrière et les différentes professions qui s'offrent à vous. Ensuite, bien souvent, c'est la panique. Pourquoi devez-vous prendre une telle décision maintenant ? Qui sait ce que la vie vous réserve ? Il s'agit d'une décision qui influencera le reste de votre existence ! Vous n'êtes pas certaine d'être en mesure de la prendre et d'endosser toutes les responsabilités qui en découlent. C'était si simple quand vos parents prenaient des décisions pour vous et que vous n'ayiez pas à vous poser de questions existentielles !

Sans vouloir vous déprimer, je me dois de vous prévenir : votre vie d'adulte sera remplie de décisions que vous devrez prendre et assumer. Vous jouirez d'une grande liberté d'action sans pour autant savoir vers où aller. Ne vous en faites pas : la liberté entraîne aussi de belles surprises, et il faut la goûter de façon positive.

Par ailleurs, vous avez sans doute remarqué que divers obstacles entravent votre liberté. À l'adolescence, on se sent souvent réprimée par

ses parents, par les règlements, par les devoirs, par les profs et par toutes les limites qui nous sont imposées et qu'on ne peut pas franchir. On est libre de sortir jusqu'à 22 heures. On est libre de dîner jusqu'à 13 heures. On est libre de discuter avec nos amies, mais seulement quand le professeur l'autorise, et on est libre de faire ce qui nous plaît durant les fins de semaine, mais on doit d'abord terminer les tâches ménagères qui nous sont assignées. On se sent parfois même révoltée par notre manque de liberté. Nous n'avons pas choisi nos parents, ni nos frères, ni nos sœurs. Nous n'avons pas choisi de naître ici et d'être telle que nous sommes. Plutôt que de s'apitoyer sur ces « injustices », il faut se considérer chanceuse de pouvoir vivre et s'épanouir en tant qu'individu.

Bien qu'on éprouve souvent un grand besoin de liberté et d'indépendance au cours de l'adolescence, sachez que la liberté et l'autonomie s'acquièrent avec l'expérience et qu'on doit franchir différentes étapes avant d'y accéder. Par exemple, lorsque vous avez 16 ans, vous jouissez légalement du droit de conduire un véhicule. Vous acquérez alors une grande autonomie. À 18 ans, vous devenez majeure, donc, selon la loi, responsable de vos actes et de vos agissements. De plus, le jour où vous décidez de quitter le nid familial, vous acquérez une autonomie sans précédent, puisque plus personne n'est là pour vous dire quoi faire ou pour surveiller ce que vous faites. Quand on est jeune, on rêve de cet affranchissement, mais rappelez-vous que la liberté s'accompagne de responsabilités que vous devez être en mesure d'assumer. Vous devez être une conductrice responsable et respecter le code de la sécurité routière. Après votre 18e anniversaire, vous devez entre autres voter et répondre entièrement de vos actes. Lorsque vous partez de la maison, vous devez être capable de subvenir à vos besoins, et de payer votre loyer et vos factures, sans compter que vous devez apprendre à vous responsabiliser et à vous discipliner pour atteindre vos objectifs.

La liberté vous permet par conséquent de prendre des décisions en fonction de votre bien-être et de votre bonheur. La maturité que vous allez acquérir vous permettra d'agir en fonction de vos convictions et de vos valeurs, ainsi que de penser à votre avenir et à votre bien-être à long terme. Quand on prend une décision, on doit non seulement songer au présent, mais aussi aux conséquences qu'elle aura dans le futur. Vous devez donc jouir de toutes les libertés et de tous les choix qui s'offrent à vous, et saisir les occasions qui se présentent tout en vous remettant en question et en cherchant à vous surpasser. Bien que cela puisse vous sembler lourd à assumer, apprenez à ne pas douter de vos capacités et de vos talents; cherchez plutôt à atteindre le bonheur en restant consciente de vos limites. Vous avez la liberté de devenir qui vous voulez et d'être foncièrement heureuse dans la vie, alors pourquoi ne pas en profiter ?

♥ Sujet connexe : égalité, respect, droits humains

Magasinage

Rares sont les filles qui ne raffolent pas du magasinage. C'est l'occasion rêvée de découvrir les nouvelles tendances de la mode, d'explorer de nouvelles boutiques, de nouveaux genres, de vous amuser avec vos copines, d'apprendre à vous créer un style bien à vous et de vous faire plaisir.

Le magasinage est une activité typiquement féminine. La plupart des garçons ne sont pas de fervents amateurs de lèche-vitrine et font preuve de très peu de patience dans les boutiques. C'est donc le moment idéal pour vous réunir entre copines et pour vous amuser en faisant le tour des magasins et en essayant des vêtements différents.

Les petits trucs…

Quand on adore magasiner, on a souvent tendance à confondre l'envie de dépenser avec le besoin de le faire. Par exemple, même si on se fixe un budget de 80 $ pour s'acheter une paire de bottes, on risque parfois de craquer pour un jeans, un chandail ou un soutien-gorge et de dépenser plus de 200 $. C'est pourquoi je vous recommande de vous faire une liste des accessoires et des vêtements dont vous avez vraiment besoin, et de vous efforcer de respecter votre budget, surtout si vous n'avez pas les moyens de le dépasser. Quand une fille magasine, elle se laisse souvent emporter par le moment, par les jolis tissus et par le fait que ses amies semblent dépenser sans réfléchir, mais je vous conseille de faire bien attention à votre portefeuille !

Bien qu'il soit recommandé de rester à l'affût des soldes, puisque certains rabais peuvent atteindre jusqu'à 75 % du prix régulier, prenez garde de ne pas vous faire duper : plusieurs boutiques ne veulent que vous mettre l'eau à la bouche, mais, en réalité, les rabais offerts s'avèrent beaucoup moins avantageux que vous ne le croyez, ou encore ne s'appliquent qu'à une petite partie de la marchandise. C'est à vous de juger si le prix sur l'étiquette constitue vraiment une aubaine…

Je vous conseille aussi fortement de faire le tour des boutiques avant d'acheter un vêtement, à moins d'avoir un véritable coup de foudre. Vous trouvez qu'une jupe vous va à merveille, mais vous la trouvez un peu chère ? Continuez de magasiner, vous trouverez peut-être mieux pour moins cher ailleurs. Si, à la fin de la journée, vous êtes persuadée qu'il s'agit du bon choix, alors il est temps de passer à l'acte. Rappelez-vous que la plupart des boutiques acceptent de faire des mises de côté pendant quelques heures, ce qui vous assurera que personne ne chipera le vêtement de vos rêves !

Je vous recommande aussi de TOUJOURS essayer un vêtement avant de l'acheter, même si ça vous demande un peu plus d'efforts. Certaines boutiques n'acceptent pas les échanges ni les remboursements, et il n'y a rien de pire que de regretter un achat quand on revient à la maison !

Lorsque vous essayez un vêtement, il est important de vous sentir à l'aise et belle. N'achetez pas quelque chose pour les autres ; c'est le moment de vous écouter, de vous gâter et de penser à vous ! Soyez à l'écoute de votre corps, de vos besoins et de vos envies, même s'il s'agit d'un vêtement un peu plus excentrique. Après tout, c'est vous et vous seule qui le porterez !

Si vos parents paient pour vos achats, déterminez le montant avant de vous lancer dans les boutiques et respectez bien leurs limites. S'il s'agit de votre propre argent de poche, je vous suggère fortement, encore une fois, de faire au préalable un budget ainsi qu'une liste des choses dont vous avez besoin. Si vous voulez, prévoyez un certain montant pour vos achats impulsifs, ce qui vous évitera de faire des bêtises en achetant quelque chose de tout à fait inutile et de trop cher pour vos moyens.

Les vendeuses sont là pour vous aider et pour vous conseiller, alors soyez gentille avec elles, même si vous n'avez pas les mêmes goûts, que vous n'êtes pas d'accord avec leurs opinions ou que vous n'avez pas besoin d'aide. Elles ne sont pas là pour vous embêter ; vous suivre comme une ombre à l'intérieur d'une boutique fait souvent partie de leur travail, surtout si elles sont payées à la commission.

Un dernier petit conseil personnel : mieux vaut parfois payer un peu plus cher pour un vêtement que vous aimez vraiment et que, par conséquent, vous porterez souvent que de payer un peu moins pour quelque chose qui finira au fond de votre garde-robe. On a souvent tendance à acheter plusieurs petites choses en croyant qu'on dépense moins, mais, en fin de compte, il serait peut-être plus économique d'acheter le chandail à 50 $ qui vous fait craquer que d'acheter trois articles à 15 $ chacun que vous ne désirez pas autant.

Même si vous êtes prise d'une envie irrésistible de dépenser et que vous raffolez du magasinage, efforcez-vous de réfléchir avant d'acheter, mais sachez vous faire plaisir de temps à autre. Si vous faites preuve de jugement dans vos achats et que vous n'agissez pas de façon compulsive, vous prendrez l'attitude idéale pour devenir la reine du magasinage !

 Sujet connexe : argent de poche, mode

DEVENIR MAJEURE ET VACCINÉE

À 18 ans, vous devenez majeure et vaccinée, comme le dit l'expression. Qui dit majorité dit toutefois responsabilités, et n'allez pas croire que parce que vous avez enfin atteint vos 18 ans, vous pouvez faire comme bon vous semble.

Bien sûr, vous acquérez plus de droits, plus de liberté et plus de pouvoir, mais vous devenez aussi entièrement responsable de vos actes. Si, par exemple, vous commettez un crime majeur ou un délit grave, vous risquez d'en subir les conséquences comme une adulte, c'est-à-dire que vous risquez la prison, un casier judiciaire ou une forte amende.

Droit de vote

Au Québec, les femmes ont le droit de voter et de se faire élire depuis 1940. L'âge légal pour voter est 18 ans, et il s'agit non seulement d'un droit que vous acquérez lorsque vous devenez majeure, mais aussi d'un devoir que vous devez exercer en tant que citoyenne vivant dans un pays démocratique. Chacune a droit à son opinion, et chacune doit l'exprimer en votant lors des scrutins. Si vous jugez que vous n'êtes pas suffisamment informée de ce qui se passe pour prendre une décision réfléchie, il n'est jamais trop tard pour lire sur le sujet, pour vous renseigner sur les différents partis ou pour demander aux gens de votre entourage de bien vous expliquer (de façon objective, si possible) quels sont vos choix.

Les bars et l'alcool

À 18 ans, vous pouvez aussi entrer légalement dans les bars et les discothèques, en plus de pouvoir acheter de l'alcool à la SAQ. Bien que vous sentiez qu'un monde rempli de liberté et de folies s'ouvre à vous, vous devez aussi apprendre à être responsable et à ne pas abuser des bonnes choses. Si vous avez 18 ans, vous

fréquentez probablement le cégep, et vous avez certainement des tas de travaux à faire, alors ne négligez pas ces derniers pour boire et faire la fête.

La révolte contre les parents

Je sais, vos parents n'ont cessé de vous répéter, durant votre adolescence, que vous obtiendriez plus de liberté lorsque vous deviendriez majeure, et maintenant que c'est fait, leur discours change. Mainte-nant, ils disent que vous devrez leur obéir tant et aussi longtemps que vous vivrez sous leur toit. Ne vous en faites pas trop avec cela ; ils n'agissent pas ainsi parce qu'ils ne vous font pas confiance, ni parce qu'ils veulent à tout prix vous rendre la vie impossible le plus longtemps possible. C'est simplement qu'ils sentent qu'ils vous perdent peu à peu. Le temps a filé si vite qu'ils ne savent plus trop comment réagir face à la jeune femme

que vous êtes devenue. Et puis, soyons honnêtes : bien que vous ayez 18 ans, vous avez encore beaucoup à apprendre, et vos parents sont là pour vous montrer la voie. Ce n'est pas parce que vous êtes majeure que vous êtes frappée du jour au lendemain par un éclair de sagesse et de maturité, et il se peut très bien que vous commettiez encore des erreurs. Peu importe votre âge, vos parents sont là pour vous ramener sur le droit chemin. Après tout, c'est leur travail !

De plus, comme vous étudiez encore, votre travail à temps partiel (souvent au salaire minimum) ne vous permet sûrement pas d'être autonome, et, quel que soit votre âge, tant que vous êtes dépendante financièrement de vos parents, il est normal qu'ils fassent preuve d'autorité et qu'ils vous demandent de leur rendre des comptes. La meilleure façon de bien gérer sa majorité, c'est d'accepter les responsabilités qui accompagnent la nouvelle liberté qu'on vient d'acquérir. Votez et réfléchissez. Apprenez à être à l'écoute des autres et soyez responsable dans ce que vous entreprenez. Bref, agissez en jeune adulte et rappelez-vous que, pour la première fois de votre existence, vous pouvez réellement vous dire que vous êtes légalement libre de choisir ce que vous voulez faire de votre vie, alors aussi bien en profiter pour analyser toutes les options qui s'offrent à vous et pour faire des choix éclairés !

Sujets connexes : alcool, permis de conduire, CEGEP

PALETTES DE COULEURS, STYLES ET TEXTURES

Ce n'est pas un secret : à l'adolescence, les filles changent et commencent à se préoccuper davantage de leur apparence. Elles changent leur style, leur attitude, leur coiffure, et plusieurs commencent à porter du maquillage.

C'est vraiment l'âge où on peut essayer toutes les palettes de couleurs, tous les styles et toutes les textures imaginables. Le problème, c'est que lorsqu'on arrive à la pharmacie pour acheter ce dont on a besoin pour se maquiller, on se retrouve devant des rayons et des rayons couverts de produits, et il est difficile de s'y retrouver. Comment savoir quoi choisir si on n'est pas experte dans le domaine du maquillage et si on ne sait pas ce qui nous convient le mieux ?

Pas de panique ! Dans la plupart des pharmacies, des magasins à grande surface et des boutiques de produits de beauté, vous pouvez demander l'aide de cosméticiennes qui sauront vous conseiller sur les marques et les teintes qui vous iront à merveille. Cependant, ne soyez pas dupes : certaines tenteront de vous vendre le produit le plus cher, alors restez à l'affût des rabais !

L'art du maquillage s'apprend par essais et erreurs. Lorsque je regarde des photos de moi à 14 ans, je trouve que j'ai l'air d'un clown tout droit sorti des années 1980, mais je dois me rappeler que la mode et les tendances étaient différentes à l'époque, et que j'étais encore en période d'apprentissage ! Vous pouvez aussi choisir votre maquillage avec un groupe de copines qui sauront vous conseiller. Il s'agit encore une fois d'une activité propre aux filles et d'une excellente occasion de s'amuser et de se faire plaisir ! Si vous vous sentez nulle dans le domaine du maquillage, ou que vous ne sentez pas la nécessité d'en appliquer sur votre visage, ne soyez pas gênée de vous exprimer ! À chacune son style et son visage, alors restez fidèle à vous-même ! Si vous n'êtes pas experte dans le domaine, certaines de vos amies qui s'y connaissent davantage se feront

Catherine se prépare pour sa séance photo.

certainement un plaisir de vous aider. Vous pouvez aussi demander de l'aide à votre sœur, à votre cousine et même à votre mère ! Le maquillage, c'est une histoire de filles, pas une histoire de générations ! Si vous ne ressentez pas la nécessité de vous maquiller, soyez fière d'être naturelle ! Un visage sans maquillage est souvent bien plus joli que celui d'une fille qui abuse des crayons et du fard à joues !

Par où commencer ?

Lorsque vous commencez à porter du maquillage, il est préférable d'y aller progressivement. Vous pouvez commencer par le mascara, qui s'applique sur les cils et leur donne de la couleur et du volume. L'effet demeure discret, mais vous constaterez quand même une différence importante sur votre visage.

Vous pouvez aussi appliquer de l'ombre à paupières. Celle-ci sert à sculpter la paupière et à faire ressortir la forme et la couleur des yeux. Encore une fois, il faut y aller avec parcimonie. Appliquez de la couleur sur votre paupière en fermant votre œil. Comme il existe une quantité illimitée de couleurs, vous pouvez choisir la teinte en fonction de votre tenue, de votre teint ou de la couleur de vos cheveux. Les blondes choisiront souvent des couleurs plus pâles tandis que les brunes peuvent appliquer des couleurs plus foncées. Il faut cependant tenir compte du teint de votre peau. Si vous êtes brune mais que vous avez le teint très pâle, optez quand même pour une couleur claire, et si vous avez le teint foncé, vous pouvez choisir des couleurs plus chaudes. La meilleure chose à faire, c'est d'essayer devant un miroir et de choisir ce qui vous convient le mieux.

Certaines filles aiment bien souligner le bord de leurs paupières avec un crayon ou un eyeliner. On en trouve dans différentes teintes de noir, de bleu ou de brun. Le crayon et l'eyeliner servent à faire ressortir vos yeux et peuvent donner un effet éclatant, mais attention de ne pas en appliquer en trop grande quantité. Vous risqueriez de ressembler à Marilyn Manson (à moins que ce ne soit votre inten-

tion ; après tout, tous les goûts sont dans la nature !).

Le fard à joues vous permet quant à lui de mettre un peu de couleur sur votre visage et de faire ressortir votre teint. S'il fait 20 degrés sous zéro à l'extérieur et que votre peau devient de plus en plus transparente, le fard saura égayer votre visage ! Si vous êtes pâle, choisissez une teinte claire et appliquez-en un tout petit peu sur vos joues pour donner un effet naturel. Si vous avez le teint foncé, vous aurez peut-être à en appliquer davantage.

Si vous voulez essayer l'autobronzant pour reprendre un peu de couleur, faites attention à la quantité que vous appliquez pour ne pas devenir orange ! Choisissez aussi une teinte d'autobronzant qui est proche de la teinte de votre peau. On utilise de l'autobronzant pour

couleur discrète ou une teinte plus vive ; l'important, c'est de suivre votre instinct et d'être fidèle à vous-même et à vos goûts.

La plupart des filles ne se maquillent pas les sourcils, mais décident d'épiler les poils superflus afin de dessiner un arc plus uniforme et d'obtenir des sourcils parfaitement symétriques, mais attention : l'épilation des sourcils peut faire très mal ! Appliquez de la glace au besoin ainsi que de la crème hydratante après coup pour apaiser la peau.

L'ÉLÉMENT CLÉ : le démaquillant

Si vous voulez conserver une belle peau, il est essentiel de vous démaquiller avant de vous mettre au lit. Le maquillage a tendance à assécher la peau et même à donner des boutons. Le produit démaquillant sert ainsi à nettoyer votre peau tout en réhydratant votre visage. Je vous conseille de compléter ce nettoyage avec une lotion, puis d'appliquer une crème hydratante pour nourrir et hydrater votre peau, ce qui lui permettra de rester belle et éclatante.

Le choix de votre maquillage demeure personnel et, comme je vous le disais plus tôt, l'apprentissage se fait souvent par essais et erreurs. Vous pouvez aussi, avant d'acheter vos propres produits de maquillage, demander à votre mère de vous prêter les siens pour les essayer et pour choisir les teintes que vous préférez. N'hésitez pas à demander l'avis des cosméticiennes qui travaillent dans les pharmacies ; elles s'y connaissent très bien dans le domaine et elles sauront vous conseiller selon votre type de peau. Choisissez un maquillage qui vous ressemble et vous représente bien, gâtez-vous et n'oubliez surtout pas de vous laver le visage avant d'aller vous coucher !

colorer légèrement la peau et avoir l'air moins blême, mais il est essentiel de le faire de la façon la plus naturelle possible. Un conseil : n'oubliez pas de bien vous laver les mains après avoir appliqué l'autobronzant, sinon celles-ci pourraient rester tachées...

Le fond de teint est, quant à lui, conçu pour dissimuler les défauts de votre peau, et pour unifier et colorer votre visage. Ce produit se présente sous forme de poudre, de mousse, de crème ou de gel. Il est primordial de choisir la teinte qui s'apparente le plus à la couleur de votre peau pour que votre visage ne soit pas d'une couleur différente et qu'on ne puisse pas voir une démarcation dans votre cou. Appliquez légèrement le fond de teint du milieu du visage vers les côtés en utilisant une éponge légèrement humide pour obtenir un teint uniforme.

Les rouges à lèvres ont eux aussi tendance à nous donner mal à la tête... Il existe une quantité illimitée de couleurs, de textures, de tubes, de bâtons et de brillants à lèvres. Vous pouvez changer de couleur selon votre humeur, votre coiffure, votre tenue et le reste de votre maquillage. Vous pouvez choisir une

Sujet connexe : beauté

UNION FORMELLE ET LÉGITIME ENTRE DEUX PERSONNES

Il s'agit d'une façon de célébrer son amour avec son conjoint et d'officialiser son union.

Au Québec, l'âge légal pour se marier est de 16 ans. Avant 18 ans, on a toutefois besoin du consentement de ses parents ou de ses tuteurs pour s'unir légitimement. Les individus de sexe différent ou de même sexe peuvent se marier civilement.

Il existe deux types de mariage : le mariage civil et le mariage religieux. Les deux ont la même valeur aux yeux de la loi, et soumettent les époux aux mêmes devoirs et responsabilités. Le mariage civil doit être célébré par un greffier, un notaire, un officier municipal ou toute autre personne qui obtient au préalable l'autorisation du ministre de la Justice. Les conjoints peuvent également choisir le lieu de la cérémonie. Pour un mariage religieux, ils décident de se marier devant Dieu, et l'union est généralement célébrée dans un lieu de culte. Ils doivent la plupart du temps se conformer aux traditions imposées par leur religion. Ces traditions varient d'une religion à l'autre.

Sur le plan juridique, le mariage au Québec entraîne un principe d'égalité entre les deux époux, qui se voient dans l'obligation d'assumer ensemble les responsabilités de leur union et de prendre des décisions communes. Il existe des tonnes de principes, de règles et d'ententes à lire et à suivre lorsqu'on se marie. Il est important de bien s'informer avant de passer à l'acte ou de signer quoi que ce soit. Pour plus d'informations, consultez le site du gouvernement du Québec concernant le mariage : *http://www.justice.gouv.qc.ca/francais/publications/generale/maria.htm#propos*

Peu importe le type de mariage choisi, lorsqu'on se marie, on s'engage à partager sa vie avec son conjoint. Il ne faut donc jamais sous-estimer l'importance de cette union. Au Québec, le mariage a perdu beaucoup de sa popularité au cours des dernières années. En 1980, on comptait 44 849 mariages au Québec. Ce nombre a chuté à 32 059 en 1990, puis à 21 918 en 2006. (*Source : Institut de la statistique du Québec*) Cette importante diminution du nombre d'unions légitimes est sans aucun doute liée à la hausse importante des cas de divorces. En 1980, on comptait 13 899 divorces au Québec, ce qui

veut dire que 31,7 % des mariages se soldaient par un divorce. En 1990, le nombre de divorces était de 20 474, soit 49,6 % des mariages. En 2003, le pourcentage de divorces atteignait 53 %, ce qui veut dire que plus de la moitié des mariages aboutissaient à un divorce. *(Source : Institut de la statistique du Québec)*

La séparation de l'État et de l'Église au Québec a grandement contribué à ces changements, puisque les gens ne sont plus obligés de se marier et peuvent vivre ensemble toute leur vie sans devoir s'unir formellement. Les mœurs, les valeurs et les traditions ont beaucoup changé au cours des dernières décennies, ce qui a fait perdre beaucoup d'importance au mariage. Notre société est devenue de plus en plus ouverte et moderne. Cela a eu une influence directe sur le comportement de la population qui éprouvait moins le besoin de suivre les traditions plus conservatrices.

Il ne faut toutefois pas dénigrer le mariage. Cela demeure un choix personnel basé sur le désir de célébrer son amour et son union. Au Québec, se marier représente aujourd'hui un défi et une façon de braver les statistiques. Il faut encourager les gens qui sont prêts à se marier, qui croient sincèrement en leur amour et au fait qu'ils passeront toute leur vie ensemble. Le mariage est aussi une fête, un spectacle et une façon de célébrer notre amour avec les gens qui nous sont chers.

On ne doit pas prendre le mariage à la légère, et on doit évidemment être prête et sûre de soi avant de se lancer dans cette grande aventure. À l'adolescence, les sentiments amoureux sont parfois d'une grande intensité, mais rappelez-vous que vous êtes encore très jeune, et que bien que vous croyiez sincèrement pouvoir passer votre vie avec votre amoureux, mieux vaut attendre de voir ce que vous réservent les années qui viennent, sans brûler d'étapes. Vous avez amplement le temps de prendre des décisions. Alors, ne brusquez pas les choses.

Sujets connexes : couple, amour

PAS JUSTE DE L'HERBE...

Le cannabis est la drogue la plus consommée au Canada. Provenant du chanvre indien, il peut se présenter sous différentes formes : Les fleurs et les feuilles séchées appelées « marijuana », « herbe » ou « pot ».

La résine, ou haschisch, dont on fait une pâte qu'on compresse pour en faire des blocs. L'huile qui est plus concentrée et beaucoup moins répandue.

Le pollen

L'herbe et la résine sont généralement consommées avec ou sans tabac dans une cigarette, communément appelée « joint » et qu'on roule soi-même, ou dans une pipe.

Effets et dépendance

Les effets de la marijuana sont multiples mais, dans la plupart des cas, on se sent euphorique, heureux et détendu. On éprouve une sensation de flottement et on perd ses inhibitions. Plusieurs fument du pot pour essayer de se détendre, pour dormir plus facilement, pour aiguiser leurs sens, pour rire ou pour s'ouvrir l'appétit. Bien que certains prétendent avoir plus d'inspiration sous l'effet de la marijuana, il est à noter que cette drogue procure des pertes de concentration et de mémoire importantes, de l'anxiété et une lenteur accrue dans les actions. Il est également fréquent d'avoir la bouche sèche et les yeux rouges, ainsi que de ressentir de la panique, voire même de la paranoïa. Bref, bien que le pot puisse sembler génial et si commun, sachez qu'il peut avoir des effets secondaires très nocifs et extrêmement désagréables.

La plupart des spécialistes s'entendent pour dire que la marijuana ne cause pas de véritable dépendance physique, mais qu'elle entraîne une dépendance psychologique. Plus on s'habitue au cannabis, moins les effets nous semblent apparents et plus on désire fumer pour s'évader de la réalité et entrer en mode d'introspection.

C'est ici que réside le danger le plus important de la marijuana. Non seulement les effets peuvent être désagréables, mais plusieurs personnes y deviennent accros pour éviter de devoir faire face à leurs responsabilités et pour retrouver l'apaisement et l'euphorie qu'ils ressentent lorsqu'ils en consomment. Même si la plupart des gens essaient la marijuana au moins une fois au cours de leur vie, et que personne ne vous considérera comme une junkie si vous prenez une bouffée de joint, sachez que le pot risque de vous rendre amorphe et de vous inciter à rester avachie dans le divan. Cette drogue tend également à déformer la réalité et peut vous faire dire des choses qui n'ont ni queue ni tête, même si vous croyez sur le coup être la personne la plus profonde et la plus ingénieuse du monde.

Fumer entre amis, en couple ou en groupe est commun au Québec et au Canada. À l'adolescence, il faut s'efforcer de ne pas le faire sous la pression ou pour avoir l'air cool. Si ce n'est pas votre genre ou que ça ne vous dit rien, ne vous gênez pas pour le faire savoir et pour faire respecter votre choix. Si, par contre, vous crevez d'envie d'essayer, je vous conseille de le

faire avec des amies et des gens de confiance qui pourront vous rassurer si vous vous sentez mal et éprouvez de l'anxiété ou de la paranoïa.

Une loi controversée

Depuis 1997, la marijuana est régie au Canada par la Loi réglementant certaines drogues et autres substances. Selon cette loi, la possession non autorisée, le trafic et la production sont considérés comme illégaux. Les sanctions varient selon la gravité du délit. « Le gouvernement du Canada estime que même si la consommation de cannabis doit être découragée, elle ne devrait pas entraîner de casier judiciaire pour la possession de petites quantités de cannabis. En conséquence, quatre nouvelles infractions de possession de cannabis sur déclaration de culpabilité par procédure sommaire sont proposées, chacune assortie de peines distinctes. » *(Source : http://www.justice.gc.ca/ fr/news/nr/2004/doc_31276.html)*

Par exemple, la possession d'un gramme ou moins de haschisch entraîne une amende de 300 $ pour un adulte et de 200 $ pour un adolescent, tandis que la possession de 15 grammes ou moins de marijuana entraîne une amende de 150 $ pour un adulte et de 100 $ pour un adolescent. (Pour plus d'informations à ce sujet, consultez le site du gouvernement du Canada.)

Plusieurs groupes militent toutefois, au Québec et dans le reste du Canada, en faveur de la légalisation de la marijuana. Certains partis politiques en font même le point central de leur programme, comme le Bloc pot au Québec et le Parti marijuana au Canada. Cette question suscite de nombreux débats au sein de la population. Certains croient que la légalisation rendrait l'accès à cette drogue beaucoup trop facile et inciterait les gens (surtout les jeunes) à en consommer davantage, alors que d'autres pensent qu'elle permettrait un meilleur contrôle de sa distribution et éliminerait l'aspect d'« interdit », souvent très attirant pour les adolescents. Le débat est toujours en cours à l'heure actuelle.

Quoi qu'il en soit, à l'adolescence et tout au long de votre vie, vous serez très souvent en présence de marijuana, que ce soit durant des fêtes, chez des amis ou dans la rue. C'est à vous et à vous seule de mettre vos limites et de faire preuve de jugement. Rappelez-vous que bien que la consommation de pot soit considérée comme presque normale dans notre société, il s'agit néanmoins d'une drogue dont les effets à long terme peuvent être extrêmement nuisibles (sans parler de la fumée et des dommages que cela peut causer aux poumons). Si vous jugez que quelqu'un de votre entourage fume trop et que cela a une influence négative sur son attitude générale, tentez de lui en parler gentiment et de lui proposer des activités différentes pour le sortir du cercle vicieux de la consommation. Quant à vous, essayez de faire preuve de bon sens et n'oubliez pas qu'il s'agit bel et bien d'une drogue.

Sujets connexes : drogue, alcool

UN SUJET TABOU

a masturbation crée tout un émoi au cours de l'adolescence. La plupart des jeunes (et particulièrement les filles) ont très honte d'admettre qu'ils se masturbent, car cette pratique est souvent un sujet tabou.

Sachez toutefois que la plupart des jeunes le font, et qu'il n'y a absolument rien de mal à se masturber, bien au contraire. De façon générale, les garçons commencent à se masturber plus tôt que les filles. L'âge moyen est en effet d'environ 12 ans chez les garçons et 13 ans chez les filles. Plus de 95 % des garçons reconnaissent qu'ils se masturbent avant l'âge de 18 ans, et plus de 50 % des filles avouent qu'elles se masturbent au cours de l'adolescence (source : Rapport Kinsey). Ces chiffres demeurent toutefois très vagues, car on ne s'informe qu'auprès d'une mince proportion de la population, et que plusieurs filles n'osent pas révéler qu'elles se masturbent. Cette gêne est certainement due au fait que la masturbation a souvent été vue comme quelque chose de « mal » au sein de la société.

Laissons tomber les tabous et faisons face au phénomène : la masturbation est normale à l'adolescence. Votre sexualité se développe, votre caractère sexuel est en plein épanouissement et vous explorez votre corps. La masturbation vous permet non seulement de découvrir votre corps et ce qui vous plaît, mais aussi de développer une sexualité saine et active et de vous sentir bien dans votre peau. La plupart des filles se masturbent en se caressant le clitoris, alors que certaines préfèrent s'enfoncer un doigt dans le vagin. Quoi qu'il en soit, sachez que si vous pratiquez la masturbation, vous n'êtes ni anormale ni obsédée. Lorsque vous vieillirez, vous verrez que la plupart des filles de votre entourage finissent par admettre qu'elles se masturbent. Vous constaterez également que cela a eu une bonne influence sur l'épanouissement de votre sexualité, puisque vous connaissez mieux votre corps et que vous pouvez davantage contrôler votre désir. Sachez qu'il est tout aussi normal d'avoir des pensées et des rêves érotiques qui vous excitent et vous donnent envie de vous masturber. Ces images ou ces « scénarios » sont parfois gênants et ne révèlent pas nécessairement des orientations ou des goûts sexuels enfouis en vous ; vous êtes simplement à l'âge où vous découvrez intensément la sexualité et où votre imagination fertile vous entraîne dans des endroits parfois cocasses et inattendus. Les scénarios que vous vous jouez dans votre tête sont personnels et vous appartiennent, alors ne cherchez pas à les justifier dans votre for intérieur ; ils font partie de votre curiosité sexuelle et de votre jardin secret.

En conclusion, si vous vous masturbez, et ce, même de façon quotidienne, n'allez pas croire que vous êtes folle ou anormale parce que les autres filles prétendent qu'elles ne le font pas. Si vous ne désirez pas en parler aux autres, c'est tout à fait compréhensible, puisqu'il s'agit d'un acte personnel que vous pratiquez en toute intimité, mais ne vous sentez pas anormale pour autant ; dites-vous que la plupart des filles, en secret, font la même chose que vous !

Sujets connexes : sexualité, secret

On se demande souvent à quel moment nous serons « matures » et à quel âge les adultes, et surtout nos parents, nous prendront au sérieux. La maturité est un état que l'on peut atteindre après une longue période de développement semblable à celle que l'on vit à l'adolescence. Ne vous méprenez pas : ce n'est pas parce que vous êtes ado que vous ne pouvez adopter un comportement mature. En effet, la maturité s'acquiert tout au long de notre vie grâce aux expériences que l'on traverse, aux apprentissages que l'on fait et aux conclusions qu'on arrive parfois à en tirer. Par exemple, une personne qui traverse un deuil vivra des émotions et affrontera des épreuves difficiles qui la feront progresser et qui la pousseront sans doute à atteindre un autre niveau de maturité émotionnelle. En d'autres mots, chaque fille évolue à son rythme et mûrit à sa façon, selon son caractère et ses expériences de vie.

Ça veut dire quoi, « être mature » ?

Quand vos parents vous demandent d'être plus mature, c'est qu'ils aimeraient sans doute que vous adoptiez un comportement plus réfléchi et plus adulte. La maturité, c'est quand on est capable de maîtriser certaines émotions et d'assumer ses choix dans la plénitude et la sagesse. En d'autres termes, c'est la capacité d'être autonome tant au point de vue social qu'émotionnel. Le passage vers la maturité se fait en fonction de la personnalité, des aptitudes et, bien souvent, des conditions de vie d'une personne. Pour vous donner un exemple plus concret, si vous trouvez que vos parents ne vous accordent pas assez de liberté et qu'ils vous traitent en bébé, vous pouvez adopter une attitude mature qui les poussera sans doute à revoir leur opinion. Si vous claquez la porte et vous mettez à hurler en criant à l'injustice, vous faites preuve d'immaturité et vous donnez raison à vos parents qui vous traitent en bébé. Je sais que ces situations sont parfois frustrantes et qu'il est difficile de garder son calme quand on sent que les parents ne veulent rien entendre, mais si vous vous y prenez calmement et exposez votre point de vue de façon posée, les chances sont plus grandes pour qu'ils vous écoutent et qu'ils soient plus ouverts à négocier. L'affrontement émotif entraîne rarement des résultats positifs. Gardez ça en tête lorsque viendra le temps de discuter avec un adulte.

Comment puis-je être plus mature ?

J'ai déjà souligné de quelle façon vous pouvez adopter un comportement plus mature avec vos parents, mais, de façon générale, vous vous demandez peut-être comment faire pour être plus mature et pour que les autres vous prennent au sérieux. Par exemple, si un groupe de filles vous énervent à l'école et se moquent de vous sans raison, la meilleure chose à faire est de les ignorer et de ne pas entrer dans la danse de l'immaturité. Si ces filles agissaient de façon mature, elles auraient plus confiance en elles et ne ressentiraient pas le besoin d'humilier les autres pour se sentir bien dans leur peau. Si vraiment une situation vous paraît intolérable, rien ne vous empêche d'exprimer ce que vous ressentez et de montrer de quel bois vous vous chauffez, mais prenez soin d'être honnête et claire sans chercher à blesser inutilement les autres et sans vous abaisser à leur niveau. Quand on agit de façon mature, on assume ses valeurs et sa personnalité, et on reste ainsi fidèle à soi-même. Bref, si les filles vous embêtent vraiment et vous manquent de respect, vous pouvez toujours les affronter et leur demander clairement et calmement quel est leur problème. Elles ne s'attendront sûrement pas à une réaction aussi directe et franche de votre part. Par conséquent, vous arriverez à les déstabiliser et elles n'auront peut-être rien à ajouter. Si quelque chose les chicote, vous ouvrirez la porte à la discussion, et ce sera à elles de saisir la perche que vous leur tendrez.

Maturité et confiance en soi

Si je reprends l'exemple des filles qui vous intimident, le fait de les affronter directement et calmement vous permettra aussi de vous surpasser et de prendre conscience de votre force de caractère. Quand on croit en soi et qu'on respecte ses valeurs, on acquiert plus de maturité, ce qui nous aide souvent à prendre les choses avec un grain de sel ou à affronter des obstacles sans avoir peur. Vous comprendrez que cela aura un impact direct sur votre confiance en vous puisque vous réaliserez que vous êtes capable de vous défendre, de respecter vos principes et de foncer pour obtenir ce que vous voulez. N'allez pas croire que la maturité et la confiance en soi s'acquièrent du jour au lendemain; c'est un processus assez long qui se fait peu à peu. Si vous prenez le temps d'y penser, vous trouverez certainement des exemples de situations dans lesquelles vous avez agi de façon mature, et vous réaliserez à quel point cela a entraîné des résultats positifs. Que ce soit avec vos parents, une amie, un gars ou un prof, mieux vaut aborder une situation de façon calme et mature pour essayer de trouver une solution au problème. Ne soyez toutefois pas trop dure envers vous-même : toutes les filles ont des moments de faiblesse et éclatent en sanglots ou se mettent à hurler de temps à autre. Nous sommes des êtres sensibles et nous ne pouvons pas toujours contrôler nos émotions. Quand une telle situation se produit, ne vous apitoyez pas trop sur votre sort. Retroussez vos manches et apprenez de vos erreurs : vous ferez mieux la prochaine fois ! La maturité, ça veut aussi dire être capable d'admettre ses erreurs et ses faiblesses. Personne n'est parfait, mais vous avez toujours la chance de vous améliorer et de vous épanouir davantage; c'est ça, le chemin vers la maturité !

Sujets connexes : adolescence, responsabilité

Media

Un média sert avant tout à diffuser de l'information. Les principaux médias sont la télévision, la radio, Internet et les journaux. Ce sont ces moyens de diffusion que nous utilisons tous les jours pour nous divertir, pour nous informer de ce qui se passe dans le monde ou pour trouver des réponses à nos questions.

La télévision

Depuis l'invention de la télévision en 1926, nombreux sont ses adeptes qui n'arrivent plus en s'en passer. Au cours des dernières années, une importante campagne de conscientisation a été entreprise dans le but d'encourager les jeunes à passer moins de temps devant la télévision, qui est associée aux problèmes d'obésité et de paresse intellectuelle, pour faire d'autres types d'activités. Comme tout autre média, la télé a ses avantages et ses inconvénients. Bien que beaucoup d'émissions soient considérées comme abrutissantes et que la télé ait cet effet hypnotique qui nous rend un peu « légumes », il s'agit aussi d'un outil fort utile pour transmettre des informations et des faits fascinants dans toutes sortes de domaines. Il y a par exemple plusieurs émissions éducatives qui permettent aux enfants d'apprendre tout en s'amusant. Pour les plus vieux, certaines émissions à caractère informatif et culturel sont également passionnantes. La télé donne aussi la possibilité de diffuser des téléromans, des téléséries et des films qui savent à la fois nous émouvoir et nous distraire, et qui permettent de promouvoir l'art et la culture locaux. Cela dit, certaines familles n'ont pas de télé et ne sont pas folles pour autant. La télé peut faire partie ou non de notre mode de vie, et chacun est libre de décider si elle convient à ses valeurs et à ses priorités. Plusieurs personnes refusent d'avoir une télé parce qu'elles ont peur d'en devenir complètement dépendantes, de passer trop de temps devant l'écran et de sacrifier toutes autres activités à son profit. On peut également choisir de payer pour s'abonner au câble, et ainsi avoir accès à plus de chaînes, ou alors se contenter des canaux gratuits.

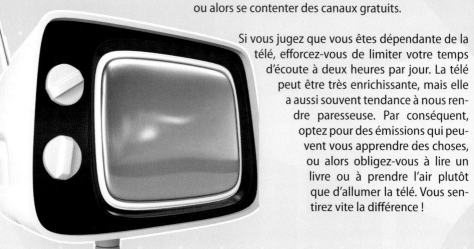

Si vous jugez que vous êtes dépendante de la télé, efforcez-vous de limiter votre temps d'écoute à deux heures par jour. La télé peut être très enrichissante, mais elle a aussi souvent tendance à nous rendre paresseuse. Par conséquent, optez pour des émissions qui peuvent vous apprendre des choses, ou alors obligez-vous à lire un livre ou à prendre l'air plutôt que d'allumer la télé. Vous sentirez vite la différence !

Les journaux

Les journaux existent depuis belle lurette, et ils ont l'avantage d'être à la fois économiques, extrêmement variés et de nous forcer à faire un effort intellectuel supplémentaire. Lire le journal est un moment de détente absolu durant lequel on oublie le monde qui nous entoure. Ce n'est pas pour rien que vos parents passent le samedi matin en pantoufles à lire leur journal devant un bon café. Il existe des journaux pour tous les styles et pour tous les goûts. En plus de la presse quotidienne, qui relate les événements de l'actualité et commente les nouvelles locales, nationales et internationales, vous pouvez opter pour les journaux culturels, sportifs, spécialisés, de potins, etc. Les journaux permettent aussi d'exprimer son opinion sur des sujets qui nous tiennent à cœur, ou alors d'apprendre des tas de choses en lisant les analyses et les éditoriaux des gens qui y collaborent. Si vous avez toujours voulu lire le journal, mais que celui que vos parents reçoivent vous fait peur tellement il est énorme, choisissez les sections qui vous intéressent le plus. Apprenez aussi à discuter de l'actualité avec les gens de votre entourage. Il est très important de savoir ce qui se passe dans notre société et dans le reste du monde pour rester connectée avec la réalité. C'est une aptitude qui s'acquiert petit à petit, alors ne vous découragez pas si, au début, vous êtes surtout tentée par les bandes dessinées. Choisissez des articles qui vous intéressent et qui portent sur des sujets qui attirent votre attention, et je suis certaine que, peu à peu, vous prendrez goût à l'actualité et vous forgerez votre propre opinion sur ce qui se passe autour de vous, que ce soit en matière de politique, d'économie, de sport ou de sciences.

Les médias en crise ?

Avec l'arrivée et l'omniprésence d'Internet, les amateurs de nouvelles peuvent maintenant consulter leurs médias en ligne, que ce soit les journaux (cyberpresse), la radio (le site de Radio-Canada) ou même la télé, puisqu'il est maintenant possible d'écouter des émissions directement sur le Web. Avec l'expansion d'Internet et l'offensive des quotidiens offerts gratuitement, les médias souffrent d'une crise mondiale et enregistrent d'importantes baisses de popularité, de lectorat, d'auditoire et ont par conséquent dû composer avec des compressions budgétaires, engendrant bien souvent des grèves dans plusieurs secteurs.

Autres médias

Internet fournit également des tas d'informations par le biais d'une multitude de journaux électroniques que vous pouvez consulter à toute heure de la journée, puisqu'ils sont continuellement mis à jour. Cela vous permet de rester bien informée et à l'affût des événements qui marquent le monde. La radio peut, quant à elle, nous offrir un moment de détente et, selon la station que vous écoutez, elle propose une grande variété d'émissions d'ordre musical, politique, culturel, etc. C'est à vous de trouver ce qui vous plaît le plus et de syntoniser le bon poste.

Les médias sont partout et vous permettent de rester branchée sur le monde qui vous entoure. Il s'agit d'un moyen de diffusion massive des actualités et des informations de toutes sortes. Je vous encourage donc fortement à en faire bon usage et à en profiter pour vous tenir au courant de l'actualité et pour forger votre propre opinion sur les sujets qui vous touchent. La liberté d'expression nous permet d'émettre librement nos opinions, alors n'hésitez pas à dire ce que vous pensez et à partager vos connaissances. Je suis sûre que vous avez des tas de choses intéressantes à dire et que les gens ont beaucoup à apprendre de vous.

Sujets connexes : internet

Mensonge

Quand vous étiez toute petite, Pinocchio vous a vite appris qu'il ne fallait pas mentir. Quand on vieillit, on se rend compte que c'est plus facile à dire qu'à faire.

Mentir, c'est nier la vérité ou simplement affirmer quelque chose de faux. Dans la plupart des cas, cela n'apporte pas les résultats voulus.

Il y a plusieurs raisons qui nous poussent à mentir. Parfois, c'est simplement parce qu'on ne veut pas admettre qu'on a tort. On invente alors une histoire de toutes pièces ou on donne de fausses informations pour justifier notre position, tout en sachant très bien que ce n'est pas vrai. Il nous arrive aussi souvent de mentir parce qu'on a honte de reconnaître la vérité. Si vous oubliez de verrouiller la porte de votre maison et qu'elle se fait cambrioler, vous n'aurez peut-être pas envie d'avouer que c'est votre faute, parce que vous avez honte de l'erreur que vous avez commise et des conséquences qu'elle a eues.

On ment aussi parfois pour éviter les affrontements et les chicanes. C'est plus « simple » de nier qu'on a dit une bêtise que d'expliquer pourquoi on l'a dite. En plus, on sait que ça fera toute une histoire. Le problème, c'est que si on garde tout ça pour soi et qu'on accumule ses frustrations, la situation n'a aucune chance de s'arranger. Comment l'autre peut-il deviner ce que vous ressentez si vous ne le lui dites pas ? Bien qu'il ne soit pas toujours facile d'être honnête et franche, les résultats sont souvent plus satisfaisants que lorsqu'on cache la vérité.

On décide aussi quelquefois de mentir pour éviter de faire de la peine aux autres. Par exemple, si on apprend que l'amoureux de notre meilleure amie l'a trompée, on préfère parfois ne rien dire que de lui faire de la peine. Pourtant, même si la vérité est souvent dure à encaisser, mieux vaut que notre amie sache à qui elle a affaire. C'est notre devoir d'amie de le lui dire.

Et puis, il y a les gros mensonges, ceux qui viennent véritablement briser la confiance, et parfois même détruire une relation. Dans ce cas, celle qui ment est ravagée par la culpabilité et les remords, tandis que celle qui a été trahie n'arrive peut-être pas à pardonner ou ne peut concevoir de donner une deuxième chance à l'autre. Lorsqu'on se trouve dans une situation semblable, on réalise que le mensonge n'en vaut pas la peine. Mieux vaut affronter ses peurs et dire la vérité que d'être lâche et de le regretter amèrement par la suite. De toute façon, tout finit par se savoir, et même si vous croyez que votre secret est bien gardé, vous seriez surprise de voir combien de personnes finiront par l'apprendre.

On ment parfois par facilité, simplement pour obtenir ce qu'on désire. Si vous voulez assister à une fête et que vous savez très bien que vos parents ne vous donneront pas la permission de sortir, il pourrait vous paraître plus simple de leur mentir et de prétendre que vous allez passer la soirée à étudier à la bibliothèque. Est-ce qu'il vaut vraiment la peine de risquer de trahir la confiance de vos parents pour une simple petite fête, ou est-ce qu'il ne serait pas mieux de leur dire la vérité et de leur exposer votre point de vue ? Peut-être qu'ils sont simplement inquiets de vous voir revenir tard le soir, mais que vous trouverez un terrain d'entente vous permettant de vous rendre à cette fête. Je peux vous assurer par expérience que c'est en étant honnête que vous gagnerez davantage la confiance de vos parents et que vous obtiendrez la liberté dont vous avez besoin.

Il y a aussi des filles qui mentent parce qu'elles manquent de confiance en elles et qu'elles éprouvent le besoin d'attirer l'attention et d'impressionner les autres. Elles se mettent alors à inventer des histoires, allant même jusqu'à se créer une vie parce qu'elles veulent elles aussi passer au premier rang et sentir qu'elles ont des choses intéressantes à raconter. Même si cela semble nul et que leurs fables blessent parfois les gens, il ne faut pas être trop cruelle avec elles. Dites-vous que ces filles manquent simplement d'assurance et qu'elles croient qu'elles ont besoin d'épater leurs amies pour avoir l'air cool et pour être appréciées. Il est évident qu'elles sont en même temps torturées par la culpabilité et par le fait qu'elles n'arrivent plus à se sortir du pétrin dans lequel elles se sont mises en racontant tous ces mensonges. Elles doivent sans cesse jouer la comédie et laisser de côté leur vraie nature. Si vous vous rendez compte qu'une personne ment dans le but de se valoriser, plutôt que de vous moquer d'elle, expliquez-lui que ce n'est pas nécessaire et qu'elle n'a pas à s'inventer une vie imaginaire pour se faire des amis.

Je ne crois pas avoir besoin de vous casser les oreilles en vous répétant que ce n'est pas beau de mentir. Je crois qu'au fond, vous le savez très bien, tout comme vous savez que cela entraîne quelquefois des conséquences désolantes ou des disputes déchirantes. Même si la vérité est parfois dure à dire, vous aurez le cœur beaucoup plus léger et la conscience plus claire si vous apprenez à être honnête avec les gens. Bien que ce soit dur sur le coup, on dort beaucoup mieux après et on ne regrette jamais d'avoir dit la vérité. On apprend ainsi à être plus intègre et à inspirer confiance aux gens qui nous entourent. Mais attention : le fait d'être honnête ne veut pas dire que vous deviez manquer de tact et de délicatesse. Il faut faire la différence entre mentir et s'abstenir de dire la vérité par courtoisie. Par exemple, si vous trouvez que la robe de votre amie est affreuse, il n'est pas nécessaire de le lui balancer bêtement. Vous pouvez simplement lui dire que vous préférez ses autres tenues. Si elle a un bouton et qu'elle vous demande s'il paraît beaucoup et si elle est défigurée, n'insistez pas. Dites-lui qu'elle s'en fait pour rien. Dans ce cas, vous ne lui mentez pas, vous souhaitez simplement lui remonter le moral sans la faire sentir encore plus moche. Les amies, ça sert aussi à ça !

💟 Sujet connexe : honte

Menstruations

UNE NOUVELLE ÉTAPE DE LA VIE

On vous a parlé des menstruations tout au long de votre enfance. Quand on est jeune, on a souvent hâte que ça nous arrive pour sentir qu'on a franchi une nouvelle étape. Puis, quand les premières règles se pointent, qu'on voit le sang et qu'on ressent des douleurs dans le bas-ventre, on ne comprend pas trop pourquoi notre mère pleure de joie à l'idée de nous voir devenir une femme.

Qu'y a-t-il de merveilleux à vivre ce martyre tous les 28 jours jusqu'à la ménopause ? Toutes les filles se le demandent un jour ou l'autre. Cependant, il faut savoir apprécier cette transformation physique et accepter ce qui vous arrive, car votre mère a bel et bien raison : vous êtes devenue une femme.

La première étape : les pertes blanches

Les premières pertes blanchâtres surviennent quelques mois avant l'arrivée des menstruations. Il s'agit en fait de sécrétions du vagin qui resteront présentes tout au long de votre vie de femme. Les pertes blanches sont en fait constituées de cellules, et c'est grâce à elles que le vagin reste toujours protégé puisqu'elles préservent l'équilibre de la flore vaginale. (Source : Doctissimo.) Soyez sans crainte, les pertes blanchâtres sont tout à fait normales et ne veulent pas dire que vous êtes « sale ». Au contraire, c'est le premier pas vers votre vie d'adulte.

Comment fonctionnent les menstruations

Les règles surviennent chez une fille qui n'est pas enceinte et sont le résultat du cycle menstruel qui dure environ 28 jours. Au cours des premiers jours du cycle menstruel (normalement, les 14 premiers), votre muqueuse utérine s'épaissit pour pouvoir accueillir un ovule. Lors du quatorzième jour, soit celui de l'ovulation, un ovule est expulsé de l'ovaire et descend peu à peu vers l'utérus par les trompes de Fallope. C'est d'ailleurs au cours de cette période que la femme devient extrêmement fertile puisque l'ovule est en mesure de rencontrer un spermatozoïde et de se développer dans l'utérus pour former un embryon, et ultérieurement un petit bébé. S'il n'y a pas de fécondation de l'ovule, votre corps rejettera la muqueuse durant la deuxième phase du cycle menstruel, ce qui entraînera les saignements après les 28 jours du cycle.

Les premières règles surviennent au cours de la puberté. L'âge des premières menstruations varie d'une fille à l'autre : certaines se développent très rapidement et commencent à avoir leurs menstruations dès l'âge de 10 ou 11 ans, tandis que d'autres doivent attendre la fin de l'adolescence. De façon générale, les règles surviennent entre 12 et 16 ans,

au moment où votre corps se transforme et où vous entamez intensément votre puberté.

Les règles

Les règles durent normalement de quatre à cinq jours. Pendant cette période, il est normal de ressentir des maux de ventre, une sensibilité aux seins et au reste du corps, un sentiment de fatigue générale et une plus grande vulnérabilité émotionnelle ou une humeur moins stable que d'habitude. Les effets physiques et affectifs des règles ne sont pas identiques chez toutes les filles, mais si vous subissez beaucoup de désagréments, je vous conseille de prendre des comprimés d'ibuprofène ou d'en parler à votre médecin pour qu'il vous prescrive un traitement adéquat. Bien que les règles nous ennuient parce qu'elles nous empêchent souvent

de vaquer normalement à nos occupations, qu'elles nous fatiguent et qu'elles nous empoisonnent la vie, il est tout de même bien de savoir que notre corps fonctionne normalement et que nous sommes devenues femmes. Une fois que vous avez eu vos premières menstruations, vous devenez physiquement apte à porter un bébé et votre corps entre officiellement dans le monde adulte. Je sais que c'est ennuyeux et parfois même gênant d'avoir ses règles, mais plus les années passeront, plus vous vous y habituerez et moins elles vous dérangeront.

Serviettes ou tampons ?

En ce qui concerne la protection hygiénique, il s'agit d'une décision bien personnelle. Certaines filles préfèrent porter des serviettes hygiéniques puisqu'elles les trouvent plus faciles à installer et plus confortables, tandis que d'autres ne jurent que par les tampons qui se transportent mieux et offrent une plus grande sensation de propreté. Il existe toutes sortes de serviettes (parfumées, non parfumées, avec ailes, sans ailes, etc.) et de tampons (avec applicateur en plastique ou en carton, sans applicateur, de tailles variables en fonction de votre flux menstruel). Je vous conseille de choisir la éthode qui vous gêne le moins.

Comment insérer un tampon

Tout d'abord, mettons une chose au clair : le fait d'insérer un tampon dans votre vagin ne vous fera pas perdre votre virginité et ne vous fera pas saigner davantage. Il se peut qu'il soit un peu difficile de l'insérer au début, mais vous devez bien vous détendre et l'orienter de façon à ce qu'il entre bien dans l'axe du vagin. Installez-vous en position accroupie au-dessus de la toilette, puis insérez le bout de l'applicateur dans le vagin, tout en tenant le tube avec vos doigts et en vous assurant de maintenir la corde à l'extérieur. Appuyez ensuite sur le tube qui se trouve à l'intérieur de l'applicateur pour qu'il propulse le tampon à l'intérieur de votre vagin, puis retirez et jetez l'applicateur. Si vous ne vous sentez pas confortable, c'est sûrement que vous n'avez pas enfoncé le tampon assez profondément. Je vous conseille donc de l'enlever et de recommencer. Par ailleurs, durant les premiers jours de vos menstruations, le flux sanguin sera normalement beaucoup plus abondant, et il vous faudra changer de tampon assez souvent (environ toutes les trois ou quatre heures). Si vous voyez du sang apparaître sur la corde, c'est que votre tampon est pleinement imbibé et qu'il est grand temps de le changer. Vous n'avez qu'à tirer sur la corde reliée à l'extrémité extérieure du tampon pour le retirer de votre vagin. Enroulez-le ensuite dans un mouchoir et jetez-le à la poubelle.

Vive les femmes !

Si vous avez vos règles, n'en ayez surtout pas honte. Il se peut que vous n'ayez pas envie de partager la nouvelle avec votre père ou avec votre frère parce que vous ne vous sentez pas à l'aise, mais parlez-en à votre mère. Elle peut tout à fait comprendre ce qui vous arrive et vous expliquer davantage les changements qui surviennent dans votre corps. Il se peut que vous vous sentiez « changée » après vos premières règles, mais dites-vous que les gens autour de vous ne remarqueront probablement pas ce changement, alors il n'y a pas de raison de vous terrer dans votre chambre. Les règles surviendront normalement tous les mois jusqu'à votre ménopause, soit dans environ 35 à 40 ans, alors aussi bien vous y habituer et embrasser votre nouvelle identité de femme.

Sujets connexes : Sexualité, contraception , puberté

Mère

BESOIN DE COUPER LE CORDON

En vieillissant, les filles ont tendance à se poser la question :
« Pourquoi est-ce que ma mère m'énerve autant ? »

Ça fait partie de la crise d'adolescence : même si vous aimez votre mère et que vous avez été très proche d'elle pendant toutes ces années, vous sentez maintenant le besoin de couper le cordon et de vous débrouiller toute seule. Sachez qu'il s'agit d'une étape normale et tout à fait saine, mais qu'il ne faut pas dépasser les limites en blessant inutilement votre mère. Il est très difficile pour elle de se voir rejetée de votre vie et de perdre son rôle de confidente, alors essayez d'être indulgente.

Il existe toutes sortes de mères : les mères « modernes » qui jonglent entre la vie familiale et la vie professionnelle ; les mères indépendantes ; les mères confidentes ; les mères poules ; les mères cajoleuses ; les mères absentes ; les mères autoritaires ; etc. Quelle que soit la nature de votre mère, vous aurez souvent tendance à la comparer avec celle de votre amie et d'envier la relation qu'elles entretiennent. Sachez d'abord que les mères ne sont jamais parfaites, et qu'elles ont toutes leurs forces et leurs faiblesses. Votre mère est peut-être plus sévère que celle de votre amie, mais elle a peut-être aussi une meilleure écoute, et vous pouvez toujours compter sur elle lorsque vous en avez besoin.

C'est normal d'avoir besoin d'indépendance et d'autonomie lorsqu'on entre dans l'adolescence, mais on doit s'efforcer d'exprimer calmement ce besoin et de faire la transition en douceur. Ne soyez pas trop dure avec votre mère, même si vous avez l'impression d'étouffer. Elle est habituée à assumer ce rôle et vous ne vous en êtes jamais plainte avant aujourd'hui, alors laissez-lui le temps de s'adapter à votre changement d'attitude. À l'adolescence, on est souvent déchirée entre le besoin de sa mère et l'envie d'être seule. Cette ambivalence peut être difficile à vivre pour votre mère qui ne sait pas trop comment s'y prendre ou comment agir avec vous. Si vous la sentez distante, dites-vous qu'elle agit sûrement de cette manière pour vous laisser votre espace, et faites-lui comprendre que sa présence est encore importante pour vous. Si au contraire vous vous sentez étouffée, expliquez calmement à votre mère ce que vous ressentez et dites-lui que vous souhaitez avoir votre espace : ce n'est pas parce que vous l'aimez moins, c'est simplement parce que vous en avez besoin. Dites-vous que votre mère est passée par les mêmes étapes que vous, et que même si elle vous semble out et complètement dépassée, elle a déjà été une adolescente et elle connaît ce désir d'indépendance. Si elle se montre dure d'oreille, rappelez-lui comment elle se sentait à votre âge, ou alors expliquez-lui que vous êtes différente et que vous avez besoin d'apprendre à vous débrouiller seule.

Si vous avez besoin de parler ou de vous confier, vous pouvez aussi compter sur votre mère pour vous écouter. Vous n'êtes pas obligée de tout lui dire, et je crois même qu'il est sain de préserver une certaine intimité et une pudeur dans vos révélations, mais elle est tout à fait capable de comprendre vos états d'âme, de vous consoler lorsque vous êtes triste ou de vous calmer durant les périodes de stress. Ne sous-estimez pas votre mère ; elle est avant tout une femme qui a déjà ressenti les mêmes angoisses et les mêmes inquiétudes que vous. Dans cet ordre d'idées, n'oubliez pas de lui demander comment elle va et de vous informer de ce qu'elle fait. Elle n'est pas seulement votre mère ; elle est aussi un individu à part entière qui traverse des moments difficiles à l'occasion, et qui a parfois besoin d'un peu d'attention, même si ça peut vous sembler ridicule. Si vous ne vous sentez pas vraiment à l'aise de le faire, faites-lui savoir que vous l'aimez malgré tout. Il n'y a rien qui pourra la rendre plus heureuse !

💟 Sujets connexes : famille, père, frère et soeur

QUEL EST TON STYLE?

Vous êtes peut-être quelqu'un qui s'intéresse beaucoup à la mode. Qu'elle vous influence ou non, vous savez que la mode fait partie de notre quotidien et varie selon les saisons, les époques, les tendances, les inspirations et les styles.

De plus, la mode ne s'applique pas uniquement aux vêtements ; elle régit également l'ensemble de notre style de vie. Il y a les restos branchés, les endroits qu'on doit « absolument » fréquenter parce qu'ils sont à la mode, les coupes de cheveux, la déco, les sports, les activités, la musique, etc. C'est par ailleurs à vous de déterminer si vous vous laissez influencer par la mode ou non, et à quel point elle joue un rôle important dans votre vie.

On doit en fait chercher un équilibre avec la mode. À l'adolescence, on a parfois de la difficulté à trouver son propre style et à exprimer ses goûts personnels, et on préfère faire comme tout le monde pour ne pas se sentir out ou « rejet ». Il est normal d'être influençable et, malgré tout, il y a des choses vraiment jolies et cool qui sont à la mode. Mais vous pouvez tout de même créer votre propre style en vous inspirant des trucs branchés tout en y mettant votre touche personnelle. Il vaut mieux être originale que d'avoir le même chandail que cinq autres filles de votre classe, non ? Il suffit parfois de quelques accessoires qui vous paraissent spéciaux ou vraiment cool pour ajouter une touche d'originalité à votre ensemble. La mode vous sert alors de guide. Vous pouvez vous laisser influencer par certaines tendances tout en restant à l'affût des éléments originaux, ou même classiques, que vous pourrez porter pendant des années plutôt que de les balancer au recyclage dans quelques semaines, quand ils seront out.

Pour certaines, la mode est une véritable passion. Si vous faites partie des vraies adeptes, et que vous dévorez les magazines de mode et faites du lèche-vitrine plusieurs fois par semaine dans le but de découvrir les nouveautés, sachez qu'il existe des professions pour vous. Vous pouvez vous diriger vers les écoles professionnelles de mode afin de vous spécialiser en commercialisation ou en design. Il existe plusieurs programmes d'études liés à la mode, au cégep et à l'université.

Une chose est sûre : la mode ne vient pas sans prix. Quand on veut toujours être au courant des dernières nouveautés ou qu'on raffole des créations de designers locaux et étrangers, on se rend vite compte que ça coûte cher d'être à la mode ! Si votre budget ne vous permet pas de dévaliser les magasins, vous pouvez apprendre à modifier vos vêtements de façon à les rendre plus branchés, ou alors visiter les boutiques moins chères et les friperies qui renferment toujours de vrais trésors, mais où on ne prend pas toujours la peine d'entrer. Ne sous-estimez pas l'importance des accessoires : peu dispendieux, ils peuvent être utilisés sous plusieurs formes et changer une tenue du tout au tout. Restez aussi à l'affût des soldes dans les magasins. Vous pourriez vraiment faire de grandes économies. De plus, consultez les revues ou Internet pour vous tenir au courant des dernières tendances et pour évaluer de quelle façon vous pourriez modifier votre garde-robe pour la rendre plus cool sans toutefois dépenser une fortune.

Même si vous êtes une mordue, il ne faut pas devenir une victime de la mode pour autant. Ce n'est pas parce qu'un vêtement est à la mode qu'il est joli ou qu'il doit absolument vous intéresser. Vous devez aussi tenir compte de l'usage que vous en ferez, ainsi que de votre propre style. Tous les trucs « à la mode » ne con-viennent pas automatiquement à tout le monde ! Lorsque vous essayez un vêtement, vous devez bien regarder la taille, la couleur et le style afin de déterminer s'il vous met en valeur et s'il vous va bien. Assurez-vous de vous sentir jolie et à l'aise dans vos vêtements, et ne vous laissez pas con-vaincre d'acheter quelque chose qui ne vous va pas bien du tout simple-ment parce que c'est à la mode. Il y a des trucs branchés qui sont franchement horribles, alors fiez-vous à votre jugement.

Je vous conseille aussi de ne pas vous débarrasser trop vite des vêtements que vous ne portez plus. La mode fonctionne par cycles, et plusieurs des trucs que vous trouvez vraiment out risquent de revenir à la mode dans les prochaines années. Par conséquent, si vous avez de l'espace, rangez le tout dans des boîtes et attendez que la vague repasse. Après tout, les années 1980 et le rétro sont bel et bien revenus à la mode, non ?

Peut-être êtes-vous déchirée entre le désir d'être à la mode et celui de créer votre propre style. Vous ne voulez pas avoir l'air ridicule aux yeux des autres, mais vous n'avez pas les moyens de vous acheter des nouveaux trucs chaque semaine. Sachez que l'important, c'est de vous assumer dans ce que vous faites. Que ce soit en matière de musique, d'habillement, d'activités ou de style de vie, vous avez vos préférences et il est important de vous écouter et de vous faire plaisir. Il n'est pas mauvais d'être un peu excentrique et d'inventer son propre style sans toujours vouloir faire comme les autres. Apprenez à vous affirmer et n'ayez pas peur de sortir du moule. Qui sait, vous lancerez peut-être une nouvelle mode !

Sujets connexes : beauté, magasinage

Mort

La mort est une question qui soulève des inquiétudes et des doutes auprès de tout le monde. C'est une réalité dure à accepter, et une fatalité à laquelle on ne veut pas penser.

En effet, tous les êtres vivants finissent un jour par mourir. Certes, lorsqu'on est jeune, on ne veut pas penser à cela. On sent qu'on a la vie devant soi, que rien ne peut nous arriver, que nous sommes en quelque sorte invincibles. Il est vrai qu'il vaut mieux adopter une attitude positive et mordre dans la vie à pleines dents plutôt que d'appréhender le pire et de craindre tous les dangers de peur que la mort ne survienne, mais il est important de prendre conscience du concept de la mort pour pouvoir profiter pleinement de la vie et apprendre à la protéger.

Vivre avec la mort

La mort frappe parfois de façon fulgurante, sans crier gare, et peut apparaître dans notre vie et nous bouleverser au plus haut point. Bien qu'on soit jeune et en bonne santé, des gens peuvent décéder autour de nous, que ce soit un oncle, un grand-père, un voisin, ou parfois même un camarade de classe. C'est alors qu'on commence à se poser toutes sortes de questions : Pourquoi est-il mort ? Que lui est-il arrivé ? Pourquoi lui ? Où est-il allé ? Pourquoi est-ce que je ressens soudain un si grand vide et une si grande insécurité ? Je peux facilement répondre à cette dernière question : la mort demeure un mystère aux yeux de tous. Nous savons que c'est le terme de la vie, mais nul ne sait ce qui arrive ensuite. Certains croient à la réincarnation, d'autres à la résurrection et au bonheur éternel. Cela dépend souvent des croyances religieuses ou personnelles. Les athées, par exemple, croient qu'il n'y a rien après la mort ; d'autres espèrent simplement qu'il y ait quelque chose sans toutefois s'attendre à rien. Bref, non seulement cette incertitude est angoissante, mais, en plus, personne ne sait à quel moment la mort surviendra. C'est ce qu'il y a de plus révoltant à ce sujet. Quand, par exemple, un proche décède dans un accident, on n'arrive pas à y croire. C'est si inattendu, si soudain. On n'a pas eu le temps de lui dire ce qu'on ressentait, ou de passer autant de temps qu'on aurait voulu en sa compagnie. Quoi qu'il en soit, ça ne sert à rien de se casser la tête et d'angoisser sans cesse au sujet de la mort. On ne sait pas ce qui arrivera, alors mieux vaut profiter pleinement du moment présent et jouir de la vie pendant que nous en avons encore la chance !

Des risques inutiles

Bien que vous soyez jeune et que vous vous sentiez invincible, sachez que vous devez tout de même vous protéger contre les dangers et éviter de prendre des risques qui mettraient inutilement votre vie en péril. Par exemple, portez un casque lorsque vous faites du vélo. Ce n'est peut-être pas très joli, mais c'est un sacrifice qui en vaut la peine, puisque cela peut vous sauver la vie. Ne conduisez JAMAIS en état d'ébriété et ne montez pas à bord d'une voiture dont le conducteur a bu. Ne plongez pas dans un lac si vous ne savez pas nager et ne consommez pas de substances qui risquent de mettre votre vie en danger. Bref, soyez responsable et prudente. La vie est un cadeau unique, et il faut la chérir et en profiter pleinement tout en prenant bien soin de soi !

Profitez de la vie !

Même si vous traversez parfois des moments difficiles ou que vous faites face au décès d'un proche, ce qui vous plonge inévitablement dans la dure réalité de la mort, rappelez-vous qu'il ne sert à rien de vivre en craignant sans cesse de mourir. Vous devez apprendre à profiter de la vie et adopter une philosophie où vous vivez chaque journée comme si c'était la dernière. On ne peut pas prévoir le futur, et on ne peut pas expliquer ce qui se passe après la mort, alors profitez de votre jeunesse et ne vous en faites pas trop avec ces histoires morbides. Songez plutôt à vos rêves, à vos espoirs et à vos ambitions. Apprenez à vous sentir vivante et à jouir des petits plaisirs de la vie, comme les dimanches en famille, les vendredis soir entre copines et les premiers amours qui nous font battre le cœur. N'ayez pas peur de ce qui vient ou de l'inconnu. Ça ne sert à rien de vous en faire pour l'instant, alors chassez les idées noires et estimez-vous chanceuse d'être en vie. Le temps file et on ne peut pas revenir en arrière, donc aussi bien profiter du moment présent, être passionnée de la vie et nous démarquer grâce à notre joie de vivre !

Sujet connexe : deuil

Musique

Que ferait-on sans musique ? Qu'importe le style, le genre, le rythme et la sonorité, tout le monde raffole de la musique. Il existe un nombre infini de styles, et chacune forge ses propres goûts musicaux. Il s'agit d'un choix personnel basé sur ses goûts, sur son humeur, sur sa propre personnalité.

En effet, la musique sert aussi à exprimer son identité au même titre que la tenue vestimentaire. Les gens qui partagent des intérêts musicaux ont même parfois tendance à se regrouper et à développer une forte amitié fondée entre autres sur cet intérêt commun et sur le sentiment d'appartenance à un style particulier. Il y a le genre alternatif, le grunge, le punk ou les styles plus classiques. Il existe des styles qui peuvent plaire à tout le monde, et c'est parfois un casse-tête de s'y retrouver et d'apprendre à connaître tous les styles de musique.

Pour certains, la musique est un simple passe-temps, une façon de se détendre ou de se distraire dans l'autobus. C'est aussi une manière de rêvasser dans sa chambre et d'associer ce qu'on vit aux paroles d'une chanson, ou de se défouler quand on en a besoin. Pour d'autres, il s'agit véritablement d'une passion. Vous rencontrerez certainement des gens qui vous impressionneront avec leurs connaissances musicales à tout casser. Comment font-ils pour s'y retrouver et pour connaître autant de groupes ? Et que dire des animateurs de radio, des D.J. et des disquaires ? Comment font-ils pour être au courant des dernières tendances musicales tout en connaissant très bien les classiques rétro, pop et électro ? Il s'agit d'une passion comme une autre, alors ils trouvent le moyen de se tenir au courant. Avec Internet, la tâche est devenue de plus en plus facile. Par ailleurs, ces gens fréquentent souvent les magasins de musique et de disques, lisent des tas d'articles sur le sujet, écoutent la radio de façon assidue. Quoi qu'il en soit, leurs connaissances sont épatantes!

La musique marque aussi certaines périodes de notre vie à tout jamais. Je me souviens qu'à l'adolescence, j'étais une fan inconditionnelle du groupe Nirvana. Aujourd'hui, dès que j'entends les chansons de ce groupe, je replonge directement dans mes quatorze ans et dans toutes les expériences que j'ai vécues à l'époque. C'est ainsi pour le premier slow qu'on danse, les premières fêtes qu'on organise et toutes les chansons qu'on dédie à nos petits amis. Même si le temps file, la musique reste et nous permet de revivre ces moments précieux avec intensité et nostalgie.

La musique donne aussi le rythme des générations. Certains chanteurs ou styles de musique sont associés aux années 1970, 1980, 1990 et maintenant 2000. Sachez que les genres musicaux qui ont marqué votre génération vous suivront toute votre vie et vous permettront de partager une grande complicité avec les gens de votre âge.

Pas besoin de vous rappeler que la musique nous permet aussi de danser et de nous défouler entre copines. Peu importe les goûts personnels de chacun, il existe des « classiques » qu'on adore chanter à tue-tête et sur lesquels on adore danser. La musique permet aux gens de se rassembler, de batifoler, de se défouler et de faire les fous. Elle crée parfois une ambiance intime durant les soirées entre amis, ou une ambiance déchaînée dans les fêtes et les discothèques. On choisit souvent un style de musique particulier pour les différents moments de la journée. Une musique douce pour

étudier ou pour s'endormir, un style plus intense pour rêvasser, un rythme énergique pour se déchaîner sur la piste de danse ou pour faire le ménage de notre chambre, etc. En résumé, la musique met toujours de la vie dans notre train-train quotidien.

Tous les goûts sont dans la nature

Quelles que soient vos préférences musicales, vous devez apprendre à respecter les goûts des autres sans toujours vouloir imposer votre propre musique. Il en est de même pour vos parents. Même si vous en avez ras-le-bol de leur musique classique, de leurs chants grégoriens ou de leur musique pop des années 1970, apprenez à respecter leur intimité musicale au même titre qu'ils respectent la vôtre. Dans le même ordre d'idées, bien que vous ayez parfois envie de faire trembler les murs au rythme de votre chanson préférée, apprenez à respecter les autres personnes qui vivent dans la maison, ainsi que vos voisins qui doivent subir le grondement incessant de votre musique. Bref, ne montez pas trop le volume de votre radio. Si vous aimez écouter de la musique à tue-tête, mettez des écouteurs et faites comme bon vous semble, mais prenez garde de ne pas devenir sourde !

La folie Internet

Il est aujourd'hui de plus en plus facile de trouver de la musique sur Internet, et même de la télécharger gratuitement (et illégalement). Sachez toutefois que lorsque vous agissez de la sorte, vous nuisez directement à l'industrie du disque et à la carrière des chanteurs que vous adorez. En effet, avec le piratage, personne ne profite de l'ac-

quisition que vous faites, par voie de téléchargement, d'un disque ou de chansons, puisque c'est du vol. Cela nuit particulièrement aux artistes qui commencent dans l'industrie et tentent de vivre de leur musique. Profitez plutôt d'Internet pour faire des recherches sur les différents genres musicaux, sur les chanteurs qui vous plaisent ou que vous avez envie de découvrir et sur les groupes

québécois plus underground qui méritent d'être entendus et appréciés. Vous pouvez également visiter les sites Internet de vos artistes favoris pour télécharger légalement leurs chansons en payant, sans toutefois être obligée de vous rendre chez le disquaire.

La musique est un art et une passion qui se développent. Par conséquent, je vous conseille aussi de vous créer une petite bibliothèque musicale dans votre ordinateur, ce qui vous permettra de rassembler vos morceaux de musique au même endroit, de les faire jouer plus facilement, de mettre ceux que vous préférez sur votre lecteur MP3, de diviser votre musique en catégories, genres ou chanteurs, et aussi de vous faire des listes de lecture musicale que vous pourrez sélectionner quand bon vous semble. La modernité et la technologie ont leurs avantages, alors aussi bien en profiter pleinement !

Sujet connexe : culture

Narcissisme

FASCINATION POUR SOI-MÊME ET AMOUR-PROPRE EXCESSIF

Le mot « narcissisme » vient de Narcisse, ce personnage de la mythologie grecque d'une grande beauté qui est tombé amoureux de lui-même après avoir vu son reflet dans l'eau d'une fontaine.

Il était si obnubilé par sa propre image qu'il est tombé dans l'eau et s'est noyé. L'admiration qu'il se portait à lui-même l'a donc mené à sa perte.

Le narcissisme est une fascination pour soi-même et un amour-propre excessif qui conduisent une personne à tout ramener à elle-même et à ses propres besoins. En d'autres mots, quand on est narcissique, on a tendance à se regarder un peu trop le nombril et à ne s'intéresser qu'à soi-même. Bien qu'il soit extrêmement important d'apprendre à s'aimer et à se valoriser, il faut savoir trouver un équilibre entre l'amour de soi et l'égocentrisme, soit le fait de ne penser qu'à soi.

Me, myself and I…

Quand on est narcissique, on ne tient pas compte des autres. On est obnubilée par soi et par ses propres émotions. Bref, on ne tend pas la main aux autres, et on refuse de prendre la main de ceux qui nous la tendent. Ce qu'il faut que vous sachiez, c'est que vous avez beaucoup à apprendre des gens qui vous entourent et qui vous aiment. Plutôt que de jouer les victimes, de vous rouler dans votre malheur et de vous regarder le nombril, laissez les autres vous donner leurs conseils et vous aider à traverser les périodes difficiles. Dans la vie, il y a toujours pire que soi, alors il suffit de mettre les choses en perspective pour réaliser qu'on n'est pas si mal en point qu'on pourrait d'abord le croire. D'autre part, les gens qui vous entourent ont des tas de choses à vous offrir, et vous avez beaucoup à apprendre d'eux. Par conséquent, apprenez à partager et à donner de votre temps et de votre énergie, et vous verrez que vous vous sentirez beaucoup mieux dans votre peau. En effet, quand on se regarde trop le nombril, on a tendance à se replier sur soi et à se fermer aux autres. Bref, on se sent souvent très seule. Imaginez que chaque fois qu'il vous arrive quelque chose ou que vous avez besoin d'un conseil, votre amie ramène tout à sa propre vie et ne fait que parler d'elle. Vous n'aurez plus envie d'aller la voir et de vous confier à elle. Il n'y a rien de plus embêtant que les gens qui sont imbus d'eux-mêmes et qui refusent de s'ouvrir un peu aux autres et de s'intéresser à autre chose qu'à leur propre personne. C'est pour cette raison que les gens narcissiques sont souvent seuls ; ce n'est pas seulement parce qu'ils se complaisent dans leur amour-propre ; c'est aussi parce que les autres ne sont pas portés à aller vers eux.

Bien que vous deviez évidemment apprendre à vous aimer, vous devez toutefois utiliser cet amour et cette confiance en vous pour vous ouvrir davantage aux autres et pour leur tendre la main. Vous devez apprendre à donner et à recevoir tout en profitant pleinement de ce que les gens ont à vous offrir. N'hésitez pas à prendre des nouvelles des autres et à vous intéresser à eux. Quand on est vraiment bien dans sa peau, on est capable de s'assumer et de transmettre cette confiance aux autres tout en puisant dans leurs connaissances, leurs judicieux conseils, leur expérience et leur amour. Ouvrez-vous aussi à ce qui se passe ailleurs dans le monde, aux catastrophes naturelles, aux maladies et à la pauvreté. Je vous assure que cela remet toujours les choses en perspective. Si le problème est lié à un manque de confiance en vous, mieux vaut puiser dans votre énergie en vous fiant au regard de ceux qui vous aiment et qui vous entourent qu'en vous regardant le nombril et en ne pensant qu'à vous. Bref, aimez-vous telle que vous êtes sans être trop centrée sur vous-même. C'est une question d'équilibre, et sachez que l'altruisme prodigue toujours de grands bienfaits, alors n'hésitez pas à regarder autour de vous, à vous intéresser aux autres et à être généreuse de votre personne.

Sujets connexes : égoïsme, partage

New York

LA VILLE QUI NE DORT JAMAIS

New York fait souvent partie des destinations proposées lors des voyages étudiants organisés à l'école secondaire.

Si vous avez l'occasion de visiter la ville qui ne dort jamais, je vous conseille fortement de vous joindre à l'expédition, car vous ne regretterez pas l'expérience.

Sachez d'abord qu'il y a moyen de visiter New York sans dépenser une fortune. Plusieurs agences de voyages offrent des forfaits de quelques jours qui incluent l'hôtel, le transport en autobus et parfois même l'entrée gratuite dans certains musées ou sites touristiques. De plus, une fois à New York, il existe des tonnes de façons de découvrir la ville avec votre groupe sans vous ruiner !

Je vous propose évidemment de vous balader à pied dans la ville. New York est remplie de richesses et de petits recoins qui gagnent à être découverts. Promenez-vous dans Central Park lors d'une chaude journée d'été ou faites du patin au Rockefeller Center, si vous visitez la ville au cours de l'hiver. Je vous conseille fortement de visiter l'East et le West Village, un quartier situé tout près de l'Université de New York (NYU). Ce quartier est bondé d'étudiants, de petits cafés sympathiques, de disquaires, de boutiques originales et d'artistes qui débordent d'imagination. C'est aussi dans le Village

que vous pourrez apercevoir la maison du personnage de Carrie Bradshaw dans la série Sex & the City, ainsi que le fameux appartement de la série Friends. Soho est pour sa part un quartier huppé, rempli de galeries d'art et de lofts immenses, où vous vous sentirez en toute sécurité. Baladez-vous aussi sur la 5e Avenue; c'est là que se trouvent les plus grands designers du monde ! Même si vous ne disposez pas du budget nécessaire pour vous procurer les vêtements et accessoires qui y sont disponibles, ça ne coûte rien de faire du lèche-vitrine ! Évidemment, qui dit New York dit Broadway, alors n'hésitez pas à découvrir le quartier des arts situé aux abords de Time Square. Si vous en avez la chance, je vous conseille d'assister à l'un des spectacles à l'affiche pour profiter pleinement de votre aventure new-yorkaise.

Il est évident que vous serez tentée de magasiner et de faire des emplettes. Canal Street est une rue bondée de gens et de vendeurs itinérants toujours prêts à négocier le prix des parfums, des bijoux et des montres. Pour les chaussures, je vous suggère Shoemania (un magasin immense à Union Square) qui offre toute une gamme de chaussures à bas prix. Pour les vêtements, je vous suggère évidemment de visiter l'immense boutique H&M de la 5e Avenue (sinon, il y a des H&M un peu partout dans New York), les magasins Macy's, Abercrombie & Fitch, American Eagle Outfitters, Strawberry, etc. En fait, il y a tellement de boutiques à New York que, peu importe votre style, vous êtes certaine d'y trouver quelque chose qui répondra à vos besoins.

Pour les restos, si votre budget est limité, je vous suggère d'essayer les petits cafés qui offrent des menus spéciaux très abordables le midi et le soir, ou alors de goûter aux fameux hot-dogs et shish-taouks qui se vendent à tous les coins de rue. Plusieurs épiceries offrent aussi des comptoirs à salades et des repas chauds délicieux et très abordables.

La ville de New York est également remplie de richesses culturelles. Je vous recommande de visiter le Metropolitan Museum of Art (MET),

Le quartier Soho

l'American Museum of Natural History et le musée Guggenheim. Ce dernier se spécialise dans l'art moderne et contemporain, et vous y retrouverez aussi des œuvres de peintres célèbres tels que Van Gogh et Picasso. Vous pouvez également vous rendre au sommet de l'Empire State Building pour y contempler une vue grandiose.

Comme vous pouvez le constater, la ville de New York est remplie de choses à découvrir et d'activités à faire. Il est certain que vous ne vous y ennuierez pas. Bien que New York soit beaucoup plus sécuritaire qu'elle ne l'était il y a quelques années, je vous recommande d'être extrêmement prudente et de ne pas vous promener seule pour demeurer à l'abri des dangers et pour éviter de vous égarer. Bien qu'il s'agisse d'une ville grandiose, certains quartiers demeurent plutôt risqués et il est déconseillé d'y aller seule. Restez également à l'affût des pickpockets et assurez-vous que votre sac à main soit bien fermé, surtout si vous montez à bord du métro ou de l'autobus. Si vous participez à un voyage scolaire, restez toujours avec votre accompagnateur et assurez-vous de respecter les rendez-vous et les couvre-feux. Pour le reste, je suis certaine que vous raffolerez de l'expérience new-yorkaise et que vous tomberez amoureuse de la Grosse Pomme !

♡ Sujets connexes : États-Unis, voyage

LAISSER TOMBER SES PRÉJUGÉS

L'ouverture d'esprit, c'est un intérêt et une curiosité pour la nouveauté et pour la différence.

C'est le fait de pouvoir tenir compte de points de vue différents des vôtres, de laisser tomber vos préjugés et vos idées préconçues pour apprendre des tas de nouvelles choses. Bref, quand on est ouverte d'esprit, on est prête à écouter l'opinion d'autrui et à partager le point de vue des autres sans imposer le sien.

Même si certaines cultures et traditions nous semblent bien différentes des nôtres, il ne faut pas chercher à les condamner et à les juger. Il vaut mieux s'ouvrir à la diversité et chercher à comprendre et à découvrir les us et coutumes de ces autres cultures plutôt que de rejeter d'emblée ces notions inconnues. Par exemple, si une amie d'origine chinoise vous invite à manger un plat typique, goûtez-y avant de dire que ça vous déplaît et ne refusez pas l'invitation sous prétexte que ça vous fait peur et que vous préférez vous cantonner dans vos propres habitudes culinaires. Vous pourriez être surprise des découvertes que vous ferez en vous ouvrant aux nouveautés et à la diversité. Si ça ne vous plaît pas, au moins vous le saurez, et il n'y a pas de mal à essayer !

Cela vaut aussi pour les gens que vous côtoyez. Plutôt que de les juger rapidement en fonction de leur religion, de leur tenue vestimentaire ou de leur langue, apprenez à faire taire vos préjugés. Des gens extraordinaires se cachent derrière les apparences, auxquelles on accorde souvent trop d'importance. Évitez aussi de généraliser et de juger les gens en fonction de vos idées préconçues et de vos jugements de valeur. La nationalité, la religion et les tra-

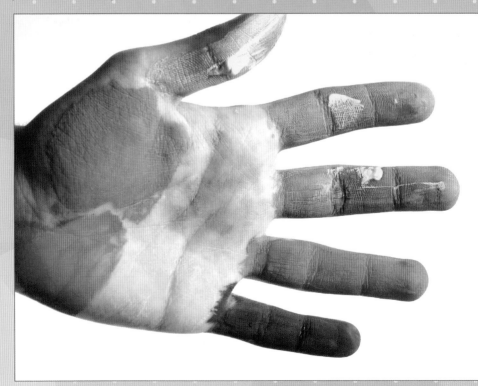

ditions d'une personne ne devraient pas vous rendre craintive ni vous empêcher de faire leur connaissance. Apprenez plutôt à vous ouvrir à ces différences. Il y a énormément à apprendre des autres cultures et traditions, alors il faut arrêter de se regarder le nombril et de se croire meilleure que les autres. Si vous êtes si fière de vos origines et de votre identité, alors mieux vaut les faire découvrir à ceux qui la connaissent moins. C'est en partageant et en discutant de vos différences respectives, mais aussi de vos ressemblances, que évoluerez en tant qu'individu.

Il en va de même en ce qui concerne les opinions. C'est génial de prendre position et de défendre ses points de vue, mais il ne faut pas être tyrannique et imposer sa façon de voir les choses. L'ouverture d'esprit vous pousse à écouter le point de vue des autres et à respecter leurs choix. On ne peut pas être d'accord sur tout. Par ailleurs, il est très stimulant d'aborder des thèmes et d'en débattre. Laissez les autres s'exprimer; ils ont droit à leur opinion autant que vous, et leurs raisons sont tout aussi justifiables que les vôtres, et ce, même si vous ne partagez pas leurs points de vue.

En d'autres mots, montrez-vous ouverte à tout ce qui est différent et ne jugez pas sans savoir, car c'est souvent très formateur de côtoyer des gens différents, voire marginaux. Laissez tomber vos préjugés et embrassez les différences de culture, de traditions, de langue, de religion, d'orientation sexuelle et d'opinions, même si la discussion peut parfois soulever des thèmes délicats et des sujets tabous. N'hésitez pas à apprendre des autres, même si ce qu'ils vous apportent peut s'avérer inattendu et surprenant. Soyez tolérante et respectueuse envers les autres, et je vous assure que vous apprendrez énormément de votre expérience et de votre curiosité pour tout ce qui a trait à la diversité et à la nouveauté. Après tout, il y a tant de choses à découvrir et à apprendre dans la vie, pourquoi se limiter à ce qu'on sait déjà ?

Sujets connexes : accomodement raisonable, respect

Pardon

Il nous arrive à toutes de commettre des erreurs ou de dire des choses qui dépassent notre pensée. Ce qui est compliqué, c'est de s'excuser pour ce qu'on a fait, ou de pardonner à celui ou à celle qui nous a blessée.

Pour se faire pardonner, on doit employer des paroles ou des gestes pour faire comprendre à l'autre qu'on regrette sincèrement ce qu'on a fait. Ce n'est pas facile de demander pardon. On est souvent rongée par la honte et par les regrets, et on ne sait pas trop comment s'y prendre pour que l'autre sache qu'on est vraiment désolée. Je vous assure que, dans la plupart des cas, si on est sincère, le simple fait d'affronter ses peurs et d'aller voir directement la personne pour lui dire qu'on est désolée suffit à lui faire entendre raison. Cela ne signifie pas qu'elle soit prête à oublier, ou même qu'elle puisse oublier le mal que vous lui avez fait, mais elle ne peut nier que vous soyez sincère et que vous regrettiez amèrement votre faute.

D'autre part, si vous êtes celle qui doit pardonner, vous devez parfois apprendre à mettre l'orgueil et la rancune de côté, et à donner une deuxième chance à la personne qui vous le demande. Par exemple, si vous venez d'apprendre que votre meilleure amie vous a trahie et qu'elle a dévoilé l'un de vos secrets, il se peut que vous vous sentiez blessée et que vous ayez perdu confiance en elle. Même s'il vous faut un certain temps pour rebâtir cette confiance, donnez-lui la chance de s'expliquer et essayez de la comprendre. Votre amitié en vaut sûrement la peine. Dites-vous que l'erreur est humaine et que tout le monde mérite une deuxième chance. Quand on pardonne, on fait preuve de générosité, puisqu'on passe par-dessus le mal qu'on éprouve au profit de l'amour qu'on ressent pour l'autre ou de l'importance qu'on accorde à cette relation. Lorsque vous décidez de pardonner, je vous recommande de laisser l'au-tre vous dire comment elle se sent. De votre côté, il vaut mieux que vous lui expliquiez clairement ce qui vous a blessée pour qu'il n'y ait aucun malentendu et pour qu'une telle chose ne se reproduise plus.

Lorsque vous décidez de pardonner à quelqu'un, vous devez toutefois être sincère dans vos intentions. Ne le faites pas pour vous venger par la suite ou pour lui rappeler sans cesse ses erreurs. Si vous choisissez de pardonner, c'est parce que vous êtes vraiment prête à passer à autre chose et à renouveler vos « vœux » d'amitié ou de confiance avec cette personne. Mais si vous sentez que votre pardon ne serait pas tout à fait sincère, mieux vaut lui dire que vous avez besoin de plus de temps pour réfléchir et laisser passer la tempête. Croyez-moi, ce n'est pas en vous vengeant ou en lui faisant mal à votre tour que vous vous sentirez mieux dans votre peau.

Il y a parfois des choses qui sont plus difficiles à pardonner, et certaines blessures prennent beaucoup plus de temps à cicatriser. Si vous êtes celle à qui on a fait du mal, il faut savoir exprimer cette peine et dire à la personne que vous avez besoin de temps. Il se peut que les choses ne redeviennent jamais comme avant, selon la gravité de ce qu'on vous a fait. Si vous êtes celle qui cherche à se faire pardonner une faute, faites comprendre à l'autre personne à quel point vous êtes désolée et faites-lui part de votre peine et de vos regrets, mais respectez également ce qu'elle vous demande et laissez-lui le temps de digérer. Vous pouvez aussi essayer de lui écrire une lettre, puisque les mots permettent parfois d'exprimer toutes les choses qu'on n'ose pas dire de vive voix.

Enfin, quoi qu'il arrive, mieux vaut admettre vos torts et être tout à fait honnête avec la personne que vous avez blessée. Si elle n'est toujours pas prête, faites-lui bien comprendre que vous ne répéterez pas votre erreur et dites-lui à quel point elle est importante pour vous. Quand on est blessée, le meilleur remède est souvent de se sentir aimée, alors n'hésitez pas à le lui dire. Le pardon est un cadeau qu'on offre, une deuxième chance pour tout effacer et repartir à zéro. Même s'il n'est pas facile d'oublier le mal qu'on nous a fait, il vaut souvent la peine d'accorder cette chance aux gens qu'on aime. Dites-vous qu'ils ont certainement appris de leur erreur et qu'ils ne prendront pas de nouveau le risque de vous perdre. Le pardon est un acte de bonté et de générosité dont il faut savoir gratifier les gens qu'on aime et qui en valent la peine. Rappelez-vous qu'aucun être humain n'est parfait, et que vous avez certainement déjà commis vous aussi des erreurs qu'on vous a pardonnées, alors donnez à cette personne la chance de vous prouver qu'elle vous aime. Je suis certaine que si elle est importante à vos yeux, vous ne le regretterez pas.

♥ Sujet connexe : amitié

Parents

RELATION COMPLEXE

À l'adolescence, les parents ne représentent pas seulement l'autorité ; on les voit aussi comme l'ennemi, comme l'entrave majeure à notre liberté.

On a l'impression qu'ils font tout pour nous rendre le quotidien impossible et qu'ils ne comprennent absolument rien à ce qui se passe dans notre vie. Les adolescents ne font pas toujours bon ménage avec leurs parents, mais la bonne nouvelle, c'est qu'il existe des moyens pour rendre la situation moins pénible !

Les parents sont là pour nous éduquer, pour prendre soin de nous et pour nous surveiller. Je sais, ils prennent souvent ce dernier rôle un peu trop au sérieux, mais l'autorité parentale les force, non seulement sur le plan juridique mais également sur le plan humain et affectif, à nous protéger et à veiller à notre bien-être. En d'autres mots, il ne faut pas croire que les parents nous imposent des couvre-feux, des règles et des tâches uniquement pour nous casser les pieds ; ils le font parce que cela fait partie de leur rôle, et parce que c'est de cette façon qu'ils pourront nous responsabiliser et nous faire prendre conscience des dangers qui nous entourent. Ils ont tendance à dire que tant qu'on habite sous leur toit, on doit se conformer à leurs règles et agir en conséquence. C'est habituellement à ce moment qu'on a envie de plier bagage et d'acquérir plus de liberté et d'indépendance. Bien que cette solution paraisse idéale, sachez que les responsabilités qui accompagnent l'autonomie sont immenses, et qu'à l'adolescence, on est souvent loin d'être prête à assumer toutes ces obligations, ne serait-ce que sur le plan financier. Il faut donc vous efforcer de trouver un terrain d'entente pour rendre votre vie avec vos parents, qui vous semblent de plus en plus exigeants, agréable au quotidien.

On doit d'abord prendre conscience que tout n'est pas la faute des parents. Soyons honnêtes : à l'adolescence, nous devenons beaucoup moins tolérantes envers nos parents, trouvant leur attitude dépassée et complètement ridicule. Vous devez être consciente de vos propres défauts et faire un effort pour vous améliorer et rendre la situation moins pénible. Même si vos parents vous énervent et que vous les trouvez nuls comparativement à d'autres, sachez que personne n'est parfait et qu'ils sont mieux que vous ne le croyez (dites-vous que vos amies les trouvent sûrement plus cool que les leurs). Il est normal d'éprouver un nouveau besoin d'indépendance et d'autonomie, et de vous sentir incomprise. Vous sentez qu'ils sont complètement out et qu'ils ne comprennent rien à ce que vous vivez, mais, en même temps, vous savez que vous avez encore besoin d'eux et vous demeurez dépendante à cent pour cent. Vous êtes donc déchirée entre le désir de les rejeter et celui de les garder près de vous. C'est pour cette raison qu'il faut trouver un compromis.

Terrain d'entente

Les parents ne sont pas aussi dépassés et nuls qu'on a souvent tendance à le croire. Ils ont eux-mêmes déjà été adolescents et ont traversé la même rébellion, alors vous devez vous armer de patience et tenter de leur expliquer calmement ce qui vous tracasse et vous déplaît. Soyez indulgente avec vos parents ; après tout, ce n'est pas facile pour eux de vous voir vieillir et devenir une femme. Essayez de les respecter, de gagner leur confiance et de discuter tranquillement avec eux, même si c'est parfois difficile et que vous sentez qu'ils ne comprennent rien. La meilleure façon de leur faire comprendre que vous vieillissez, c'est agir en conséquence et faire preuve de maturité. Je vous assure que cela vous aidera à trouver un équilibre et à avoir un peu plus de liberté.

Conseils :

Lorsque vous voulez demander une permission à vos parents, ne soyez pas agressive. Tentez plutôt de rester calme et d'être patiente avec eux.

Si vous sentez qu'ils ne vous comprennent pas, rappelez-leur comment ils se sentaient à votre âge.

Dites-leur que vous ne cherchez pas à être rebelle et à leur désobéir, mais que vous avez simplement besoin d'un peu plus d'autonomie et que, jusqu'à preuve du contraire, ils peuvent vous faire confiance.

Soyez honnête avec eux et prévenez-les si vous rentrez tard ou si vous découchez. Soyez responsable et respectueuse, et tout devrait bien aller.

Même s'ils vous énervent, efforcez-vous de passer un peu de temps avec vos parents, de leur demander comment ils vont et ce qu'ils font, et de partager un repas avec eux de temps à autre. Les éviter ne ferait qu'agrandir le fossé qui vous sépare ; vous vous sentiriez alors encore plus incomprise.

 Sujets connexes : père, mère

Paresse

FORT PENCHANT À FLÂNER

Si vous avez toutes les peines du monde à vous motiver pour faire vos devoirs ou pour accomplir vos tâches quotidiennes, et que vous avez un fort penchant à traîner de la patte et à flâner plutôt que de faire ce que vous devez faire, alors vous souffrez sans doute de paresse.

En effet, la paresse se caractérise par la difficulté de faire des efforts pour respecter ses engagements ou s'acquitter des tâches qu'on n'a pas envie d'accomplir. On se laisse plutôt convaincre par une force intérieure qui nous dit de rester couchée, de ne rien faire et de remettre ça à plus tard. Bref, la paresse survient quand l'oisiveté l'emporte sur le désir d'assumer ses responsabilités, ou, en d'autres mots, quand on manque de volonté pour faire ce qu'on doit faire.

Plusieurs facteurs peuvent expliquer la paresse. Tout d'abord, il y a le manque de motivation. Si vous devez faire un devoir de mathématiques, mais que vous détestez cette matière, vous ne sauterez certes pas de joie à l'idée de vous asseoir devant vos cahiers, mais vous avez tout de même la responsabilité de faire vos travaux. Le manque de motivation et d'intérêt permet ainsi parfois à la paresse de prendre le dessus et de vous convaincre de ne pas faire votre travail. Il y a aussi cette tendance à tout remettre à plus tard. Après tout, pourquoi faire maintenant ce qu'on peut faire plus tard ? La réponse est sim-ple : parce que lorsqu'on remet tout à plus tard, on se sent vite submergée par le travail et les obligations, ce qui nous fait perdre notre motivation et tomber dans un cercle vicieux. Si vous n'avez pas la volonté d'accomplir ce qu'on vous demande, personne ne le fera à votre place. C'est donc à vous et à vous seule de vous secouer et de puiser un peu d'énergie

et de motivation pour éviter de vous laisser entraîner par la paresse. La volonté, c'est la capacité d'accomplir vos tâches, et c'est votre meilleure arme contre la paresse.

Quand on est paresseuse, on en subit rapidement les conséquences. Non seulement le travail s'accumule, mais le stress occasionné par les échéances qui se rapprochent n'aide en rien à corriger la situation. À l'école, vous risquez de prendre beaucoup de retard sur vos camarades de classe et de ne plus être capable de suivre le rythme. Cela risque évidemment d'entraîner des échecs scolaires qui nuiront d'autant plus à votre motivation et à votre estime personnelle. À la maison, si la paresse vous mène et que vous ne faites jamais ce que vos parents vous demandent, il se peut qu'ils réagissent en limitant vos sorties ou en restreignant votre liberté, puisqu'ils sont insatisfaits de votre rendement et que vous êtes incapable de vous secouer les puces et de les aider. Souvenez-vous qu'on récolte ce qu'on sème !

Si vous vous reconnaissez dans cette description et que vous jugez que vous êtes paresseuse, il n'en tient qu'à vous de remédier à la situation et de faire tout votre possible pour combattre ce penchant pour la fainéantise ! Tout d'abord, si vous manquez de motivation, fixez-vous des objectifs à court, moyen et long terme qui vous stimuleront davantage. Par exemple, même si vous n'aimez pas les maths, vous savez que vous devez avoir de bonnes notes pour être acceptée dans le programme de votre choix au cégep, et éventuellement pour accéder à la carrière qui vous intéresse, alors mieux vaut vous appliquer dès maintenant dans vos travaux. C'est un sacrifice à faire pour réaliser votre rêve. À court terme, vous pouvez aussi vous accorder une récompense lorsque vous terminez quelque chose. Par exemple, vous pouvez vous dire que quand vous aurez fini de laver la vaisselle, vous pourrez enfin aller rejoindre vos amies, mais que vous devez d'abord terminer ce qu'on vous a demandé de faire. Accordez-vous aussi des pauses lorsque vous travaillez pour vous stimuler davantage. Si vous étudiez, dites-vous par exemple qu'après tel chapitre, vous aurez droit à 20 minutes de pause avant de recommencer.

Si vous avez encore de la difficulté à vaincre votre paresse et à démontrer suffisamment de volonté pour accomplir vos tâches, songez au fait que lorsque vous aurez terminé, vous aurez le cœur beaucoup plus léger et la conscience plus tranquille. Quand on remet sans cesse les choses à plus tard, on est consciente qu'il nous reste des tas de trucs à faire, et on a souvent de la difficulté à profiter du moment présent et à relaxer parce qu'on y pense sans cesse. Quand on termine quelque chose, on ressent une fierté et un sentiment d'accomplissement inégalables qui nous permettent de nous changer les idées et de vaquer à nos occupations en toute liberté. Non seulement on a la conscience tranquille, mais on est aussi fière d'avoir accompli quelque chose et d'avoir vaincu la paresse. Par exemple, même si votre travail d'économie vous semble ennuyeux, une fois que vous vous plongez dans le vif du sujet, vous constatez que vous apprenez des tas de nouvelles choses, et que c'est extrêmement stimulant pour vous. De plus, plus vous avancez, plus vous êtes fière de ce que vous avez accompli, et plus vous êtes motivée à continuer dans cette direction.

La volonté se travaille, et il n'en tient qu'à vous de vous motiver suffisamment pour combattre la paresse. Dites-vous bien que lorsqu'on accomplit quelque chose, on se sent réellement fière et en pleine maîtrise de soi, et qu'il n'y a rien de plus satisfaisant que le sentiment de d'accomplissement et de réussite personnelle, alors l'effort en vaut grandement la peine.

Sujets connexes : sommeil, volonté

La Ville lumière attire des millions de visiteurs par année et est souvent considérée comme l'une des villes les plus belles et les plus romantiques du monde. J'ai personnellement eu la chance d'y vivre quelque temps, alors laissez-moi vous vanter ses mérites et vous mettre l'eau à la bouche.

La population du Paris intramural est d'un peu plus de 2 000 000 de personnes. Il s'agit à la fois de la capitale et de la ville la plus peuplée de France. Paris est divisée en 20 arrondissements municipaux créés en 1860. Il n'est pas toujours facile de s'y retrouver sans guide de voyage, mais le nom des arrondissements est inscrit à côté de tous les noms de rues. Les arrondisse-ments forment une spirale partant du centre de Paris.

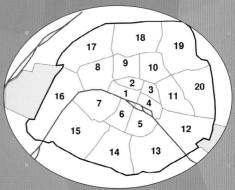

Chacun d'eux est administré par un conseil semblable au conseil municipal de nos villes du Québec, et possède une atmosphère unique et des attraits bien particuliers. Paris est riche tant au point de vue historique que culturel. En effet, elle est connue mondialement pour ses musées, dont le Louvre et le musée d'Or-say, pour ses monuments, comme la fameuse tour Eiffel et les Champs-Élysées, ainsi que pour sa vie artistique et littéraire. Les plus grands auteurs de la littérature française sont passés par Paris à une époque ou une autre pour se tremper dans son bain de culture, s'inspirer, y vivre ou s'y faire connaître. Vous n'avez qu'à penser à Marcel Proust, Honoré de Balzac et Victor Hugo, pour n'en nommer que quelques-uns. Paris est également une ville marquée par l'histoire de la Révolution française et par l'occupation de l'Allemagne durant la Deuxiè-me Guerre mondiale. Quand on la visite, c'est non seulement son architecture centenaire et sa beauté à couper le souffle qui nous émer-veillent, mais aussi tous les souvenirs et toute l'histoire qu'elle recèle.

Les incontournables

Ça peut sembler cliché, mais je vous assure que personne n'est déçu en visitant Paris. Si vous avez la chance d'y aller, vous serez époustou-flée par sa beauté et vous vous sentirez prise

sées, au nord-ouest de la ville, en commençant par la place de la Concorde où vous pourrez admirer l'Obélisque, jusqu'à l'Arc de triomphe qui surplombe l'avenue. Si vous vous baladez ensuite dans le Champ-de-Mars, vous aurez la chance de voir la fameuse tour Eiffel. Cette dernière fut construite par Gustave Eiffel pour l'exposition universelle de 1889 et mesure plus de 300 mètres de hauteur. Il vous est par ailleurs possible de gravir la tour Eiffel (si vous en avez le courage) et d'admirer Paris, si la température le permet. Vous pouvez aussi acheter une crêpe, l'une des spécialités du pays, et vous asseoir au pied de la tour pour relaxer au soleil et profiter de la vie !

Évidemment, qui dit Paris dit capitale de la mode ! Vous pouvez donc profiter de votre séjour là-bas pour faire du lèche-vitrine devant les boutiques de renommée internationale et faire un peu de magasinage. Prenez toutefois garde à votre portefeuille; Paris coûte très cher, surtout depuis que la France a adopté l'euro comme monnaie ! Il est toutefois possible de visiter la ville sans vous ruiner et de profiter des plaisirs gourmands offerts dans les boulangeries en dégustant les sandwichs sur baguette, les croissants et les cafés au lait tout en vous baladant dans une des plus belles villes du monde. Je suis personnellement tombée sous le charme de Paris et, si vous avez la chance d'y aller au cours de votre vie, n'hésitez pas, car je suis sûre que la ville saura vous charmer tout autant que je l'ai été!

Sujet connexe : voyage

d'un romantisme qui vous donnera envie de courir dans les rues à la recherche du grand amour ! Blague à part, Paris est à mes yeux incomparable. Vous pouvez profiter de votre séjour pour explorer ses richesses et vous instruire grâce aux innombrables musées qui ont tous des tas de choses à offrir. C'est également en parcourant les rues de Paris que vous découvrirez ses nombreux trésors. Parmi les incontournables, le cimetière du Père-Lachaise est un lieu de recueillement à l'abri du vacarme de la ville, où il est possible de visiter la tombe de plusieurs grandes célébrités, d'Édith Piaf à Jim Morrison, en passant par Molière. Vous serez impressionnée et émue par la tranquillité des lieux. Si vous vous baladez dans le 4e arrondissement, vous aurez la chance de voir le célèbre centre Pompidou, qui porte le nom du 19e président de la République française. Il s'agit d'un centre artistique très original où on peut visiter des expositions consacrées à la peinture, aux arts plastiques, à la musique, à la littérature, à la mode et au cinéma. Profitez aussi de la proximité des quartiers du Marais et des Halles pour déambuler dans les rues étroites, déguster un kebab, vous asseoir dans un café, faire les magasins et visiter les nombreuses galeries d'art. Ensuite, déplacez-vous vers le 8e arrondissement et promenez-vous sur les Champs-Ély-

OCCASION IDÉALE POUR S'AMUSER ENTRE AMIS

À l'adolescence, on commence à vouloir organiser des partys. C'est une occasion idéale pour s'amuser entre amis, célébrer, discuter, danser, se faire belle et flirter avec les garçons.

En tout premier lieu, vous devez déterminer à quel moment vous voulez organiser la fête. Si possible, choisissez un moment où vous n'êtes pas dans les examens et les devoirs jusqu'au cou, et optez pour une soirée de fin de semaine ou pour un jour de vacances. Vous devez ensuite déterminer l'endroit où aura lieu la fête. Si vos parents vous le permettent et qu'il y a suffisamment de place chez vous, c'est génial. S'ils sont hésitants, établissez des règles que vous devrez respecter pour préserver leur confiance en vous. Dites-leur par exemple à quelle heure le party débutera et à quelle heure il se terminera, et qui participera à cette fête. Si vous ne pouvez pas organiser la fête chez vous, vous pouvez le faire chez un ou une amie dont les parents sont d'accord et dont la maison est assez grande pour accueillir plusieurs invités. Vous pouvez aussi organiser une soirée à l'école et demander au directeur ou au responsable la permission d'utiliser une grande salle ou le gymnase.

Vous devez ensuite songer aux invitations. Je vous conseille d'inviter les gens en qui vous avez confiance et qui savent s'amuser tout en étant responsables. Ne négligez pas les gens à qui vous parlez moins, puisque les fêtes sont l'occasion parfaite pour créer des liens et apprendre à mieux se connaître. Ne vous fiez pas aux apparences et ne faites pas trop de discernement entre les « cool » et les « rejets ». Les groupes d'amis les plus cool sont ceux qui se situent entre les deux, ceux dont les membres savent être amis avec tout le monde ! Évitez d'inviter les personnes qui causent toujours des ennuis et en qui vous n'avez pas confiance. Vous n'avez pas envie de perdre le contrôle et que la soirée se termine mal. Le but de la fête est de se faire plaisir et de se détendre, alors évitez les trouble-fêtes et les stress inutiles.

Vous pouvez faire des invitations personnelles sur papier, envoyer un courriel, téléphoner aux gens que vous voulez inviter ou simplement leur en parler à l'école. Je vous conseille toutefois quelque chose d'un peu plus formel (comme un courriel) pour vous assurer que personne n'oublie les détails (comme l'heure et l'adresse) et qu'ils ne soient pas trente à vous appeler à la dernière minute.

Vous devez ensuite choisir l'ambiance que vous désirez pour votre fête. Vous pouvez opter pour une fête costumée, pour une soirée thématique ou pour une fête surprise pour l'anniversaire de quelqu'un. Pensez aussi aux boissons, aux crudités, aux croustilles et autres trucs que vous voudrez consommer (en toute légalité, bien entendu !). Bref, vous constaterez bientôt que vous devez faire un budget pour être certaine de pouvoir y arriver. Vous pouvez demander à vos parents de vous aider, ou alors demander une petite contribution à vos invités, que ce soit de la nourriture, des boissons, des décorations ou un peu d'argent. Vient ensuite le moment de choisir la musique que vous voudrez pour la soirée. Vous ne voulez sans doute pas courir dans tous les sens tout au long de la fête, alors prévoyez plusieurs disques et plusieurs styles différents. Certains de vos amis sont peut-être excellents dans ce domaine et s'offriront pour planifier la musique ou faire les D.J. tout au long de la soirée !

Il est bientôt l'heure de vous préparer pour la fête. Choisissez des vêtements dans lesquels vous vous sentez belle et à l'aise. Maquillez-vous de façon à vous sentir jolie et bien dans votre peau. Bref, faites-vous plaisir ! Après tout, c'est une occasion spéciale. Si vous êtes l'hôtesse ou l'organisatrice principale de la fête, efforcez-vous de discuter un peu avec tous vos invités et d'être de bonne humeur avec tout le monde. Souriez, amusez-vous ! Votre attitude aura une influence directe sur l'ambiance de la fête et sur les invités. Les fêtes sont une occasion idéale pour danser, discuter, écouter de la musique et créer des liens avec des copines ou des garçons qui nous plaisent plus que d'autres. Flirtez sans dépasser vos limites personnelles et amusez-vous sans détruire la maison ni trahir la confiance de vos parents. Vous savez que tout est question d'équilibre, alors lâchez votre fou en toute lucidité, et bon party !

Sujets connexes : gang de filles, alcool, musique

Comment animer
une soirée

TRUCS DE BASE

- **Mettre de la musique qu'on aime pour créer une bonne ambiance.**

- **Prévoir quelque chose à grignoter (plateau de crudités, chips, etc.).**

- **Tamiser un peu l'éclairage.**

LES SOIRÉES ORGANISÉES

- **Soirée meurtre et mystère**

Ce type de jeu est très populaire auprès des gens de tous les âges. On se réunit à plusieurs pour une soirée, et chacun doit incarner un personnage présent lors d'un meurtre fictif qui a été commis. À l'aide de questions prédéterminées, on doit ensuite trouver qui, parmi les personnes présentes, est le meurtrier. Ce genre de jeu est disponible dans le commerce. On peut aussi l'emprunter à la bibliothèque.

- **Soirée d'échange de vêtements**

Le principe est simple : chaque fille doit apporter un sac de vêtements qu'elle ne porte plus parce qu'elle ne les aime plus ou parce que la taille ne convient plus. Ensuite, à tour de rôle, chacune doit montrer un vêtement et les intéressées doivent lever la main. S'il n'y a qu'une intéressée, elle obtient immédiatement le morceau. Si plusieurs sont preneuses, on le fait tirer au sort ou on le fait essayer à chacune et le groupe vote pour celle à qui le vêtement va le mieux. C'est une belle façon de renouveler votre garde-robe sans dépenser d'argent. (Il est fortement recommandé de faire approuver par vos parents le choix des vêtements que vous déciderez de donner.)

- **Soirée de karaoké**

Le karaoké est une activité qui plaît à la majorité des filles. Chantez vos chansons préférées et laissez s'exprimer la star en vous. Plusieurs endroits offrent le matériel nécessaire en location pour vous permettre d'organiser chez vous un karaoké endiablé.

LES SOIRÉES IMPROVISÉES

• Jeux de société

Si on n'en a pas chez soi, on peut demander à nos amies d'en apporter. Voici des suggestions : Cranium, Monopoly, Gangster, Uno, Skip-Bo, Scategories, etc. Les jeux de cartes peuvent également être très amusants. Tout le monde connaît au moins un jeu de cartes : le paquet voleur, la dame de pique, le 8, etc.

• Le chapeau

Il vous faut du papier, des crayons, un chapeau (ou un bol) et un sablier (ou un chronomètre). Le jeu requiert au moins quatre joueurs. Chaque personne doit écrire le de nom d'une personnalité connue (acteur, chanteur, sportif, politicien, scientifique, animateur, etc.) sur chacune des 10 languettes de papier qui sont mises à sa disposition. On place tous les papiers dans le chapeau. Ensuite, on doit déterminer les équipes en pigeant au sort le nom des joueurs. Il y a trois volets à ce jeu. Premier volet : on dispose du temps d'un sablier (une minute) pour faire deviner à son ou à ses partenaires, à l'aide d'indices, le plus grand nombre de noms pigés dans le chapeau. Par exemple, si on pige « Céline Dion », on peut dire : elle a fait un spectacle à Las Vegas; elle a un fils qui s'appelle René-Charles; elle chante la chanson-thème du film Titanic; etc. Dès que notre équipe devine le nom, on passe à un autre, et ce, jusqu'à la fin de notre sablier. Ensuite, c'est au tour de l'autre équipe. On alterne les équipes jusqu'à ce que le chapeau soit vide. Il est important de calculer le nombre de bonnes réponses que chaque équipe a obtenues pendant le premier tour. Deuxième volet : on remet tous les noms dans le chapeau et on recommence le jeu, mais, cette fois-ci, on n'a droit qu'à deux mots pour faire deviner le nom des personnalités. Il est donc important d'avoir bien écouté ce qui s'est dit durant la première période. Ça peut ressembler à ceci : Vegas et Titanic. À la fin du tour, on compile encore les points. Troisième volet : on remet tous les noms dans le chapeau et on recommence le jeu, mais, cette fois, il faut mimer. On a le temps d'un sablier pour mimer le plus grand nombre de noms. Pour en revenir à l'exemple de Céline Dion, on pourrait faire le geste du coup de poing sur le cœur ou mimer la scène du film Titanic dans laquelle les deux personnages principaux se retrouvent à la proue du paquebot. Quand cette dernière ronde est finie, on calcule le total des points. L'équipe gagnante est celle qui a obtenu le plus grand nombre de points. Ce jeu vous fera passer des moments magiques, c'est garanti !

• La chanson arrêtée

Pour ce jeu, on choisit de préférence une chanson qu'on connaît assez bien. On doit chanter en même temps que l'artiste. À un moment donné, un autre joueur baisse le son de la chanson pendant au moins 10 secondes, puis le remonte. Le concurrent doit continuer à chanter pendant le moment de silence et il doit être synchronisé avec la chanson lorsqu'elle reprend. On peut aller chercher les paroles des chansons sur Internet pour faciliter un peu les choses.

• Lipsync

Divisez-vous en équipes, puis choisissez une chanson pour votre performance. On détermine les rôles : chanteuses, choristes, danseuses. On peut aussi désigner une personne qui agira à titre de metteur en scène. Costumez-vous et soyez créatives. La scène vous appartient !

• Qui suis-je ?

Matériel requis : des crayons, du papier et du ruban adhésif. Voici ce que vous devez faire : écrire sur un bout de papier le nom d'une personnalité connue ou d'un personnage fictif (Dora, Superman, etc.). Personne ne doit voir ce qu'on écrit. Ensuite, on échange son papier avec celui de quelqu'un d'autre; on ne doit absolument pas voir ce qui est écrit sur le papier que l'on reçoit. On colle alors le papier sur son propre front avec un bout de ruban adhésif. On s'assoit toutes en cercle et, à tour de rôle, on pose une question à laquelle on peut uniquement répondre par oui ou par non. « Est-ce que je suis une femme? Est-ce que je suis une actrice? Est-ce que... » Le but du jeu est de deviner le plus rapidement possible quel est le nom qui est affiché sur son front.

• Le détecteur de mensonge

Chacune des joueuses doit trouver deux vérités (deux choses qui lui sont vraiment arrivées) et un mensonge. On joue à tour de rôle, une personne à la fois. La personne qui commence doit énoncer ses trois affirmations. Les autres la questionnent et doivent trouver laquelle est un mensonge. Lorsqu'on a trouvé, c'est au tour d'une autre d'aller dire ses trois affirmations.

• Le dictionnaire

Tout ce dont on a besoin, c'est un dictionnaire. Une personne le prend et choisit au hasard une page. Elle doit ensuite choisir un mot qu'elle a déjà entendu et lire à haute voix la ou les définitions. Les autres doivent essayer de deviner de quel mot il s'agit. C'est la personne qui trouvera le mot qui prendra ensuite le dictionnaire pour continuer le jeu.

MICA (Collaboration spéciale)

Passion

La passion est un concept souvent très controversé. On ne sait pas s'il s'agit d'un bonheur ultime à atteindre ou plutôt d'un danger à éviter.

Est-ce bien d'être passionnée, ou est-ce que ça nous mène inévitablement à notre perte ? Que dire de l'amour ? Est-ce vrai que la passion ne dure jamais ? Doit-on opter pour une relation basée sur la confiance et la tendresse, ou devons-nous nous laisser guider par notre instinct passionné et profiter entièrement du moment présent sans penser au lendemain ? Toutes ces questions sont tout à fait pertinentes lorsqu'on aborde le thème de la passion. Il s'agit d'un sentiment très intense qui nous fait planer, nous enivre et nous pousse souvent à dépasser nos limites. Quoi qu'il en soit, la passion comporte des avantages et des inconvénients à considérer.

Le feu de la passion

Quand on est passionnée par quelque chose, on est souvent portée à se surpasser et à tout faire pour atteindre ses objectifs. Par exemple, si vous êtes une passionnée de danse, vous ferez tout ce qui est en votre pouvoir pour être admise dans un programme d'études spécialisé et pour parvenir à en faire une carrière. C'est la passion que vous éprouvez pour cette activité qui vous pousse à faire des efforts et à donner tout ce que vous avez pour réussir. La passion peut donc nous servir de guide, nous encourager à nous dépasser et à réaliser nos rêves. De plus, une personne passionnée est souvent quelqu'un qui mordra dans la vie et qui savourera pleinement toutes les occasions qui s'offrent à elle. La passion peut donc s'avérer très saine puisqu' elle donne de la couleur à la vie et nous fait sentir extrêmement vivante.

Quoi de plus exaltant qu'une première passion amoureuse ? Il ne faut toutefois pas confondre passion et amour. La passion a parfois tendance à nous aveugler, à nous faire ressentir des choses intenses et à nous inciter à brûler la chandelle par les deux bouts. Dans une relation, il s'agit d'un sentiment extrêmement vif et d'une forte intensité qui nous transporte au septième ciel. À force de connaître la personne et de la côtoyer, il se peut que ce sentiment s'atténue et qu'il se transforme en véritable amour. On ressent alors un sentiment de plénitude, de tendresse et de bonheur en présence de l'autre, mais on a l'esprit plus tranquille.

Les dangers de la passion

La passion peut parfois s'avérer dangereuse. Comme il s'agit d'un sentiment qui peut affecter le jugement, vous pourriez commettre des actes sur un coup de tête et le regretter par la suite. De plus, la passion peut vous pousser aux extrêmes et vous entraîner à vouloir l'autre à tout prix et en toute exclusivité. Vous risquez alors de tomber dans le piège de la jalousie, des crises de larmes, des déchirements inutiles, et de vous livrer à des comportements d'une extrême violence émotionnelle. D'accord, vous vous sentez vivante, mais il ne faut pas devenir folle ! La passion nous rend souvent aveugles et nous incite à agir sans prendre conscience de nos actes. Tout est si intense et torride qu'on y devient accro et qu'on n'arrive plus à prendre du recul. Il arrive aussi que les passions s'éteignent brusquement, ce qui peut nous bouleverser pendant très longtemps. Souvent, ce n'est pas parce qu'on aimait tellement l'autre, mais plutôt parce qu'on vivait quelque chose de si intense que la chute est beaucoup plus abrupte que ce à quoi on s'attendait. La passion nous pousse aussi parfois à vouloir atteindre un objectif à tout prix, et la déception de ne pas l'avoir atteint nous ébranle encore plus que le reste.

Néanmoins, il est important d'être passionnée dans la vie. Que ce soit par un garçon, par vos amitiés, par une activité, par un métier ou par la vie en général, il vaut toujours mieux mordre dans la vie à pleines dents que la regarder filer sans rien faire. Vous devez toutefois être prudente et éviter de laisser vos passions vous aveugler et vous fermer à tout ce qui vous entoure. Utilisez plutôt ce caractère passionné qui vous définit si bien pour transmettre aux autres votre amour de la vie et votre joie de vivre. Ouvrez les yeux sur ce qui vous entoure et apprenez à dompter vos passions pour qu'elles demeurent saines et vous poussent à vous surpasser sans vous écraser. Pour ce qui est de l'amour, si vous vivez une grande passion et qu'elle ne s'avère pas viable à long terme, dites-vous que vous avez de la chance d'avoir ressenti quelque chose d'aussi intense et apprenez de votre expérience sans devenir trop amère. La vie est remplie de hauts et de bas, et il faut apprendre à apprécier toutes les expériences qui se présentent à vous et à profiter de la vie avec une attitude positive !

Sujets connexes : culture, musique, amour

Patience

UNE QUALITÉ RARE

La patience est une qualité qui se développe souvent avec le temps. En effet, à l'adolescence, on est souvent pressée de vieillir, d'en avoir terminé avec l'école, de finir l'année scolaire, d'obtenir son permis de conduire, d'avoir 18 ans, etc.

La patience, c'est la capacité d'attendre sans précipiter les choses. Je sais que c'est parfois difficile de se maîtriser et que les filles ont la fâcheuse habitude de tout vouloir tout de suite, mais la patience évite souvent bien des conflits, et elle permet d'éprouver un véritable sentiment d'accomplissement lorsqu'on récolte enfin le fruit de ses efforts.

Songez par exemple au manteau incroyable que vous avez aperçu dans une vitrine il y a quelques semaines. Il est assez dispendieux et vous savez que vous ne pouvez pas l'acheter tout de suite. Ça ne vous empêche pas d'y rêver la nuit et de songer à toutes les façons dont vous pourrez l'agencer avec vos vêtements, mais vous savez pertinemment que vous devrez travailler fort pour l'obtenir. Après trois semaines de tâches ménagères ingrates, vous pouvez enfin vous rendre jusqu'à la boutique et acheter le manteau avec votre propre argent de poche. Vous sentez alors qu'il est bien mérité. Vous n'avez d'ailleurs jamais été aussi heureuse de porter un manteau. Vous avez pris votre mal en patience et vous en récoltez aujourd'hui les fruits. Vous êtes fière de vous, et vous devez admettre que l'attente a grandement valu la peine.

Bien que vous soyez impatiente de franchir certaines étapes, il y a des choses que vous ne pouvez pas précipiter. Il ne sert donc absolument à rien de songer à l'avenir et de compter les jours, car ça ne fera pas passer le temps plus vite. Si vous avez 14 ans, le fait d'avoir hâte d'en avoir 16 ne fera pas filer les années plus rapidement, alors mieux vaut profiter du mo-

ment présent plutôt que de vivre dans le futur. C'est une erreur commune que de vouloir que les années passent rapidement et que le temps file au plus vite. Je sais que, quand on est jeune, les semaines s'écoulent souvent à pas de tortue, mais, croyez-moi, plus les années passent, plus elles nous glissent entre les doigts sans même qu'on s'en rende compte, alors il faut savoir profiter du moment présent, même si ça nous semble insoutenable. Songez qu'il y a deux ans, vous aviez très hâte d'arriver là où vous en êtes aujourd'hui, alors pourquoi ne pas en profiter pour jouir de ce qui s'offre à vous en ce moment et pour passer du temps de qualité avec les gens qui vous entourent ?

Après tout, il faut savoir persévérer, car lorsqu'on atteint ses objectifs, on se sent vraiment fière de soi. On a le sentiment du devoir accompli et on sent qu'on est capable de surmonter tous les obstacles qui se dressent devant soi. La vie est faite de différentes étapes que vous allez franchir peu à peu. Vous apprendrez énormément en cours de route. Vous devez apprécier tout ce que la vie vous réserve et apprendre le plus possible de ce que vous vivez en ce moment, car il est impossible de revenir en arrière. Pour le reste, vous verrez que les années filent extrêmement vite et que vous aurez tôt fait d'atteindre certains des objectifs que vous vous étiez fixés. Pour l'instant, prenez votre mal en patience et profitez du moment présent. N'hésitez pas à persévérer et à travailler pour atteindre vos buts, mais usez de patience, car tout vient à point à qui sait attendre !

 Sujets connexes : pardon, honnêteté

Peine d'amour

SENTIMENTS DE TRISTESSE ET DE GRANDE SOLITUDE

Certaines d'entre vous ont certainement eu la chance de connaître le grand amour, ce sentiment euphorique qui vous donne l'impression de flotter sur un nuage. Lorsque cette relation prend fin, vous vous retrouvez en proie à un sentiment de solitude, de rejet et d'abandon.

Eh oui, vous faites malheureusement face à un chagrin d'amour. Lorsqu'on connaît une peine d'amour, on a souvent l'impression que le monde s'écroule et que la douleur qu'on éprouve ne partira jamais. Le sentiment de tristesse et de grande solitude qu'on ressent alors est difficile à décrire. Certaines filles pleurent ; d'autres sont en colère, frôlent les excès ou ne parviennent plus à fermer l'œil. Bref, les peines d'amour ne sont pas une période de tout repos, mais, d'un autre côté, elles nous permettent de grandir, d'apprendre et surtout de ressentir toutes sortes de choses qui, étrangement, nous font sentir vivantes.

Le deuil qui suit une peine d'amour se fait en plusieurs étapes. Beaucoup ressentent d'abord de la tristesse, puis un sentiment d'abandon, de rage et de solitude. Chaque relation est différente et la guérison s'effectue à un rythme différent. Certaines relations nous touchent plus que d'autres, et il y a des peines d'amour qui prennent plus de temps à cicatriser. Quoi qu'il en soit, il n'existe aucune recette magique pour apaiser cette souffrance, mis à part le temps. Je sais que c'est la dernière chose qu'on veut entendre quand on a une peine d'amour, et je sais que les heures semblent souvent s'écouler avec une lenteur exaspérante, mais il faut savoir que, peu à peu, la douleur deviendra moins intense et que les choses finiront par s'arranger. Les réveils seront bientôt moins difficiles et les crises de larmes, de moins en moins fréquentes.

Bien qu'il n'existe aucune solution miracle pour vous débarrasser de ce désespoir, sachez qu'il y a plusieurs façons de vous changer les idées et de rendre cette période un peu moins difficile. Lorsqu'on a une peine d'amour, on est souvent tenté de se recroqueviller sur soi-même, de pleurer toutes les larmes de son corps et parfois même de s'apitoyer sur son sort. Il faut au contraire s'efforcer de reprendre confiance en soi, de s'occuper, de se changer les idées et de reprendre le contrôle de sa vie et de son quotidien. Profitez-en pour passer du temps avec vos amies. Elles sont là pour vous écouter, vous conseiller et vous changer les idées lorsque vous en avez besoin. Vous pouvez aussi vous confier à vos parents et à vos proches, ou alors écrire tout ce que vous avez sur le cœur dans votre journal intime. Écrire ce qu'on ressent aide à se libérer de la boule qui nous serre la gorge, et lire sur le sujet nous rappelle que nous ne sommes pas les seules à passer par là. Songez aussi à faire des activités qui vous mettront dans un meilleur état d'esprit. Les sports et le gym peuvent vous aider à vous défouler et à évacuer le surplus d'émotions négatives. Celles d'entre vous qui ont l'âme plus artistique peuvent s'inspirer de ce qu'elles ressentent pour développer leur art. Il est aussi recommandé d'essayer de nouvelles activités, de prendre des risques, d'apprendre à cuisiner, à peur. Les peines d'amour sont aussi une belle occasion de penser à vous et de vous gâter. Allez magasiner, faites-vous couper les cheveux ou passez la journée dans un spa ! Relaxez, respirez et vivez… La peine que vous ressentez vous prouve au moins que vous avez connu le grand amour, et être capable d'éprouver un tel sentiment indique que vous êtes bien vivante.

Une première peine d'amour

La première vraie peine d'amour est souvent considérée comme la pire, car on ne sait pas du tout à quoi s'attendre, ni comment surmonter le sentiment d'abandon et la nostalgie qui accompagnent souvent le chagrin. Plusieurs voient aussi la première peine d'amour comme une sorte de perte d'innocence, puisqu'on se sent blessée pour la première fois et qu'on réalise que l'amour ne dure pas toujours pour l'éternité. Quoi qu'il en soit, il s'agit tout de même d'une expérience de vie qui nous permet de grandir et d'apprendre.

Les semaines qui suivent la peine d'amour

Un chagrin d'amour nous donne souvent l'impression que plus rien n'a d'importance, que le bonheur n'existe plus, qu'on ne trouvera jamais quelqu'un qui nous rendra aussi heureuse et qu'on ne pourra plus jamais aimer de la même façon. Détrompez-vous : bien qu'une peine d'amour soit une période difficile à traverser, vous avez tout de même la vie devant vous et une tonne de gens à rencontrer. C'est vrai, ce ne sera peut-être pas comme avec le premier garçon qui vous a fait craquer et qui vous a brisé le cœur, mais votre prochain amoureux sera quelqu'un de différent, qui vous fera vivre une toute nouvelle histoire et qui vous rendra peut-être beaucoup plus heureuse.

Après une déception amoureuse, il est bon de faire le point, de prendre le temps de réfléchir à ce que vous voulez et à ce que vous

recherchez, ainsi que de penser à vous-même. Rappelez-vous à quel point vous êtes spéciale et n'oubliez pas que vous ne méritez rien de moins que d'être heureuse. Certaines en profiteront donc pour rester célibataires durant un certain temps, histoire de tâter le terrain, de se changer les idées et de bien cicatriser, tandis que d'autres préféreront passer rapidement à autre chose pour oublier et ne pas se laisser crouler sous les larmes. Faites bien attention : bien qu'il ne soit pas mauvais d'explorer ses possibilités, si vous ne prenez pas le temps de guérir, la peine et la nostalgie reviendront vous hanter tôt ou tard. Comme je le disais auparavant, le temps arrange bien des choses, et même s'il semble passer trop lentement, dites-vous qu'en bout de ligne, cette peine d'amour vous fera grandir et que la douleur fait bien souvent partie de l'amour. Estimez-vous chanceuse dans votre malchance : plusieurs filles rêvent de tomber amoureuses comme vous l'avez été. L'impor-tant, c'est de ne pas devenir cynique et de ne pas perdre espoir : vous êtes encore jeune et vous avez plusieurs grands amours devant vous, alors gardez vos yeux et votre cœur grands ouverts !

Sujets connexes : amour, amoureuse, couple

Comment oublier un gars en 6 étapes faciles...

Je sais, ce n'est pas facile de comprendre l'amour. Ce n'est pas facile de maîtriser nos sentiments, ni de se sentir vulnérable face à quelqu'un qu'on aime. Quand on est amoureuse de quelqu'un, on a souvent peur de se faire blesser ou de se faire rejeter par l'autre. Plusieurs filles m'écrivent pour me demander comment oublier un gars qui ne partage pas leurs sentiments et comment apaiser la douleur d'une peine d'amour. Évidemment, il s'agit d'un processus personnel et il faut savoir s'armer de patience pour guérir une blessure du cœur. Certains échecs amoureux prennent plus de temps à cicatriser que d'autres, et il n'existe pas de potion magique pour se défaire de la douleur et pour cesser d'aimer l'autre. J'ai toutefois une bonne nouvelle à vous annoncer ! Il existe différents trucs pour vous aider à retomber sur vos pattes et à vous sentir un peu mieux suite à un échec amoureux. Ayant moi-même traversé ces moments difficiles, je vous encourage à suivre ces petites règles, qui vous permettront de vous sentir mieux dans votre peau et de réaliser que vous méritez avant tout d'être heureuse !

Règle **numéro ❶** :

Faites disparaître toutes les traces du gars qui vous a brisé le cœur.

Cela ne veut pas dire que vous devez tout balancer à la poubelle, mais, pour l'instant, vous n'êtes pas prête à dormir à côté de sa photo, ou d'enlacer le toutou qu'il vous a offert à la Saint-Valentin. Je sais que vous êtes tentée d'écouter vos chansons préférées en boucle et de pleurer en relisant ses lettres, mais, croyez-moi, cela ne vous avancera à rien. Je vous suggère donc de mettre tous vos souvenirs de lui dans une boîte ou un sac et de ranger le tout dans le fond de votre garde-robe, jusqu'à ce que vous vous sentiez prête à y remettre le nez sans pleurer toutes les larmes de votre corps.

Règle

numéro ❷ :

Faites une liste des choses qui vous déplaisent chez lui. Je sais, ça sonne un peu mesquin, mais, pour l'instant, vous devez vous concentrer sur les aspects négatifs de sa personnalité et sur les choses qui vous rendaient malheureuse lorsque vous étiez avec lui. Vous vous en sentez incapable parce que la douleur le rend maintenant parfait ? Laissez-moi vous aider. Songez à la façon dont il vous traitait devant ses amis, ou son amour pour le sport auquel vous ne comprenez rien, et pour son XBOXsur lequel il passait plus de temps qu'avec vous. Était-il assez romantique ? Partageait-il ses émotions ? Prenait-il vraiment soin de vous ? Chaque relation se termine pour une ou plusieurs raisons, et n'allez pas croire que vous avez tous les torts. Je sais qu'il est gentil et que ça ne sert à rien de lui garder rancune, mais ce n'est pas le temps de penser à ses qualités. Lorsque vous serez guérie, vous pourrez y penser de façon saine et posée.

Règle numéro ❸ :
Passez du temps entre filles !

C'est le meilleur moment pour rattraper le temps perdu et passer du temps de qualité avec vos amies ! Après tout, l'un des plus grands avantages de vous retrouver célibataire, c'est de pouvoir passer plus de temps avec votre gang et de faire les activités qui vous manquaient tant. Vous avez besoin de vos amies pour traverser cette période difficile, alors ne vous gênez pas pour les écouter et pour organiser des soirées pyjamas délirantes qui vous changeront les idées. Profitez de ces moments pour reprendre le temps perdu et pour vous informer de ce qui se passe dans la vie de vos amies, et écoutez leurs conseils. Vos amies vous connaissent bien et veulent votre bonheur avant tout, alors vous devez vous fier à leur jugement !

Règle

numéro ❹ :
Faites-vous plaisir !

Je sais que ça sonne un peu cliché, mais, après une peine d'amour, vous pouvez en profiter pour être un peu égoïste et pour vous gâter ! Achetez votre magazine préféré, allez au cinéma, allez magasiner, louez les films que VOUS aimez voir et que votre ex trouvait ridicules. Je vous conseille aussi de faire une liste des rêves que vous voulez réaliser, des objectifs personnels que vous vous fixez et des qualités incroyables que vous possédez. Prenez un joli cahier et écrivez tout ce qui vous passe par la tête. Si vous avez toujours rêvé de suivre des cours de ballet, d'apprendre à jouer de la guitare, de vous inscrire au marathon ou de vous impliquer dans un comité à l'école, je vous assure que c'est le temps idéal pour le faire. En vous fixant des buts et des objectifs personnels à atteindre, non seulement vous vous changerez les idées, mais vous entreprendrez aussi un projet personnel qui vous rendra fière et qui vous redonnera confiance en vous.

Règle **numéro 5** :
Ne perdez pas confiance en vous.

Après une rupture ou un échec amoureux, on a souvent tendance à perdre confiance en soi et à douter de ses capacités. On se sent toute petite dans nos souliers et on se sent rejetée, abandonnée. Il ne faut toutefois pas s'apitoyer sur notre sort. Je sais que c'est une période difficile à traverser, mais n'oubliez pas que vous êtes extraordinaire et que vous méritez d'être heureuse. Vous et vous seule avez la capacité de vous sentir mieux dans votre peau. Le gars de vos rêves vous a laissée tombée ? Je sais, la douleur est difficile à tolérer, mais rappelez-vous que   v o u s n'êtes pas responsable des sentiments des autres, et que vous ne pouvez rien changer à ce qui est extérieur à vous. Vous ne pouvez pas forcer le gars à vous aimer, ou à rester avec vous s'il ne ressent plus les mêmes sentiments à votre égard. N'allez surtout pas croire que vous ne méritez pas d'être heureuse ! Vous êtes exceptionnelle et vous méritez d'être avec quelqu'un qui vous aimera en retour et qui vous comblera de bonheur. Si vous êtes rongée par la culpabilité ou si vous sentez que vous avez vos torts dans la rupture, c'est à vous de faire la paix avec la situation et de mettre les choses au clair avec votre ex pour pouvoir progresser et passer à autre chose, mais surtout, ne perdez pas confiance en vous. Faites une liste de vos forces et de vos qualités, rappelez-vous que vous êtes spéciale, et dites-vous que si ce gars ne s'en rend pas compte, c'est sa perte avant tout !

Règle **numéro 6** :
Profitez de votre célibat et regardez autour de vous. Même si vous ne le réalisez pas tout de suite, il y a de grands avantages à être célibataire. Vous pouvez vous concentrer sur vos activités, vos amies et vos travaux sans être perturbée à tout moment par l'autre et, surtout, vous pouvez faire ce qui vous plaît, quand ça vous plait, dans les limites imposées par vos parents, bien entendu ! Bref, vous êtes libre d'être qui vous voulez et de faire des tas de nouvelles rencontres. Regardez autour de vous, et je suis sûre que vous verrez des tas de gars mignons que vous avez sans doute envie de connaître. Aussi, vous pouvez passer tout le temps qu'il vous plaît avec vos amies et votre famille, alors apprenez à profiter de cette nouvelle liberté pour vous épanouir et profiter de la vie !!

10 choses à savoir sur les gars

① **Les gars aiment quand les filles prennent les devants.**

② **Ils ne sont pas insensibles et ça leur arrive de pleurer.**

③ **Ils aiment bien les filles qui ont confiance en elles.**

④ **Ils aiment autant les brunes que les blondes; tous les goûts sont dans la nature.**

⑤ **Ils ont tendance à aller directement au but plutôt que de tourner autour du pot.**

⑥ **Ils disent ce qu'ils pensent, alors ce n'est pas toujours nécessaire d'analyser chacune de leurs paroles pour y trouver un autre sens.**

⑦ **Ils éprouvent eux aussi des moments d'insécurité.**

⑧ **Ils ont tendance à jouer les durs devant leurs amis, mais ça ne veut pas dire qu'ils se fichent de vous.**

⑨ **Leurs amis et leurs activités sont très extrêmement importants à leurs yeux.**

⑩ **Les gars n'aiment pas les crises de jalousie et de possessivité.**

Père

UNE RELATION COMPLIQUÉE

La relation père-fille est bien plus complexe qu'on pourrait le croire. Pour certaines, un père est une figure d'autorité et, pour d'autres, il est un modèle ou un véritable papa poule.

Quoi qu'il en soit, la plupart des pères ont tendance à surprotéger leurs filles et ont souvent de la difficulté à les voir grandir et à accepter qu'elles ne sont plus des fillettes, ce qui cause parfois des malentendus, des chicanes ou des problèmes de communication.

Il faut d'abord comprendre que les pères sont issus d'une autre génération, et qu'il leur est souvent plus ardu de dire ce qu'ils ressentent et ce qui les tracasse. Ils auront ainsi tendance à l'exprimer en surprotégeant leurs filles ou en réagissant de façon excessive. Lorsque les filles deviennent des adolescentes, les pères doivent apprendre à accepter leur puberté et à ne plus les considérer comme des enfants. Ils doivent aussi apprendre à discuter d'une autre façon avec leurs filles et à s'adapter au fait qu'elles deviennent des femmes et que leurs intérêts sont différents. C'était si simple de passer le samedi après-midi à faire les courses avec votre père lorsque les garçons ne vous intéressaient pas ! Mais maintenant que vous préférez passer des heures à parler avec vos amies, en tête-à-tête ou au téléphone, plutôt que de vous asseoir et de lire près de votre père, vous devez comprendre que la situation n'est pas facile pour lui non plus. Si vous avez un amoureux, il se peut très bien que votre père devienne plus sévère ou même qu'il soit réticent à l'idée de vous voir passer du temps en sa compagnie. Il ne fait pas cela pour vous rendre la vie impossible (même si vous êtes convaincue du contraire) ; il réagit de cette façon parce qu'il veut vous protéger. Il se peut même que le fait qu'un garçon qu'il connaît à peine prenne la relève et s'occupe de vous provoque chez lui un sentiment de jalousie. Je sais que ça peut sembler ridicule, mais la majorité des pères réagissent de cette façon lorsque leurs filles commencent à voler de leurs propres ailes et à couper le cordon ombilical.

Vous devez aussi être consciente que, à l'adolescence, vous changez du tout au tout. Votre apparence, votre attitude, vos intérêts, vos goûts et vos priorités ne sont plus les mêmes et vous rêvez maintenant de liberté, d'autonomie et d'indépendance. Dites-vous bien que votre père doit s'adapter à tous ces changements et que la transition n'est peut-être pas facile à faire pour lui. Il ne sait plus comment vous prendre, comment vous parler, ni comment vous considérer. Ne soyez pas trop dure avec lui ; ce n'est pas facile de voir sa fille grandir et se détacher peu à peu de ses parents.

Si vous voulez conserver une bonne relation avec votre père – ce que je vous recommande fortement si vous ne voulez pas avoir l'impression que vous vivez sur une planète différente de la sienne –, trouvez des activités qui vous plaisent à tous les deux, ou alors prenez du temps pour partager vos intérêts communs. Si votre père vous pose des questions sur votre vie, ne soyez pas trop brusque en lui répondant, même si vous n'avez aucune envie de lui révéler certaines choses. Expliquez-lui simplement que vous préférez ne pas en parler et dites-lui qu'il n'a aucune raison de s'inquiéter. Dites-vous que votre père se fera toujours un sang d'encre pour vous et qu'il aura longtemps du mal à s'habituer à vous voir vieillir. Pour rendre la transition plus facile, discutez d'actualités avec lui, ou de sujets qui vous intéressent. Montrez-lui que son opinion est encore importante à vos yeux tout en lui expliquant qu'il est normal pour vous de voler de vos propres ailes. Il s'adaptera peu à peu à ce changement d'attitude et vous pourrez quant à vous continuer de passer des bons moments en sa compagnie. Même si ça vous complique parfois la vie ou que vous n'en avez pas vraiment envie, faites quand même un effort pour lui consacrer du temps et lui montrer qu'il occupe encore une grande place dans votre vie. S'il vous est difficile de communiquer ou si vous sentez que le fossé qui s'est creusé entre vous est infranchissable, discutez-en avec votre mère, qui peut être une excellente médiatrice, ou avec l'un de vos proches qui pourra vous aider. Vous pouvez aussi écrire à votre père pour lui dire en toute franchise ce que vous ressentez, mais n'oubliez pas d'être indulgente et de faire attention à ne pas le blesser inutilement. Expliquez-lui calmement que vous vieillissez et que vous changez, que cela ne veut pas dire que vous l'aimez moins, mais que vous avez simplement besoin de votre indépendance et de votre intimité. Proposez-lui de faire une activité à l'extérieur ou d'écouter un film plutôt que de lui tourner complètement le dos. Même si votre père vous étouffe et vous énerve, je vous assure que si vous entretenez une bonne relation avec lui au cours de l'adolescence, vous vous en féliciterez dans l'avenir. Votre père sera toujours important à vos yeux, et n'oubliez pas que c'est génial de pouvoir compter sur son amour et son soutien inconditionnels.

Sujets connexes : mère, parents, famille

Offre un sentiment de liberté

Si vous avez déjà 16 ans, ou que vous les aurez bientôt, il se peut très bien que vous désiriez obtenir votre permis de conduire au plus vite. Après tout, conduire offre un sentiment de liberté et de maturité vraiment intense. La loi au Québec autorise les gens à conduire à partir de 16 ans, mais attention, il y a plusieurs étapes à suivre avant de pouvoir obtenir votre permis.

Tout d'abord, il y a l'approbation des parents. Si vous n'êtes pas encore âgée de 18 ans, vous aurez besoin d'une autorisation écrite de vos parents ou de votre tuteur pour pouvoir passer l'examen théorique et l'examen pratique. L'obtention du permis est un sujet de négociation dans la plupart des familles. Si vos parents sont réticents, ce n'est certainement pas pour

vous rendre la vie difficile. Au contraire, ils ont sûrement peur des risques que peut entraîner une conduite irresponsable. On compte plus de 50 000 victimes de la route chaque année au Québec. Les routes sont souvent enneigées et glissantes durant l'hiver, certains conducteurs ne respectent pas le code de la route et plusieurs conducteurs inexpérimentés s'avèrent souvent trop téméraires, ce qui donne des résultats désolants. Bref, il est normal que vos parents soient inquiets quand ils vous imaginent en train de conduire seule le soir. Ce n'est pas nécessairement parce qu'ils ne croient pas en vos talents de conductrice ; ils sont plutôt méfiants à l'égard des autres conducteurs. Ce sont des parents, alors ils pensent avant tout à votre sécurité.

Un bon moyen de les convaincre est de vous entraîner avec eux durant les mois d'apprentissage. Ils pourront ainsi constater vos progrès et se sentir plus tranquilles à

l'idée de vous voir conduire. Vous pouvez aussi trouver un compromis en limitant la conduite au cours des premiers mois qui suivent l'obtention de votre permis. Par exemple, si vous prenez la voiture, vous devez rentrer à la maison à une heure précise et téléphoner avant de prendre la route. Quoi qu'il en soit, vous ne pourrez pas désobéir à vos parents, puisque leur consentement est obligatoire. Par conséquent, mieux vaut en discuter calmement avec eux et savoir exactement ce qui les inquiète pour tenter de les rassurer et de trouver un terrain d'entente qui vous offre une certaine liberté tout en les mettant en confiance.

Les étapes à suivre

Nouvelles règles en vigueur de puis le 17 janvier 2010 pour obtenir un permis de conduire.

Pour obtenir un permis de conduire, vous devez d'abord vous inscrire à un cours de conduite théorique et pratique dans une école reconnue par l'Association québécoise du transport et des routes, puis passer un examen théorique contenant 64 questions à choix multiples qui sont divisées en 3 parties. La note de passage est de 75 % pour chacune des parties. Si vous échouez à l'examen, vous devez attendre 28 jours avant de vous présenter de nouveau pour recommencer la partie que vous avez ratée (et non pas tout l'examen). Il existe plusieurs guides que vous devez bien lire et étudier pour vous préparer avant l'examen. Les questions sont parfois assez ardues et demandent de la préparation. Vous devez aussi vous entraîner en ligne sur le site de la Société de l'assurance automobile du Québec, qui offre des tests préparatoires interactifs et précise ce que vous devez étudier. Si vous réussissez l'examen, vous obtirndrez un permis d'apprenti conducteur valide pour une période de 12 mois. Avec ce permis

vous ne pourrez conduire qu'en étant accompagnée d'une personne qui détient un permis de conduire régulier depuis au moins trois ans. Vous ne pouvez donc pas conduire seule lorsque vous obtenez le permis d'apprenti, mais vous pouvez vous entraîner avec un conducteur expérimenté. Vos parents vous offriront certainement de vous aider. Il se peut que vous soyez nerveuses à l'idée de conduire avec l'un d'eux à vos côtés, mais c'est un bon exercice pour vous préparer à l'examen pratique.

Si tout se passe bien, que vous vous entraînez adéquatement et que vous vous sentez à l'aise, il sera bientôt temps de songer à l'examen pratique. Pour ce faire, vous devez être titulaire d'un permis d'apprenti conducteur depuis au moins 12 mois. Vous devez ensuite prendre un rendez-vous à la Société

de l'assurance automobile du Québec par Internet ou par téléphone pour passer l'examen et pour réserver un véhicule. Ce dernier coûte environ 25 $, et vous devez prévoir des frais additionnels pour l'obtention de votre permis de conduire. Pour l'examen, l'instructeur vous fera conduire en pleine ville, avec une multitude d'autres voitures autour. Je sais que l'examen pratique peut être terriblement stressant, mais efforcez-vous de prendre une grande respiration et d'avoir l'air confiante. La note de passage est aussi de 75 %. Si vous échouez à cet examen, vous pouvez le repasser après 28 jours (durant lesquels vous avez tout intérêt à vous entraîner davantage), et, si vous réussissez, vous serez titulaire d'un permis de conduire probatoire d'une durée de 24 mois, qui vous accorde 4 points d'inaptitude et vous interdit de conduire si vous avez consommé de l'alcool (tolérance zéro). Bref, soyez prudentes, car si vous commettez une infraction, votre permis sera suspendu pendant trois mois et vous devrez payer une grosse amende. Lorsque vous obtenez votre permis de conduire régulier, vous avez droit à 14 points d'inaptitude. Si vous consommez de l'alcool, votre taux d'alcoolémie ne peut être supérieur à 0,08 (ce qui veut dire 80 mg d'alcool par 100 ml de sang). Si c'est le cas, non seulement votre permis sera suspendu, mais vous risquez en plus de subir des conséquences assez graves comme une amende extrêmement élevée et, dans certains cas, un casier judiciaire. On ne vous le dira jamais assez : ne risquez pas votre vie ou celle des autres. Si vous avez bu, soyez responsable et ne touchez pas au volant. Prenez un taxi ou le transport en commun. Demandez à une amie qui n'a pas consommé d'alcool de vous raccompagner ou téléphonez à vos parents pour leur demander de venir vous chercher, mais ne prenez pas de risques inutiles.

Sachez également que conduire coûte beaucoup d'argent. Non seulement l'essence est de plus en plus chère, mais vous devez aussi penser aux réparations, aux assurances, au stationnement, etc. Par ailleurs, lorsque vous obtenez votre permis de conduire, ce dernier est bon pour une période de quatre ans, mais sachez que vous devez payer des frais de renouvellement chaque année (s'il y a des infractions enregistrées à votre dossier et que vous avez perdu des points d'inaptitude, le montant sera plus élevé).

Bref, même si l'idée de conduire vous enchante, sachez que tout n'est pas rose. Vous devez être très prudente, mature et responsable. C'est votre vie qui est en jeu, et aussi celle des autres conducteurs. N'ayez pas honte de vous entraîner durant des heures en compagnie d'un conducteur expérimenté, ne consommez pas d'alcool lorsque vous conduisez et respectez le code de la route et les limites de vitesse. Même si vous vous sentez nulle au début, vous deviendrez de plus en plus habile au fil des années, avec l'entraînement et l'expérience. Attachez votre ceinture, et bonne route !

🌿 Sujets connexes : majorité, CEGEP

HYGIÈNE ET PROPRETÉ SONT LES RÈGLES D'OR

Les piercings sont souvent à la mode au cours de l'adolescence. On désire parfois se faire percer une partie du corps pour suivre la tendance, pour faire comme ses amies, par pur esthétisme, pour marquer un moment de sa vie ou simplement pour provoquer les gens de son entourage.

On peut se faire faire un piercing à plusieurs endroits du corps : les sourcils, le nez, les lèvres, le nombril, la langue, les oreilles et même le dos, les seins et les organes génitaux. Certains endroits sont évidemment beaucoup plus sensibles à la douleur, et les risques de rejet sont plus élevés. Sachez d'abord que si vous décidez de vous faire percer, l'hygiène et la propreté sont les règles d'or de l'opération. Il faut éviter les boutiques de piercing qui semblent insalubres, et opter plutôt pour les professionnels qui travaillent en suivant à la lettre les règles de propreté et d'hygiène. Il est par exemple essentiel que l'aiguille utilisée pour le piercing soit neuve afin d'éliminer tous les risques de transmission de maladies comme le sida ou l'hépatite. Il est aussi extrêmement important que le professionnel désinfecte bien l'endroit de votre corps que vous voulez faire percer avant d'y planter l'aiguille. Une fois que le piercing est en place, c'est à vous qu'il incombe de suivre les indications et de bien nettoyer la région percée en suivant les recommandations du professionnel.

Sachez aussi que même quand le piercing est effectué de façon professionnelle, et même si vous suivez toutes les étapes recommandées pour le nettoyage, la cicatrisation peut parfois prendre plusieurs semaines, voire plusieurs mois, en fonction de l'endroit où vous vous faites percer. Même lorsqu'on croit que le trou est guéri et que ses bords sont bien cicatrisés, il n'est pas rare de ressentir une légère douleur durant quelques semaines supplémentaires (par exemple, pour un piercing dans le nombril, il se peut très bien que vous ne puissiez pas dormir sur le ventre pendant près d'un mois).

Pour aider la guérison, il est capital de bien laver la région de votre corps qui a été percée et de la désinfecter tous les jours. Je vous recommande aussi de choisir des bijoux en métal antiallergène pour réduire les risques d'infection. Notez que les réactions allergiques ne sont pas rares. Comme il s'agit d'un corps étranger, il se peut très bien que votre corps réagisse mal et que vous ressentiez des brûlures et des irritations, en plus de voir apparaître des rougeurs, des fibromes bénins, des petits boutons ou des plaies plus graves. Il se peut aussi que votre corps décide de rejeter complètement le piercing, et que vous soyez obligée de renoncer à votre nouveau bijou. Notez également que les trous se referment souvent très vite (parfois même en quelques minutes ou en quelques heures), alors si vous ne tenez pas à perdre votre piercing, évitez de changer le bijou à tout bout de champ, et faites faire le changement par un professionnel qui s'assurera de bien désinfecter le tout.

L'important, c'est que vous soyez consciente des risques que vous prenez et des étapes à suivre avant de vous faire percer. Les professionnels vous remettront dans la plupart des cas une feuille, que vous devrez lire avant de vous faire faire le piercing, où figurent les risques inhérents à l'opération, ainsi qu'une autre feuille où sont précisées les indications pour laver et désinfecter votre piercing dans les semaines suivantes. Il est très important de lire ces documents et de suivre les indications de nettoyage et les recommandations à la lettre.

Si vous êtes mineure, il se peut très bien que vos parents ne vous donnent pas la permission de vous faire percer le corps et vous demandent d'attendre vos 18 ans. Je vous conseille évidemment de les écouter et de ne pas leur désobéir. Dites-vous bien que cela vous donnera le temps de réfléchir et d'être bien certaine que vous voulez vraiment un piercing. Si vous y tenez mordicus et que vous pensez avoir de bonnes raisons pour le faire, tentez de leur expliquer calmement votre point de vue et de trouver un compromis. Proposez à votre mère de vous accompagner si elle ne fait pas confiance aux boutiques où on effectue les piercings. Certaines sont extrêmement propres, voire même luxueuses, et elle pourrait être surprise. Cela vous donnera également une autre bonne raison pour vous rendre dans un magasin où on vous offrira des services de qualité.

Rappelez-vous toutefois qu'il est important de prendre soin de votre corps et que la mutilation n'a rien de bien attirant. Prenez le temps de réfléchir. Commencez par les lobes d'oreilles pour voir comment vous vous sentez. Si vous êtes sensible à la douleur, les piercings ne sont probablement pas pour vous. Non seulement la cicatrisation est longue et parfois pénible, mais le perçage en soi est assez douloureux. Si vous

êtes curieuse de savoir de quoi vous auriez l'air avec un piercing, que vous n'êtes toujours pas certaine de vouloir passer à l'action ou que vous ne désirez pas marquer votre corps à vie, je vous recommande les bijoux aimantés qui ne nécessitent aucune aiguille, qui ne laissent aucune trace et qui ne font pas mal du tout ! Prenez vraiment le temps de peser le pour et le contre avant de prendre une décision, et ne faites rien que vous pourriez regretter amèrement plus tard.

💛 Sujets connexes : mode, beauté, tatouage

SENTIMENT TRÈS AGRÉABLE DE SATISFACTION ET DE JOIE

Le plaisir est un état de plénitude, de bonheur intense et de bien-être physique ou émotionnel. Il peut être lié à la satisfaction d'un besoin physique ou affectif, ou encore à un sentiment de réussite et de devoir accompli.

Dans la vie, toutes sortes de petits plaisirs peuvent nous rendre heureuse. Par exemple, le simple fait de magasiner de temps à autre, de partager un bon repas avec des gens qu'on aime, de se détendre après une longue journée, de regarder un film en famille ou entre amis, de s'amuser, de rire et de profiter de la vie nous réjouit et nous procure du plaisir. Aussi, les grandes réalisations liées à l'amour, au travail, à l'école ou au dépassement de soi ont toujours tendance à nous procurer un sentiment de bonheur et de bien-être étroitement lié au plaisir.

Évidemment, quand on parle de plaisir, on fait aussi allusion au plaisir sexuel. Ce dernier peut être ressenti à plusieurs degrés et dans toutes sortes de circonstances. Non seulement le fait de se retrouver avec quelqu'un de spécial qu'on peut toucher et découvrir nous procure du plaisir, mais la découverte de son corps et des sensations qui nous plaisent entraîne également une satisfaction physique très intense.

Sachez d'abord que, lorsqu'il est question de plaisir sexuel, il faut être patiente. Évidemment, votre corps va réagir au toucher de l'autre et va s'exciter, ce qui vous fera éprouver une sensation très agréable, mais vous devez quand même apprendre à écouter votre corps pour savoir ce qui lui plaît davantage, et ainsi donner la chance à votre partenaire d'apprendre à le connaître aussi. À l'adolescence, on vit souvent nos premières expériences sexuelles, et c'est normal d'être maladroit quand on ne sait pas trop comment s'y prendre. C'est pour cette raison qu'il est important d'apprendre à connaître votre corps et d'être à l'écoute de vos sentiments. N'ayez pas peur de partager ce que vous ressentez avec votre partenaire pour qu'il

mencer par la masturbation pour chercher à l'atteindre et pour savoir quelle technique fonctionne le mieux pour vous. Avec un partenaire, ce n'est pas aussi simple. Les plaisirs physique et émotionnel sont étroitement liés. Pour atteindre l'orgasme, il vous faut être extrêmement détendue et vous trouver en présence de quelqu'un que vous aimez, que vous respectez et qui vous connaît bien. Pour atteindre le septième ciel, il faut se laisser aller et se sentir en confiance, et c'est souvent avec quelqu'un qu'on aime et qu'on apprécie au plus haut point qu'on peut atteindre cet objectif.

Plaisir du corps, plaisir du cœur

Ainsi, rappelez-vous que le plaisir physique est étroitement lié à celui du cœur. Vous devez non seulement apprendre à connaître votre corps, mais aussi apprendre à écouter et à respecter les besoins de votre partenaire pour ne pas penser qu'à vous. Le plaisir sexuel est affaire de communication et, avant d'atteindre l'orgasme, il y a diverses étapes à franchir qui vous procureront énormément de plaisir. La découverte de la sexualité est par ailleurs un moment important de votre vie, et il est essentiel de ne pas négliger ces étapes et d'être à l'écoute de votre corps et de votre cœur. Si vous aimez quelqu'un, l'intimité et la complicité que vous partagez avec lui vous aideront certainement à vous sentir à l'aise, à vous laisser aller et à ressentir une immense satisfaction physique et émotionnelle. N'oubliez pas de partager avec l'autre ce que vous ressentez et d'être aussi à l'écoute de son plaisir et de ses besoins. Le plaisir se construit peu à peu, alors ne cherchez pas à brûler les étapes. Profitez plutôt de chacune d'elles pour apprendre à connaître davantage votre corps et vos sources de plaisir. Vous n'en serez que plus épanouie !

apprivoise votre corps et agisse en fonction de votre plaisir. La masturbation devient ici très utile, car elle vous permet de découvrir vos zones érogènes et de déterminer ce qui vous plaît.

Le plaisir sexuel est une question de méthode, de complicité avec l'autre, de sensualité, de contacts physiques et d'exploration. On ne connaît pas l'extase du jour au lendemain; on doit d'abord apprendre à toucher, à embrasser, à apprivoiser son corps et celui de l'autre et à prendre bien son temps pour ressentir le plaisir et en offrir à son partenaire.

L'orgasme

L'orgasme est l'état d'excitation sexuelle ultime que vous ressentez parfois lorsque vous jouissez et lorsque le garçon éjacule. C'est durant l'orgasme que l'on ressent un plaisir sexuel ultime et un laisser-aller sans précédent. Durant quelques secondes, vous sentez que votre esprit se détache de votre corps et vous éprouvez un plaisir physique des plus intenses. Si vous n'avez jamais connu l'orgasme, il ne faut pas désespérer. Vous pouvez par ailleurs com-

Sujets connexes : bonheur, solitude

SOUVENT UN COMPLEXE DE FILLE

Le poids complexe souvent les filles. On dirait qu'on ne peut jamais atteindre le poids désiré. On se trouve toujours trop grosse, trop mince, trop ronde, trop maigre.

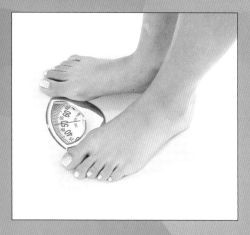

Attention ! Il ne faut pas être trop dure avec soi-même et s'imaginer qu'on est obèse si on a quelques kilos en trop, ou trop maigre parce qu'on ne porte pas encore de soutien-gorge !

À l'adolescence, le corps se développe et se transforme du tout au tout. Il faut plusieurs années avant qu'il ne se définisse et qu'on ne s'habitue vraiment à ses nouvelles formes. Bien que ce soit traumatisant de voir vos fesses grossir, vos hanches s'élargir, vos seins pousser et vos cuisses se raffermir, sachez que vous êtes en train de devenir une femme, qu'il s'agit d'un processus naturel et que les formes sont très jolies.

Si vous jugez que vous avez vraiment quelques kilos à perdre, vous devez vous fixer un objectif réaliste et raisonnable qui ne vous rendra pas malade. N'oubliez pas que nous avons toutes des corps différents. Donc, si vous êtes plutôt pulpeuse, ne cherchez pas à devenir maigre. Cela risque de nuire à votre santé physique et mentale, et vous n'obtiendrez probablement pas les résultats voulus. Vous pouvez raffermir votre corps en faisant de l'exercice physique, ou alors mieux surveiller votre alimentation pour éviter les aliments gras qui semblent se loger directement dans vos fesses. Apprenez quand même à apprécier votre corps et à le mettre en valeur sans attraper de complexes inutiles. Je sais qu'à l'adolescence, on bouge sans cesse et on dépense beaucoup d'énergie, ce qui fait qu'on a souvent très faim. Plutôt que d'opter pour du fast-food, du chocolat ou des chips, choisissez des aliments qui vous feront sentir bien dans votre peau et qui ne font pas grossir inutilement. Mangez des fruits, des légumes, des barres tendres, des yogourts, du fromage faible en gras, etc. Faites preuve de jugement, mangez sainement et de façon équilibrée, et faites du sport. C'est vraiment la meilleure façon de contrôler votre poids. Par ailleurs, ne tombez pas dans les régimes excessifs ou trop frustrants. Évitez de jeûner ou de sauter le petit-déjeuner en vous disant que vous évitez des calories. Le déjeuner est très important, et il est conseillé d'ingérer la plupart de vos calories en début de journée, puisque vous les dépenserez rapidement en pratiquant toutes vos activités et en vous concentrant durant vos cours. Il faut aussi apprendre à vous faire plaisir de temps à autre. Si vous ne vous permettez aucun aliment gras, aucune sucrerie ni aucun féculent, non seulement vous souffrirez de carences nutritives importantes pouvant vous rendre malade, mais vous développerez des frustrations intenses, voire même des troubles alimentaires très nocifs pour votre santé mentale et physique. L'important, c'est de trouver un équilibre, de manger sainement et en quantité normale.

On vous casse sans cesse les oreilles en vous répétant à quel point il est important de faire du sport. Il s'agit en effet d'une excellente façon de dépenser votre énergie, de vous défouler et de prendre soin de votre corps. Même si vous vous sentez paresseuse, je vous assure que vous vous sentirez mieux après avoir fait de l'exercice physique. Il suffit de trouver l'activité ou le sport que vous aimez pour vous stimuler davantage. Il n'y a rien de mieux que le sport pour contrôler le poids. Celles qui se trouvent trop grosses pourront se raffermir et perdre quelques kilos, et celles qui se trouvent trop maigres pourront muscler leur corps et lui donner un peu plus de tonus.

Mon corps, c'est mon corps, ce n'est pas le tien !

Règle très importante à suivre : ne vous comparez pas aux autres. C'est tout à fait inutile, car votre corps est unique et ne pourra jamais être pareil à celui d'une autre. Apprenez à vous aimer telle que vous êtes. Nous avons toutes des complexes et des défauts physiques, mais concentrez-vous plutôt sur vos atouts pour les mettre en valeur. Vous avez des yeux magnifiques, alors pourquoi ne pas porter des vêtements dont la couleur les fait ressortir ? Vos jambes font l'envie de toutes les filles de la classe ? Eh bien, ne vous gênez pas pour les montrer, sans toutefois exagérer et vous habiller de façon vulgaire ! Les gens ne cessent de vous faire des compliments sur vos cheveux ? Mettez-les en valeur et soyez-en fière : ils ne sont qu'à vous ! Ne vous comparez pas non plus aux mannequins des revues de mode ou aux actrices d'Hollywood. Vous vivez dans le vrai monde et vous êtes belle au naturel. Les femmes sont faites pour avoir des formes. C'est joli, naturel et sexy. Il est donc essentiel que vous soyez bien dans votre peau. Je sais qu'il peut être ardu au cours de l'adolescence de voir votre corps changer et d'accepter vos nouvelles formes, mais ce n'est qu'une étape à passer. Ne vous en faites pas si vous avez quelques kilos en trop : il s'agit parfois des hormones qui s'emballent et qui auront tôt fait de se calmer, ou alors du « gras de bébé » que vous perdrez avec les années.

Sachez également que le poids n'est pas toujours un bon indicateur. Comme les muscles pèsent plus que le gras, une fille mince et musclée peut peser plus qu'une fille un peu plus rondelette. Ne vous laissez pas leurrer par la balance. Laissez-vous plutôt guider par vos vêtements pour savoir si vous avez vraiment pris du poids ou perdu quelques kilos. Si vous n'entrez plus dans vos jeans, c'est que votre corps est en train de se développer, ou alors c'est un petit avertissement à l'effet que vous avez pris quelques kilos. Si vous flottez dans vos pantalons, vous avez sûrement perdu du poids.

L'indice de masse corporelle

L'indice de masse corporelle permet de déterminer la quantité de matière grasse que contient le corps d'un individu, ainsi que sa corpulence en général. Vous pouvez ainsi voir si votre poids se trouve dans la moyenne. Il se calcule en fonction de votre poids et de votre taille. Vous devez diviser votre poids par le carré de votre taille.

$$IMC = Poids \div taille2$$

Par exemple, si vous pesez 50 kg et que vous mesurez 1,63 m, vous devez diviser 50 par (1,63 x 1,63). Cela donne un IMC de 18,80, qui est considéré comme normal. Un IMC inférieur à 18,5 indique un poids insuffisant. L'IMC normal se situe entre 18,5 et 25. Un IMC qui se situe entre 25 et 30 indique un surpoids ; entre 30 et 35, de l'obésité modérée ; entre 35 et 40, de l'obésité sévère ; et supérieur à 40, de l'obésité morbide. *(Source :http://www.doctissimo.fr/ asp/quizz/visu_form_bmi.asp)*

Sujets connexes : poil, beauté

Aucune fille n'aime vraiment les poils. Ces intrus apparaissent au moment de la puberté et ne disparaissent que lorsqu'on le décide.

En effet, on doit apprendre à vivre avec les poils, et à s'en débarrasser soi-même lorsqu'on ne veut plus les voir. C'est normalement entre 11 et 13 ans qu'on voit apparaître les premiers poils. Ils surgissent de façon éparse sur le pubis, sur les jambes et sous les aisselles. Certaines filles en souffrent plus que d'autres, puisqu'il existe différents types de poils : ils peuvent être plus ou moins fournis, plus ou moins foncés, etc. Il s'agit non seulement d'une question d'hormones et de croissance, mais aussi d'hérédité. N'en veuillez toutefois pas à votre mère parce que vous vous trouvez trop poilue ! Après tout, elle n'a pas choisi de naître ainsi. Prenez plutôt le taureau par les cornes pour vous débarrasser de ces ignobles intrus.

Comment s'y prendre ?

Il existe plusieurs techniques pour se débarrasser des poils, et c'est à vous de choisir laquelle vous convient le mieux, en fonction évidemment de la densité de votre pilosité, de la partie du corps ciblée et de votre sensibilité. L'usage du rasoir est sans contredit la technique la plus simple, la plus rapide et la plus économique. Rasez-vous lorsque vous êtes sous la douche. Mouillez généreusement votre peau avant de procéder, afin de bien l'assouplir. Appliquez ensuite du savon, de la mousse ou du gel à raser sur votre jambe, puis passez le rasoir en un seul mouvement en partant de la cheville jusqu'au genou. Répétez l'étape pour toute la jambe, et terminez par les retouches plus délicates, comme le contour de la cheville. Attention, il se peut fort bien que vous vous coupiez lors de vos premières tentatives. Je vous préviens : ça chauffe et ça saigne beaucoup, mais ça ne dure que quelques secondes. Je vous conseille par ailleurs de vous acheter un bon rasoir et de

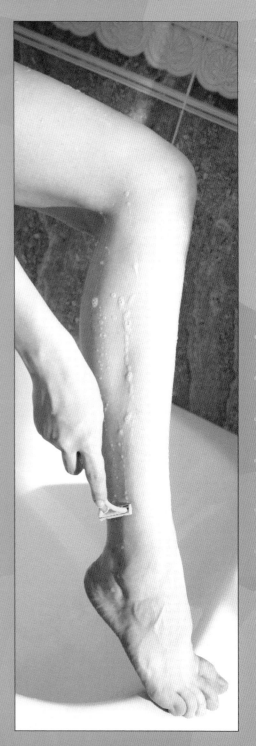

changer la lame régulièrement pour obtenir de meilleurs résultats. Rincez aussi votre rasoir après chaque épilation pour que les poils ne restent pas collés sous la lame, et évitez bien sûr d'emprunter le rasoir des autres membres de votre famille, pour des raisons de santé et d'hygiène.

Le plus grand désavantage du rasage est le fait que les poils repoussent plus rapidement et plus dru que lorsqu'on les épile à la cire. Je vous conseille l'usage du rasoir pour vos aisselles (on se fiche un peu plus des repousses à cet endroit, et vous devrez peut-être répéter l'opération plusieurs fois par semaine, alors la technique du rasoir demeure la plus rapide et la plus efficace), mais n'utilisez surtout pas le rasoir pour vous débarrasser des poils qui poussent sur votre visage !

Vous pouvez aussi avoir recours à la cire pour enlever les poils. En les emprisonnant dans la résine, la cire chaude les arrache sans laisser de trace. Suivez les indications inscrites sur la boîte pour faire chauffer la cire (que ce soit au four, dans une casserole ou au four à micro-ondes), mais prenez garde de ne pas la faire chauffer trop longtemps, car vous pourriez vous brûler. Étalez ensuite les bandes de cire avec une petite spatule sur toute la surface de la jambe, en commençant par le genou et en descendant jusqu'à la cheville. Appuyez sur la bande de cire à l'aide de la spatule et, lorsque vous constatez que la cire ne colle plus, arrachez la bande d'un seul coup en tirant vers le haut. Recommencez pour toute la surface de la jambe. Encore une fois, je vous préviens : l'épilation peut être assez douloureuse. Elle vous donne toutefois un répit plus long que le rasage. Vous serez en effet

débarrassée des poils pour plusieurs semaines. Si vous avez la peau irritée après l'épilation, je vous recommande d'y appliquer une bonne crème hydratante. Il est aussi conseillé d'attendre que vos poils mesurent au moins 5 mm pour vous épiler à la cire afin que celle-ci puisse bien les emprisonner. Vous pouvez aussi avoir recours à de la cire froide ou tiède, mais la cire chaude est souvent plus efficace, puisqu'elle dilate les pores de la peau, ce qui facilite le processus.

Il existe également des épilateurs électriques qui vous permettent de vous débarrasser de vos poils pour plusieurs semaines, car ils en arrachent la racine. Mouillez d'abord votre peau avec de l'eau chaude pour ouvrir les pores, puis passez l'épilateur sur vos jambes pour bien faire disparaître tous les poils.

De plus, vous pouvez vous rendre chez une esthéticienne pour vous faire épiler, ou simplement pour demander des conseils sur la meilleure façon de vous débarrasser de vos poils. Sachez par ailleurs que même si certaines filles ont la chance de n'avoir pratiquement pas de poils, nous devons toutes apprendre à vivre avec ; c'est un problème universel. De nombreuses filles ont des complexes parce qu'elles se trouvent trop poilues ou que des poils poussent sur des parties de leur corps où elles ne désirent pas les voir (autour des mamelons, sur le ventre, près des oreilles, près des lèvres). Pour le visage, l'usage d'un décolorant suffira souvent à faire disparaître vos complexes. Sinon, utilisez de la cire ou un épilateur électrique. Si vos poils vous complexent beaucoup, sachez aussi qu'il existe l'épilation au laser, qui est beaucoup plus dispendieuse, mais qui vous permet de vous débarrasser des poils pour une très longue durée.

Les poils, c'est signe que vous devenez une femme !

Quoi qu'il en soit, c'est à vous de choisir la méthode qui vous convient le mieux. Sachez que les poils sont la preuve que vous devenez une femme, alors, aussi bien vous en réjouir. Pour le reste, dites-vous que vous aurez tôt fait de vous habituer à vous débarrasser de ces poils et rappelez-vous que, parfois, il faut souffrir pour être belle !

Sujets connexes : puberté, beauté, maquillage

APPARITION DE CES ATOUTS FÉMININS

Les adolescentes sont souvent perturbées lorsque leurs seins commencent à pousser. En effet, ce changement physique entraîne toutes sortes de questionnements qui ont tendance à complexifier davantage cette période de métamorphose. Tentons donc de démystifier ensemble l'apparition de ces atouts féminins…

légère douleur, ou du moins une sensibilité dans cette région du corps. Un sein peut commencer à pousser avant l'autre. Je sais, c'est étrange, mais cela arrive à beaucoup de filles. Si c'est votre cas, ne vous en faites surtout pas, le second ne saurait tarder à apparaître à son tour ! La poitrine prend un certain temps à se développer (cela se termine normalement à 16 ans), mais vos deux seins seront ultimement de la même taille ! Il arrive également que le mamelon se forme en premier lieu. Il devient alors dur, gonflé et souvent très sensible. Encore une fois, ne vous inquiétez pas : il ne s'agit que de la première étape, et les seins rattraperont bientôt leur retard.

Un complexe bien commun

Que ce soit parce qu'ils sont trop gros ou pas assez développés, les seins ont souvent tendance à nous complexer. Lorsqu'on a de petits seins, on ferait tout pour en avoir de plus proéminents et pour se sentir plus adulte. On est alors portée à se comparer aux filles de notre âge qui connaissent un développement plus rapide, et même à rembourrer notre soutien-gorge pour se sentir mieux. Sachez que même si vos seins prennent plus de temps à se développer, cela n'indique en rien la taille qu'ils auront à la fin de leur croissance. Plutôt que de faire des comparaisons, apprenez à apprécier votre corps tel qu'il est et soyez patiente !

Chacune à son propre rythme

Certaines filles commencent leur puberté à un très jeune âge, tandis que d'autres doivent attendre la fin de l'adolescence avant de constater de vrais changements physiques. Le développement des seins se produit normalement entre 8 et 14 ans, mais, là encore, tous les corps sont différents et évoluent à leur propre rythme. Quoi qu'il en soit, le développement de la poitrine peut souvent entraîner une

Les jeunes filles qui ont une grosse poitrine sont aussi souvent complexées par leur apparence physique. En effet, le corps se développe parfois un peu trop vite à notre goût, et il n'est pas facile d'accepter tous ces changements physiques et l'impact que cela peut avoir autour de nous. Les garçons nous regardent d'une autre façon, les yeux se tournent vers nous, et nous ne nous sentons pas bien dans notre corps. Les filles dont les seins se développent plus rapidement ont ainsi tendance à vouloir ralentir ce processus et à porter des vêtements amples qui cachent leurs atouts. Encore une fois, toutes les adolescentes du monde franchissent cette étape, alors il serait sûrement plus simple d'apprendre à vous accepter telle que vous êtes et à être fière de votre nouveau corps de femme ! Les autres filles ne sauraient tarder à vous rattraper !

Le soutien-gorge

Qui dit développement des seins dit soutien-gorge, mais comment s'y retrouver dans toute cette gamme de sous-vêtements inconnus ? Le port du soutien-gorge peut causer un léger inconfort au début ; il faut parfois un certain temps pour s'y habituer. Le choix du soutien-gorge est très personnel : les filles actives opteront pour le soutien-gorge sport qui assure un meilleur soutien, alors que d'autres choisiront un joli modèle en dentelle. C'est à vous de voir dans quoi vous êtes le plus à l'aise : certaines préfèrent les bonnets avec armature, tandis que d'autres aiment bien les élastiques. La forme, le style et la couleur sont des choix très personnels. Vous avez l'embarras du choix, alors amusez-vous !

La bonne taille…

La taille du soutien-gorge est évidemment un critère très important du confort. Saviez-vous que près de 80 % des femmes ne portent pas la bonne taille de soutien-gorge ? On est souvent à l'aise dans une taille sans chercher à aller plus loin. Je vous recommande donc fortement de demander à une vendeuse de mesurer votre tour de dos lorsque vous magasinez dans une boutique de sous-vêtements, ou alors d'essayer différents modèles pour voir lequel est le plus confortable.

Sachez que le numéro (32, 34, 36) correspond à votre tour de dos, qui ne devrait pas trop changer au fil des années, tandis que la lettre (A, B, C, D) correspond à la taille du bonnet de votre soutien-gorge.

Tous différents

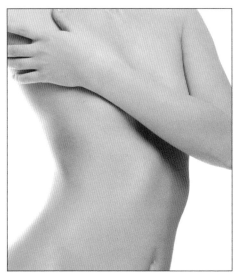

La forme, le poids et la taille des seins varient pour chaque femme. Alors, apprenez à apprécier les vôtres : ils sont uniques ! Il se peut que des poils apparaissent autour des aréoles. Ne vous inquiétez surtout pas, puisque cela se produit chez beaucoup de filles. Vous n'avez qu'à vous épiler pour vous débarrasser de ces intrus. Si vous sentez une masse sous votre sein, il s'agit certainement d'un kyste bénin, très fréquent chez les jeunes filles. Ne paniquez pas, mais consultez votre médecin pour en savoir davantage et vous assurer que tout va bien.

De nouveaux atouts…

En général, les seins ont tendance à attirer les garçons ; aussi, ne soyez pas surprise si les regards se tournent vers vous lorsque survient votre puberté. Les seins sont une zone érogène qui possède un caractère fort sexuel. Si vous n'êtes pas à l'aise avec cette réalité, habillez-vous de façon un peu plus conservatrice pour ne pas attirer les regards. Les seins sont également très sensibles. Alors, faites-y

bien attention. La peau de la poitrine n'étant jamais exposée au soleil, soyez prudente lorsque vous enfilez votre bikini et assurez-vous d'appliquer une couche supplémentaire d'écran solaire. De plus, certaines filles ont parfois mal aux seins lorsqu'elles dorment sur le ventre. Tout dépend du degré de sensibilité de votre poitrine. Donc, soyez bien à l'écoute de votre corps !

Quelques conseils :

Le sport permet souvent de définir cette région du corps et de développer une poitrine plus jolie. La natation, les poids légers et le tennis, par exemple, musclent les pectoraux qui soutiennent les seins.

Si votre poitrine vous le permet, tâchez de porter un soutien-gorge tout au long de la journée. Le fait de ne pas en porter risque d'irriter vos mamelons, ce qui est souvent très douloureux. Vous vous sentirez également plus à l'aise pour vaquer à vos occupations si vos seins sont soutenus.

Ôtez toutefois votre soutien-gorge pour dormir. Cela permet d'enlever la pression exercée sur votre dos et vous permet de dormir en étant beaucoup plus confortable.

💞 Sujets connexes : adolescence, puberté

Questions reçues sur le courrier de Catherine :

« ALLO CATHERINE,
J'AI 11 ANS ET MES SEINS POUSSENT ET ILS SONT POINTUS. JE TROUVE ÇA LAID QUAND JE PORTE MES CHANDAILS, ET J'AIMERAIS AVOIR UN SOUTIEN-GORGE, MAIS JE SUIS GÊNÉE DE DEMANDER À MA MÈRE, MAIS PRESQUE TOUTES MES AMIES EN ONT UNE. QUE DOIS-JE FAIRE ? »

« SALUT CATHERINE ! JE VOULAIS TE DEMANDER SI C'EST NORMAL QUE MES SEINS POUSSENT DIFFÉREMMENT... MON SEIN DROIT EST DIFFÉRENT DU SEIN GAUCHE (LE MAMELON EST PLUS GROS !). EST-CE QUE ÇA VA S'ARRANGER AVEC LE TEMPS ? »

« SALUT CATHERINE !
J'AI 11 ANS ET TOUTES MES AMIES COMMENCENT À AVOIR DES SEINS, MAIS MOI NON. JE SUIS D'UNE GRANDEUR NORMALE ET JUSQU'À PRÉSENT, J'ÉVOLUAIS COMME LES AUTRES. JE SUIS LA SEULE À NE PAS EN AVOIR. L'AN PROCHAIN, JE M'EN VAIS AU SECONDAIRE ET CE SERAIT VRAIMENT GÊNANT. »

LES RELATIONS QUÉBEC-CANADA

Les relations entre le Québec et le Canada sont généralement assez tendues et les raisons de cette tension ne sont pas partagées. C'est ce qui explique que ce sujet entraîne parfois chez les adultes des discussions enflammées et des prises de bec aux soupers de famille du temps des fêtes.

Pourquoi est-ce que la province du Québec ne jouit pas des relations plutôt cordiales que l'Ontario, par exemple, entretient avec Ottawa ? Les raisons sont nombreuses, j'en soulignerai seulement quelques-unes.

L'identité : c'est pas seulement personnel !

Chose certaine, on revient souvent à la question de la langue : le Québec est majoritairement francophone — et souhaite le rester—, tandis que les autres provinces sont majoritairement anglophones — et n'ont aucune difficulté à le rester. Mais au-delà de la langue, il y a aussi une question d'orgueil. On remarque, en effet, que pour certains Canadiens français, le problème remonte à la Conquête de 1759, lorsque les Britanniques ont envahi la Nouvelle-France. S'il est vrai que pendant presque deux siècles, les Canadiens français ont vécu sous la domination économique et politique des anglophones, il est difficile d'affirmer aujourd'hui que les Canadiens français au Québec sont opprimés par les anglophones.

Néanmoins, au plan linguistique et identitaire, la situation n'est pas aussi simple. Ce qui crée le malaise de bien des Québécois lorsqu'ils se promènent dans le reste du Canada, ce n'est pas une bataille perdue il y a 250 ans sur les plaines d'Abraham, mais plutôt le sentiment d'être différents des autres canadiens et de ne pas être pleinement acceptés dans cette identité francophone, de langue et de culture.

Il faut ajouter à cela la crainte que la toute petite minorité que représentent les francophones en Amérique du Nord ne disparaisse un jour dans la masse d'anglophones. Pour bien des parents, il est insupportable de penser que leurs enfants ou leurs petits enfants ne pleureront pas en lisant Les Misérables en français et ne riront pas devant Louis-José Houde. C'est peut-être ce qui explique pourquoi l'identité culturelle est si importante pour les Québécois. Toujours est-il que l'identité québécoise est certainement au cœur des tensions entre le Québec et le reste du Canada, dont Ottawa est le symbole par excellence.

Les solutions politiques

Ce sentiment d'incompréhension et d'être assiéger de l'extérieur s'est depuis longtemps traduit en action politique. Afin d'assurer la survie de la langue française au Québec et de la culture québécoise, tous les gouvernements du Québec revendiquent depuis des décennies une plus grande autonomie politique de la belle province. Si le Parti Québécois prône l'indépendance du Québec pour protéger l'identité québécoise, les autres partis politiques n'hésitent pas à confronter Ottawa lorsqu'il s'agit de défendre le partage des compétences entre le fédéral et les provinces et lorsqu'il s'agit de répartir les richesses entre les provinces. Cette attitude des différents gouvernements québécois à réclamer toujours plus de pouvoir, d'argent et d'autonomie a encouragé, dans le reste du Canada, l'idée que les Québécois sont les « enfants gâtés du Canada » ; ce qui, en retour, n'améliore pas les relations !

L'Histoire

Comme si ça n'était pas assez, l'histoire récente du pays n'a rien fait pour apaiser les tensions entre Ottawa et Québec. En effet, tandis que le Québec cherche à obtenir une plus grande autonomie, le gouvernement fédéral cherche au contraire à centraliser les pouvoirs des provinces à Ottawa. Concrètement, cela veut dire que le gouvernement fédéral essaie d'intervenir dans des domaines normalement réservés aux Provinces, comme l'éducation, les services sociaux, etc. Cette ingérence politique s'est produite souvent sous le couvert de ce qu'Ottawa appelle son « pouvoir de dépenser », c'est ainsi qu'il a créé la Fondation des Bourses du millénaire alors que l'éducation est une compétence provinciale.

Pour ajouter à cela, le Québec a tenu deux référendums sur l'avenir de la Province dans le Canada. Le camp fédéraliste a remporté le premier référendum de 1980 par une large majorité de 60 %, mais il a bien failli perdre le deuxième référendum tenu en 1995, où le camp souverainiste a perdu par une marge de seulement 54 000 voix.

Ce regain de la cause souverainiste entre le premier et le deuxième référendum s'explique en partie par la dégradation des relations Québec-Canada après le « rapatriement de la Constitution » en 1982. Lors de cet épisode, le gouvernement fédéral ainsi que la plupart des provinces canadiennes ont accepté de modifier la Constitution canadienne sans l'accord du Québec. Ce coup bas porté au Québec a mené le pays dans une crise constitutionnelle. Les gouvernements qui ont suivi ont bien essayé de raccommoder le Québec avec le reste du Canada, mais sans succès : ce sont les accords ratés du Lac Meech (1987-1990) et de Charlottetown (1992-1993).

Les problèmes que rencontre le Québec dans ses négociations constitutionnelles avec Ottawa et le reste du Canada revient souvent à une différence d'opinions sur la place du Québec dans la fédération. Pour les gouvernements québécois, les Canadiens français représentent l'un des deux peuples fondateurs du

Canada ce qui devrait donner au Québec une place particulière dans la fédération canadienne. Ce point de vue n'est pas partagé ailleurs au Canada où l'on préfère considérer que le Québec est une province comme une autre.

La Constitution

La Constitution canadienne est la Loi suprême du pays. C'est en fait plusieurs textes de loi qui établissent le fonctionnement général du Canada et des provinces. On y trouve par exemple, la composition du Sénat et de la chambre des communes, le partage des compétences entre le fédéral et les provinces, la protection des minorités linguistiques, la procédure de modification de la Constitution et, pièce majeure ajoutée en 1982, la Charte canadienne des droits et libertés.

Contrairement aux lois fédérales ordinaires, la Constitution ne peut pas être modifiée unilatéralement par le Parlement du Canada. Pour la modifier, il faut passer par un processus particulier qui implique un certain consentement des provinces.

Le fédéralisme canadien

Pour bien comprendre les relations entre le Québec et le Canada, il faut d'abord comprendre que le Canada est une fédération composée de 10 provinces et de trois territoires. Une fédération est un type d'État dans lequel plusieurs ordres de gouvernement (ex. le fédéral, le provincial et, dans une certaine mesure, le municipal) se partagent des pouvoirs ou des « compétences ». Au Canada, c'est la Constitution de 1867 qui établit le partage des compétences. Par exemple, tout ce qui touche à l'éducation est, en théorie, de la compétence exclusive des provinces. En revanche, tout ce qui touche aux relations internationales revient exclusivement au gouvernement fédéral qui siège à Ottawa. Bien des tensions entre le Québec et le Canada découlent du fait qu'en pratique la frontière entre les pouvoirs des gouvernements provinciaux et les pouvoirs du gouvernement fédéral n'est pas facile à tracer.

La péréquation

Au cœur des tensions actuelles entre Québec et Ottawa se trouve le problème de la péréquation. La raison d'être du fédéralisme canadien est d'assurer un équilibre entre l'autonomie des provinces et le bien-être des Canadiens d'un océan à l'autre. Une façon d'y parvenir est de redistribuer l'argent des provinces les plus riches vers les provinces les plus pauvres : c'est la péréquation. Évidemment, en pratique la chose est complexe et chacun veut se tailler la plus grosse part du gâteau. Le calcul de la péréquation fait sans cesse l'objet de querelles entre Québec et Ottawa, mais aussi entre les autres provinces canadiennes et Ottawa qui a la tâche difficile de décider de la taille des parts du gâteau et… de la taille du gâteau lui-même.

Saviez-vous que : pour l'année budgétaire 2010-2011, le Québec empochera plus de 8,5 milliards de dollars en paiement de péréquation, laissant 5,9 milliards pour les autres provinces.

💟 Sujets connexes : droits humain, Québec

Pornograhie

La pornographie est un phénomène à la fois banal et extrêmement inquiétant. Vous avez sans doute remarqué qu'elle se trouve partout autour de nous : dans les clubs vidéo, dans les magazines, sur Internet, à la télévision, etc.

De plus, vous savez sans doute que les garçons éprouvent beaucoup de curiosité et d'intérêt à l'égard de la pornographie. Plusieurs d'entre eux louent des vidéos en cachette ou en regardent sur Internet, ou encore dissimulent des magazines sous leur lit. Même les filles sont parfois curieuses de regarder des films pornographiques et d'en savoir un peu plus sur cette sexualité très explicite. Ce n'est pas parce qu'un adolescent regarde un magazine ou un film pornographique qu'on doit le considérer comme un obsédé sexuel. Il est normal d'éprouver de la curiosité à l'adolescence, de découvrir et d'explorer sa sexualité. Ce qui est déplorable avec la pornographie, c'est la facilité avec la-quelle les jeunes peuvent y accéder, et l'image tordue qu'elle renvoie de la sexualité.

Sachez d'abord que la pornographie est loin d'être représentative des rapports sexuels normaux que vous désirez avoir à votre âge. Les œuvres pornographiques ont trop souvent tendance à représenter la femme comme un simple objet sexuel soumis aux désirs de l'homme. Les filles y semblent toutes agui-cheuses, faciles et extrêmement perverses. Bien que ce genre de scénario troublant et de réalité tordue puisse exciter certaines person-nes, sachez qu'il est normal qu'il vous semble difficile de concevoir en quoi cela peut procu-rer du plaisir. La pornographie a tendance à dé-peindre les actes sexuels à l'état brut, comme si les partenaires n'étaient que des animaux et n'éprouvaient aucune émotion, mais lorsque vous avez des rapports avec votre amoureux ou que vous explorez votre sexualité pour la première fois, il est primordial que cela se fasse dans le respect et dans l'intimité. Si vous êtes avec un garçon qui se laisse apparemment trop

influencer par la pornographie, n'ayez surtout pas honte de le lui faire remarquer et de le remettre à sa place ! Son comportement est certainement provoqué par l'image perverse que projette la pornographie et, surtout, par son manque d'expérience.

Il va sans dire que certaines images pornographiques sont tout simplement sordides et extrêmement choquantes, particulièrement pour une fille. Les personnages font parfois preuve de violence et ont recours à des clichés pour attiser le désir des spectateurs. Il est déplorable que les femmes y soient perçues comme des objets sexuels. La sexualité représente bien plus que cela. La pornographie a tendance à évacuer toute la candeur, la pudeur et l'intimité que partagent deux personnes au cours d'une relation sexuelle. Il ne s'agit plus que d'une technique brute et de gestes mécaniques qui font abstraction du sentiment de bonheur, de la complicité, de la douceur, etc. En d'autres mots, sachez que la pornographie ne représente en rien la sexualité complice entre deux partenaires qui s'aiment et se respectent, et qu'il est tout à fait normal que vous soyez révoltée par l'image perverse qu'elle véhicule.

Le danger d'Internet

Si vous naviguez sur Internet, vous avez certainement déjà atterri sans le vouloir sur un site pornographique ou sur une publicité à caractère sexuel très explicite. En effet, la pornographie est omniprésente sur Internet, et il est extrêmement difficile d'en limiter la prolifération. Je vous encourage toutefois fortement à ne pas vous exposer à de tels sites et à ne pas encourager la pornographie sur Internet. Pour ce faire, vous pouvez installer un bloqueur de fenêtres intempestives qui vous aidera au moins à réduire le nombre de pages publicitaires à caractère pornographique qui apparaîtront sur votre écran. De plus, naviguez sur les sites que vous connaissez bien et où vous ne courez aucun risque. Je parle ici de risque parce que la pornographie sur Internet attire beaucoup de pédophiles, de prédateurs sexuels et de gens pervers. L'accès rapide et facile à des sites pornographiques incite ces individus à influencer les jeunes pour qu'ils participent à des activités pornographiques et ainsi à profiter de leur naïveté pour les entraîner dans un milieu malsain. Bien que ce soit révoltant, sachez que la pornographie infantile, soit celle qui met en scène des enfants et de jeunes adolescents, est très présente sur le Web. Je vous mets donc en garde contre les sites inconnus et contre les dépravés qui consomment et encouragent ces représentations sexualisées des jeunes. Selon une étude, les sites Internet pour pédophiles représentent 30 000 pages Web sur plus de 4,3 millions de pages recensées (source : Parry Aflab, « Guide à l'usage des parents pour protéger les enfants dans le cybermonde », Courrier de l'UNESCO). Soyez donc très vigilante lorsque vous naviguez et ne vous laissez pas convaincre de faire des choses à caractère sexuel par des gens que vous ne connaissez pas. Évitez aussi de consulter les sites pornographies qui contiennent des images et des informations troublantes, déviantes et violentes.

On ne peut pas nier la place qu'occupe la pornographie dans la société. Bien qu'elle soit partout et qu'il s'avère difficile de la gérer sur Internet, je vous conseille de vous tenir loin des sites, des émissions et des magazines à caractère pornographique qui tendent à projeter une mauvaise image de la femme et de la sexualité.

Sujets connexes : sexualité, contraception, Internet

Potin

DÉFORMATION DE LA RÉALITÉ

Le mot « potin » est un synonyme de « commérage ». Il s'agit d'un racontar ou d'une rumeur qui se transmet de bouche à oreille et qui n'est souvent fondé que sur un mensonge ou sur une déformation de la réalité.

Les potins sont un phénomène plutôt commun durant l'adolescence, et particulièrement au sein d'une école secondaire.

Pour quelle raison les gens décident-ils de propager une rumeur, de « potiner » ? Il n'existe pas de réponse universelle, mais il ne s'agit souvent que d'une façon de passer le temps et de rendre la réalité plus « intéressante ». Les clans qui se forment à l'adolescence s'affrontent souvent sur le terrain des valeurs, de l'apparence ou de la popularité. Potiner sur les gens est par conséquent un moyen plutôt mesquin de se rapprocher de ses camarades en inventant des ragots sur les autres groupes d'amis qui semblent si différents du nôtre. Les potins peuvent également se propager au sein de notre propre groupe d'amis. On tente ainsi de se rapprocher de certaines personnes ou de tisser des liens plus étroits, puisqu'on partage des secrets et des confidences que les autres ne connaissent pas. Les adolescents peuvent faire cela pour tromper l'ennui, ou pour essayer de se valoriser en se racontant des histoires sans fondement.

Certains potinent aussi simplement pour se divertir, sans aucune intention de blesser qui que se soit. Lorsqu'ils entendent une rumeur, ils servent de maillon à la chaîne et transmettent rapidement l'information aux autres dans le but de rigoler et de placoter entre amis.

Les potins font également partie de la réalité du monde adulte. On n'a qu'à regarder les émissions de télé ou à jeter un coup d'œil à tous les sites Internet consacrés aux potins des

vedettes d'ici ou de Hollywood. Bien que nous sachions que ces ragots ne sont souvent que des fabulations ou des altérations de la réalité, nous continuons tout de même à regarder ces émissions pour la simple raison qu'elles nous distraient et nous permettent, durant quelques instants, d'oublier nos propres problèmes.

Les potins blessent cependant trop souvent les gens qui en sont la cible ; il est donc important de faire preuve de maturité et de freiner la diffusion des commérages. Les gens qui propagent les potins le font souvent parce qu'ils sont jaloux ou qu'ils souffrent d'insécurité. Blesser ses camarades n'est pas une solution pour combler ses propres faiblesses. Si on vous raconte un ragot, vous avez le choix entre interrompre sa diffusion et la poursuivre. Il vaut alors la peine de faire un effort et d'agir de façon mature. Efforcez-vous de partager vos propres secrets avec vos amis plutôt que de répandre de fausses rumeurs sur les autres.

Si quelqu'un lance des potins à votre sujet, vous devez également vous rappeler qu'il est probablement jaloux et qu'il souffre d'insécurité, et que ce n'est absolument pas votre cas. La meilleure chose à faire est certainement d'ignorer les potins et d'attendre que cela passe. Ces histoires sont une façon d'attirer l'attention et de faire réagir les gens qui vous entourent. Si vous ne vous laissez pas atteindre par les potins, ceux-ci auront tôt fait de s'estomper et de sombrer dans l'oubli. La maturité et l'indifférence sont donc les meilleurs atouts face aux potins, que ce soit quand on se trouve devant la possibilité de diffuser de fausses informations ou quand on apprend que des rumeurs circulent sur soi. Dites-vous bien que vous valez plus que cela, et qu'il est toujours mieux d'éviter de blesser les gens ; vous savez bien que ce n'est pas une façon de vous sentir mieux face à vous-même. Prônons donc la discrétion et la maturité à tout âge !

Sujets connexes : bitchage, respect

Poutine

«Plat composé de frites et de fromage
fondu en sauce.»

(Source : Multidictionnaire de la langue française)

«Mets de restauration rapide fait d'une portion de pommes de terre frites agrémentées
de fromage en grains et arrosées d'une sauce
chaude. Ce mets québécois semble avoir été
spontanément créé en milieu populaire, dans
l'environnement de la restauration rapide.»
Source : http://www.granddictionnaire.com/
btml/fra/r_motclef/index800_1.asp)

La poutine est sans contredit l'une des traditions culinaires les plus importantes au Québec. D'ailleurs, rares sont les Québécois qui
ne raffolent pas de cette espèce de ragoût de
frites, de sauce brune et de fromage en grains !
On sait que la poutine provient du milieu ru-
ral québécois et qu'elle a fait son apparition au
cours des années 1960, mais son origine exacte
demeure très controversée, puisque plusieurs

villes et villages revendiquent la paternité de
ce mets typiquement québécois ! L'histoire la
plus répandue veut que la poutine ait fait son
apparition au Lutin qui rit, un petit restaurant
de Warwick, dans la région des Bois-Francs.
Un client nommé Jean-Guy Lainesse aurait demandé à Fernand Lachance, le patron du restaurant, de lui servir un plat de frites avec du
fromage en grains. M. Lachance lui aurait alors
répondu : « Ça va faire toute une poutine »,
puisque, à l'époque, le mot « poutine » était
utilisé pour désigner un drôle de mélange ! Le
restaurateur aurait ensuite ajouté ce plat à son
menu.

La poutine qu'on connaît aujourd'hui contient
également de la sauce brune, et on dit souvent
que ce mets est plus savoureux lorsqu'il est
préparé avec du fromage frais du jour. L'origine
du mot « poutine » n'est pas prouvée, mais plusieurs croient qu'elle provient du mot anglais
« pudding », ou alors d'une adaptation de ter-

mes issus des patois de certaines régions du Québec, ou des dialectes de France.

La poutine a évolué au cours des années et elle est maintenant servie sous différentes formes qui sont offertes dans la plupart des restaurants rapides, d'un bout à l'autre du Québec. On trouve par exemple la poutine italienne, où la sauce brune est remplacée par de la sauce à spaghetti, la galvaude, à laquelle on ajoute du poulet et des petits pois, le dulton, auquel on ajoute des morceaux de saucisse ou de bœuf ainsi que des oignons, et le frite sauce qu'on sert sans fromage. Les restaurants se spécialisant dans la poutine offrent également toute une gamme de variantes dans les ingrédients ; les choix sont donc devenus infinis !

Quelques adresses pour manger une bonne poutine :

Montréal :
La Banquise
994, rue Rachel Est

Chez Claudette
351, rue Laurier Est

Patati Patata
4177, boul. Saint-Laurent

Québec :
Chez Ashton
Un peu partout dans la grande région de Québec;
http://www.chez-ashton.com/

La poutine est maintenant servie un peu partout dans le monde, de Londres au Viêt Nam, en passant par le Mexique, le Panama, la France et la Corée du Sud ! Mais rien ne vaut notre fromage en grains et notre recette typique ! Vive la poutine !

 Sujets connexes : Québec, culture

Premier baiser

Les filles se posent toutes des questions au sujet de leur premier baiser. Est-ce vraiment censé être un moment magique ? Doit-on vraiment en faire toute une histoire ? Y a-t-il un mode d'emploi ? Comment savoir si on embrasse bien ou mal ? Comment s'assurer que tout se passe bien ?

Tout d'abord, pas de panique. Le premier baiser dépend de chaque fille ; certaines attendent d'être amoureuses pour franchir ce pas, alors que d'autres embrassent quelqu'un pour la première fois sans trop y penser. Je dois toutefois mentionner qu'il s'agit bel et bien d'un moment magique et d'un souvenir que vous conserverez probablement tout au long de votre vie. Aussi, je vous conseillerai personnellement de partager votre premier baiser avec quelqu'un qui vous est cher pour rendre le moment encore plus magique et pour apprécier davantage ce geste d'intimité et de tendresse.

Il existe divers types de baisers, mais lorsqu'on parle du « premier baiser », on fait généralement allusion au « french », c'est-à-dire au premier baiser avec la langue. Il se peut que votre premier baiser vous paraisse dégoûtant, surtout s'il survient dans un contexte où vous n'en avez pas vraiment envie, avec quelqu'un qui ne vous plaît pas tellement ou dans le cadre d'un jeu comme la bouteille. Vous trouverez peut-être qu'il y a trop de salive, que le contact de la langue n'est pas très agréable ou que cela n'attise en rien votre désir ; ne vous découragez pas ! Un baiser est une sorte de connexion qui se crée entre deux personnes, et le jour où vous embrasserez quelqu'un dont vous êtes amoureuse, vous comprendrez davantage tout l'attrait émotif, sensuel et même sexuel d'un baiser. Il s'agit aussi de quelque chose qui se développe entre deux personnes. Chacun embrasse à sa façon, alors il est normal qu'il y ait devez apprendre à vous habituer à la « technique » de l'autre, et vice-versa. Après quelques baisers, la technique deviendra commune, car vous aurez inventé ensemble une façon très intime de vous embrasser.

Plusieurs se demandent s'il y a un âge pour recevoir son premier baiser. Encore une fois, il n'existe aucune règle générale. L'important, c'est d'y aller à votre rythme et de le faire quand vous vous sentez prête et que vous en avez réellement envie. Ne vous laissez pas influencer par la pression sociale ou les histoires des autres filles. Mieux vaut que votre premier baiser soit un peu tardif, mais que vous le partagiez avec quelqu'un qui en vaut la peine et dans un contexte où vous vous sentez tout à fait à l'aise. Par ailleurs, il est tout à fait normal de se sentir nerveuse lors du premier baiser, mais je vous assure que lorsque vos lèvres se touchent, que vos bouches s'ouvrent légèrement et que vos langues se joignent, les choses finissent par s'enchaîner de façon naturelle. Un baiser ne doit pas être trop technique ; vous devez vous laisser guider par vos émotions et par votre désir tout en restant à l'écoute de votre corps. Si vous êtes amoureuse, je vous garantis que vous y prendrez vite goût et que vous et votre amoureux passerez sûrement de longues heures à vous embrasser passionnément.

Sujets connexes : première fois, amour, amoureuse

Première fois

La première relation sexuelle est un moment extrêmement important chez une fille. Quand on parle de la « première fois », on fait allusion à la première vraie pénétration et à cet instant de grande intimité entre deux individus.

Bien que plusieurs filles perdent leur virginité au cours de l'adolescence, il n'y a pas d'âge pour franchir cette étape importante. L'essentiel, c'est de se sentir prête tant sur le plan physique que psychologique. Comment sait-on si on est prête ? Physiquement, on ressent un désir de l'autre qui nous donne envie d'aller plus loin et, psychologiquement, on sait qu'on ne regrettera pas de l'avoir fait, car personne n'exerce de pression sur nous. C'est notre choix, notre rythme et notre décision.

Il est en effet essentiel que vous ne franchissiez pas cette étape pour répondre aux attentes de l'autre alors que, vous, vous ne vous sente[z] pas prête à le faire. Vous devez respecter votre corps et aller à votre propre rythme, et si votre partenaire vous aime et vous respecte, il saura attendre sans exercer de pression sur vous. Sinon, c'est qu'il n'en vaut pas la peine. Le choix du partenaire est par ailleurs très important. Si vous êtes amoureuse, alors vous n'aurez peut-être aucune difficulté à vous imaginer en train de faire l'amour avec votre petit ami. Vous savez que vous ne regretterez jamais d'avoir partagé ce moment avec lui, et vous lui faites entièrement confiance. Il est évidemment préférable d'avoir votre première relation sexuelle avec un garçon qui vous respecte, qui vous aime, qui est à l'écoute de votre corps et de vos besoins et qui ne pense pas qu'à lui. La première fois est une étape déterminante à franchir, puisqu'il s'agit d'un pas important vers le monde adulte. Vous découvrez votre corps et votre sexualité.

Il ne faut donc pas prendre ce moment à la légère et perdre sa virginité simplement pour

s'en débarrasser. C'est le genre de décision que vous regretteriez amèrement plus tard, car il y a de forts risques pour que vous ne vous sentiez ni respectée ni désirée. Une relation sexuelle est un rapport extrêmement intime durant lequel on se dévoile et on s'offre à l'autre, et vice-versa. Ce n'est pas uniquement une relation physique qui vous unit à votre partenaire ; c'est aussi un lien émotif où vous pourrez établir une connexion intense et apprendre à vous connaître davantage.

Une ambiance appropriée

Si vous vous sentez prête à avoir votre première relation sexuelle, je vous conseille par ailleurs de vous aider en créant une ambiance qui vous permettra de vous détendre, et de le faire dans un contexte où vous vous sentirez à l'aise. Évitez par exemple de le faire dans la chambre de votre petit ami lorsque ses parents se trouvent tout près, ou lorsque vous êtes pressés par le temps. Choisissez un moment propice où vous pourrez prendre votre temps en toute intimité sans ajouter une source de stress inutile qui risque de vous nuire. Rappelez-vous qu'il s'agit d'un moment magique et inoubliable et que ça vaut la peine d'attendre un peu plus pour que les choses se déroulent le mieux possible. Optez pour un éclairage tamisé ou romantique qui vous mette bien à l'aise, ainsi que pour une musique qui se prête bien à ce moment d'intimité. Choisissez un endroit confortable et détendez-vous !

Est-ce que ça fait mal ?

La première relation sexuelle peut en effet être douloureuse. Par conséquent, il est important d'y aller doucement et de bien prendre votre temps. Il se peut aussi qu'il y ait des saignements si votre hymen n'est pas assez souple. Donc, ne vous en faites surtout pas si vous voyez du sang, puisque cela arrive à beaucoup de filles. La douleur dépend en grande partie de votre désir et de votre niveau d'excitation. Plus vous êtes détendue, excitée et lubrifiée,

plus la pénétration sera facile et moins elle sera douloureuse. Si au contraire vous n'arrivez pas à vous détendre et que vous êtes crispée et sèche, cela risque de vous faire mal. Bref, prenez votre temps et n'hésitez pas à avoir recours aux baisers et aux préliminaires pour être lubrifiée au maximum. Vous pouvez aussi acheter du lubrifiant intime que vous appliquerez sur votre vulve pour aider la pénétration, si besoin est, et je vous recommande fortement d'opter pour des préservatifs lubrifiés qui rendront la chose plus facile.

Problèmes de gars

Il se peut que, lors de la première relation sexuelle, la nervosité et l'intensité du désir causent de petits problèmes à votre partenaire. Il se pourrait par exemple qu'il ait de la difficulté à contrôler son désir et qu'il éjacule très rapidement, ou encore qu'il ne parvienne pas à contrôler son érection et que la nervosité l'empêche de passer à l'acte. Si c'est le cas, il est important que vous le mettiez à l'aise sans lui poser des milliers de questions ni lui faire des reproches qui risqueraient d'accroître son anxiété et d'empirer la situation. Vous devez tous deux être à l'écoute de vos corps et vous respecter mutuellement. Que vous soyez tous deux vierges ou non, la communication entre votre partenaire et vous est extrêmement importante. Allez-y à votre rythme, n'hésitez pas à le lui dire si vous ressentez de la douleur ou si vous voulez arrêter en cours de route. Si votre partenaire a un peu plus d'expérience, il comprendra peut-être davantage votre situation et saura vous mettre bien à l'aise. Mais si c'est la première fois pour lui également, il est tout aussi essentiel que vous lui disiez ce que vous ressentez et que vous franchissiez cette étape ensemble, en toute sincérité et en toute intimité.

Quand ça ne fonctionne pas…

Encore une fois, pas de panique ! Plusieurs filles doivent essayer à plusieurs reprises avant que le pénis puisse pénétrer complètement dans le vagin. Il se peut donc que vous deviez y aller peu à peu, ce qui vous permettra d'apprendre à connaître davantage votre corps et de discerner ce qu'il aime de ce qu'il aime moins. Il se peut aussi que la première fois soit désagréable et que vous soyez un peu déçue. En quoi est-ce que ça fait du bien ? Comment pourrai-je un jour éprouver du désir en faisant l'amour ? En quoi est-ce si « spécial » ? Ces questions et ces doutes sont tout à fait normaux ; vous êtes en train d'explorer votre corps et votre sexualité. Il s'agit d'une période d'apprentissage où vous découvrirez peu à peu ce que vous aimez et où vous apprendrez à contrôler votre désir et à apprivoiser le corps de votre partenaire. Même si la première fois est décevante, les choses se replaceront au fur et à mesure ; vous connaîtrez de mieux en mieux votre corps, et vous découvrirez peu à peu ce qui vous excite.

Quoi qu'il en soit, allez à votre rythme, respectez vos limites et soyez à l'écoute de votre corps. La première fois ne doit pas être prise à la légère ; ce n'est pas quelque chose dont on se débarrasse pour être comme les autres. À chacune son rythme et ses propres expériences, alors ne vous comparez pas aux autres. Si vous vous sentez prête à franchir cette étape et à partager ce moment d'intimité avec votre amoureux, n'oubliez surtout pas de vous protéger pour éviter les mauvaises surprises, comme les grossesses et les MTS. Soyez toujours à l'écoute de votre corps, de votre esprit et de votre désir, et n'hésitez pas à exprimer vos émotions à votre petit ami pour vous sentir mieux et plus confiante.

♥ Sujets connexes : premier baiser, sexualité

LE RENOUVEAU, LA RENAISSANCE DE LA NATURE

Après cinq ou six mois d'hiver, nous avons parfois l'impression que la chaleur est un rêve inaccessible. Le mois de mars semble interminable, et lorsqu'une autre tempête de neige s'abat sur notre région, nous croyons que l'été ne reviendra plus jamais et que nous demeurerons des survivants du pôle Nord pour l'éternité.

Puis, vers la fin du mois de mars, la température commence à s'adoucir, la neige se transforme en pluie et l'odeur change à l'extérieur. C'est le printemps, le renouveau, la renaissance de la nature ! Ce sont les bourgeons dans les arbres, les fleurs dans les champs, le soleil qui recommence à chauffer ! Enfin, de l'espoir ! On peut mettre son manteau d'hiver de côté et aller prendre l'air sans risquer l'hypothermie !

Les activités que nous pouvons pratiquer au printemps sont nombreuses. En tant que Qué-bécois, nous devons évidemment mentionner le temps des sucres ! C'est l'époque de l'année où les gens s'entassent dans des cabanes à sucre pour savourer les produits de l'érable et manger des mets québécois traditionnels tels que le jambon à l'érable, la tarte au sucre, les œufs et le bacon, les oreilles de Christ et la tire sur la neige. On repart souvent avec un petit mal d'estomac, mais il faut en profiter ; ça n'arrive rien qu'une fois par année ! Si vous n'êtes pas folle des cabanes à sucre, le ski de printemps est peut-être une option qui saura vous plaire. Les conditions sont idéales pour descendre les pentes, puisque la température est assez douce pour que la neige reste belle et poudreuse sans que vous ne sentiez plus vos orteils en haut de la montagne. C'est une belle occasion de faire du sport en profitant des splendeurs du printemps. Le ski de fond et les balades dans la nature sont d'autres façons plus économiques de prendre l'air et de sentir cette nouvelle fébrilité. En effet, les Québécois semblent souvent sortir de leur hibernation au printemps. Leurs

sens s'éveillent et leurs corps aussi. Alors, mettez-vous de la partie, enfilez un jupe avec des collants et profitez du redoux pour prendre le premier café de l'année sur une terrasse !

Si vous avez l'habitude de célébrer Pâques, amusez-vous cette année ! Décorez des œufs, offrez du chocolat aux êtres chers et passez un peu de temps en famille. Je sais que, pour la plupart d'entre vous, la semaine de relâche arrive au début du printemps, et que vous ne comptez pas passer ces quelques jours de vacances entre quatre murs ! Organisez des activités et des sorties avec vos amis, et profitez de vos temps libres pour faire ces millions de petites choses que vous laissez toujours en plan…

Nettoyez votre garde-robe, rangez vos disques, faites le ménage de vos papiers ou terminez le roman que vous avez commencé en septembre et que vous n'avez jamais eu le courage de continuer ! Après tout, l'été s'en vient, et vous aurez bientôt d'autres chats à fouetter !

💚 Sujets connexes : été, automne, hiver

Dès la maternelle, nous devons faire face aux professeurs. Après la garderie, il s'agit d'une transition très importante vers le monde des grands.

On sent un peu qu'on coupe le cordon ombilical qui nous relie à nos parents, qu'on devient plus indépendante et qu'on fait soudain partie d'un grand réseau social à l'école. La figure autoritaire du professeur devient très importante parce que c'est un peu lui qui joue le rôle de parent quand ceux-ci n'y sont pas. Au primaire, on a habituellement le même professeur pour plusieurs matières, ce qui nous apparaît très réconfortant. On passe tellement d'heures avec le même prof qu'on tisse des liens étroits et qu'on se sent de plus en plus en confiance avec lui, ce qui fait qu'on se sent presque chez soi en classe. Au secondaire, c'est un peu différent puisqu'on a un professeur différent pour chaque cours, chacun se spécialisant dans une matière précise. Quand on va dans une grande polyvalente avec des centaines d'élèves, ce n'est pas toujours évident pour les profs d'apprendre tous les noms et de pouvoir se familiariser avec chaque élève, alors tu dois être indulgente si tu sens que les liens ne sont pas les mêmes qu'au primaire. De plus, tu passes beaucoup moins de temps avec chaque prof, et c'est une transition qui exige une certaine période d'adaptation.

Bon prof, bad prof

Que ce soit au primaire ou au secondaire, il arrive parfois qu'on ne s'entende pas avec son professeur. Il se peut qu'il y ait des malentendus, que tu sois turbulente en classe, que tu aies de la difficulté avec le cours ou simplement que vos personnalités soient très différentes. Si tu ne t'entends pas avec un prof et que tu sens qu'il est souvent sur ton dos ou qu'il est injuste envers toi, le mieux à faire est souvent de lui en parler directement. Arrange-toi pour prendre rendez-vous à son bureau ou pour lui en glisser un mot après le cours. Quand on est élève, on croit à tort que les profs sont toujours sur notre dos et qu'ils ont la vie facile, mais ce n'est pas simple pour un professeur de faire la discipline auprès d'une trentaine d'ados qui décident parfois de se rallier contre lui ! Le professeur veut avant tout transmettre son savoir et vous en apprendre sur un sujet précis. Pour ce faire, il doit gagner votre respect, attirer votre attention et aussi s'affairer à ne pas perdre le contrôle. En effet, nombreux sont les jeunes qui tendent à défier l'autorité, à pousser les limites d'un professeur. C'est une sorte de test que fait passer l'élève au maître, mais le travail du professeur consiste à enseigner aux jeunes tout en agissant comme leader, et il se doit parfois d'intervenir, de faire la discipline et même de punir certains élèves pour faire régner le calme et se faire respecter. En d'autres mots, même si tu trouves ton prof sévère parce qu'il tend à réagir et à sévir lorsque les élèves lui désobéissent ou ne l'écoutent pas, ça ne fait pas de lui un mauvais prof ; un bon prof, c'est quelqu'un qui parviendra à attirer ton attention et à t'apprendre des tonnes de choses sur la matière qu'il enseigne. Si tu sens que ton prof est passionné par son travail, qu'il connaît sa matière, qu'il sait comment transmettre son savoir en vous stimulant et en vous divertissant, alors ne te plains pas trop vite ! De toute façon, chaque personne peut avoir un avis différent sur un même prof puisqu'il s'agit d'une préférence très subjective. Sache toutefois que si tu ne sens pas d'affinités avec ton prof ou que tu ne comprends pas son cours, c'est aussi à toi de participer davantage, de lui poser des questions et de te montrer intéressée. Si tu fais les efforts nécessaires, je suis certaine que la situation s'améliorera.

Pousser les limites

Il va sans dire que certains professeurs sont plus sévères que d'autres, et que certains dépassent parfois les limites. Si tu considères qu'il y a abus de pouvoir, que tu te sens menacée ou que tu crois avoir été victime de harcèlement physique ou sexuel, il est important que tu dénonces les abus pour que cela cesse. Sache toutefois que ce n'est pas une accusation à prendre à la légère et que tu ne peux pas attaquer un prof sans raison valable. Par exemple, si tu as coulé un examen, ce n'est pas la faute du prof ; si tu as une retenue pour avoir parlé en classe, c'est normal que tu subisses des conséquences et si ton prof te tapote l'épaule pour te parler, ce n'est pas un abus. Fais preuve de jugement et dis-toi que si tu accuses un prof à tort, tu risques non seulement de nuire à sa carrière et de lui causer de l'angoisse inutilement, mais tu n'auras pas la conscience tranquille et ça n'arrangera pas la situation. Le mieux à faire lorsque tu fais face à un échec ou que tu éprouves un petit problème avec ton prof, c'est de lui en parler directement ou d'en glisser un mot à tes parents pour qu'ils interviennent. En cas d'abus grave, n'hésite pas à le dénoncer au directeur et à tes parents.

Amoureuse d'un prof

Même si quand on est ado, on pense que les profs sont super vieux, il arrive parfois qu'un professeur jeune et cool nous enseigne et qu'on développe une sorte d'admiration pour lui. Ce sentiment se développe parfois même en attirance et on croit éprouver des sentiments amoureux à son égard. Plusieurs filles éprouvent de l'attirance ou des sentiments pour leur prof à un moment ou à un autre. Si tel est le cas, rassure-toi, ça finit généralement par passer. C'est normal d'avoir de l'admiration pour une figure autoritaire, mais tu dois te rappeler que tu es mineure et qu'un monde vous sépare, alors ne dépasse pas les limites. Il s'agit d'un amour impossible, donc aussi bien t'en tenir à un petit béguin et passer à autre chose. Ne t'acharne pas sur ton prof et ne cherche pas à l'aguicher, car tu ne feras qu'empirer la situation et le mettre dans une situation inconfortable. Concentre-toi plutôt sur un gars de ton âge et dis-toi qu'avec un prof, c'est impossible.

Un prof, un ami

Quoi qu'il en soit, n'oublie pas qu'un professeur est aussi un être humain et qu'il a déjà eu ton âge, alors n'hésite pas à lui parler si tu as un problème. Une bonne relation avec un professeur se joue à deux, par conséquent il est important d'y mettre du tien !

♥ Sujets connexes : échec scolaire, secondaire, CEGEP

ENCHAÎNEMENT DE CHANGEMENTS PHYSIQUES MAJEURS

Quand tu étais plus jeune, les choses te semblaient peut-être plus simples : ton corps ne subissait pas toutes sortes de transformations et tu ne te posais pas autant de questions sur la vie, la famille, l'amour, la sexualité et ton corps. Depuis quelque temps, tu remarques toutefois de grands changements. Que ces transformations te terrifient, te mystifient ou t'enchantent, tu ne peux pas faire autrement que d'y faire face et chercher à mieux comprendre l'étape de ta vie dans laquelle tu viens d'embarquer : la puberté.

La puberté, c'est quoi ?

En quelques mots, la puberté, c'est quand ton esprit et ton corps d'enfant se transforment peu à peu pour que tu deviennes une adulte. Non seulement tu observes des changements physiques comme tes seins qui se mettent à pousser, tes premières règles, des poils qui apparaissent un peu partout sur ton corps et une poussée de croissance qui fait en sorte que tu n'arrives plus à rentrer dans tes vêtements, mais ton esprit acquiert aussi de la maturité au fil du temps. La puberté est intimement liée aux hormones de croissance qui provoquent le développement des formes de ton corps, de tes organes génitaux, de ton caractère sexuel et de tes premières menstruations. Tu commences à te questionner de plus en plus sur tes nouvelles formes, sur ta sexualité, sur ton apparence physique et sur les mystères de la vie. En d'autres mots, tu es en pleine transition, et il se peut que ça te terrifie. Quoi qu'il en soit, souviens-toi que tu n'es pas seule, car toutes les filles et tous les garçons du monde passent par cette étape. Il vaut donc mieux t'armer de patience, apprendre à accepter ce qui t'arrive et chercher à t'informer sur les changements que tu vis et sur les questions qui te tourmentent.

La puberté, c'est quand ?

Chaque fille se développe à un rythme différent et la puberté peut survenir à des moments distincts, selon chacune. Par exemple, une fille peut avoir ses premières règles à 9 ans, tandis qu'une autre ne commencera à se développer qu'autour de 13 ans. De façon générale, la puberté fait son apparition entre 9 et 15 ans, mais certaines filles peuvent être plus précoces ou plus tardives, alors ne t'en fais pas si tu fais partie de cette catégorie. Tu dois aussi savoir que la puberté arrive bien souvent sans crier gare et sans te donner le temps de te préparer aux premiers signes, mais qu'elle s'étend souvent sur plusieurs années, te donnant ainsi la chance de t'adapter peu à peu aux changements que tu traverses et de t'informer davantage sur les doutes et les questionnements qui te tracassent.

La puberté, ça dure combien de temps ?

Tel que mentionné précédemment, la puberté s'étire souvent sur plusieurs années. Certaines filles vont vivre la majorité de leurs changements physiques entre 10 et 13 ans, alors que d'autres les connaîtront entre 12 et 16 ans. Il n'existe pas de période ou d'âge précis pour toutes les filles. Au cours de ces années, les hanches, les cuisses et les fesses se développent et s'élargissent de façon à préparer ton corps à donner naissance à des bébés lorsque tu seras plus grande. C'est le passage de l'enfance au monde adulte, et c'est l'une des étapes les plus marquantes chez une fille. C'est aussi durant cette étape que tu commenceras à avoir des seins et à éprouver du désir sexuel. Les changements physiques peuvent s'avérer troublants au début, car tu sens que tu n'as plus le contrôle sur ton corps en plus d'éprouver de l'inconfort, mais avec le temps, tu t'ajusteras à tes nouvelles formes et à ton corps de femme.

D'autre part, la puberté s'avère plus facile si tu prends soin de toi et de ton corps. Par exemple, efforce-toi de pratiquer des sports et de faire des activités physiques pour te mettre en forme, te défouler et pour dépenser de l'énergie. Aussi, ne néglige pas l'importance d'une hygiène personnelle impeccable. Tu as peut-être déjà constaté que tu transpires plus qu'avant et que tu as davantage besoin de prendre soin de ton corps et de te laver pour éviter de sentir mauvais. L'hygiène personnelle est extrêmement importante tout au long de ta vie. Songe à tes cheveux, à tes ongles, à ton visage, à tes oreilles et à tes parties génitales. Aussi, n'oublie pas de bien te nettoyer les mains après être allée aux toilettes ou avant de faire à manger pour éviter la transmission de germes et de maladies. Efforce-toi d'avoir de bonnes nuits de sommeil pour te permettre d'être en super forme tout au long de la

Et les garçons ?

journée et n'oublie pas de manger sainement et de façon équilibrée. Limite la malbouffe et les boissons gazeuses et bois beaucoup d'eau : ça fait des miracles. En d'autres mots, tu deviens de plus en plus responsable de ton propre bien-être, alors c'est à toi de mener une vie équilibrée pour t'ajuster aux changements que tu subis et pour entretenir un esprit sain dans un corps sain.

La puberté chez les garçons est intimement liée à l'augmentation du taux de testostérone dans leur corps qui a un impact direct sur leur façon de penser et sur leur croissance. Des poils apparaissent sur leur corps, ils connaissent une importante poussée de croissance et leur voix mue. Leur sexe grandit, ils éprouvent du désir sexuel et ils ont parfois de la difficulté à maîtriser leurs érections, ce qui peut s'avérer embarrassant. Comme les filles, il s'agit d'une période de transition et d'adaptation assez troublante qui s'ajuste avec le temps lorsque les garçons deviennent des hommes et apprennent à contrôler leurs émotions et leur corps.

Chaque garçon se développe à un rythme différent. Normalement, le taux de testostérone augmente fortement entre l'âge de 10 à 14 ans, ce qui entraîne des changements physiques et émotionnels majeurs comme la croissance, l'apparition des poils, la mue de la voix et le développement des organes sexuels. La puberté a aussi un impact majeur sur les émotions. Ces changements se stabiliseront avec le temps et les garçons apprendront eux aussi à se familiariser avec leur corps et avec leurs nouvelles émotions. La puberté survient généralement au cours de l'adolescence. La pilosité et la croissance varient d'un garçon à l'autre, tout comme chez les filles. La puberté s'étend par ailleurs sur plusieurs années. L'augmentation du taux de testostérone joue un rôle direct avec la production de spermatozoïdes et contribue ainsi au déclenchement de la puberté en encourageant le corps des garçons à se développer et à entreprendre ses transformations majeures. Vers l'âge de 10 ans, les garçons constatent l'apparition de poils sous leurs aisselles et à la base de leur pénis. Ces poils s'épaississent et s'étendent au fil des années. La mue de la voix et le développement des organes génitaux surviennent également au cours de ces années, mais il n'existe pas d'âge précis puisque le développement varie d'un garçon à l'autre.

Comme tu peux le constater, la puberté est une étape transitoire très marquante chez les garçons comme chez les filles. Même si c'est perturbant au début, efforce-toi de te familiariser avec ces changements et évite de te comparer aux autres, car chaque fille se développe différemment et tu ne peux ni ralentir ni accélérer le processus, alors aussi bien t'y faire et t'apprécier telle que tu es !

✽ Sujets connexes : adolescence, sexualité, poil

SANCTION DÉPLAISANTE

Une punition est par définition une «sanction déplaisante à l'égard de l'auteur d'un comportement inapproprié ou désapprouvé». *(Source : http://www.granddictionnaire.com)*

En d'autres mots, c'est une sanction qu'on impose à ceux qui ne respectent pas les lois ou les règlements. Il s'agit de la conséquence directe d'un geste qu'on commet et qui est désapprouvé. Par exemple, si vous copiez durant un examen, le professeur vous donnera un zéro. C'est la conséquence, ou la punition, du plagiat que vous avez commis. Si vous êtes impolie envers vos parents ou que vous leur désobéissez, il se peut très bien qu'ils vous infligent une punition, comme l'interdiction de sortir pendant une semaine.

Les punitions sont prescrites un peu partout dans notre société : à l'école, à la maison, dans les endroits publics, au travail et même au hockey ! Lorsqu'un joueur commet un acte qui va à l'encontre du règlement, il doit aller s'asseoir sur le banc des pénalités pour au moins deux minutes !

Les punitions, ça sert à quoi ?

Une punition sert non seulement à punir un manquement au règlement, mais elle permet aussi aux gens qui commettent une faute de devenir plus responsables, d'assumer leur geste et de prendre conscience du fait que toute mauvaise action a des conséquences. Par exemple, si vous parlez en classe en même temps que votre professeur et que ce dernier vous donne une retenue, cette punition vous permet de comprendre qu'il est impoli de parler en même temps que le professeur et que vous avez effectivement désobéi au règlement. Plutôt que de dramatiser, je vous suggère d'accepter la sanction qui vous est imposée (lorsqu'elle est juste),

des erreurs de temps à autre, et les sanctions sont là pour vous encourager à vous améliorer, pour vous faire prendre conscience de vos écarts de conduite et pour empêcher qu'ils ne se reproduisent. Mieux vaut apprendre de ses erreurs et se dire qu'on fera mieux la prochaine fois.

Et la justice dans tout ça ?

Il est par ailleurs important que la sanction soit proportionnelle à la faute. Si, par exemple, quelqu'un fait du mal à une autre personne, la sévérité de la sanction doit être adaptée à la gravité du délit. Si vous parlez en même temps que votre professeur, il ne serait cependant pas logique que vous vous retrouviez en prison. Si vous croyez réellement qu'il y a injustice et que la sanction qu'on vous impose est trop sévère pour la faute que vous avez commise, vous devez absolument le dire en toute honnêteté, tout en demeurant polie et respectueuse. Expliquez que vous êtes consciente que votre comportement mérite une punition, mais que vous trouvez que celle qu'on vous inflige n'est pas proportionnelle à ce que vous avez fait. Il est important d'apprendre à respecter les règles et les lois, mais il est tout aussi important de ne pas abuser de son pouvoir.

d'assumer vos responsabilités et d'apprendre de votre erreur pour ne pas la commettre une seconde fois. C'est aussi à cela que servent les punitions : à décourager ceux qui seraient tentés d'agir de façon inappropriée. Ainsi, vous savez que si vous volez quelque chose, des sanctions seront prises contre vous, sans parler du sentiment de culpabilité qui vous rongerait pour avoir commis un tel délit. Vous savez aussi que si vous trichez à l'école, vous risquez d'échouer au cours, ou même d'être renvoyée de l'école. La peur de la punition suffit souvent à décourager les gens de commettre la faute.

Si vous avez un moment de faiblesse et que vous commettez une erreur qui entraîne une punition, comme l'interdiction de parler au téléphone pendant plusieurs jours pour avoir été impolie envers vos parents, je vous recommande d'en profiter pour réfléchir à ce que vous avez fait et pour essayer de vous améliorer plutôt que de vous rebeller davantage et d'envenimer la situation. Personne n'est parfait ; il est normal que vous commettiez

Sujets connexes : pardon, parent, responsabilité

PLUS QU'UNE SIMPLE PROVINCE !

Le Québec est l'une des 10 provinces du Canada.
Situé à l'est du pays, il est bordé au nord par le Nunavut, à l'ouest par l'Ontario,
au sud par les États-Unis et à l'est par le Nouveau-Brunswick,
l'Île-du-Prince-Édouard et Terre-Neuve-et-Labrador.

La capitale de la province est la ville de Québec, et son agglomération principale est Montréal.

Le Québec compte aujourd'hui près de huit millions d'habitants. C'est la province ayant le plus grand territoire (environ six fois la superficie de la France !) et la deuxième province la plus peuplée du Canada, après l'Ontario. La langue officielle du Québec est le français. En effet, environ 80 % des Québécois sont de langue maternelle française[]. L'anglais est la langue maternelle de près de 8 % de la population, et 71 % des Québécois anglophones se considèrent comme bilingues, c'est-à-dire qu'ils maîtrisent suffisamment le français pour entretenir une conversation. Les allophones (c'est-à-dire ceux dont la langue parlée à la maison ou la langue maternelle est différente de la langue officielle du Québec ou de celles du Canada) représentent quant à eux près de 12 % des Québécois. *(Source : Recensement 2006, Statistique Canada)*

Le drapeau du Québec est composé d'une croix blanche représentant la foi chrétienne et de quatre fleurs de lys sur fond azur symbolisant les souches françaises. Il a été adopté en 1948. *(Source : Gouvernement du Québec*

La fête nationale du Québec est le 24 juin, et on l'appelle communément la Saint-Jean-Baptiste. Plusieurs célébrations sont alors organisées partout au Québec, que ce soit au parc Maisonneuve à Montréal, sur les plaines d'Abraham à Québec ou dans les parcs de pratiquement toutes les villes et tous les villages du Québec. On en profite pour célébrer notre culture et nos traditions, bref, ce qui nous distingue du reste du monde. On chante, on danse, on mange des mets traditionnels et on se détend en regardant les feux d'artifice. C'est la fête, et c'est aussi le début de l'été, alors aussi bien en profiter !

Petite chronologie de l'histoire du Québec

1534 - Jacques Cartier plante une croix dans le sol de la péninsule de Gaspé et prend ainsi possession du territoire au nom du roi de France.

1608 - Samuel de Champlain fonde la ville de Québec.

1642 - Paul Chomedey de Maisonneuve et Jeanne Mance fondent Ville-Marie (Montréal).

1663 - La Nouvelle-France devient une province royale sous Louis XIV.

1670 - Fondation de la Compagnie de la baie d'Hudson à Londres pour la traite des fourrures sur le nouveau continent.

1712 - La Nouvelle-France est à son apogée et s'étend de Terre-Neuve jusqu'en bas des montagnes Rocheuses, et de la baie d'Hudson jusqu'au golfe du Mexique.

1759 - Le 13 septembre, les troupes britanniques de James Wolfe remportent la bataille des plaines d'Abraham contre les troupes du marquis de Montcalm.

1763 - La guerre de Sept Ans prend fin lors de la signature du traité de Paris le 10 février. Avec ce traité, la Nouvelle-France est démantelée. Le Canada et toutes ses dépendances appartiennent désormais à la Grande-Bretagne. La France perd donc le contrôle du Canada.

1837-1838 - Rébellion des Patriotes.

1838 - Robert Nelson proclame l'indépendance du Bas-Canada.

1840- 1841 - L'Acte d'Union crée le Canada-Uni. Le Haut-Canada et le Bas-Canada sont réunis pour ne former qu'une seule colonie.

1848 - Il est maintenant légal d'utiliser la langue française au Parlement.

1867 - L'Acte de l'Amérique du Nord britannique est adopté au Parlement britannique. Le Québec devient
une province de la fédération canadienne.

1916 à 1922 - Les femmes obtiennent le droit de vote dans toutes les provinces canadiennes ainsi que sur la scène fédérale en 1917. Seule la province de Québec fait exception jusqu'en 1940.

1960 – L'élection des libéraux de Jean Lesage marque le début d'une décennie de grands changements qu'on appelle aujourd'hui la Révolution tranquille.

1970 - Création de l'assurance maladie au Québec.

1974 - Le gouvernement libéral de Bourassa adopte la Loi sur la langue officielle qui fait du français la seule langue officielle du Québec.

1980 - Premier référendum où le projet d'indépendance du Québec est rejeté par 59,44 % des votants.

1990 - Début de la crise d'Oka.

1995 - Deuxième référendum sur la souveraineté du Québec, qui est rejetée par 50,58 % des votants.

1998 - Une tempête de verglas s'abat sur la région de Montréal et sur la Montérégie au début du mois de janvier et fait d'importants dégâts, en plus de passer à l'histoire.

2008 - 400ème anniversaire de la fondation de la ville de Québec.

Sujets connexes : culture, français

Racisme

Selon le Multidictionnaire de la langue française, le racisme est une « attitude qui favorise un groupe racial en particulier et qui est hostile à d'autres groupes ».

Cette notion d'hostilité envers les groupes ethniques différents du nôtre se trouve au cœur du concept du racisme. Il s'agit d'une attitude déplorable, propre à un individu qui établit des différences en fonction de la couleur de la peau, de la culture ou des origines d'un autre individu. Cela va par conséquent à l'encontre des concepts de liberté et d'égalité prônés dans notre société et selon lesquels chaque personne a le droit de penser, d'agir, de s'exprimer et de se faire entendre, et ce, peu importe la couleur de sa peau ou son origine ethnique.

Il est donc tout à fait normal de s'insurger ou de se révolter contre le racisme. On ne peut juger les gens en fonction de la couleur de leur peau, de leur religion ou de leurs traditions. Le racisme fait malheureusement partie intégrante de l'histoire de l'humanité, et plusieurs se laissent encore influencer par une présumée hiérarchie raciale. D'un point de vue historique, il suffit de penser à la Seconde Guerre mondiale pour comprendre toute l'ampleur que peut prendre le racisme. Les nazis n'ont-ils pas assassiné des millions de juifs sous le pur prétexte de la ségrégation raciale ? Et que dire de l'esclavage des Noirs aux États-Unis avant son abolition en 1865 ? et de la ségrégation raciale très marquée dans les années 1960 au sud du continent nord-américain ?

Aujourd'hui, l'idée de racisme perd un peu de son sens puisqu'on a établi le principe d'inexistence des races. En d'autres mots, on a déterminé que tous les humains font partie de la même race, soit la race humaine, et que nous partageons tous les mêmes racines et les mêmes ancêtres préhistoriques. De plus, on a déterminé que nous avons en commun des groupes sanguins qui varient en fonction de chaque individu, et non en fonction de la couleur de la peau. Autrement dit, nous sommes tous fondamentalement semblables. Les traditions, les valeurs et les coutumes qui nous distinguent ne justifient pas qu'on établisse une hiérarchie raciale, puisque tous les humains sont égaux et ont droit au respect.

Vous devez donc apprendre à vous ouvrir aux différences culturelles et à ne pas juger les gens en fonction de leur couleur de peau et de leur apparence. Les gens ont tendance à développer une attitude raciste parce qu'ils se laissent influencer par l'image projetée dans les médias ou par les clichés que véhiculent certains groupes ou personnes. Nous avons souvent peur de ce qui est différent de nous.

Or, plutôt que de percevoir les différences culturelles comme une menace, il est préférable d'apprendre de cette diversité. Sous les apparences se cachent des gens comme vous et moi, qui ont des tas de choses à vous faire découvrir. Ne vous laissez donc pas prendre au piège de la ségrégation raciale. Nous sommes au XXIe siècle, à l'ère de la communication et de la mondialisation. Il est grand temps de s'ouvrir aux gens et aux différences culturelles. Faites-en l'expérience, et vous constaterez que vous avez beaucoup à apprendre des gens qui vous entourent, et ce, peu importe leurs origines et leurs traditions. Ne jugez pas les gens selon les apparences. L'ouverture d'esprit permet d'apprendre des tas de choses qui vous seront bénéfiques tout au long de votre vie.

Sujets connexes : accomodement raisonable, égalité, justice

Rave

FÊTE MUSICALE EXTRÊME

Le mot « rave » est un emprunt de la langue anglaise et désigne une sorte de fête musicale (en général techno), où les gens se rassemblent en grand nombre dans un endroit vaste et souvent abandonné, ou alors en plein air, pour danser durant plusieurs heures.

Il existe divers types de raves : les petites fêtes privées organisées dans des locaux désaffectés ou dans des lofts inhabités ; les raves de grande envergure qui ont lieu dans d'immenses entrepôts ou des salles vides, généralement à l'écart du centre-ville ; les raves en plein air qui peuvent durer plusieurs jours et où les gens ont la possibilité de faire du camping ; ainsi que les after, soit les fêtes qui dé-

Adam Michal Ziaja / Shutterstock.com

butent à la fermeture des bars, généralement vers trois heures du matin, et se poursuivent jusqu'à midi.

Attention, danger !

Bien que les raves soient tentants à première vue (après tout, ça semble génial de pouvoir danser pendant des heures avec d'autres adeptes), je dois vous prévenir tout de suite : ces rassemblements ne sont pas aussi roses et pacifiques qu'ils en ont l'air. C'est bien connu, les drogues coulent à flots durant les raves. Nombreux sont ceux qui consomment du pot, du haschisch, de l'ecstasy, du speed et même de la cocaïne. Les gens n'agissent pas de la même façon lorsqu'ils sont sous l'influence d'une drogue et, dans les raves, l'effet de groupe et de rassemblement peut les amener à se comporter de façon bien étrange. De nombreux vols sont commis, les rapprochements physiques et sexuels deviennent plus faciles, et on a rapporté plusieurs cas d'agressions et de viols survenus au cours de raves. En effet, les personnes qui organisent les fêtes raves s'arrangent habituellement pour qu'elles aient lieu dans des endroits isolés, loin des yeux indiscrets… et de la police.

Même si les raves sont bien souvent organisés de façon légale, les participants sont généralement tentés de faire des excès et de flirter avec le danger et les drogues, alors demeurez bien prudente. De plus, bien que la plupart de ces événements soient interdits aux mineurs, il n'y a parfois aucune surveillance durant les raves plus underground, ce qui pousse les gens à consommer encore plus de substances illicites et à profiter de la naïveté des jeunes tels que vous. Les after ont quant à eux souvent lieu dans les discothèques prévues à cet effet. Ils sont plus contrôlés par la loi, et les agents de sécurité en interdisent généralement l'accès aux jeunes âgés de moins de 18 ans.

De la musique dans le tapis

En plus des individus louches, de la drogue, des armes à feu et du comportement irrationnel des gens, je dois vous avertir que la musique qui gronde dans les raves n'est pas de tout repos. Si vous avez l'oreille sensible, évitez ces lieux de rassemblement, car vous risquez d'avoir des acouphènes pendant plusieurs jours. La musique est si forte qu'il est habituellement impossible de discuter avec les autres. Je vous préviens également que la propreté des lieux laisse souvent à désirer et qu'il ne faut pas s'attendre au grand luxe.

En conclusion

Les raves sont devenus un phénomène social de grande importance au Québec. Bien que certains fréquentent vraiment ces fêtes pour le simple plaisir de danser toute la nuit et de faire partie du rassemblement, je ne recommande pas aux mineurs d'y mettre les pieds. Ces fêtes sont souvent dangereuses, puisque tout y semble permis et qu'il est extrêmement facile de s'y perdre (et de perdre ses amis dans la foule, donc de se retrouver seule). Je n'ai pas besoin de vous répéter que les mineurs ne peuvent normalement pas y avoir accès, alors il serait bien étonnant que vos parents vous donnent la permission de participer à un tel événement. Si vous crevez d'envie de tenter l'expérience ou que vous vous retrouvez dans l'une de ces fêtes sans trop savoir pourquoi ni comment, alors soyez prudente et ne faites pas confiance aux inconnus qui vous offrent des substances étranges ou vous tendent des trucs à boire. Ils contiennent souvent de la drogue qui aura pour effet de vous désorienter et de vous faire perdre vos inhibitions. Plusieurs risqueraient alors d'abuser de votre naïveté. Ne perdez pas vos amis de vue et prenez garde à vos effets personnels. Je vous conseille donc d'éviter ce genre de rassemblement, du moins jusqu'à vos 18 ans !

♡ Sujets connexes : musique, drogue

IL N'Y A RIEN DE MAL À AVOIR DES FORMES !

À l'adolescence, votre corps se transforme, ce qui peut vous occasionner des complexes.

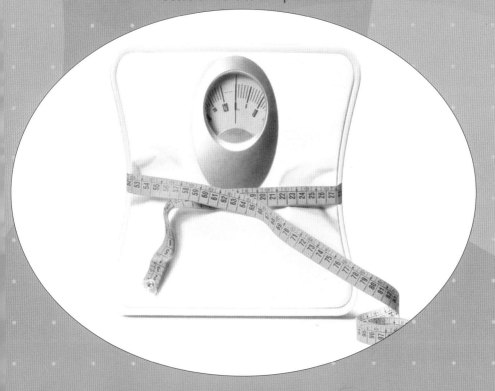

J'ai beau vous répéter mille fois que c'est normal et qu'il n'y a rien de mal à avoir des formes, je sais que les adolescentes sont parfois dépassées par les changements physiques qui surviennent et par la graisse qui peut s'accumuler sur leurs cuisses, leurs fesses et leur ventre. Ainsi, beaucoup de filles décident de commencer un régime pour perdre du poids; en fait, au Canada, plus de 80 % des filles admettent avoir suivi un régime avant l'âge de 18 ans *(source : Amabilia.com)*.

Bien que certaines filles souffrent d'obésité ou considèrent avoir réellement quelques kilos à perdre pour leur bien-être physique et mental, plusieurs autres ont une perception déformée de leur propre corps et se trouvent grosses parce qu'elles se comparent aux vedettes d'Hollywood ou parce qu'elles se laissent influencer par les critères de beauté stéréotypés nord-américains. Les publicités van-tant les mérites de divers régimes amaigrissants sont partout autour de nous : elles envahissent le petit écran ainsi que les pages des magazines et des journaux. Il semblerait que tout le monde vous encourage à faire un régime, ce qui vous pousse à croire que ce n'est pas si mauvais. Je dois tout de suite vous mettre en garde : bien qu'il soit très responsable et fortement recommandé de manger sainement et de façon équilibrée tout en étant active physiquement, ne vous faites pas duper par les régimes miracles, les pilules qui vous font prétendument maigrir, les crèmes amincissantes et les méthodes extrêmes pour perdre du poids.

C'est sûr qu'en arrêtant de manger, vous perdrez du poids, mais vous souffrirez aussi de carences, vous développerez des troubles alimentaires et vous mettrez votre vie en danger. Bref, si vous voulez vraiment perdre du poids, ne vous laissez pas influencer par toutes ces pseudo-solutions ni par ces moyens extrêmes et malsains d'y parvenir; optez plutôt pour la simplicité.

Sachez en premier lieu qu'une adolescente normalement active a besoin d'au moins 2000 calories par jour pour fonctionner (source : Guide alimentaire canadien). Ne vous laissez toutefois pas trop influencer par la valeur nutritive des aliments. Si vous ingérer 2000 calories de façon saine et équilibrée, c'est-à-dire en mangeant des fruits et des légumes, des produits céréaliers, de la viande et des substituts ainsi que des produits laitiers, bref, en consommant les aliments qui vous procureront suffisamment d'éléments nutritifs, alors vous risquez bien plus d'atteindre un poids santé que si vous absorbez 2000 calories provenant de la malbouffe. Tout est question d'équilibre. Si vous entamez un régime trop strict et que vous laissez de côté les aliments sains et nécessaires à votre santé, vous risquez de développer des carences qui peuvent entraver le développement de vos os et de votre corps.

Vous fréquentez l'école tous les jours, vous êtes active et votre corps se développe sans cesse, alors il ne faut pas avoir peur de lui fournir du carburant pour qu'il puisse fonctionner normalement. L'important, c'est d'avoir une alimentation saine et équilibrée, car c'est ainsi que vous pourrez mieux vous concentrer en classe et vaquer à toutes vos occupations sans ressentir de fatigue ou de faiblesse générale.

Si vous jugez que vous avez vraiment quelques kilos à perdre ou que vous désirez vous alimenter plus sainement pour vous sentir mieux dans votre peau, il existe des règles et des conseils de base pour ne pas nuire à votre santé. Bien au contraire, ces directives vous permettront de développer des habitudes alimentaires plus saines et de vous sentir extrêmement bien dans votre peau. Si vous tenez absolument à suivre un régime, je vous invite par ailleurs à consulter un diététiste ou un nutritionniste qui pourra établir un plan sain et équilibré pour vous, plutôt que de suivre des régimes extrêmes qui risquent de nuire à votre santé et même de vous faire prendre davantage de poids !

Quelques trucs

Essayez de limiter votre consommation de fast-food et d'aliments très caloriques qui ne vous fournissent aucun nutriment essentiel à votre croissance. Je parle ici des sodas, de la bière, des croustilles, des pizzas de style américain et de la plupart des mets qu'on vous sert dans les établissements de restauration rapide. Il faut se gâter de temps à autre, mais n'abusez pas de la malbouffe.

Buvez beaucoup d'eau ! Vous hydraterez votre corps, vous le revitaliserez et vous vous sentirez remplie !

Mangez de façon équilibrée plusieurs fois par jour. Optez pour de petits repas complets plusieurs fois par jour pour que votre métabolisme ne ralentisse pas, pour vous donner toute l'énergie dont vous avez besoin et pour brûler les calories plus rapidement !

Ne vous empiffrez pas juste avant de vous mettre au lit. Vous ne brûlerez pas ce surplus n'énergie et vous risquez de mal dormir à cause de la digestion, alors mieux vaut opter pour une collation légère.

Ne sautez pas de repas. Vous risquez de ralentir votre métabolisme, de vous sentir extrêmement faible et de manger davantage lors du prochain repas. Bref, vous risquez plus de prendre du poids que d'en perdre !

Ne sautez surtout pas le petit déjeuner. C'est un repas essentiel pour le bon fonctionnement de votre métabolisme. Dites-vous que le matin, ça fait plus de 12 heures que vous jeûnez. Votre corps a besoin de carburant nutritif pour commencer sa journée.

Faites de l'exercice, bougez !

Mangez sainement et de façon équilibrée. Consultez le Guide alimentaire canadien pour vous aider.

Notez ce que vous mangez tous les jours pour déterminer vos habitudes et pour savoir ce que vous pouvez éliminer.

Ne soyez pas trop dure envers vous-même et apprenez à vous faire plaisir et à vous gâter de temps à autre. Un morceau de chocolat n'a jamais tué personne ! De plus, en vous privant de façon abusive ou en vous imposant un régime trop restrictif, vous risquez de développer des frustrations qui nuiront à votre bien-être et augmenteront la fréquence de vos fringales.

Demandez aux gens autour de vous de vous aider et à vos parents d'acheter des aliments bons pour la santé, ou d'éloigner les aliments qui vous font craquer et pour lesquels vous oubliez vos bonnes résolutions !

Ayez de la volonté, et apprenez à vous aimer telle que vous êtes !

Sujets connexes : poids, puberté

Un régime équilibré pour un corps en santé

Selon le Guide alimentaire canadien, les adolescentes ont besoin de consommer environ 2000 calories par jour pour fonctionner à plein régime. Sachez toutefois que les besoins énergétiques varient d'une fille à l'autre, selon votre métabolisme et votre niveau d'activité physique. Par exemple, une fille très sédentaire peut se contenter de 1700 calories par jour, alors qu'une fille hyperactive aura peut-être besoin de 2300 calories. Quoi qu'il en soit, il est très important de manger de façon équilibrée et de consommer des aliments provenant des quatre groupes alimentaires. Toujours selon le Guide alimentaire canadien, une adolescente doit consommer de 6 à 7 portions de fruits et légumes par jour, environ 6 portions de produits céréaliers, de 3 à 4 portions de lait et produits laitiers et de 1 à 2 portions de viandes et substituts. Pour bien comprendre à quoi correspond une portion (puisque cela varie pour chaque groupe d'aliments), je vous invite à consulter le site http://www.hc-sc.gc.ca/fn-an/food-guide-aliment/basics-base/serving-portion-fra.php.

Je sais qu'on vous casse les oreilles depuis que vous êtes toute petite à propos du petit-déjeuner, mais sachez qu'il s'agit effectivement d'un repas essentiel qui vous permet d'être concentrée à l'école et vous donne l'énergie nécessaire pour bien fonctionner. Comme vous êtes surtout active au cours de la journée, vous dépensez rapidement ces calories. Donc, en prenant un bon petit-déjeuner, vous risquez beaucoup moins d'engraisser qu'en mangeant une poutine avant d'aller au lit, au moment où le corps est au repos.

De façon générale, il faut éviter d'aller aux extrêmes ; en d'autres mots, il est évident que le fait de manger du fast-food et du chocolat tous les jours n'aidera pas votre ligne et votre état de santé, mais rien ne vous empêche de vous faire plaisir de temps à autre. Voici quelques suggestions de repas équilibrés qui vous aideront à rester en pleine forme, tout en consommant des aliments sains et nutritifs.

Petit-déjeuner :

- Une boisson frappée préparée avec des fruits frais et du yogourt nature ou du lait écrémé.

- Du gruau servi avec des raisins secs et de la cannelle, le tout accompagné d'un bon verre de jus d'orange.

- Un bol de céréales de blé entier servies avec du lait écrémé et des fruits.

- Des œufs brouillés servis avec des légumes frais et une tranche de pain de blé entier.

- Un bol de céréales muesli ou de granolas servi avec du yogourt nature et des fruits.

Dîner :

- Une salade complète avec des légumes, du blanc de poulet ou du thon, un peu de fromage, le tout servi avec une tranche de pain à grains entiers.

- Une bonne soupe-repas composée de haricots, de maïs, de nouilles et de tomates. Vous pouvez l'agrémenter d'une tranche de pain ou d'un bagel avec fromage. Miam !

- Un sandwich dans un pain pita ou une tortilla de blé entier. Garnissez le tout avec de la dinde, de la salade de poulet, de thon ou de saumon, de la laitue, du fromage et des tomates.

- Un délicieux roulé avec du houmous, de la laitue, des tomates, du fromage, du poivron et des carottes sur un pain pita.

Souper :

- Un chili à la viande ou végétarien avec des haricots et des tomates. C'est nourrissant et super bon !

- Des pâtes (préférablement de blé entier) avec de la sauce tomate et basilic. C'est prêt en un rien de temps !

- Une bonne salade-repas dans laquelle on ajoute de la viande ou du tofu à la laitue.

Vous pouvez agrémenter le tout de maïs, de tomates, de concombre, d'avocat, de poivrons et de fromage !

- Une savoureuse omelette au jambon avec du fromage et des légumes. Qui a dit que les omelettes ne se mangeaient que le matin ?

- Une pizza sur pain pita ! Il suffit d'ajouter de la sauce tomate, des légumes et tous les ingrédients qui vous font envie, puis de mettre le tout au four pendant une quinzaine de minutes !

- Une bonne salade de légumineuses avec des légumes et du maïs.

- Le poulet est très facile à apprêter ! Vous pouvez le déposer dans une tortilla pour en faire des fajitas ou le servir avec du riz brun ou des nouilles pour un repas de type oriental ! Miam !

Quelques trucs supplémentaires pour mieux manger

- Gardez votre métabolisme actif en mangeant une petite collation, comme des carottes avec du houmous, ou du céleri avec du beurre d'arachide entre les repas. Le jeûne fait ralentir le métabolisme et ne fait pas perdre de poids !

- Boire beaucoup d'eau !

- Évitez de vous peser tout le temps ! Si vous êtes active, rappelez-vous que les muscles pèsent plus que la graisse. Le poids indiqué par le pèse-personne peut donc être trompeur. Fiez-vous à vos jeans pour savoir si vous avez engraissé.

- Optez pour le pain brun à la place du pain blanc. C'est VRAIMENT meilleur pour la santé.

- Essayez aussi de couper dans le gras en optant pour du fromage léger, du yogourt nature ou du lait écrémé. C'est aussi bon et ça fait la différence !

- Méfiez-vous des muffins commerciaux ! Ils sont bourrés de sucre et de calories superflues, et ils ne sont pas très bons pour la santé. Mieux vaut les préparer vous-même !

- Apprenez à vous faire plaisir de temps à autre. N'oubliez pas que manger est un des plaisirs de la vie !

ENSEMBLE DE CROYANCES

Définition : « Ensemble de doctrines et de pratiques ayant pour objet les rapports de l'âme humaine avec le sacré. » (Source : Multidictionnaire de la langue française)

En d'autres mots, la religion est un ensemble de croyances, de traditions et de règles qui est adopté par un individu ou par l'ensemble d'une société. L'étymologie du mot « religion » est toutefois controversée et incertaine depuis l'Antiquité. La religion est souvent associée au principe de la foi, c'est-à-dire au fait de croire en Dieu ou à des concepts spirituels ou religieux.

Les principales religions

Si on inclut les doctrines obscures et de moindre envergure, il existe dans le monde d'innombrables religions. De façon générale, les principales religions sont cependant regroupées en trois grandes catégories, soit les religions animistes, les religions orientales et les religions monothéistes. Voici une brève description de certaines de ces principales religions.

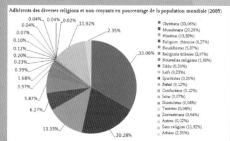

Source: *Worldwide Adherents of All Religions, Mid-2005, Encyclopaedia Britannica.*

LES RELIGIONS ANIMISTES

Les religions animistes reposent sur la croyance selon laquelle tous les êtres vivants et les objets inanimés possèdent une âme et un esprit, bon ou mauvais. Aujourd'hui, elles sont davantage perçues comme relevant de la superstition, de la magie ou de la sorcellerie. Les religions animistes se fondent sur la croyance en l'âme, et on les trouve principalement en Afrique et en Océanie.

LES RELIGIONS ORIENTALES

L'hindouisme

L'hindouisme provient de l'histoire même de l'Inde. Les hindouistes se basent sur les Védas, soit les écritures les plus anciennes du monde, et croient en la réincarnation et en la préexistence. Selon les hindous, l'homme possède une nature divine et doit consacrer sa vie à la connaissance de son être et à la recherche du divin qui réside en lui.

Le bouddhisme

Le bouddhisme est issu des enseignements de Bouddha. Cette religion s'est développée en Inde et s'est étendue aux quatre coins de l'Asie à partir du iiie siècle av. J.-C. Sa philosophie est basée sur la recherche de la sagesse et du salut, et l'objectif des bouddhistes est de se libérer des souffrances et de l'insatisfaction pour atteindre le nirvana et un plein épanouissement. Le bouddhisme est souvent considéré davantage comme une éthique spirituelle ou une philosophie athée que comme une religion, puisque ses adeptes ne croient ni en l'âme éternelle, ni en un dieu unique, ni aux dieux créateurs.

Le shintoïsme

Le shintoïsme est la religion fondamentale la plus ancienne du Japon et se base sur la mythologie. Les shintoïstes vénèrent les éléments naturels et considèrent le soleil et la lune comme des divinités.

Le confucianisme

Le confucianisme trouve son origine dans les enseignements de Confucius (Chine, 551-479 av. J.-C.) et a beaucoup influencé la société chinoise. Les confucianistes s'efforcent de rechercher la vertu et la sagesse individuelle, et leur religion repose sur l'harmonie de la société et sur une morale humaniste basée sur la recherche de l'équilibre et l'amour de son prochain.

LES RELIGIONS MONOTHÉISTES

Les religions monothéistes reposent sur la croyance en un dieu unique et s'appuient sur la Bible.

Le judaïsme

Le judaïsme est fondé sur l'immortalité de l'âme et sur l'attente du Messie qui viendra instaurer un royaume de paix et d'amour. Les juifs entretiennent une relation directe et personnelle avec Dieu. Les principales fêtes religieuses du judaïsme sont le sabbat, la Pâque, le Yom Kippour et le Rosh Haschana.

On compte aujourd'hui plus de 15 millions de juifs dans le monde. Ils sont principalement concentrés en Israël, aux États-Unis et en Europe.

Le christianisme

Le christianisme est basé sur la reconnaissance de Jésus de Nazareth comme étant le fils de Dieu, sur l'immortalité de l'âme, la résurrection et l'amour de son prochain. Le christianisme s'inspire de la Bible, et particulièrement du Nouveau Testament, qui relate l'histoire de Jésus.

Le christianisme a lui-même donné naissance à plusieurs religions chrétiennes telles que le catholicisme, le protestantisme, l'évangélisme et l'orthodoxie.

L'islam

Fondé par Mahomet (début du viie siècle), l'islam s'appuie sur le Coran. En plus d'être considéré comme une religion, il impose un système de gouvernement et des règles de vie. Les musulmans croient en Allah, dieu et créateur unique, ainsi qu'en Mahomet, son prophète. Ils doivent également jeûner pendant 29 jours pour commémorer le mois du Ramadan, durant lequel le Coran leur a été dévoilé.

Les musulmans doivent donc systématiquement se référer au Coran, avoir une foi absolue en leur dieu et s'abandonner à lui pour perfectionner leur comportement.

L'agnosticisme

L'agnosticisme est une doctrine selon laquelle on ne peut ni croire en l'existence de Dieu ni la nier, puisqu'on ne sait pas. Elle est donc basée sur le doute et le scepticisme, car la vérité absolue est inconnue.

L'athéisme

L'athéisme est une doctrine à laquelle adhèrent les gens qui nient complètement l'existence de Dieu ou de toute autre divinité.

La religion au Canada

Bien qu'on trouve une grande variété de religions au Canada, il n'existe aucune religion officielle. C'est ce qu'on appelle le pluralisme religieux, soit une diversité religieuse propre à la culture du Canada.

De plus, la dernière enquête réalisée au Canada en mai 2008 a été faite sur un échantillonnage de 1000 personnes par La Presse canadienne — Harris Décima. L'enquête stipule que 23 % des Canadiens sont athées et que 6 % sont agnostiques. En comparant les statistiques du Canada avec celles enregistrées lors du recensement de 2001, qui comptaient 16,5 % d'athées, on constate qu'en 7 ans, le nombre de non-croyants au Canada a augmenté de plus de 32 %

La religion au Québec

En 1950, le Québec était encore l'une des régions les plus catholiques du monde. L'État était alors contrôlé par l'Église, et le taux de fréquentation des églises était extrêmement élevé, puisque cela faisait partie des mœurs et de la culture de l'époque.

L'arrivée de la Révolution tranquille dans les années 1960 a changé radicalement la situation. Un mouvement de libéralisation des mœurs et de restructuration sociale est venu transformer totalement le rôle de l'Église dans la société québécoise.

Même si, aujourd'hui, un grand nombre de Québécois se disent encore catholiques, le taux de fréquentation des églises au Québec est le plus bas en Amérique du Nord, et ce, particulièrement dans les grandes villes, où nombre d'églises furent converties en bureaux et en condominiums. La libéralisation des mœurs, la modernisation de la société, la laïcisation des écoles et des hôpitaux, l'augmentation du taux de divorce et la révolution sexuelle ont fortement contribué à cette diminution de l'importance de la religion dans la société québécoise. Même aujourd'hui, les pratiques et les valeurs libérales sont plus répandues au Québec que dans le reste du Canada et que dans presque toutes les régions du monde, et c'est aussi là qu'on trouve le plus de gens en faveur de l'avortement et du mariage entre conjoints de même sexe.

Attention, danger !

Il ne faut surtout pas confondre les religions, qui sont reliées à un ensemble de croyances, de doctrines et de pratiques, avec les sectes, qui désignent un groupe d'adeptes prônant des valeurs ou une idéologie et obéissant à un chef charismatique. Les sectes sont souvent très mal vues au Québec, et elles s'avèrent parfois dangereuses, puisque leurs adeptes chercheront bien souvent à recruter et à endoctriner de nouveaux membres par le biais du mensonge et de la manipulation.

Un choix très personnel

Bien que la religion n'ait plus l'importance qu'elle avait auparavant au sein de notre société, le choix de croire en Dieu ou d'adhérer à une religion demeure tout à fait personnel, voire souvent culturel. Dans une société aussi multiculturelle que la nôtre, il est primordial d'apprendre à respecter et à comprendre les différences de coutumes, de traditions, de valeurs et de croyances. Il est essentiel de s'informer correctement pour prendre une décision réfléchie, pour assumer ses propres choix et pour être bien dans sa peau. Si vous êtes curieuse au sujet d'une religion et des valeurs qui y sont rattachées, n'hésitez pas à vous informer et tâchez d'être ouverte aux différences de valeurs qui forgent l'identité religieuse et culturelle. À chacun ses valeurs et ses opinions !

Principales confessions religieuses au Canada

	2001	
	Nombre d'adeptes	% de la population
Chrétienne		77
Catholique romaine	12 936 905	43,6
Total protestante	8 654 850	29,2
Église unie du Canada	2 839 125	9,6
Église anglicane du Canada	2 035 495	6,9
Chrétienne, non incluse ailleurs[1]	780 450	2,6
Église baptiste	729 475	2,5
Luthérienne	606 590	2,0
Protestante, non incluse ailleurs[2]	549 205	1,9
Presbytérienne	409 830	1,4
Chrétienne orthodoxe	479 620	1,6
Aucune religion	4 796 325	16,2
Autre		
Musulmane	579 640	2,0
Juive	329 995	1,1
Bouddhiste	300 345	1,0
Hindoue	297 200	1,0
Sikh	278 415	0,9

[1] Comprend les personnes ayant déclaré « chrétienne » de même que celles ayant indiqué « apostolique », « chrétienne régénérée » et « évangélique ».

[2] Comprend les personnes n'ayant déclaré que « protestante ».

* Pour des besoins de comparabilité, les données de 1991 sont présentées selon les limites géographiques de 2001.

Source : Recensement du Canada de 2001.

Sujets connexes : respect, accomodement raisonnable, culture

Respect

AVOIR DE LA CONSIDÉRATION
POUR LES AUTRES

Le respect est une attitude qui nous pousse à accorder une attention particulière aux gens qui nous entourent afin de ne pas les blesser inutilement.

C'est une attitude qui se développe grâce à l'ouverture d'esprit et à une certaine considération de l'autre, sans égard à la position sociale, aux opinions, aux valeurs humaines et au caractère d'autrui.

Le respect n'est pas une qualité acquise. Il faut apprendre à l'intégrer à chacun de ses gestes et à chacune de ses paroles tout en l'exigeant de la part des autres. Il arrive à tout le monde de manquer de respect envers une personne ou un groupe de personnes. Par exemple, il vous est certainement déjà arrivé d'être impolie envers vos parents ou un professeur, ou encore de vous moquer de quelqu'un. Bien que ce soit chose courante, vous devez apprendre de vos erreurs et faire un effort pour vous améliorer afin d'être respectueuse des gens qui vous entourent. Songez à la façon dont vous vous sentez lorsque quelqu'un ne respecte pas votre façon de penser, vos opinions ou votre bien-être. Vous vous sentez révoltée et même brimée dans vos droits. Il ne faut alors pas hésiter à dire aux gens que vous vous sentez blessée et que vous n'aimez pas qu'on vous manque de respect. Vous devez agir en fonction de vos convictions tout en vous montrant juste envers les autres. Ils méritent autant de respect que vous et ils ont aussi le droit d'être entendus. Apprenez à vous ouvrir aux droits et au bien-être des gens qui vous entourent.

Pour nous aider à agir de façon respectueuse, il y a des règles de bienséance. Par exemple, efforcez-vous de vouvoyer les adultes que vous ne connaissez pas, de remercier les gens lorsqu'ils vous rendent service et de laisser parler les autres lorsqu'ils ont quelque chose à dire

les différences sociales, ethniques, culturelles et politiques. Les autres ont des tas de choses à offrir et à partager, et vous avez beaucoup à apprendre de ceux qui vous entourent. C'est en étant ouverte aux autres que vous imposerez le respect. Apprenez aussi à respecter la vie privée, l'intimité et les biens d'autrui.

Le respect est étroitement lié à la justice, à l'égalité et aux valeurs morales et sociales; il suppose une attention particulière accordée aux autres, à leurs qualités et à leurs biens matériels. N'ayez jamais peur de demander qu'on vous respecte, mais n'oubliez jamais qu'on récolte ce que l'on sème, alors agissez en conséquence et soyez aussi à l'écoute des autres.

♥ Sujets connexes : amitié, pardon

plutôt que de leur couper la parole. Soyez respectueuse envers vos parents, vos professeurs, vos amies et tous les gens qui vous entourent. Pour se faire respecter, on doit d'abord apprendre à respecter les autres et à s'ouvrir aux différences. Tout le monde a le droit de penser à sa façon et d'avoir sa propre opinion sur certains sujets; laissez les gens s'exprimer et exigez qu'ils vous écoutent en retour. En effet, respecter les gens ne veut pas dire que vous deviez vous taire et les laisser parler à votre place, ni que vous deviez vous faire imposer une façon de penser et une philosophie de vie. Le respect doit être mutuel : les autres doivent vous accorder une attention particulière et être ouverts à vous écouter, au même titre que vous devez apprendre à les accepter tels qu'ils sont, et ce, même s'ils ne pensent pas de la même façon que vous.

Vous devez donc vous soucier du bien-être des gens qui vous entourent sans les juger trop vite. Ce n'est pas parce qu'ils ne pensent pas comme vous qu'ils sont stupides, et ce n'est pas parce que quelqu'un appartient à une autre nationalité qu'il est incapable de vous comprendre. Ouvrez-vous à la diversité et acceptez

Responsabilité

Être responsable, c'est être capable d'assumer ses actes et de prendre conscience des conséquences de ce qu'on entreprend. Par exemple, je suis certaine que vous réclamez parfois plus de liberté à vos parents.

Vous les trouvez trop sévères et vous rêvez d'avoir plus d'autonomie et d'indépendance. C'est bon de leur en parler et de leur faire comprendre que vous êtes digne de confiance et que vous acquerrez ainsi de la maturité, mais, ce faisant, vous devez aussi assumer vos responsabilités, c'est-à-dire vous assurer que vous serez capable de tenir vos promesses et de vivre avec les conséquences de vos actes.

La responsabilité ne s'applique pas uniquement au chapitre des actions que vous entreprenez. Être responsable, ça veut aussi dire se comporter correctement quand on est en groupe, se conduire convenablement en société et assumer ses responsabilités de fille, d'amie, d'élève et de citoyenne. Par exemple, si vous avez 16 ans et que vous voulez absolument obtenir votre permis de conduire, il en revient à vous de conduire de façon responsable et de respecter le code de la sécurité routière pour ne pas mettre votre vie ou celle des autres conducteurs en danger. Votre rôle de citoyenne est de respecter les lois, notamment en ce qui concerne les limites de vitesse, et de ne pas consommer d'alcool au volant, sans quoi vous risquez de subir de graves conséquences. La responsabilité n'intervient pas seulement après coup; lorsque vous désirez avoir plus de liberté et d'autonomie, vous devez aussi prendre conscience de ce que cela implique. Si vous voulez assister à une fête chez une amie, vous devez agir de façon responsable pour que vos parents aient confiance en vous et pour que la soirée se déroule bien. Si vous avez l'âge de voter, c'est votre responsabilité en tant que citoyenne de vous informer et d'exprimer votre opinion. Si vous voulez participer à un voyage scolaire, il en revient à vous de suivre les règles qui vous sont imposées et d'être responsable de vos actes tout en respectant vos camarades.

Prendre ses responsabilités ne se fait pas du jour au lendemain. Il s'agit d'un cheminement qui s'effectue au fur et à mesure que vous acquérez de l'expérience et de la maturité. Ça peut être très effrayant de vieillir, de se rendre compte qu'on est de plus en plus autonome et qu'on doit répondre de nos actes. Après avoir passé des années à réclamer plus de liberté à vos parents et à vouloir acquérir plus d'autonomie, vous vous rendez compte de l'importance du rôle parental dans votre vie. En effet, vous avez beau les critiquer encore et encore, vos parents sont là pour vous aider à assumer vos responsabilités, pour vous guider et pour prendre des décisions à votre place quand ils sentent que vous n'êtes pas encore prête à le faire. Vous êtes jeune, et il est tout à fait normal que vous commettiez des erreurs de jugement. Il se peut que vous abusiez de l'alcool lors d'une première fête bien arrosée entre amis, ou alors que vous séchiez un cours et que vous vous fassiez pincer. Plutôt que de vous laisser abattre par vos égarements, assumez-en les conséquences et apprenez de vos erreurs. De plus, si vous jugez que vous êtes trop jeune ou que vous n'êtes pas prête à assumer une responsabilité qu'on vous confie, il en revient à vous d'être honnête et d'imposer votre rythme. Il n'y a rien de mal à prendre son temps, et c'est même très responsable de votre part de refuser de faire quelque chose parce que vous savez que vous n'êtes pas prête à en assumer les conséquences. Par exemple, il se peut que vous ne soyez pas prête à garder un enfant, à avoir un petit ami ou à faire un voyage sans vos parents. Et alors ? Mieux vaut l'admettre et prendre votre temps plutôt que de vous lancer dans une aventure alors que vous ne vous sentez pas en confiance.

Bref, pour être responsable, vous devez non seulement respecter vos engagements et faire preuve de maturité en prenant conscience de toutes les implications qui découlent de vos actions, mais vous devez aussi être capable d'être responsable de vous-même et d'être consciente de vos limites. Pour ce faire, vous devez être très honnête envers vous-même et ne pas vous laisser influencer par les autres. Apprenez aussi à écouter vos parents lorsqu'ils vous préviennent d'un danger ou lorsqu'ils vous expliquent ce qu'une décision implique. Si vous décidez de partir dans une colonie de vacances et d'y travailler en tant que monitrice, vous devez être consciente que vous serez non seulement responsable de votre bien-être, mais aussi de celui de jeunes campeurs qui auront parfois besoin d'être rassurés. De plus, vous devez songer au fait que vous passerez des semaines loin de vos parents, de votre chambre et de vos amies. Si vous êtes capable d'endosser toutes ces responsabilités et de foncer, alors n'hésitez pas à prendre des risques, de même qu'à tester vos limites et votre autonomie. Si vous vous trompez, vous n'aurez qu'à en assumer les conséquences et à apprendre de vos erreurs. Si vous jugez que vous n'êtes pas prête à accepter autant de responsabilités et que vous avez trop peur de vous ennuyer, alors prenez votre temps; vous serez peut-être prête l'année prochaine !

Faites toutefois attention de ne pas tomber dans le piège de l'insécurité. Parfois, il n'est pas mauvais d'affronter ses peurs et de pousser un peu ses limites pour avancer et se surpasser. Vous serez fière de vous et vous réaliserez que vous avez acquis beaucoup d'autonomie et de maturité en cours de route.

Soyez donc à l'écoute de ce que vous dicte votre cœur et n'hésitez pas à demander conseil à vos parents si vous ne savez pas quelle décision prendre. À l'adolescence, on se sent parfois un peu dépassée par les événements et par cette nouvelle autonomie qui nous est accordée. Les parents ne sont pas seulement là pour vous faire la morale lorsque vous vous trompez; ce sont aussi eux qui prennent soin de vous depuis que vous êtes toute petite et qui vous connaissent mieux que quiconque, alors ils seront certainement en mesure de vous donner des conseils judicieux grâce auxquels vous parviendrez à vous montrer honnête et responsable.

Sujets connexes : respect, liberté

Sauvons la planète

PETITS TRUCS POUR ÊTRE ÉCOLO

On sait maintenant que l'environnement est devenu une priorité dans notre société. De plus en plus de groupes écologistes travaillent d'arrache-pied pour tenter faire comprendre à la population de la province, du pays et du monde entier la nécessité de faire un effort et d'agir maintenant pour sauver notre planète.

Des articles et des livres sont publiés sur le sujet, et des films alarmants passent à l'écran pour sensibiliser les gens et pour que la population mondiale se rende compte de l'urgence du problème. Nous devons tous agir au plus vite et se serrer les coudes pour empêcher que la situation ne se détériore davantage. Il s'agit d'un problème mondial, et bien que chacun doive y mettre du sien pour améliorer le sort de la planète, il est important de s'ouvrir les yeux et de faire un effort commun à l'échelle planétaire. Puisque chacun doit faire sa part, voici une petite liste de conseils et de trucs que vous pouvez intégrer dans votre train-train quotidien pour réduire votre consommation d'énergie, pour prévenir la pollution, pour améliorer le sort des matières premières et pour permettre aux générations futures de vivre en toute tranquillité sur notre planète.

Recyclez ! On ne le dira jamais assez, le recyclage est essentiel au xxie siècle. Consultez le site de Recyc-Québec pour connaître tous les produits que vous pouvez recycler ou pour demander un bac vert *(www.recyc-quebec.gouv.qc.ca)*.

Prenez le transport en commun, marchez ou utilisez votre bicyclette ! Évitez d'utiliser inutilement une voiture. La marche et la bicyclette sont meilleures pour la santé, et le transport en commun est une excellente façon d'encourager l'effort communautaire. Il faut absolument diminuer les émissions de CO_2 !

Ne jetez pas vos déchets dans la rue, sur la plage ou n'importe où ailleurs dans la nature. Les poubelles servent à recueillir les ordures. Transportez toujours un sac en plastique pour y jeter vos déchets au cas où il n'y ait pas de poubelles dans les environs.

Ne jetez pas vos mégots de cigarettes ou vos gommes à mâcher dans la rue !

Ne jetez pas vos piles dans la poubelle ! Placez-les plutôt dans les contenants de recyclage conçus à cet effet.

Éteignez les lumières lorsque vous partez de la maison ou que vous quittez une pièce !

N'abusez pas de l'eau ! Fermez le robinet lorsque vous vous brossez les dents ou lorsque vous lavez la vaisselle.

Sensibilisez les gens ! Informez-vous sur le sujet, discutez d'environnement, faites des recherches et joignez-vous à l'effort commun pour sauver la planète !

Pensez bio ! Non seulement les aliments biologiques sont meilleurs pour la santé, car ils excluent l'usage de pesticides, d'engrais chimiques, d'OGM ou d'agents de conservation artificiels, mais l'agriculture biologique favorise également le recyclage, le maintien et l'amélioration de la fertilité et de la qualité des sols, en plus de privilégier la santé et le bien-être des animaux dans un contexte qui valorise l'économie locale et tient compte d'aspects socioculturels.

(Source : Agriculture, Pêcherie et Alimentation Québec)

Sujets connexes : environnement

Depuis des décennies, la scène artistique québécoise est reconnue pour produire des spectacles de grande qualité, et ce, qu'il s'agisse de danse, de théâtre ou de musique. Plusieurs troupes rayonnent même jusqu'à l'extérieur du pays. Il serait difficile de parler de toutes les compagnies et de tous les groupes existant au Québec. Toutefois, un survol général de ce qui est présenté dans nos salles de spectacles pourra vous donner une idée de l'activité artistique québécoise.

On a souvent l'impression que pour voir un spectacle, il faut débourser des sommes faramineuses. Comme on n'en a pas toujours les moyens, on se prive de faire de belles découvertes. Mais ce ne sont pas tous les spectacles qui coûtent cher. Il suffit de savoir où aller et à quel moment.

THÉÂTRE

Au Québec, on retrouve énormément de théâtres et de compagnies qui présentent toutes sortes de dramaturgies différentes. Les théâtres les plus connus, ceux que l'on appelle les théâtres institutionnels, sont le Théâtre du Nouveau Monde, le Théâtre du Rideau Vert, la Compagnie Jean Duceppe, le théâtre Espace Go, la Société de la Place des Arts, le Théâtre d'Aujourd'hui et le Théâtre de Quat'Sous, tous situés à Montréal, en plus du Trident qui se trouve à Québec. Ce sont les théâtres dont vous pouvez voir les publicités à la télévision. Mais d'autres compagnies et d'autres salles sont tout aussi productives. À Montréal, par exemple, le Théâtre Denise-Pelletier offre souvent des forfaits aux écoles désirant assister aux représentations et, la plupart du temps, présente des pièces du répertoire classique. Juste à côté se trouve la salle Fred-Barry, où l'on présente le plus souvent des spectacles de jeunes compagnies émergentes. On retrouve aussi la Maison Théâtre, spécialisée dans le théâtre pour enfants, le Gesù, le théâtre La Chapelle, le Théâtre de la Licorne (où sont jouées beaucoup de pièces de jeunes auteurs d'ici ou d'ailleurs) et Espace Libre qui accueille deux compagnies différentes : le Nouveau Théâtre Expérimental et Omnibus.

D'autres salles présentent autant de spectacles de danse que de théâtre, par exemple, l'Usine C et le Monument-National. Le Festival TransAmérique se déroule aussi à Montréal.

Il existe aussi de petites salles sur la scène desquelles de jeunes compagnies ont l'habitude de se produire ; entre autres, l'Espace Geordie et le Théâtre Ste-Catherine. Et si vous ne voulez pas débourser trop d'argent, il est possible d'assister aux productions des finissants des écoles de théâtre (UQAM, Conservatoire d'art dramatique de Montréal et de Québec, Cégep Lionel-Groulx, Cégep de Saint-Hyacinthe et École nationale de théâtre), qui sont des spectacles de grande qualité dont les droits d'entrée vous coûteront entre 5 et 10 $. Il n'y a qu'à visiter le site Internet de chacune des écoles pour connaître les productions à venir.

Qui plus est, si vous allez au théâtre le jeudi et achetez vos billets sur place la journée même, vous aurez droit à un « deux pour un » dans la plupart des théâtres.

Par Katherine Mossalim

À Québec, il y a les théâtres plus institutionnels, comme le Trident et le Théâtre de la Bordée. La salle de répétition du dramaturge Robert Lepage, Ex Machina, se trouve aussi dans cette ville. Le Théâtre Périscope, quant à lui, présente des créations de compagnies de la relève ayant fait leurs preuves, telles que Niveau Parking et Théâtre Blanc. L'une des salles de répétition de ce théâtre sert aussi à présenter des créations de la plus jeune relève. Pour ce qui est du théâtre émergeant (c'est-à-dire, produit par des compagnies composées de comédiens ayant terminé leurs études depuis peu), il est surtout présenté au Premier Acte. De plus, à tous les deux ans, la Ville de Québec organise le festival du Carrefour international de théâtre, qui présente les pièces de compagnies de partout à travers le monde. Les Chantiers du Carrefour, quant à eux, servent à présenter les créations des jeunes artistes de Québec.

Ailleurs au Québec, on retrouve le Théâtre du Bic près de Rimouski, le Théâtre Parminous à Victoriaville, le théâtre La Rubrique à Saguenay ainsi que plusieurs autres. Un peu partout dans la province, des théâtres d'été offrent de très bons divertissements en saison estivale. Sans compter que de nombreuses villes possèdent des salles de spectacles qui, si elles ne présentent pas toujours des productions locales, reçoivent plusieurs spectacles en tournée.

DANSE

Les Grands Ballets canadiens est sans doute la compagnie la plus connue. Elle présente la plupart du temps ses spectacles à la Place des Arts, mais elle donne également parfois des représentations gratuites au parc Lafontaine durant l'été. D'autres troupes de danse offrent aussi d'excellents programmes, parmi lesquelles O Vertigo, qui donne des spectacles partout au Québec, mais aussi à travers le monde, La La La Human Steps, spécialisée en danse contemporaine, et les Ballets jazz de Montréal. L'Agora de la danse, appartenant au département de danse de l'UQAM, présente aussi de nombreux spectacles de danse de toutes sortes. Et, comme pour le théâtre, les écoles offrent aussi des présentations : Ladmmi et le département de danse de l'UQAM en sont deux exemples.

MUSIQUE

Chaque ville possède ses grandes salles qui présentent divers spectacles de musique. À Montréal, on retrouve la Place des Arts, le Centre Bell, le Medley et le Métropolis. Comme pour le théâtre et la danse, il est possible d'assister aux spectacles créés par les écoles de musique : le Conservatoire de musique ainsi que les départements de musique de l'UQAM, de l'Université de Montréal et du Collège Lionel-Groulx.

En ce qui concerne les autres villes, vous pouvez vous référer au site subquebec.com, qui fournit une information très complète sur toutes les salles et sur tous les groupes qui y donnent des performances.

Presque chaque ville possède aussi une Maison de la culture. Celles-ci n'imposent jamais de prix d'entrée exorbitants et présentent des spectacles variés tout au long de l'année. Vous pouvez vous informer auprès de la Maison de la culture de votre ville ou de votre quartier.

Vous pouvez aussi consulter chaque mois le journal Voir, qui annonce chaque semaine la plupart des événements artistiques, qu'ils soient du domaine de la danse, du théâtre ou de la musique.

Il n'en tient qu'à vous de découvrir cette mine d'or artistique qu'est le Québec. Ouvrez le journal, fouillez sur Internet, choisissez un spectacle et partez à l'aventure. Ce n'est pas plus cher que d'aller au cinéma, vous encouragerez les artistes d'ici et vous ferez de magnifiques rencontres. Qui sait, peut-être vous découvrirez-vous une nouvelle passion !

Coups de cœur de

Catherine

COUPS DE CŒUR MUSICAUX - ARTISTES FRANCOPHONES

- Tricot machine
- Kaïn
- Marie-Mai
- Vincent Vallières
- Pierre Lapointe
- DobaCaracol
- Jean Leloup

ANGLOPHONES

- Feist
- Mika
- Pascale Picard
- Jack Johnson
- Simple Plan
- Rihanna
- Justin Timberlake

COUPS DE CŒUR LITTÉRAIRES (QUÉBÉCOIS)

- Le journal d'Aurélie Laflamme, India Desjardins, Les Intouchables (5 tomes disponibles)
- Marie-Tempête, Dominique Demers, Québec Amérique
- Ophélie, Charlotte Gingras, Courte Échelle
- Au-delà de l'univers, Alexandra Larochelle, Trécarré (6 tomes disponibles)
- L'élu de Babylone, Hervé Gagnon, Hurtubise HMH

COUPS DE CŒUR TÉLÉ

- Ramdam - Télé-Québec et coffret DVD
- Dans une galaxie près de chez-vous - VRAK.TV
- Une grenade avec ça ? - VRAK.TV
- Les pieds dans la marge - Radio-Canada
- Il était une fois dans le trouble - VRAK.TV
- Kif-kif - Radio-Canada

Le scoutisme est un mouvement éducatif basé sur des valeurs d'égalité, d'entraide, de respect et de dépassement de soi. Ses membres sont des garçons et des filles de toutes les croyances et de toutes les nationalités. On peut rentrer dans le mouvement scout dès l'âge de 7 ans et par la suite, comme on le dit si bien : « Scout un jour, scout toujours ! »

Les débuts du mouvement scout

Le mouvement a été fondé en 1907 par un général anglais, Robert Baden-Powell, héros de la Deuxième Guerre des Boers, qui fut par la suite nommé lord. Celui-ci avait entrepris d'utiliser de jeunes Sud-Africains comme éclaireurs et messagers. Avec leur aide, il réussit à sauver la ville de Mafeking (Afrique du Sud) qui avait été assiégée par de trop nombreuses troupes ennemies. Cette expérience lui apprit que les jeunes pouvaient accomplir de grandes choses si on leur en laissait la chance. De retour en Angleterre, Baden-Powell se rend compte que beaucoup de jeunes, surtout dans les quartiers défavorisés, ont be-

soin de modèles positifs à suivre et d'activités constructives à faire, afin de les aider à s'élever au-dessus de leur condition et de les éloigner des tentations de la drogue et de la délinquance. C'est alors qu'il décide d'utiliser ses connaissances auprès des jeunes dans un objectif de paix et d'entraide. Le premier camp scout a donc lieu en août 1907, sur l'île de Brownsea en Angleterre. Par la suite, le scoutisme s'est développé à une vitesse fulgurante. Olave, la femme de Baden-Powell, fonda le guidisme, le scoutisme pour les filles. Et seulement un an après le camp de Brownsea, des groupes de scouts et de guides s'étaient formés au Canada et dans une dizaine d'autres pays.

Les scouts du monde

Présentement dans le monde, il y a 28 millions de scouts répartis dans 160 pays qui sont enregistrés auprès de l'Organisation mondiale du mouvement scout. Si on ajoute à cela tous les pays où il y a des scouts, mais pas d'organisation reconnue mondialement, il n'en reste que six où il n'y a pas de scouts. Dans ces pays, le scoutisme est interdit par des gouvernements totalitaires.

Ici, au Canada, il y a environ 74 000 scouts (filles et garçons).

C'est quoi être scout en 2010 ?

Être scout en 2010, ça veut dire être dynamique, imaginatif, curieux, sportif, créatif. Ça veut dire aller au bout de ses rêves. C'est aussi être un citoyen du monde ouvert au changement et sensible aux enjeux de notre planète. Être un scout en 2010, c'est vouloir changer le monde, mais surtout pouvoir changer le monde en faisant des gestes concrets et inspirants pour les autres.

Les activités

Les scouts sont des pionniers en matière de plein air depuis leurs débuts. Au Québec, dans les années 1930, le scoutisme a grandement contribué à l'essor du camping. Encore aujourd'hui, les scouts sont des modèles dans le domaine du plein air. Ils n'ont pas froid aux yeux et savent transmettre leur savoir et leur passion de la nature. Ce sont des aventuriers qui savent atteindre leurs objectifs. Les scouts encouragent les jeunes à relever des défis qu'ils choisissent eux-mêmes. Que ce soit sauter en parachute, descendre une rivière en canot, faire des ateliers de cirque ou voyager à l'autre bout du monde, le mouvement scout avec sa philosophie d'ouverture permet de le faire.

Les scouts se rencontrent régulièrement (en général une fois par semaine) pour s'amuser, faire du sport et des jeux créatifs, au travers desquels ils apprennent à se connaître et à se dépasser. C'est aussi lors de ces réunions qu'ils découvrent et organisent les éléments nécessaires à l'accomplissement de défis toujours plus grands.

Le totem

Une particularité bien connue des scouts est le totem. C'est une pratique inspirée par les Amérindiens qui consiste à donner un nom le plus descriptif possible à la personne qui fait partie des scouts depuis un certain temps. Le totem est composé de deux parties. La première est un élément de la nature qui représente le mieux possible la personne. Le plus souvent, c'est un animal, mais cela peut aussi être une plante, un nuage, un vent On y ajoute ensuite un qualificatif qui vient compléter la description, si possible la qualité la plus forte de sa personnalité, ce qui la rend unique. Un totem bien choisi reste vrai pour toute la vie. Bien que chez les scouts le totem ait un caractère officiel, rien ne t'empêche d'en

trouver un pour les personnes que tu connais bien. Fais-en l'expérience avec tes ami(e)s. Tu pourrais être étonnée des résultats.

Pour en savoir plus sur les scouts, voici quelques liens Internet :

Pour de l'information sur tout ce qui a trait au scoutisme : http://fr.scoutwiki.org

Pour trouver les scouts de ta région, le site officiel des scouts du Canada est : http://www.scouts.ca

Si tu t'intéresses à ce que les scouts font ailleurs dans le monde, le site de l'Organisation mondiale du mouvement scout (OMMS) est http://scout.org/fr/

Quelques scouts bien connus :

Jean-René Dufort, animateur de l'émission Infoman

Guillaume Lemay-Thivierge, comédien

Patrick Huard, humoriste et comédien

Andrée Waters, chanteuse

Guy Lafleur, joueur de hockey

Hergé, auteur de bandes dessinées (Tintin)

Dakota Fanning, actrice

Daniel Radcliffe, acteur (Harry Potter)

David Beckham, joueur de soccer

Gérald Tremblay, maire de Montréal

Marc Garneau, astronaute

Bill Gates, cofondateur de Microsoft

Steven Spielberg, réalisateur américain

Neil Armstrong, astronaute, premier homme sur la Lune

Texte de Castor Alerte et de Béluga Inspirée

Sujets connexes : Québec, copains, sport

Secondaire

Au bout de six années de fréquentation de l'école primaire, vient enfin le temps d'entrer au secondaire. Vous devez alors choisir une école qui vous convient.

Dans certains cas, ce sont les parents qui prennent la décision tandis que, parfois, les filles choisissent elles-mêmes quelle école elles désirent fréquenter. Dans la plupart des cas, la décision se prend ensemble, en fonction de l'endroit où se trouve l'école, des coûts, des amis ou du désir d'étudier dans une école publique ou dans une école privée.

Quoi qu'il en soit, lorsque viendra le temps de choisir, vous voudrez peut-être suivre vos amies, fréquenter l'école du quartier, aller dans un collège privé ou opter plutôt pour une école qui se spécialise dans un domaine qui vous passionne (la danse, la musique, les arts plastiques, les sports, etc.). L'important, c'est de choisir un endroit où vous vous sentez à l'aise et où vous croyez que vous pourrez vous épanouir tant sur le plan scolaire que sur le plan personnel. En effet, en plus des cours, des examens et des devoirs, le secondaire est une véritable école de vie. C'est là que vous passerez près de

cinq années de votre vie, cinq années cruciales durant lesquelles vous vous transformerez du tout au tout. C'est là que vous vous ferez des amis, que vous vous créerez un réseau social, que vous vous impliquerez dans des activités, que vous connaîtrez peut-être votre premier amour et que vous apprendrez à mieux vous con-naître vous-même. C'est en effet au cours de vos études secondaires, soit généralement entre 12 et 17 ans, que vous façonnerez les grandes lignes de votre personnalité et de votre caractère. En d'autres termes, c'est au secondaire que vous évoluerez peu à peu pour devenir une jeune adulte.

Ça fait peut-être un peu cliché, mais quand j'y repense, l'école secondaire a joué un rôle essentiel dans ma vie d'adulte. C'est dans la cour que vous traînerez avec vos amis, dans les classes que vous apprendrez des tas de trucs (et que vous pourrez déterminer quels sont les domaines qui vous intéressent) et dans les toilettes que vous aurez des conversations intimes avec vos meilleures amies. Vous passerez peut-être de lon-gues heures dans les escaliers à embrasser votre amoureux, ou devant votre casier à discuter avec vos amis. En d'autres mots, l'école secondaire, c'est l'endroit où vous apprendrez à vous connaître vous-même, où vous flirterez où vous observerez tout ce qui se passe autour de vous et où vous apprendrez des tas de choses en compagnie de votre bande et des gens qui vous entourent.

Pour rendre cette expérience encore plus inoubliable, je vous conseille de vous impliquer dans des activités parascolaires ou dans une équipe sportive afin de rencontrer plus de gens et d'acquérir un sentiment d'appartenance à votre école. De plus, ces activités vous permettront de sortir un peu du cadre scolaire et d'apprendre des nouvelles choses qui pourraient vous passionner. Que ce soit le théâtre, l'improvisation, la danse, le basket, le hockey ou le club des sciences, choisissez une activité

qui vous intéresse et où vous pourrez rencontrer des gens différents qui ont eux aussi beaucoup à offrir. Je vous invite également à vous impliquer dans les comités de l'école (conseil étudiant, comité des danses, du bal, de l'album, de la parade de mode, etc.). Ces expériences vous seront très utiles quand viendra le temps de chercher un emploi ou de faire une demande d'admission au cégep et même à l'université. De plus, elles vous apprendront à devenir plus autonome, plus responsable (dans les comités étudiants, on apprend bien souvent à gérer un budget, par exemple) et à être à l'écoute des autres.

Durant la première et la deuxième années du secondaire, il se peut toutefois que vous regardiez les gens de troisième, quatrième et cinquième secondaires comme s'ils étaient des héros, et que vous vous sentiez nulle d'être aussi jeune. Sachez qu'absolument tout le monde passe par cette étape, et qu'il est préférable de vous impliquer à fond dans des activités prévues pour les gens de votre niveau plutôt que d'envier les plus vieux. Les années auront tôt fait de passer, et ce sera bientôt vous qui recevrez votre diplôme (et qui serez l'objet de l'admiration des plus jeunes) sans avoir vraiment réalisé que le temps filait. Alors, profitez de ces années pour vivre pleinement vos expériences et pour aller à votre propre rythme. Vive le secondaire !

Sujets connexes : CEGEP, adolescence

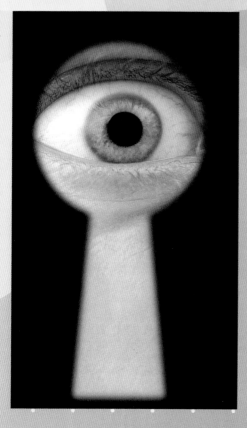

Un secret, c'est une information personnelle qu'on ne veut pas divulguer à la terre entière. Cela peut être un sentiment qu'on ressent, quelque chose qui nous est arrivé, une confidence faite par autrui, une trouvaille incroyable ou une profonde blessure du passé.

Bref, vos secrets vous appartiennent, et vous seule pouvez déterminer si vous voulez les partager et, si c'est le cas, à qui vous désirez en parler.

Les types de secrets

Il existe différents types de secrets. Il y a les secrets de Polichinelle qui sont connus de tous – ils peuvent être reliés à des rumeurs qu'on entend et qu'on s'empresse de répéter à ses amies (tel gars sort avec telle fille, tel prof a engueulé tel élève, etc.) –, et les secrets plus importants qu'on vous a confiés ou encore que vous gardez scrupuleusement pour vous, sans même en parler à votre meilleure amie. Lorsqu'on vous confie un secret, vous devez faire preuve de beaucoup de jugement pour faire la distinction entre les ragots propagés dans les corridors, qui ne feront de mal à personne, et les secrets plus importants que vous a confiés votre meilleure amie.

Soyez discrète

Lorsque quelqu'un vous confie un secret, il s'agit d'une preuve de confiance de sa part. La personne juge que vous saurez vous montrer suffisamment discrète pour qu'elle puisse vous en parler et se vider le cœur. Il est donc extrêmement important que vous respectiez cette confiance et que vous ne trahissiez pas une personne qui vous voit comme sa confidente, même si vous pensez qu'il ne s'agit pas d'un secret important. Chacun possède son petit jardin secret, et ce n'est pas à vous d'évaluer l'importance de la confidence qui vous est faite. Par exemple, si une amie vous confie qu'elle a un faible pour un garçon et que vous le répétez à tout le monde, non seulement vous trompez sa confiance, mais vous risquez aussi de lui faire de la peine. C'est à elle de juger à qui elle veut en parler, et si elle vous fait suffisamment confiance, vous devez la respecter et accepter cette marque de loyauté comme un grand honneur. Ne prenez pas le risque de briser votre amitié parce que vous êtes incapable de garder un secret. Rappelez-vous que c'est génial que les autres vous voient comme une grande confidente et qu'ils puissent vous faire confiance de cette façon.

À qui dois-je en parler ?

Si vous désirez confier un secret à une amie, c'est à vous d'apprendre à faire confiance aux gens de votre entourage et à reconnaître ceux à qui vous pouvez parler en toute confidentialité. Je suis sûre que vous avez des amies qui sont dignes de cette confiance. Précisez-leur que votre secret est important et que vous ne voulez pas qu'elles en parlent aux autres. Je sais que c'est un risque de confier une partie de son jardin secret à ses proches, mais apprendre à faire confiance et à vous ouvrir aux autres vous permettra de vous épanouir davantage.

S'il s'agit d'un secret plus important ou plus lourd à porter et que vous ne savez pas à qui vous confier, n'oubliez pas qu'il existe des services téléphoniques, comme Tel-jeunes ou Jeunesse J'écoute, ainsi que des professionnels qui sont là pour vous aider. S'il s'agit par exemple d'un secret de famille aux conséquences sérieuses, ou d'une blessure d'enfance liée au viol, à l'inceste ou à la violence, ne gardez pas ces secrets à l'intérieur. Il est indispensable que vous parliez de ces problèmes et de ces traumatismes avec des gens qualifiés, pour vous en libérer et pour éviter qu'ils vous empêchent d'avancer dans la vie ou qu'ils vous laissent des séquelles nuisant au développement de votre estime personnelle.

Chaque famille a ses fantômes et ses petits secrets, mais c'est à vous de déterminer leur importance et leur gravité. De plus, si une amie vous confie un terrible secret et que vous jugez qu'il est de votre devoir d'intervenir pour la protéger (par exemple, si elle est victime d'abus ou de violence), dites-lui qu'elle doit en parler et agir pour changer la situation. Si elle refuse catégoriquement, c'est à vous qu'il revient de discuter du problème avec un professionnel qui vous écoutera en toute confidentialité, ou même avec vos parents qui pourront vous aider sans divulguer l'information dans toute l'école. Si le but est de protéger votre amie et de l'aider à régler son problème, il faut lui dire que vous agissez pour son bien-être et parce que vous l'aimez. N'allez surtout pas révéler son secret à d'autres jeunes à qui elle n'a pas voulu se confier ; parlez-en plutôt à un adulte responsable qui pourra vraiment vous aider et intervenir pour régler la situation.

En conclusion

Lorsqu'on confie un secret à une personne de son entourage, on crée des liens de confiance et une grande complicité avec elle. C'est un privilège d'être la confidente de quelqu'un, et il faut veiller à ne pas trahir cette confiance qui vous unit. Apprenez donc à faire confiance aux gens qui le méritent, mais aussi à respecter l'importance qu'on vous accorde. Si vous avez de la difficulté à vous exprimer ou à faire confiance aux gens, vous pouvez vous confier à votre journal intime. C'est une excellente façon d'exprimer ce que vous ressentez en étant certaine que personne ne répétera vos confidences. Il suffit de bien ranger votre journal dans un endroit qui soit loin des regards indiscrets ! Tenir un journal intime est une bonne façon d'exorciser ses peines et ses angoisses, et de ne pas tout garder à l'intérieur. Apprenez toutefois à faire confiance aux autres et, surtout, apprenez à respecter la confiance qu'on vous fait en vous livrant des secrets !

Sujets connexes : journal intime, amitié, confiance

Sexualité

REPRODUCTION, PRATIQUES SEXUELLES ET IDENTITÉ SEXUELLE

La sexualité fait non seulement référence au concept de reproduction entre l'homme et la femme, mais aussi à toutes les pratiques sexuelles, de même qu'à votre identité sexuelle comme telle.

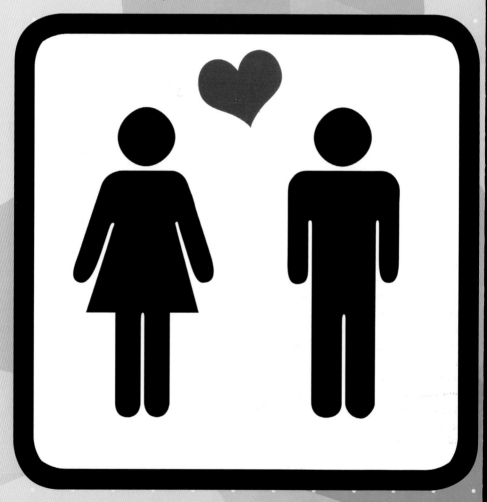

Au cours de l'adolescence, votre corps devient peu à peu celui d'une femme et vous commencez à éprouver du désir et à développer une curiosité sexuelle. Les hormones de votre corps se développent et votre caractère sexuel se définit de plus en plus, ce qui vous fait éprouver de l'attirance envers les garçons et une plus grande curiosité à l'égard de vos désirs et de votre corps.

En ce sens, l'homme est un animal, car il éprouve un besoin instinctif de se reproduire. Toutefois, au contraire des autres animaux, nous avons aussi une sensibilité et nous éprouvons des senti-

et par le toucher avant d'avoir des rapports complets. Vous pouvez vous exciter mutuellement en touchant vos organes génitaux et en apprivoisant vos corps. Vous pouvez aussi pratiquer l'amour oral en faisant une fellation au garçon. Ce dernier peut aussi pratiquer l'amour oral en vous faisant un cunnilingus ou en vous embrassant les parties génitales. Quoi qu'il en soit, allez-y à votre rythme. Ne faites rien que vous n'êtes pas prête à faire. Respectez vos limites et prenez votre temps pour découvrir votre sexualité, et pour explorer votre corps et celui de votre partenaire. Dites-lui ce que vous ressentez et prenez le temps de bien analyser vos émotions lors de vos contacts physiques et sexuels.

Rappelez-vous qu'il est bon de prendre votre temps et de communiquer vos émotions à l'autre. De plus, n'ayez pas honte de vous masturber et de vous informer au sujet des pratiques sexuelles et de vos désirs. Vous développerez ainsi une sexualité plus épanouie qui ajoutera à votre joie de vivre et vous fera sentir bien dans votre peau.

Sujets connexes : puberté, première fois, contraception, ITS, grossesse

ments qui rendent l'acte sexuel très intime. On cherche à se sentir près de l'autre, à lui communiquer notre désir et à fusionner avec lui. Ce ne sont pas seulement nos instincts sexuels qui nous guident, mais bien notre sensibilité et nos émotions. Par exemple, quand vous êtes amoureuse d'un garçon et que vous faites l'amour avec lui, vous ne percevez pas cet acte comme étant purement physique. Il s'agit aussi d'une communion des corps et d'une volonté de se sentir près de l'autre et de partager une intimité avec lui.

La sexualité concerne aussi toutes les pratiques sexuelles que vous pouvez explorer, seule (grâce à la masturbation) ou avec un garçon. En effet, lorsque vous commencez à avoir des rapports sexuels avec votre amoureux, vous apprenez peu à peu à découvrir votre corps et le sien. Tout ceci s'effectue en différentes étapes, d'où l'importance d'apprendre à être à l'écoute de votre corps et à respecter vos limites. Vous pouvez commencer par embrasser votre amoureux

Solitude

APPRENDRE À L'APPRIVOISER

Il est normal de vous sentir parfois seule au monde, comme si vous étiez isolée et incomprise de tous. La solitude fait partie de l'adolescence et du développement humain.

Lorsque vous vous sentez seule, il se peut que vous ayez envie de pleurer, car personne n'est à côté de vous pour vous écouter et pour prendre soin de vous. Vous craignez peut-être aussi le rejet et l'exclusion sociale. Sachez d'abord que le sentiment de solitude surviendra sporadiquement tout au long de votre vie, et que vous pouvez apprendre à l'apprivoiser.

Il vous arrive peut-être même de vous sentir seule lorsque vous êtes entourée des membres de votre famille ou de vos amis. Vous avez l'impression d'être dans un autre monde, seule dans votre bulle, et vous sentez que personne ne comprend ce qui vous arrive. Au cours de l'adolescence, votre corps et votre personnalité se développent sans cesse, ce qui peut être très angoissant et vous faire croire que personne au monde ne ressent la même chose que vous. Rassurez-vous, il arrive à toutes les filles de se sentir seules. Il faut toutefois déterminer si votre problème survient seulement de temps à autre, ou si la solitude vous accable de façon plus permanente.

Un cercle vicieux

Lorsque vous vous sentez seule, efforcez-vous de sortir de votre torpeur et d'aller vers les gens de votre entourage qui ne demandent pas mieux que d'être là pour vous. Si vous expliquez à votre amie que vous vous sentez seule, elle pourra vous écouter et vous changer les idées. Vous devez toutefois faire un effort personnel pour vaincre le sentiment de solitude. Par exemple, si vous vous considérez comme une grande solitaire et que vous passez le plus clair de votre temps seule dans votre coin, les gens seront peut-être moins portés à venir vous voir à cause de l'attitude que vous adoptez et de l'énergie que vous dégagez. Je sais qu'il peut être très angoissant de faire les premiers pas et de vous montrer sociable si cela ne fait pas vraiment partie de votre nature, mais si vous ne luttez pas contre vos points faibles, vous risquez de vous enfoncer encore plus profondément dans votre solitude. Apprenez à sourire à vos camarades d'école, à les saluer quand vous les croisez dans le corridor, à discuter en classe, à participer aux réunions et à vous ouvrir aux autres. Vous pouvez aussi vous inscrire à une activité parascolaire qui vous encouragera à parler aux gens et à passer du temps avec ceux qui partagent vos intérêts. Participez aux activités organisées par votre école, aux sorties de groupe ou aux comités étudiants. Il existe des milliers de façons de s'impliquer davantage et de sortir de son isolement.

Je me sens différente

Même si vous vous sentez différente et que vous ne vous identifiez à aucun groupe, sachez que certaines personnes vous ressemblent plus que vous ne le croyez, et qu'il ne faut surtout pas se fier aux apparences. C'est pour cette raison que je vous suggère de vous inscrire à des activités qui vous intéressent ; vous pourrez au moins rencontrer des gens avec qui vous avez des points communs et vous sentir moins seule.

La solitude, c'est temporaire !

Lorsqu'on se sent seule, on est portée à croire que cela durera toute la vie. Ne vous en faites surtout pas ; en vieillissant, vous rencontrerez des gens qui vous ressembleront davantage et vous apprendrez à vous connaître et à affronter vos peurs. Un jour, vous changerez de classe, d'école ou peut-être même de groupe d'amies, ou alors vous ferez la connaissance d'un garçon qui vous rendra folle de lui. La solitude est angoissante et parfois lourde à porter, mais sachez qu'elle est temporaire et que vous pouvez essayer de la vaincre en sortant un peu de votre coquille.

Pour celles qui aiment la solitude

Il se peut aussi que vous appréciiez la solitude et que vous préfériez être seule plutôt qu'entourée de gens. C'est très bien de ne pas avoir peur d'être seule et de passer un peu de temps avec soi-même pour rêvasser ou réfléchir, mais vous ne devez pas pour autant vous enfoncer dans votre torpeur. Même si vous vous complaisez dans votre solitude, apprenez à vous ouvrir aux autres en discutant avec des copines qui vous paraissent sympathiques, ou avec des gens de votre entourage en qui vous avez confiance et avec qui vous partagez des intérêts, et ce, même s'ils fréquentent une autre école, qu'ils sont d'une autre culture ou qu'ils n'ont pas le même âge que vous.

Quelques trucs

Si vous vous sentez seule, essayez de vous changer les idées en téléphonant à une amie, en discutant avec vos parents, en écrivant dans votre journal intime ou en faisant une activité qui vous plaît. Sortez de votre chambre et allez faire une promenade, pratiquez un sport ou participez à une activité qui vous fera voir du monde.

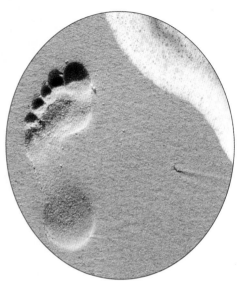

Organisez une fête ou une activité avec des copines pour apprendre à les connaître davantage. N'ayez surtout pas peur de foncer ! Vous êtes géniale et ces filles seront chanceuses de vous avoir pour amie.

Si vous vous sentez encore plus seule durant les fins de semaine, tentez de prévoir des activités qui sauront vous divertir sans vous donner le cafard ni vous angoisser.

Sachez que la vie est remplie de hauts et de bas, et que même les personnes les plus cool de votre école vivent parfois des moments de solitude.

💚 Sujets connexes : fugue, déprime

BIEN DORMIR EST ESSENTIEL

On vous répète à quel point il est important de bien dormir depuis que vous êtes toute petite. En vieillissant, vous vous rendez certainement compte que vos parents avaient raison de vous casser les oreilles avec cette histoire de sommeil !

Un adolescent a besoin de dormir de huit à neuf heures par nuit pour pouvoir fonctionner à plein régime. Avec la croissance, les devoirs, l'école et toute l'énergie que vous dépensez, n'allez pas croire que ce soit excessif.

Le sommeil est essentiel, tant au point de vue physique que mental. Vous avez besoin de sommeil pour pratiquer vos activités préférées, sportives ou autres, et pour être capable de vous concentrer en classe. Lorsqu'on est fatiguée, on traîne de la patte, on éprouve de la difficulté à faire nos devoirs, à étudier et à passer au travers de la journée. On se sent toujours mieux quand on déborde d'énergie et qu'on se sent prête à relever tous les défis qui se présen-tent à nous. Sur le plan physique, le manque de sommeil a tendance à nous donner un teint blême et des cernes sous les yeux. Ainsi, non seulement nous sentons-nous épuisées, mais nous avons aussi l'impression d'être moches, et puisque nous sommes des filles, nous attrapons vite des complexes. Au lieu de dramatiser et de vous imaginer que plus personne ne vous trouve jolie, passez une bonne nuit de sommeil et vous constaterez que votre état physique et mental changera du tout au tout.

Une ambiance de rêve…

Lorsque vous vous apprêtez à dormir, efforcez-vous de créer une ambiance propice au sommeil. Éteignez la télévision et la lumière, et gardez votre chambre au frais plutôt que de monter excessivement le chauffage. Vous pouvez mettre de la musique douce, mais évitez les rythmes trop intenses. Le silence et le calme sont de mise pour permettre à votre corps et à votre esprit de se reposer. Enfilez un pyjama confortable et dormez dans des draps propres et douillets. Installez-vous confortablement et tentez de ne pas penser aux choses que vous

devez faire le lendemain ; le stress risque de vous empêcher de dormir. Faites plutôt le vide, détendez-vous et vous sombrerez bientôt dans le sommeil.

Les choses à faire et à éviter

Il est conseillé de prendre un bain ou de boire une tisane avant de vous coucher pour vous détendre. Vous pouvez aussi lire un bon roman ou votre magazine favori, mais évitez les activités qui stimuleront votre corps et votre esprit, et qui vous empêcheront de dormir. Veillez à ne pas vous gaver avant de vous mettre au lit ; optez plutôt pour une collation légère si vous avez un petit creux. Si vous écoutez un film, il vaut mieux éviter les longs métrages sanglants, les histoires d'horreur ou les drames qui vous traumatiseront ou vous feront faire des cauchemars. Faites preuve de jugement et choisissez des activités qui sauront vous détendre. Évitez aussi de faire un exercice physique intense juste avant de vous coucher.

Les bras de Morphée

Le sommeil est constitué de plusieurs cycles qui durent environ 90 minutes chacun. Le premier cycle est celui du sommeil léger. Le cerveau sécrète alors de la sérotonine, soit une hormone qui crée la somnolence et les bâillements. Votre pouls ralentit et votre corps est parfois secoué par de petits tremblements musculaires. Différentes images traversent votre esprit, mais vous ne rêvez pas encore et votre sommeil demeure très fragile. Au cours de la deuxième phase, vous entrez dans une étape transitoire entre le sommeil léger et le sommeil profond. L'activité cérébrale est réduite, et votre corps est beaucoup moins sensible aux stimuli extérieurs. Vous entrez ensuite dans la troisième phase, soit celle du sommeil profond, où il devient ardu de vous réveiller et où vous vous isolez du monde extérieur. Vos muscles sont complètement détendus. C'est au cours de la quatrième étape, soit celle du sommeil paradoxal, que vo-

tre corps s'agite, que votre pouls augmente et que l'activité cérébrale s'accélère, ce qui vous permet de rêver de façon plus intense. Si on vous réveille durant ce cycle, vous serez plus en mesure de vous souvenir de vos rêves. Sachez que votre corps traverse ces cycles à plusieurs reprises au cours d'une même nuit.

Et les rêves dans tout ça ?

Les rêves occupent environ 20 % de notre nuit de sommeil. Il s'agit d'une succession d'images qui proviennent de l'inconscient ou qui sont liées à des choses qu'on a vécues. Un grand mystère entoure encore les rêves, et plusieurs spécialistes se sont penchés sur leurs interprétations. Vous pouvez par conséquent consulter des livres ou des articles dans Internet si vous souhaitez trouver un sens à vos rêves, ou vous pouvez les noter dans votre journal et le consulter pour voir si vous faites souvent les mêmes rêves et pour écrire les différentes interprétations proposées.

N'abusez pas des bonnes choses !

Bien que le sommeil soit extrêmement important pour le bien-être physique et mental, et bien qu'il soit très agréable de dormir, tâchez de ne pas exagérer en passant vos journées entières au lit et en négligeant toutes les autres sphères de votre vie. À l'adolescence, les sorties, les activités et les travaux scolaires s'accumulent souvent à un rythme effréné, ce qui vous oblige à vous coucher tard et parfois même à vivre la nuit plutôt que le jour. Essayez quand même de conserver un mode de vie normal et sain et de ne pas vivre à l'envers du reste du monde ! Efforcez-vous de trouver un équilibre et apprenez à profiter de ce plaisir de la vie.

Sujet connexe : fatigue

Sortie

NE RIEN MANQUER

L'adolescence, c'est la période de la vie durant laquelle on commence à acquérir une certaine indépendance, et où on ne demande pas mieux que de passer du temps avec ses copines ou avec son amoureux. On commence à fréquenter les cafés, les salles de billard, les parcs, les cinémas, et parfois même les bars.

Il existe toutes sortes d'activités : les sorties plus tranquilles, les balades en voiture, les activités sociales, les danses, les discothèques, les films, les cafés, les restos et même les sorties plus culturelles (les musées, les galeries d'art, etc.). Bref, c'est le moment où on veut tout explorer, tout expérimenter et surtout ne rien manquer.

Le consentement des parents

À cet âge, on doit encore souvent demander la permission à ses parents pour sortir, et on doit respecter un couvre-feu. Je sais bien que ça peut être casse-pieds de quitter une fête qui bat son plein parce que vos parents vous y obligent, ou de rater l'anniversaire de votre meilleure amie parce que vos parents vous forcent à passer du temps en famille, mais sachez qu'on passe pratiquement toutes par là. Vos parents ne font pas ça pour vous rendre la vie impossible ; c'est souvent parce qu'ils sont inquiets et qu'ils veulent vous protéger, ou alors parce qu'ils vous voient encore comme une petite fille. Si vous trouvez qu'ils sont trop sévères, rien ne vous empêche de discuter calmement avec eux pour essayer de trouver un compromis. Il est toutefois essentiel de ne pas abuser de leur confiance et de ne pas leur mentir (même si c'est souvent tentant et que presque toutes les filles le font à un moment ou à un autre), car cela risquerait d'empirer les choses. Je vous conseillerai donc de prévenir vos parents lorsque vous découchez ou lorsque vous rentrez plus tard pour qu'ils ne s'inquiètent pas. Soyez honnête avec eux, et ils verront tôt ou tard qu'ils n'ont aucune raison de ne pas vous faire confiance. Laissez un numéro où ils peuvent vous joindre et essayez de respecter le couvre-feu qu'ils vous imposent. Si vous savez d'avance qu'une sortie risque de s'éterniser, prévenez-les ou alors profitez-en pour dormir chez une copine afin de leur éviter de vous attendre dans la cuisine en imaginant les pires scénarios.

Les hauts et les bas de votre nouvelle vie sociale

Les sorties vous permettent d'expérimenter toutes sortes de choses, d'avoir du plaisir, de passer du temps entre amis et, bien souvent, de faire de nouvelles con-naissances. Sans vouloir vous faire la morale, je vous recommanderai tout de même d'être prudente avec les nouvelles personnes que vous rencontrez. Certaines d'entre elles ne partagent peut-être pas les mêmes valeurs que vous et pourraient essayer d'abuser de votre naïveté. Faites con-fiance à votre instinct si vous avez des doutes, car mieux vaut rester prudente et attendre un peu avant de faire entièrement confiance à ces nouveaux amis. Aussi amusantes soient-elles, les sorties nous amènent souvent à dépenser de l'argent, alors faites attention de ne pas tomber dans les excès, surtout si vous n'en avez pas les moyens. D'un point de vue plus positif, les sorties permettent toutefois de se changer les idées, de s'amuser, de passer du bon temps seule ou avec ses amis et de profiter de la vie. Si vous n'êtes pas encore tout à fait certaine du genre d'activités qui vous plaît le plus, faites des essais et restez fidèle à vous-même. Vous connaissez tout de même votre nature et vous apprendrez tôt ou tard quelles activités correspondent le mieux à vos intérêts.

Les fins de semaine

Que ce soit parce que leurs parents ne le leur permettent pas ou parce qu'ils ont des devoirs à faire, les adolescents ne sortent pas, habituellement, les soirs de semaine. Ils le font plutôt durant les fins de semaine, qui sont faites à la fois pour travailler et pour s'amuser. Certaines en profitent pour terminer leurs travaux scolaires, d'autres pour passer du temps en famille ou avec leurs amis. Quoi qu'il en soit, il est important de prendre le temps, durant la fin de semaine, de relaxer, de décompresser et de s'amuser. Même si vous êtes stressée pour un examen, que vous êtes bouleversée par une dispute ou que vous avez simplement le cafard, efforcez-vous de vous changer les idées, seule ou avec les gens que vous avez envie de voir. L'important, c'est d'avoir du plaisir en demeurant responsable et en n'abusant pas de la confiance de vos parents. C'est une question d'équilibre et de bon sens, alors vous n'avez qu'à en discuter avec eux pour trouver un terrain d'entente !

Sujets connexes : party, gang de filles, magasinage

Sport

BIENFAITS POUR LA SANTÉ PHYSIQUE ET PSYCHOLOGIQUE

Je n'ai pas besoin de vous énumérer tous les bénéfices de l'activité physique. Vous savez sûrement déjà que les activités sportives entraînent toutes sortes de bienfaits pour vous !

D'une part, le sport sert à vous mettre en forme en musclant et en raffermissant votre corps.

Bien que ça demande un peu d'efforts et qu'on doive parfois lutter contre la paresse, une fois qu'on s'y met, qu'on sue à grosses gouttes et qu'on dépense son énergie de façon aussi saine, on peut rapidement en mesurer les retombés. Le sport sert à vous faire sentir bien dans votre peau, et permet à votre corps de rester en forme et de maintenir un poids santé. Sur

le plan psychologique, le sport vous permet de vous défouler et de vous laisser aller sans penser à rien d'autre. Quand on pratique un sport, on s'amuse, on se surpasse et on décroche de la réalité et des petits tracas du quotidien. En fait, ça remet souvent les choses en perspective. On se sent beaucoup plus posée et beaucoup plus calme après s'être dépensée physiquement.

De tout, pour tous les goûts

Il existe toutes sortes de sports que vous pouvez pratiquer en équipe ou individuellement. Certaines filles sont adeptes du gym, du jogging ou de la marche. Elles en profitent pour passer un peu de temps seules, pour écouter de la musique et pour prendre du recul face au reste du monde. D'autres préfèrent les sports d'équipe où elles peuvent rigoler entre amies et développer leur esprit sportif. Dans des sports collectifs, il est important de jouer de façon à respecter les autres et à suivre les règles du jeu. Par ailleurs, le fait de jouer en équipe vous force à devenir une bonne gagnante et une bonne perdante, et ainsi à vous surpasser en tant qu'individu. Vous apprenez à côtoyer des gens et à respecter vos coéquipiers, en plus de rencontrer des tas de nouvelles personnes qui ont sans doute beaucoup de choses à offrir.

Ne soyez toutefois pas trop compétitive et apprenez à être bonne joueuse. Vous êtes là pour aider votre équipe, certes, mais aussi pour vous amuser. Profitez donc de la présence des autres pour en connaître davantage sur eux, sur les techniques de jeu, et pour oublier vos problèmes du même coup.

Pour celles qui méprisent le sport

Certaines filles détestent les sports. Le simple fait d'enfiler un pantalon de course ou de voir des chaussures de sport leur donne envie de vomir. Si c'est votre cas, sachez d'abord qu'il s'agit parfois d'un intérêt qui se développe au fil du temps. Si vous donnez la chance à un sport, vous découvrirez tous les bienfaits et avantages que cela vous procure, et vous constaterez à quel point vous vous sentez mieux dans votre peau. C'est de cette façon que le sport devient un besoin, car il vous permet vraiment de décrocher, de vous surpasser, de vous défouler et de vous sentir bien dans votre corps. Si vous êtes toujours sceptique et que vous avez de la difficulté à vous imaginer qu'un sport puisse réellement contribuer à votre épanouissement, efforcez-vous tout de même de faire un minimum d'exercice physique. Il existe des moyens très agréables d'être active, et cela n'implique pas nécessairement de faire partie de l'équipe de basket de votre école. Vous pouvez commencer par la marche ou le jogging, seule ou avec une copine. Lors d'une chaude journée d'été, prenez votre lecteur mp3 et allez faire une balade dans les rues de votre ville. Ça ne demande pas beaucoup d'efforts, ça vous permet de faire du lèche-vitrine, et vous faites alors de l'exercice sans même vous en apercevoir. Vous pouvez aussi demander à une amie de se joindre à vous pour courir dans le parc, pour escalader une jolie montagne, pour faire une balade en nature ou pour vous promener dans la ville. Vous pouvez aussi vous déplacer à bicyclette, à pied ou en patins à roues alignées tout au long de l'été. Non seulement c'est bon pour l'environnement, mais ça vous permet aussi de faire de l'exercice ! Bref, choisissez une activité qui vous plaît et tentez d'intégrer le sport à votre vie quotidienne. Vous constaterez rapidement la différence. Vous vous sentirez mieux dans votre peau, et je vous assure que vous serez fière de vous !

Sujets connexes : hockey, gym

Suicide

Le suicide chez les jeunes est un phénomène alarmant au Québec. La province présente en effet des statistiques désastreuses et l'un des taux de suicide les plus élevés parmi les nations industrialisées de la planète.

Le suicide est l'une des principales causes de mortalité chez les personnes âgées de 15 à 29 ans au Québec. Les statistiques enregistrées dans les dernières années s'avèrent toutefois encourageantes : « Les données les plus récentes de l'Institut national de santé publique du Québec (INSPQ) indiquent que 1103 personnes se sont enlevé la vie par suicide au Québec en 2008, soit environ 3 suicides par jour. Bien qu'élevé, ce nombre représente une amélioration par rapport aux années antérieures et reflète une diminution moyenne de 4 % par année répertoriée depuis 10 ans. La baisse du taux de suicide la plus marquée est notée chez les jeunes, alors que les adultes de 35 à 40 ans constituent le groupe le plus à risque[1].»

On se doit toutefois de mentionner que le taux de suicide avait notamment connu une hausse importante chez les jeunes âgés entre 15 et 19 ans au cours des dernières décennies. Les adolescents souffrant de troubles mentaux et affectifs, les jeunes autochtones et les jeunes homosexuels sont les plus touchés par le phénomène. Le gouvernement a instauré toutes sortes de programmes dans les écoles et les communautés pour venir en aide aux jeunes en détresse, et pour tenter de contrer ce fléau. Selon Bruno Marchand, directeur général de l'Association québécoise de prévention du suicide (AQPS), la légère baisse du taux de suicide qui a été enregistrée au cours des dernières années est justement liée au pouvoir de la conscientisation.

Lorsqu'un jeune se suicide, il décide de mettre un terme à sa vie, de tout abandonner pour échapper à sa souffrance intérieure et à sa détresse. La plupart du temps, il le fait non pas parce qu'il souhaite mourir, mais parce qu'il veut arrêter de souffrir. Sa détresse et son désespoir sont si grands qu'il n'arrive pas à voir la lumière au bout du tunnel. Les suicides peuvent être reliés à un sentiment de solitude extrême, à une fragilité émotionnelle, à un échec personnel (amoureux, professionnel, scolaire, etc.), à des conflits ou à un sentiment de tristesse très intense.

---

1 Bruno Marchand, directeur général de l'Association québécoise de prévention du suicide (AQPS) dans le journal Le Métro, 1 février 2010.

Il faut par ailleurs distinguer les tentatives de suicide, où les jeunes ne cherchent pas véritablement à mettre fin à leur vie, mais plutôt à envoyer un appel à l'aide à leurs proches. On doit alors intervenir rapidement et les rassurer. Il existe divers moyens de venir en aide aux gens en détresse et, parfois, le simple fait de se sentir aimé et soutenu peut les aider à reprendre le dessus.

Le suicide demeure souvent inexpliqué, ce qui rend le deuil encore plus difficile pour l'entourage. Les parents, amis et camarades de classe sont plongés dans la tristesse et l'incompréhension. Certains sont parfois ravagés par les remords et la culpabilité, puisqu'ils ne peuvent plus rien faire pour intervenir et se sentent complètement impuissants. Ils se reprochent de ne pas avoir vu de signes avant-coureurs. Le suicide d'un proche est un traumatisme important, et il est essentiel d'en parler aux gens de son entourage ou à des professionnels pour ne pas se laisser emporter par la tristesse et le désespoir.

Les causes du suicide sont multiples, et plusieurs cherchent des moyens de le prévenir afin de contrer le fléau au Québec. Certains pensent qu'il faut encourager la présence d'intervenants sociaux ou de professionnels de la santé dans les écoles, ou tout simplement éviter de parler des jeunes qui se suicident dans les médias. Cela peut en effet avoir un effet boule de neige et encourager d'autres jeunes à se suicider.

Si vous vous sentez désespérée ou au bord du précipice, il faut absolument en parler à quelqu'un en qui vous avez confiance, à un psychologue, un médecin ou un intervenant qui pourrait vous aider. L'adolescence est une période de grande fragilité émotionnelle et il est parfois facile de se laisser submerger par les obstacles ou les difficultés qui se dressent

devant vous. Même si votre problème vous semble insurmontable, sachez que vous êtes encore jeune et qu'il existe toujours de meilleures solutions que la mort. Il s'agit seulement d'une étape ou d'un moment difficile à passer, et les choses vont forcément finir par s'arranger. Quel que soit le problème – peine d'amour, conflit familial, blessure personnelle ou échec –, vous devez en parler et chercher une solution qui vous fera grandir et évoluer sans sombrer dans la dépression ni avoir recours au suicide. La vie est belle et elle vaut la peine d'être vécue, et ce, malgré toutes les difficultés et les obstacles qu'on peut rencontrer sur notre route.

Par ailleurs, si vous sentez qu'une amie a des pensées suicidaires ou souffre d'un sentiment de détresse intense, il faut absolument faire quelque chose. Vous pouvez en parler à quelqu'un qui saura vous aider et intervenir avant que la situation ne s'aggrave. Il existe aussi des centres d'appel que vous pouvez joindre en tout temps pour vous confier et demander des conseils.

Numéros utiles en cas de détresse :

Association québécoise de prévention du suicide : 1-866-APPELLE ou
http://www.cpsquebec.ca/ ou
http://www.aqps.info/

Jeunesse J'écoute : 1-800-668-6868

Tel-jeunes : 1-800-263-2266

Suicide action Montréal : 514-723-4000

Sujets connexes : déprime , fugue, amitié

Tabac

LA CIGARETTE, UN FLÉAU DANS NOTRE SOCIÉTÉ

Bien que l'usage du tabac chez les jeunes soit moins populaire qu'il ne l'était il y a quelques années, il n'en demeure pas moins que la cigarette est un fléau dans les écoles secondaires et qu'il faut absolument continuer à sensibiliser les jeunes pour les décourager de fumer ou pour les encourager à arrêter.

Après avoir enregistré une chute de 50 % dans la consommation du tabac entre 1998 et 2006 chez les jeunes âgés de 12 à 17 ans, l'Enquête québécoise sur le tabac, l'alcool, la drogue et le jeu auprès des élèves du secondaire publiée par l'Institut de la statistique du Québec révèle que la consommation du tabac dans ce groupe stagne aux alentours de 15 % depuis 2006. Après une baisse importante du taux de tabagisme, le Québec semble avoir de la difficulté à intervenir auprès des quelque 67 000 jeunes de 12 à 17 ans qui fument encore aujourd'hui[1].

Il faut toutefois mentionner qu'au cours des dernières années, plusieurs mesures ont été prises dans les écoles et auprès des jeunes pour les encourager à « écraser » ou à ne pas commencer à fumer. De plus, la Loi antitabac, entrée en vigueur le 31 mai 2006, interdit maintenant de fumer dans les endroits publics comme les bars, les restaurants, les discothèques, les centres commerciaux et les salles communautaires. Elle interdit aussi aux gens de fumer dans un rayon de neuf mètres d'un établissement de santé et de services sociaux, d'un établissement d'enseignement de niveau postsecondaire et d'un endroit où se déroulent des activités destinées aux personnes mineures. Il est évidemment interdit de fumer sur les terrains des CPE, des garderies, des écoles primaires et des écoles secondaires durant les heures où des jeunes fréquentent ces établissements. De plus, il est formellement interdit aux commerçants de vendre des cigarettes à une personne mineure, sous peine d'amendes majeures (source : Gouvernement du Québec).

Les méfaits de la cigarette

Vous savez évidemment que la cigarette est mauvaise pour la santé. Elle contient de nombreuses substances toxiques et cancérigènes. Le tabac est responsable de plusieurs maladies pulmonaires, cardiaques, coronariennes et vasculaires, et cause près de 13 000 décès par année seulement au Québec (source : Santé et services sociaux du Québec). La cigarette augmente non seulement les risques de cancer du poumon (85 % des cas, jusqu'à 20 fois plus de risques), mais aussi des cancers de la vessie, du col de l'utérus, de l'œsophage, du rein, du larynx, de la bouche, du pharynx, du sang, du pancréas et de l'estomac. (source : Santé et services sociaux du Québec). De plus, la cigarette peut réduire la fertilité, en plus d'entraîner la mort.

---

1   l'Institut de la statistique du Québec, novembre 2009 dans http://www.arrondissement.com

Pourquoi arrêter ?

Si vous êtes une fumeuse, vous devez l'admettre : ce n'est vraiment pas génial de sentir le mégot, de sortir à -30 degrés sous zéro pour fumer, de se détruire les poumons et de dépenser autant d'argent pour des paquets de cigarettes. Ces raisons devraient vous suffire pour décider d'arrêter. Songez qu'en arrêtant, vous respirerez mieux, vous aurez plus de souffle, plus d'énergie et plus d'entrain. Votre peau retrouvera son teint d'antan et vos papilles gustatives vous feront savourer les aliments d'une autre façon. En effet, le tabac nuit beaucoup à l'odorat et au goût et, quand on arrête, on redécouvre l'odeur et la saveur de nos aliments préférés. Songez aussi à ceux qui vous entourent. Bien que la loi vous empêche maintenant de fumer à l'intérieur des endroits publics, la fumée secondaire a tout de même des effets nocifs sur les gens qui vous entourent. Vous avez peut-être décidé de fumer et de prendre des risques avec votre santé, mais ce n'est pas le cas des non-fumeurs autour de vous, alors apprenez à les respecter et à penser à eux lorsque vous allumez votre cigarette.

La meilleure suggestion que je puisse vous faire, c'est de ne pas commencer à fumer. Je sais qu'au secondaire, on commence souvent à cause de la pression des amis, ou simplement de façon « sociale » dans les fêtes ou après l'école. Une bouffée par-ci, une bouffée par-là, et pouf ! on est accro. Dites-vous que les premières fois qu'on fume, c'est loin d'être agréable. On trouve que ça pue, que ça a mauvais goût et on ne comprend pas vraiment le plaisir que les gens éprouvent à fumer des cigarettes. C'est là que vous devez vous prendre en main et décider que le tabac n'est pas pour vous. Songez au goudron et à la nicotine qui auront tôt fait de vous piéger et de vous entraîner dans la dépendance; songez aux centaines de dollars que vous devrez débourser

pour fumer; pensez à tous les vêtements et à toutes les gâteries que vous pourriez vous offrir à la place. Bref, ne faites pas l'erreur de commencer, car je vous assure que vous le regretterez amèrement par la suite.

Qui dit cigarette dit dépendance

Ce n'est pas facile d'arrêter de fumer. Tous les anciens fumeurs vous le diront. Lorsque vous fumez, vous consommez de la nicotine qui libère de la dopamine, au même titre que la cocaïne et l'héroïne. La nicotine est par ailleurs une drogue qui stimule le « système de la récompense » et qui procure une sensation de grande satisfaction. C'est pour cette raison que la dopamine est perçue comme l'hormone du plaisir. L'effet antidépresseur de la cigarette renforce également la dépendance qu'elle crée à la base. L'arrêt de la cigarette provoque donc une grande tristesse chez la plupart des individus. La dépendance à la cigarette est comparable à celle qui peut lier un toxicomane aux drogues dures comme l'héroïne ou la cocaïne. La présence d'additifs dans le tabac contribue également à accroître la dépendance.

J'arrête !

Je sais que ce n'est pas facile, mais il faut absolument arrêter de fumer. Lorsque votre sevrage sera terminé (physiquement, cela ne dure que quelques jours) et que vous aurez terminé la phase de « deuil », je vous assure que vous serez fière de vous et que vous n'aurez plus envie de recommencer. Il existe plein de petits trucs pour arrêter de fumer. Lorsque vous avez envie d'une cigarette, prenez un verre d'eau, mangez des graines de tournesol ou des carottes, mais occupez votre bouche et votre cerveau pour qu'ils cessent de réclamer une cigarette. Si vous fumez beaucoup, je vous conseille par ailleurs de parler à votre médecin pour qu'il vous prescrive des timbres de nicotine qui vous permettront de réduire peu à peu votre consommation. Il existe aussi des gommes et des pastilles pour vous aider à arrêter. Certaines personnes essaient même l'hypnose pour cesser de fumer !

Quoi qu'il en soit, sachez que la plus grande dépendance est maintenant dans votre tête. Il y a un plaisir nocif à fumer. Par habitude, vous associez la cigarette à certaines activités ou à certains moments de la journée. Vous devez vous départir de ces habitudes. La cigarette après le repas, celle en buvant un café et celle que vous fumez en discutant avec des amies doivent disparaître. Récompensez-vous de façon saine : allez magasiner, lisez un bon livre, achetez-vous du maquillage ou faites une activité qui vous plaît et grâce à laquelle vous réalisez les bienfaits du sevrage. Si vous pratiquez un sport, vous constaterez par exemple que vous avez plus de souffle; si vous savourez votre gâteau préféré, vous serez étonnée par la nouvelle puissance de vos papilles gustatives ! Aidez-vous en vous tenant loin des endroits fréquentés par les fumeurs. Si certains de vos proches fument encore, demandez-leur de ne pas fumer en votre présence. Vous les encouragerez peut-être ainsi à arrêter à leur tour ! Il existe aussi toutes sortes d'organismes qui aident et encouragent les jeunes à arrêter de fumer; le simple fait de vous y impliquer vous stimulera peut-être davantage et vous convaincra que vous avez pris la bonne décision. Parlez à des gens qui ont déjà arrêté de fumer et qui ont traversé la même épreuve que vous; vous réaliserez non seulement que

vous n'êtes pas seule, mais vous pourrez aussi constater tous les bienfaits d'une vie sans fumée.

Quand on décide d'arrêter de fumer, notre arme la plus précieuse est la volonté. Vous êtes maîtresse de vos actions et vous devez tenir bon sans faiblir. N'allez surtout pas croire que le simple fait de prendre une bouffée ne vous fera pas retomber ! Songez à tous les efforts que vous avez faits et à tout le chemin parcouru jusqu'ici. Pourquoi tout recommencer à zéro alors que vous vous êtes enfin débarrassée de votre vice ? Plus vite vous arrêterez, plus ce sera facile de vous habituer à votre nouveau mode de vie sans cigarette et de constater tous les avantages que cela vous apporte. Ayez un peu de volonté, et n'hésitez pas à écraser !

Ressources suggérées :

DÉFI J'ARRÊTE, J'Y GAGNE :

http://www.defitabac.qc.ca/defi/fr/index.html

INFO-TABAC, BULLETIN POUR UN QUÉBEC SANS TABAC

http://www.info-tabac.ca/

SITE J'ARRÊTE

http://www.jarrete.qc.ca/

LA LIGNE J'ARRÊTE, SERVICE D'ENTRAIDE OFFERT DU LUNDI AU VENDREDI :

1 888 853-6666

Sujets connexes : sauvons la planète, marijuana

MARQUE VOTRE CORPS DE FAÇON PERMANENTE

Presque toutes les filles passent un jour ou l'autre par une phase où elles veulent absolument un tatouage.

Il s'agit parfois d'une façon de se remémorer à tout jamais une période de notre vie, ou alors d'un désir de marquer notre corps d'une image ou d'un sigle particulier qui représente beaucoup à nos yeux. Pour certaines filles, les tatouages constituent une façon de se démarquer et de s'exprimer tandis que, pour d'autres, c'est une œuvre d'art ou une touche d'esthétisme dont elles veulent orner leur corps. Quoi qu'il en soit, il est important de bien réfléchir avant de vous faire tatouer, car, contrairement au maquillage, ou même aux piercings, cet ornement marquera votre corps de façon permanente.

La peur des aiguilles

Les dessins ou les inscriptions apparaissent sous la peau grâce à l'introduction de substances colorantes effectuée au moyen d'une aiguille. Plusieurs (comme moi) ne songeraient donc jamais à se faire tatouer, car elles ont une peur bleue des aiguilles. Si ce n'est pas votre cas, je vous recommande fortement de choisir un salon de tatouage qui soit extrêmement propre et sanitaire, et de vous assurer bien sûr que l'aiguille utilisée soit neuve afin d'éviter les ris-ques de transmission de maladies. Si, par contre, vous êtes terrorisée juste à l'idée de voir une aiguille mais que vous rêvez d'avoir un tatouage, vous pouvez essayer de contrôler votre phobie en vous faisant accompagner par quelqu'un qui puisse vous rassurer, ou alors opter pour un tatouage non permanent au henné.

Choisir son tatouage

Si vous êtes vraiment convaincue de vouloir un tatouage, prenez bien le temps de choisir l'inscription ou l'image que vous désirez, car vous risquez de la voir durant de longues années. Pour ce faire, vous pouvez visiter des salons de tatouage où des cahiers complets d'images vous sont présentés, ou alors faire des recherches sur Internet pour trouver celle qui vous convient le mieux. Pour ce qui est de l'endroit

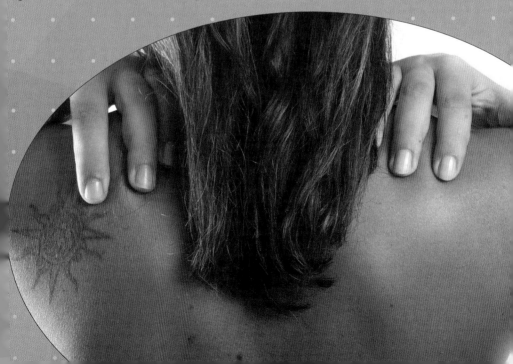

où vous désirez vous faire tatouer, sachez que les parties de votre corps où vous n'avez pas beaucoup de graisse seront évidemment plus sensibles à la douleur. Évitez aussi de choisir une partie du corps qui soit trop visible, car vos futurs employeurs n'apprécieront pas nécessairement l'immense papillon qui orne votre avant-bras. Bien que cela puisse vous sembler superficiel, sachez que les tatouages peuvent être très mal vus dans certaines professions ou dans certains milieux. Par conséquent, tant et aussi longtemps que vous ne savez pas où la vie vous mènera, mieux vaut vous faire tatouer dans un endroit discret qui ne soit pas à la vue de tous. Vous ne devez pas non plus ignorer que les tatouages peuvent parfois avoir l'air un peu vulgaires, alors réfléchissez bien à ce que vous désirez vous mettre sur le corps, et à quel endroit précis vous voulez le faire.

Le consentement des parents

Il se peut fort bien que vos parents refusent de vous donner la permission de vous faire tatouer avant vos 18 ans. Même si la tentation est forte, je vous conseille fortement de ne pas leur désobéir, et plutôt de profiter de ce délai pour bien y penser. Qui sait, vous changerez peut-être d'idée au fil des années, et dites-vous que le motif que vous voudrez vous faire tatouer lorsque vous aurez 18 ans ne sera certainement pas le même que celui que vous vouliez à 14 ans, alors mieux vaut attendre d'être certaine de votre décision.

Ne pas prendre le tatouage à la légère

Je connais personnellement beaucoup de gens qui se sont fait tatouer au cours de l'adolescence et qui le regrettent aujourd'hui. Bien qu'il existe des méthodes pour pâlir ou décolorer les tatouages, sachez que ceux-ci laissent des cicatrices et qu'il s'agit bel et bien d'une inscription permanente que vous imprimez sur votre corps. Je ne dis pas qu'il vaut mieux ne jamais avoir de tatouage si c'est réellement quelque chose dont vous avez envie, mais je vous suggère de bien y réfléchir et de peser le pour et le contre avant de passer à l'action. La mode aura tôt fait de changer, alors il se peut très bien que vous regrettiez de vous être fait tatouer un dessin sur un coup de tête simplement parce que vous l'aviez trouvé joli. Optez plutôt pour une inscription ou pour une image qui a une signification particulière pour vous, et si vous êtes curieuse de savoir de quoi cela aura l'air, commencez par un tatouage non permanent avant de prendre une décision définitive. Notez aussi qu'après un tatouage, vous devrez compter près d'un mois pour la cicatrisation, et vous devrez éviter les contacts avec le soleil et l'eau salée. Bref, réfléchissez bien, mais évitez de prendre une décision que vous risquez de regretter dans quelques années. Mieux vaut attendre un peu et être bien certaine de ce que vous voulez.

Sujets connexes : beauté, piercing, maquillage

PRATICO-PRATIQUE

De nos jours, il est devenu très commun d'avoir un téléphone cellulaire. La plupart des jeunes en possèdent un, et les autres rêvent d'en avoir.

Il est vrai que le cellulaire a un aspect pratique qui est indéniable. Ça permet de pouvoir rejoindre les gens et d'être rejointe en tout temps et d'avoir un moyen de communication sous la main en cas d'urgence. Que faisions-nous en cas de panne d'essence sur l'autoroute avant l'arrivée du cellulaire ? Comment pouvions-nous rapidement avertir les autorités en cas d'accident de la route ? Et sur un plan plus personnel, comment pouvions-nous vivre sans pouvoir appeler notre meilleure amie pour lui parler du chandail vraiment cool qu'on vient juste de voir dans la vitrine ?

Les filles adorent parler au téléphone. C'est une réalité qui va de soi, mais qui coûte très chère ! Bien qu'il existe aujourd'hui diverses compagnies de téléphones cellulaires au Québec qui sont prêtes à vous offrir toutes sortes de forfaits, vous devez quand même rester à l'affût de votre consommation, surtout quand il est temps de discuter d'un garçon en plein milieu de l'après-midi. Pour que ça vous coûte moins cher, je vous conseille de prendre en note vos habitudes téléphoniques pour choisir le forfait qui vous convienne le mieux. Si vous parlez davantage durant le jour, alors ça ne sert à rien de payer pour les soirées illimitées; optez plutôt pour un forfait vous offrant plus de minutes de jour, et moins de minutes en soirée. Si vos parents paient la facture, ils auront tôt fait de vous avertir si vous dépassez les limites !

Le cellulaire conçu pour vous

Les compagnies mettent de plus en plus de cellulaires sur le marché. Vous pouvez maintenant en trouver de toutes les formes et de toutes les couleurs, en plus de choisir toutes les options qui vous plaisent. Vous pouvez par exemple choisir un cellulaire pourvu d'une caméra ou même d'un lecteur MP3. Si vous avez déjà une caméra numérique et un lecteur de musique indépendants, rien de ne sert de payer davantage pour des gadgets dont vous n'avez pas besoin. Je tiens aussi à vous mettre en garde contre les cellulaires « trop » jolis, mais aussi trop délicats pour l'usage que vous en faites. Ils sont souvent plus dispendieux et ne résistent à aucun coup ou aucune intempérie, alors soyez réaliste lors de l'achat de votre cellulaire et soyez honnête quant aux soins que vous lui réservez !

Cellulaire et savoir-vivre

Ces deux concepts ne vont souvent pas de paire, mais si vous décidez d'avoir un cellulaire, il faut absolument apprendre à vous en servir de façon à respecter votre interlocuteur et les gens qui vous entourent. Voici quelques règles de savoir-vivre que vous devez absolument respecter si vous ne vous pas que ça tourne mal :

Si vous êtes en présence d'amis ou de votre famille, ne les abandonnez pas pour parler au téléphone, car c'est franchement un manque de politesse. Imaginez que vous passez la journée à magasiner avec votre meilleure copine, mais que vous êtes incapable d'en profiter parce qu'elle passe tout son temps à parler au téléphone sans vous accorder d'importance. Ne faites pas aux autres ce que vous ne voudriez pas qu'on vous fasse !

Dans le même ordre d'idées, même si vous ne « parlez » pas au téléphone, ne passez pas tout votre temps à envoyer des messages textuels aux autres si vous êtes déjà avec des gens. Profitez plutôt du moment présent. Si vous êtes dans un endroit public, comme l'autobus, la pharmacie, le supermarché ou même la cour d'école, évitez de mettre votre sonnerie au maximum pour ne pas déranger les gens autour de vous, et ne parlez pas trop fort, car les personnes qui vous entourent ne tiennent pas nécessairement à connaître votre vie et ne recherchent peut-être qu'un peu de tranquillité.

Fermez toujours votre cellulaire lorsque vous êtes en classe (sinon je vous assure qu'on finira par vous le confisquer), au cinéma ou dans un auditoire. Il n'y a rien de plus embêtant que de se faire interrompre par une sonnerie de cellulaire. Bien que vous puissiez maintenant rejoindre vos copines en tout temps, sachez qu'à certains moments, le sentiment n'est peut-être pas réciproque. Par exemple, si vous décidez de prendre un bain et de lire une revue pour relaxer, si vous êtes avec votre petit-ami ou si vous devez absolument vous concentrer pour étudier, vous n'avez peut-être pas envie qu'on vous dérange en vous appelant sur le cellulaire, alors pensez aussi aux autres.

Il y a des heures décentes pour appeler les gens, tout dépendant de la journée et des habitudes de vie de chacun, mais de façon générale, évitez d'appeler après 22h30 ou avant 9h le matin. S'il y vraiment une urgence, envoyez un message texte pour savoir si vous pouvez appeler.

Au Québec, il est maintenant interdit de parler au téléphone cellulaire lorsque vous conduisez. Si vous ne voulez pas vous faire déranger, fermez votre cellulaire et rouvrez-le lorsque vous en aurez envie. Vous pouvez aussi choisir l'op-

tion de sonnerie par vibration pour ne pas déranger les autres.

Pour de plus amples informations, voici les sites Web des principales compagnies de téléphones cellulaires au Québec. Vous pourrez y trouver des renseignements sur les forfaits et les modèles de téléphones offerts pour chaque compagnie.

Fido : www.fido.ca
Bell-mobilité : www.bell.ca
Telus : www.telusmobilite.com
Rogers : http://www.rogers.com

Sujets connexes : Internet

UNE EXPLOSION DU PHÉNOMÈNE

Un spectacle pas si réel...

L'idée consiste à filmer en temps réel des événements tirés de la réalité et de les faire passer au petit écran. En d'autres mots, on suit la vie quotidienne de « vraies » personnes, anonymes ou célèbres, et on assiste aux événements marquants de leur vie.

Afin que les émissions de téléréalité obtiennent autant de succès, les producteurs s'inspirent la plupart du temps de situations de la vie réelle, ou de problèmes auxquels font face la plupart des individus au cours de leur vie. Ceux-ci peuvent donc sans peine s'identifier aux protagonistes et se reconnaître dans ce qu'ils vivent. Les émissions de téléréalité auront ainsi souvent trait au travail, à l'amour, à l'amitié, à la colocation, aux rêves, aux parents, à la décoration, etc. Le quotidien devient donc un sujet d'art, c'est-à-dire que toute l'importance est donnée aux banalités de la vie.

Il ne faut toutefois pas se laisser duper par la téléréalité. En effet, plusieurs ont souligné le fait que, puisque les émissions ne diffusent que les moments les plus intenses et les plus intéressants d'une journée, il ne s'agit pas réellement de banalités. De plus, il va sans dire que, puisque les gens qui participent à une émission de téléréalité reçoivent des consignes et souhaitent remporter un prix, devenir plus populaires ou faire augmenter les cotes d'écoute, leurs actes et leurs réactions ne sont pas aussi spontanés qu'on pourrait le croire au départ. Lorsqu'on regarde une émission de téléréalité, on se rend vite compte qu'il existe tout de même une mise en scène ou une ligne directrice que les participants doivent ou veulent suivre de façon à respecter les règles ou à gagner la faveur du public. Ce n'est pas comme si une caméra atterrissait dans votre salon pour filmer vos moindres gestes. Il s'agit souvent d'un jeu, et les participants, bien que réels, se battent pour gagner la compétition ou remporter un prix.

Il existe différents types d'émissions de téléréalité. Dans certains cas, les participants se font peu à peu évincer par les autres joueurs ou par

le public en fonction de leur prestation ou simplement de leur popularité, et ils concourent pour remporter un prix (Loft Story, Occupation double, etc.), alors que d'autres émissions sont conçues pour cibler le concurrent qui a le plus de talent et qui pourra décrocher un contrat de danse ou enregistrer un album (Star Académie, Canadian Idol, American Idol, So You Think You Can Dance, Canada's Next Top Model, etc.). Il y a aussi des émissions de téléréalité qui donnent aux concurrents la possibilité de trouver l'amour (The Bachelor), de vivre une aventure (Survivor), de redécorer leur maison, de vivre dans un autre milieu social durant quelque temps, etc.

Il est important de souligner l'aspect de voyeurisme qui accompagne la téléréalité. En effet, les spectateurs observent la vie quotidienne et les moments intimes et « réels » vécus par les participants. On est rivé à notre écran, et on les observe dans leur vie quotidienne. Les participants, par ailleurs, sont tout à fait conscients du fait qu'ils sont filmés et regardés. C'est pour cette raison que les aspects de « réalité » et de « spontanéité » sont mis en doute ; les participants jouent le jeu et font ce qu'il faut pour attirer l'attention vers eux afin de remporter la partie ou de gagner un prix.

Malgré tout, la téléréalité est très populaire dans notre société, et plusieurs apprécient ces émissions. Ce dont il faut se rappeler, c'est qu'il s'agit avant tout d'un jeu. On ne doit pas se laisser berner par les événements soi-disant « réels » qui surviennent au petit écran. Il faut plutôt prendre tout cela avec un grain de sel et éviter de juger inutilement les participants qui ont accepté volontairement de jouer le jeu. Après tout, vous êtes la première à les regarder, alors ne jugez pas trop vite !

♥ Sujets connexes : media, potins

QUAND ON ÉPROUVE UNE GÊNE INCONTRÔLABLE

Quand on est timide, on éprouve une gêne incontrôlable lorsqu'on doit parler en public. On n'est pas à l'aise en présence de gens qu'on connaît moins, et on ne sait pas trop comment agir quand on se retrouve sur la sellette.

On peut être timide parce qu'on a peur du ridicule ou du jugement des autres, ou alors parce qu'on manque de confiance en soi. Certaines personnes sont aussi plus réservées et timides de nature, ce qui les pousse à être plus discrètes lorsqu'elles se retrouvent en groupe.

Physiquement, quand on éprouve de la timidité, on sent que notre visage s'enflamme, que nos mains deviennent moites. On peut aussi avoir des sueurs froides, ou se mettre à trembler ou à bégayer sans pouvoir se maîtriser. Au secondaire, les exposés oraux ont souvent tendance à nous mettre dans tous nos états. On est si nerveuse de se retrouver devant une foule et de sentir tous les regards rivés sur nous qu'on en oublie parfois ce qu'on doit dire. Tout devient flou et on a des trous de mémoire. Pour vaincre cette intense timidité qui vous afflige, lorsque vous vous retrouvez devant un groupe, efforcez-vous de faire face à vos camarades de classe en les balayant du regard plutôt qu'en les fixant droit dans les yeux. Gardez vos notes près de vous, mais ne passez pas tout l'exposé à lire ce que vous avez écrit sans lever les yeux. Les soutiens visuels tels que les acétates ou les présentations informatiques (PowerPoint) peuvent ici se révéler très utiles, car ils vous permettront non seulement de détourner le regard des autres vers votre présentation, mais, en plus, d'avoir l'air plus détendue, de vous assurer de ne rien oublier et de rendre votre présentation plus intéressante. Si votre exposé porte sur un sujet qui vous passionne, essayez de vous laisser aller et de transmettre cet enthousiasme aux autres. Dites-vous que vous n'avez rien à perdre en partageant votre passion et en expliquant en quoi elle consiste. Pensez aussi à avoir une bouteille d'eau sous la main au cas où vous auriez la gorge sèche, et à prendre une grande respiration avant de commencer pour vous calmer un peu. Quoi qu'il arrive, dites-vous que tout le monde doit passer par là et que même s'il s'agit d'un dur moment, votre timidité s'atténuera d'une fois à l'autre.

Sachez également que tout le monde vit des moments de grande timidité de temps à autre. Certaines personnes nous intimident plus que d'autres, que ce soit un garçon qui nous plaît, une fille qu'on redoute ou quelqu'un qu'on admire beaucoup. On peut aussi se retrouver dans une situation gênante où on a terriblement honte et où on devient toute rouge. Il faut par ailleurs apprendre à surmonter ces moments de gêne et à ne pas être trop dure envers soi-même. Je crois qu'il nous est arrivé à toutes de trébucher sans raison. C'est encore plus gênant quand nos amis ne sont pas là pour nous redonner un peu d'aplomb et quand on fait une chute devant des dizaines d'inconnus, mais mieux vaut se relever avec grâce et détermination et rire de soi-même que de se mettre à pleurer. Dites-vous que cela arrive à tout le monde.

Si toutefois vous avez de la difficulté à vaincre votre timidité et que vous sentez que cela vous complique la vie et que cela vous nuit la plupart du temps, la meilleure chose à faire, c'est d'affronter vos peurs et de prendre le taureau par les cornes. Vous pouvez vous inscrire à un cours de thé-âtre ou d'improvisation qui vous encourage et vous force à parler en public, ou alors à un atelier ou à une activité qui vous passionne et qui vous pousse à sortir de votre coquille. Beaucoup de gens connus sont de grands timides, et ils ont dû apprendre à maîtriser leur nervosité et à devenir plus confiants, alors dites-vous qu'avec un peu de détermination, vous pouvez vous améliorer et apprendre à vous exprimer davantage sans avoir peur du ridicule. Rappelez-vous : qui ne risque rien n'a rien. Ne soyez toutefois pas trop intransigeante envers vous-même. Il n'est pas mauvais d'avoir une certaine gêne et, parfois, mieux vaut être timide et dire des choses pertinentes que de proférer des stupidités et de crier des bêtises à tue-tête. De plus, vous constaterez peut-être que votre timidité vous donne un attrait mystérieux dont les garçons raffolent ! L'important, c'est qu'elle ne vous empêche pas de progresser et de fonctionner dans votre vie quotidienne. Si c'est le cas, il faut essayer de faire face à vos peurs et de ne plus craindre le regard des autres. Pour le reste, il suffit de vous accepter telle que vous êtes et d'apprendre à travailler sur vos faiblesses et à contrôler votre timidité.

Sujets connexes : confiance, secret

APPRENDRE À COHABITER

Lorsqu'on vit en société, qu'on fréquente un établissement scolaire et qu'on habite avec sa famille, on apprend à être tolérante. En effet, il en revient à vous d'accepter les différences et les habitudes de vie des autres afin de vivre en communion avec eux.

Quand on est tolérante, on admet que les gens ont droit à leur propre opinion et à leurs propres valeurs. Par exemple, vous ne pouvez pas vous insurger chaque fois qu'un camarade ne partage pas votre opinion. Vous serez confrontée aux différences tout au long de votre vie, alors mieux vaut vous habituer à la tolérance et accepter les autres tels qu'ils sont. Dites-vous qu'ils font la même chose pour vous. Par exemple, si votre amie raffole de la mayonnaise mais que l'odeur vous lève le cœur, ça ne signifie pas qu'elle soit folle pour autant. Elle a le droit de manger ce qui lui plaît et d'avoir ses propres goûts, au même titre qu'elle ne vous jugera pas si vous aimez les olives alors qu'elle y est allergique.

Cet exemple peut sembler anodin, mais la tolérance commence dans les petits gestes de la sorte. La cohabitation avec votre famille est un autre moyen d'exercer votre tolérance. Vos parents n'ont peut-être pas les mêmes goûts musicaux que vous, mais ils ont droit à leur opinion et ils peuvent écouter la musique qu'ils désirent, au même titre qu'ils doivent respecter votre penchant pour le hip-hop.

La tolérance prend aussi toute son importance lorsqu'il est question des différences culturelles. Ce n'est pas parce que quelqu'un n'a pas les mêmes valeurs religieuses, les mêmes traditions ou les mêmes habitudes vestimentaires que vous qu'il vous est permis de le juger. Vous êtes telle que vous êtes, et vous n'aimez pas que les gens vous dictent votre conduite et vous imposent leur façon de penser, alors vous devez agir de la même façon avec ceux qui vous entourent. Vous devez vous ouvrir aux autres et apprendre à respecter leur individualité et leur liberté d'expression, au même titre qu'ils doivent respecter la vôtre. C'est ainsi qu'on apprend à vivre en société, dans le respect des autres et des différences.

La tolérance ne veut toutefois pas dire que vous deviez vous soumettre aux autres sans exprimer votre opinion. Il y a une différence entre la tolérance et la résignation. Tout en respectant les opinions des autres, rien ne vous empêche de faire valoir votre point de vue et d'exprimer vos émotions. Il est même normal et sain de se montrer intolérante lorsqu'il y a injustice et irrespect. Il est bon de se révolter contre les actions qui sont contraires à nos valeurs ou à la bienséance. Si vous voyez un

respect, que vous apprendrez à défendre vos valeurs, vos convictions profondes et que vous vous épanouirez en tant qu'individu. Il est extrêmement important de respecter les autres et d'être tolérante en présence d'opinions divergentes, mais cela ne veut pas dire que vous deviez vous montrer déloyale envers vous-même et envers vos propres valeurs.

La tolérance est une question d'équilibre. Vous devez apprendre à écouter les autres, à vous informer et à vous ouvrir aux différences de culture, d'opinion, de valeurs et de traditions, mais vous devez aussi être capable de faire valoir votre point de vue aux autres dans le respect et l'écoute. Ne soyez pas trop dure envers les autres et ne jugez pas les gens en fonction de leurs différences. Encouragez plutôt les discussions amicales qui vous pousseront à voir au-delà de vos propres croyances tout en vous apprenant à défendre vos positions et à vous faire respecter des autres. Il n'y a rien de tel qu'un débat entre amis pour soulever des points de vue pertinents et pour vous ouvrir aux différences. Il ne vous reste plus qu'à vous exprimer dans le respect et la tolérance !

 Sujets connexes : accomodement raisonable, religion, respect

homme uriner dans la rue, il est tout à fait normal que vous soyez choquée. Vous n'avez pas à tolérer les gens qui ne respectent ni les autres ni les règles de la société. Il est tout aussi normal de déplorer certaines injustices, comme la pauvreté et la violence, et de défendre ses opinions. Vous devez toutefois respecter les opinions et les choix des autres. En d'autres mots, il n'est pas mauvais de soulever des débats pacifiques sur un thème qui vous tient à cœur ; les hommes politiques le font chaque fois qu'ils se retrouvent face à face et qu'ils tentent de faire valoir leur opinion. Tout le monde est différent et tout le monde a droit à ses opinions, et il n'y a rien de mal à en discuter dans le calme et à faire valoir son point de vue en écoutant celui des autres. C'est ainsi que vous imposerez le

Évidemment, qui dit école dit travaux scolaires. Mais détrompez-vous tout de suite : les devoirs, ce n'est pas toujours aussi casse-pieds qu'on le croit.

En effet, il est normal d'avoir plus de facilité dans certaines matières, et les travaux exigés nous paraissent alors très faciles. Malheureusement, ce n'est pas le cas avec les cours dans lesquels on traîne davantage de la patte, mais dites-vous que les devoirs vous aident à faire le point sur vos connaissances et à déterminer vos forces et vos faiblesses. C'est ce qui vous permet d'apprendre des tas de choses même si, sur le coup, on se dit toutes qu'il ne sert à rien de savoir comment factoriser des nombres ou comment s'est déroulée la guerre de Troie. Sachez que les apprentissages que vous faites vous seront vraiment utiles un jour ou l'autre et qu'en plus, les travaux vous permettent de mieux vous préparer pour les examens et vous évitent de vous arracher les cheveux à la dernière minute !

Question de méthode

Chaque fille doit établir le rythme qui lui convient le mieux : certaines préfèrent se débarrasser de leurs devoirs tout de suite après les cours pour avoir du temps libre dans la soirée, tandis que d'autres ressentent le besoin de se changer les idées et de se détendre avant de s'y remettre de plus belle. C'est vraiment une question d'équilibre, et il faut trouver la méthode qui est la plus efficace pour vous. Je vous déconseille évidemment de laisser les travaux s'accumuler sur votre bureau jusqu'à ce que vous vous sentiez complètement débordée. Dites-vous qu'à un moment donné, vous devrez inévitablement rendre les travaux qui sont exigés, alors aussi bien commencer tout de suite et les faire au fur à mesure. Évitez également d'attendre la dernière minute. Je sais que certaines croient qu'elles sont plus efficaces sous la pression, mais, en vérité, on travaille moins bien, la plupart du temps, quand on est stressée et qu'on manque de temps. Apprenez donc à gérer votre temps et vos travaux, et à les répartir de façon équilibrée et réaliste. Vous

pouvez par exemple choisir de consacrer deux heures tous les soirs à vos travaux, ou alors une soirée pour chaque matière. Cer-taines filles sont capables de travailler durant des heures sans prendre de pause, alors que d'autres ont besoin de se détendre un peu après une pé-riode intense d'étude. Choisissez la méthode la plus efficace pour vous et organisez bien votre emploi du temps de façon à vous laisser un peu de temps libre pour relaxer.

C'est aussi à vous de déterminer l'ambiance qui vous plaît le plus pour étudier. Certaines ont besoin de silence absolu, alors que d'autres travaillent très bien avec de la musique ou lorsqu'elles sont entourées de gens. Si vous croyez que le fait d'étudier avec une copine améliore votre rendement, alors n'hésitez pas à organiser des séances d'étude en groupe, mais si vous savez pertinemment que vous ne serez pas capable de vous concentrer et que vous risquez de perdre votre temps et de bavarder pendant des heures plutôt que de faire vos tra-vaux, alors mieux vaut vous isoler pour étudier et rejoindre vos amies quand vous aurez termi-né. Il se peut aussi que vos parents exigent que

vous ayez terminé vos devoirs avant de faire une activité. Bien que cela vous casse les pieds, apprenez à respecter cette règle qui vous for-cera à vous concentrer et à vous appliquer pour terminer vos travaux le plus rapidement et le plus efficacement possible.

Aussi, si vous éprouvez de la difficulté dans une matière, n'hésitez surtout pas à demander de l'aide à des gens qualifiés, que ce soit vos parents, vos amis, un professeur ou un tuteur. Lorsque vient le temps d'étudier, choisissez la technique qui vous plaît le plus. Certaines filles sont plus visuelles qu'auditives, et le simple fait de relire leurs notes ou de faire des résumés les aide à étudier. D'autres préfèrent se faire poser des questions oralement, ou même s'enregis-trer pour étudier. Sachez donc que les travaux font partie de la vie et du cheminement sco-laires, et qu'il n'y a aucune façon de s'y sous-traire. Même si cela vous embête, les devoirs et les examens vous encouragent aussi à vous surpasser et à donner le meilleur de vous-mê-me. Soyez honnête : ne vous sentez-vous pas extrêmement fière lorsque vous obtenez une bonne note et qu'elle est bien méritée ? Je sais que cela demande de la détermination et que, parfois, vous ne demanderiez pas mieux que d'être une adulte et d'en avoir terminé avec ces travaux scolaires, mais dites-vous que vous de-vrez récolter le fruit de vos efforts tout au long de votre vie, alors aussi bien vous y habituer tout de suite et apprendre à vous surpasser. Les résultats en valent grandement la peine !

Sujets connexes : Échec scolaire, secondaire, CEGEP

IMPORTANCE ACCORDÉ À CERTAINES CHOSES OU PRINCIPES

Les valeurs peuvent être définies comme des qualités morales et intellectuelles chez un individu.

(source : Multidictionnaire de la langue française)

En d'autres mots, il s'agit de l'importance que vous accordez à certaines choses ou à certains principes qui vous aideront à vous définir et à vous guider dans la vie. En effet, les valeurs qui vous influencent le plus et qui vous orientent le mieux vous permettent de distinguer le bien du mal et d'agir en restant honnête envers vous-même. Par exemple, si la fidélité est une qualité morale extrêmement importante à vos yeux, elle définira non seulement qui vous êtes, mais elle influencera aussi vos actions et les relations que vous entretiendrez tout au long de votre vie.

Il est facile de déterminer ce qui distingue le bien du mal. Par exemple, il est évident que le fait de prôner des valeurs telles que la paix, la tolérance, l'égalité, la liberté et la justice vous aidera à vous orienter vers le bonheur et le bien-être, tandis que la violence, l'injustice, la corruption et la malhonnêteté vous entraîneront vers le mal. Toutefois, chacune est libre d'établir sa propre hiérarchie et de constituer sa propre échelle pour déterminer quelles valeurs s'avèrent les plus importantes à ses yeux. Cela dépend parfois des valeurs familiales qui nous ont été inculquées, de la société dans laquelle nous vivons, des gens que nous fréquentons ou simplement de notre personnalité et des causes qui nous tiennent personnellement à cœur. Si vous êtes quelqu'un qui se révolte devant les injustices, il est clair que vous mettrez l'égalité, la justice et l'honnêteté au sommet de votre échelle de valeurs. Pour d'autres, il peut s'agir de la liberté de chacun d'agir à sa guise et de rechercher son propre bonheur, ou encore la paix dans le monde et la justice sociale.

Les valeurs sont donc des critères moraux qui vous aident à faire des choix et à avancer dans

la vie. Ce sont non seulement des qualités qui influenceront vos actions, mais aussi des barèmes qui vous aideront à atteindre vos objectifs, et à vous comporter de façon à demeurer fidèle à vous-même et à vos convictions. Sans être trop bornée, il est important d'évoluer en fonction des valeurs que vous prônez et qui vous tiennent à cœur. Apprenez toutefois à éviter de vous fermer aux autres en prétextant que vous détenez la vérité absolue. Ce n'est pas parce qu'une valeur vous semble particulièrement importante et que vous êtes prête à la défendre bec et ongles que vous devez vous montrer butée devant les différences d'opinions. De plus, il est tout à fait normal que votre hiérarchie de valeurs change quelque peu au fil du temps. L'expé-rience et la maturité que vous allez acquérir et les erreurs que vous allez commettre vous influenceront tout au long de votre vie et vous feront évoluer sans cesse. Il y a des valeurs auxquelles vous accordez beaucoup d'importance à 16 ans, mais qui n'occuperont pas autant de place lorsque vous serez devenue adulte.

L'important, c'est donc d'être fidèle à vous-même et de demeurer à l'écoute des valeurs qui vous guident et influencent le plus vos actions. Ce sont elles qui vous distinguent de la masse et qui vous rendent unique, alors il est crucial de les respecter. Ce faisant, vous devez toutefois être ouverte aux autres et écouter ce qu'ils ont à dire, car leurs valeurs revêtent tout autant d'importance à leurs yeux que les vôtres. tre fidèle à soi-même signifie que vous devez être à l'écoute des qualités morales qui vous tiennent à cœur, et que vous devez vous faire respecter et vous épanouir tout en vous ouvrant aux autres et en les respectant à votre tour !

💜 Sujets connexes : accomodement raisonable, égalité, justice, tolérance

Le végétarisme est une pratique alimentaire qui exclut toute chair animale, comme la viande rouge, la volaille, le poisson et les fruits de mer.

Collaboration spéciale de Sophie Gaillard

Pour sa part, en plus d'exclure la chair animale, un régime végétalien (aussi appelé végétarien strict) rejette aussi les autres aliments d'origine animale, par exemple les œufs, les produits laitiers et le miel. Le véganisme (du terme anglo-saxon veganism), quant à lui, ne se limite pas à l'alimentation. Il s'agit d'un mode de vie qui étend le refus de consommer les produits d'origine animale aux autres facettes du quotidien. Les végans sont végétaliens, mais évitent également la laine, le cuir, la fourrure, la cire d'abeille, ainsi que les produits cosmétiques et domestiques qui contiennent des substances d'origine animale ou qui ont été testés sur les animaux.

Pourquoi être végétarienne/végétalienne?

Le régime végétarien/végétalien est de plus en plus populaire depuis quelques années dans les pays occidentaux, particulièrement chez les jeunes. Les raisons qui motivent ce choix sont diverses et dépendent de la sensibilité et des valeurs de chacun.

Pour les animaux

Grâce à la grande diversité de produits alternatifs qui sont disponibles dans nos épiceries, la consommation de viande et d'autres produits d'origine animale n'est plus une nécessité pour la plupart des Qué-bécois et Québécoises. Cependant, la majorité d'entre nous continuons à manger ces aliments par tradition, par habitude ou par plaisir. Mais ces raisons sont-elles suffisantes pour justifier la souffrance et la mort des animaux impliqués? En effet, la ferme moderne n'a rien à voir avec l'image idyllique que la plupart des gens s'en font : vaches broutant dans de vertes prairies, cochons s'ébattant joyeusement dans des mares de boue et poules se promenant en liberté dans la basse-cour. De nos jours, la viande, le lait et les œufs proviennent généralement de fermes industrielles, qui élèvent les animaux en grand nombre, avec pour but principal de faire le plus de profit possible. Par conséquent, le bien-être des animaux est souvent négligé. Ceux-ci passent leur vie entière entassés dans de petites cages, privés de contact avec leurs congénères, se font couper la queue ou le bout du bec sans anesthésie et ne voient la lumière du jour qu'au moment où ils sont chargés dans des camions pour être conduits à l'abattoir. Cha-que année, au Canada, des centaines de millions d'animaux sont élevés dans de telles conditions avant d'aboutir dans nos assiettes, ce qui incite de nombreuses personnes à devenir végétariennes. Ce n'est cependant pas seulement la production de viande, mais la production de tout produit d'origine animale qui implique de la souffrance pour les animaux. Dans le cas de la production des œufs, par exemple, les poules pondeuses sont élevées et entassées dans des cages en batterie, et dans celui de la production du lait (et de tous les produits dérivés du lait), les veaux sont séparés de leur mère dès la naissance et isolés ; le lait qui leur est naturellement destiné est alors tiré et distribué pour satisfaire la demande humaine. Certains considèrent donc que, si c'est la compassion envers les animaux qui nous motive à changer nos habitudes alimentaires, un régime végétalien et un mode de vie végan s'imposent également.

Pour la planète

La production de viande et de produits d'origine animale consomme énormément de ressources naturelles et d'énergie. Alors qu'il faut 100 000 litres d'eau pour produire 1 kg de viande de bœuf, 1 000 à 2 000 litres suffisent pour produire 1 kg de blé, de riz ou de soya. *(source en anglais):www.ajcn.org/cgi/con-tent/full/78/3/660S)*

L'élevage nécessite également des grandes étendues de terre afin de cultiver les céréales qui servent à nourrir les animaux. Ceci entraîne la déforestation de terres non développées et le « gaspillage » de terres agricoles qui pourraient être utilisées pour nourrir directement les humains. L'élevage requiert une consommation importante d'énergie fossile et produit de grandes quantités de fumier, ce qui résulte en l'émission de gaz à effet de serre. Ainsi, l'Organisation des nations unies pour l'alimentation et l'agriculture (FAO) rapporte que l'élevage d'animaux pour l'alimentation est responsable de 18% des émissions totales de gaz à effet de serre, soit plus que l'ensemble des véhicules circulant sur la planète (automobiles, camions, avions, etc.). Selon une récente étude scientifique, la production d'un kilo de viande de bœuf émet plus de gaz à effet de serre et de pollution qu'une voiture que vous conduiriez pendant 250 kilomètres en laissant toutes les lumières allumées chez vous! *(Source : http://environ-ment.newscientist.com/article/mg19526134.500-meat-is-murder-on-the-environment.html)*

Pour la santé

L'Association américaine de diététique et l'association des Diététistes du Canada considèrent que le régime végétarien est efficace pour la prévention de nombreux problèmes de santé. En effet, les statistiques démontrent que les végétariens/végétaliens courent moins de risques de développer de nombreuses maladies, telles que les maladies cardio-vasculaires, le diabète, l'hypertension, l'obésité, l'ostéoporose, l'arthritisme et certains cancers.

Par solidarité

Certaine personnes choisissent d'adhérer à un régime végétarien/végétalien par solidarité envers les peuples du tiers-monde. La production de viande, de lait et d'œufs demande une quantité importante de céréales, car les animaux d'élevage doivent absorber sept calories végétales pour fournir une seule calorie animale. En effet, plus du tiers des céréales produites dans le monde sert à nourrir les animaux d'élevage alors qu'elles pourraient être utilisées pour nourrir les populations qui les cultivent.

L'ALIMENTATION VÉGÉTARIENNE/ VÉGÉTALIENNE
Comment faire la transition vers un régime végétarien/végétalien?

Il est aujourd'hui plus facile que jamais d'adopter un régime qui limite ou exclut complètement les produits d'origine animale. En effet, des produits de remplacement, tels que le lait de soya, la fausse viande hachée, le yogourt de soya et les saucisses de tofu, sont disponibles dans la grande majorité des épiceries. Ces produits peuvent remplacer la viande, les œufs et les produits laitiers dans les plats que vous avez déjà l'habitude de manger. Si vous éprouvez de la difficulté à trouver des produits de remplacement à votre épicerie, faites un tour au magasin d'aliments naturels ; vous y trouverez une grande variété de produits spécialisés. Essayez aussi les mets végétariens/végétaliens d'autres pays, comme par exemple l'houmous (une trempette faite à base de pois chiches) et le curry aux légumes indien ou thaï. Lancez-vous dans la cuisine : d'innombrables recettes végétariennes/végétaliennes sont disponibles sur Internet, et vous découvrirez un monde de nouvelles saveurs. Quand on a l'habitude de manger de la viande et des produits animaux, il peut être difficile d'imaginer comment on pourrait s'en priver. La manière la plus simple est sans doute d'y aller graduellement, en commençant par un repas végétarien/végétalien par jour, par exemple.

Est-ce dangereux pour la santé?

Comme le soutient l'association des Diététistes du Canada, les régimes végétariens/végétaliens sont en mesure de répondre à tous nos besoins nutritionnels. Cependant, comme tous les régimes, l'alimentation végétarienne/végétalienne doit être équilibrée et inclure une variété d'aliments. Contrairement à ce que beaucoup de gens pensent, les végétariennes et végétaliennes qui se nourrissent de manière équilibrée et variée ne risquent pas de manquer de protéines, de fer, de calcium, ni d'acides gras oméga-3, car tous ces nutriments se retrouvent en quantités suffisantes dans les végétaux. Les protéines sont présentes en grandes quantités dans les légumineuses (soya, haricots, fèves, lentilles, pois chiches), les céréales à grains entiers (pain de blé entier, riz brun), les noix (amandes, noix de Grenoble, arachides) et les graines (de tournesol, de citrouille, de sésame). Le soya, qui est à la base du tofu et de la plupart des produits de remplacement, est une très bonne source de protéines. D'ailleurs, l'association des Diététistes du Canada précise que la protéine de soya peut couvrir nos besoins en protéines aussi efficacement que la viande. Les légumineuses, les légumes vert foncé (brocoli, épinards), les céréales à grains entiers, les graines et les fruits secs sont d'excellentes sources de fer. Le calcium, quant à lui, se retrouve dans les amandes, les graines de sésame, les légumes de la famille des choux (chou vert, brocoli), certaines marques de tofu et les boissons enrichies (lait de soya, jus d'orange). Enfin, les graines de lin, les noix, les algues et l'huile de Canola constituent d'excellentes sources d'acides gras oméga-3. Il faut cependant porter une attention particulière à la vitamine B12, qui est plutôt rare chez les végétaux, mais qui peut être puisée dans des boissons enrichies ou dans des suppléments.

Ressources utiles

Informations générales sur le végétarisme/végétalisme :
www.goveg.com (anglais)
www.vegetarisme.info (France)
www.vegetarisme.fr (France)
www.petafrance.com/vegkit/default.asp (France)
www.vegemontreal.org

(Association végétarienne de Montréal)
www.veganquebec.net

(site québécois consacré au végétalisme)
www.ass-ahimsa.net/vegetarisme.html (Québec)
www.eco-bio.info/main3.html
(sélectionnez « Guide végétarien et végétalien » pour télécharger gratuitement un livre sur le végétarisme et le végétalisme)

www.gan.ca/accueil.fr.html
(site internet de Réseau action globale, association pour le droit des animaux basée à Montréal)

www.abolitionistappro-ach.com/fr
(site d'un professeur américain sur les arguments éthiques liés au véganisme, traduit en français)

♥ Sujet connexe : valeurs

Violence

Il existe diverses formes de violence : la violence physique, verbale, psychologique. De plus, on la retrouve partout : à l'école, à la télé, au centre des conflits et des guerres, dans les disputes entre amis ou entre conjoints, etc. La violence frappe parfois sans prévenir, et il est parfois fort difficile de la dominer.

C'est notamment le cas lorsque des catastrophes naturelles s'abattent sur une région donnée, comme les tremblements de terre, les ouragans et les tsunamis, lorsqu'une maladie se propage dans un pays et fait de nombreuses victimes, lorsqu'une région est accablée par la famine, lorsqu'une société entière est menacée par le cancer. Bref, la violence fait partie de notre vie quotidienne, et le moins qu'on puisse faire, c'est d'essayer de l'éviter lorsqu'on en a la possibilité. Cela requiert beaucoup d'efforts et de maîtrise de soi, mais il va sans dire que cela peut avoir un impact très positif sur notre quotidien et sur la société dans laquelle nous vivons.

Depuis plusieurs années déjà, nombreux sont ceux qui déplorent la violence à la télé, dans les jeux vidéo ainsi que dans les sports professionnels. Cette omniprésence de la violence en vient à la rendre banale et incite parfois les jeunes à y avoir recours inutilement. Je sais qu'il peut être troublant, voire choquant de constater toute la place qu'occupe la violence autour de nous, et il n'est pas mauvais de s'insurger contre l'injustice, contre les conflits armés, contre les guerres et contre les mauvais traitements infligés aux femmes et aux enfants. Mais il existe aussi de petits gestes concrets que vous pouvez faire et qui peuvent aider à désamorcer la violence, du moins autour de vous.

D'abord, sachez que, même si vous êtes en colère, le fait de crier des bêtises, de frapper les gens ou de proférer des menaces ne vous avancera à rien. Au contraire, vous risquez alors de vous sentir encore plus impuissante. Par la suite, vous devrez probablement faire face aux conséquences de vos actes de violence et vous n'aurez même pas réglé votre problème.

Optez pour la communication et les compromis plutôt que pour la violence physique et verbale. Lorsqu'une situation vous semble in-

juste ou révoltante, il faut la dénoncer avec des mots choisis ou avec des actions raisonnables, mais pas avec les cris et les poings. Même si vous sentez que vous n'avez pas été respectée ou que quelqu'un a abusé de votre confiance, il faut agir avec maturité et tenter de régler la situation de façon responsable sans vous laisser prendre au jeu de la violence. Vous ne vous en sentirez que mieux par la suite. Il faut prôner la maîtrise de soi, les entretiens pacifiques et la communication pour régler les problèmes. Avoir recours à l'abus, au chantage, à la corruption et à la violence ne fait que nous plonger davantage dans de sombres sentiments et nous entraîne inévitablement dans un cercle vicieux extrêmement malsain.

Facile à dire…

Bien que la violence soit parfois ancrée en nous et qu'elle surgisse sans qu'on puisse la gouverner, il en revient tout de même à chacune de nous de faire un effort pour surmonter ses instincts violents afin de parvenir à discuter de ce qui nous bouleverse et nous ébranle. Quand vous êtes en colère et que vous avez envie de défoncer les murs, profitez-en plutôt pour décharger votre fiel sur papier et pour exprimer tout ce qui vous passe par la tête. Prenez également le temps de vous calmer et de réfléchir avant d'agir sous le coup de l'émotion. Si vous devenez violente, non seulement vous en subirez les désagréables conséquences, mais vous risquez aussi de provoquer la même réaction chez les gens qui vous entourent. Ce comportement vous entraîne inévitablement dans un cul-de-sac puisque, dans une telle situation, personne n'est prêt à agir posément et à discuter du problème. Bref, mieux vaut avoir recours aux discussions et aux compromis et, surtout, apprendre à dompter la violence qui sommeille au fond de nous.

Même s'il est parfois difficile de ne pas réagir spontanément de façon violente, rappelez-vous à quel point cela vous révolte de voir ce type d'agissements autour de vous. Vous ne souhaitez probablement pas suivre la vague et agir aussi bêtement à votre tour.

Par ailleurs, si vous êtes témoin d'actes de violence verbale ou physique à l'école, à la maison ou dans la rue, n'hésitez pas à contacter les autorités ou à en parler à un adulte pour qu'il intervienne. Personne ne mérite de se faire maltraiter, et il faut absolument dénoncer les actes de violence qui se produisent autour de nous. Prônons les ententes et les compromis pour que notre société évolue dans le respect et l'égalité de tous.

💚 Sujet connexe : tolérance

La volonté, c'est le pouvoir de déterminer ce que l'on veut et de se fixer des objectifs tout en prenant les mesures nécessaires pour les atteindre. La volonté exige de la détermination, nous force à nous secouer les puces et à faire des efforts pour atteindre nos buts.

Quand on se laisse guider par notre volonté, c'est que le désir de réussir surpasse nos peurs et nous pousse à aller plus loin. La volonté, c'est le fait de se laisser guider par son ambition et par ses convictions pour atteindre ses objectifs. C'est ainsi qu'on apprend à se surpasser et à être extrêmement fière de nous-même.

Sachez d'abord que vous êtes maîtresse de votre vie et de vos actions. Par exemple, si vous voulez vous trouver un emploi et avoir plus d'argent de poche, il n'en tient qu'à vous de prendre les moyens nécessaires pour y parvenir. Plutôt que de pleurer sur votre sort et de vous trouver nulle, préparez votre CV, demandez des lettres de recommandation à vos professeurs ou à d'anciens employeurs et allez frapper aux portes pour trouver un emploi. Faites bouger les choses et prenez la situation en main pour atteindre votre objectif. C'est de cette façon que vous surmonterez vos peurs et vos insécurités, puisque vous atteindrez vos objectifs par vos propres moyens. Le sentiment d'accomplissement que vous éprouverez par la suite vous procurera énormément de satisfaction et vous donnera davantage confiance en vous.

Pour avoir de la volonté, vous devez être responsable et faire preuve de persévérance. Même si des difficultés se dressent sur votre route, vous devez apprendre à les surmonter et à affronter vos peurs sans vous laisser abattre. La vie est remplie de hauts et de bas; il ne faut pas vous laisser décourager lorsque vous faites face à un pépin. Avec un peu de persévérance et de volonté, le monde sera à votre portée et les défis seront beaucoup plus faciles à relever. N'ayez donc pas peur d'affronter les obstacles et de surmonter vos insécurités, car vous en sortirez grandie et plus épanouie.

Dans la vie, il est normal de traverser des moments un peu plus difficiles ou de se sentir un peu lasse. Vous pouvez alors prendre le temps nécessaire pour recouvrer vos forces, mais la

volonté est la clé pour vous sortir de votre torpeur et pour poursuivre sur votre lancée sans vous décourager. La volonté est une aptitude qui peut se développer et se renforcer avec le temps. Dans cette optique, vous pouvez faire de petits efforts quotidiens pour prendre des décisions et affronter vos peurs. Ne vous laissez pas abattre par vos insécurités; laissez-vous plutôt guider par votre nature ambitieuse et par vos rêves.

Toutefois, ce n'est pas parce que vous avez de la volonté que vous devez exiger des autres qu'ils répondent sans cesse à vos caprices; chacun a le droit d'être heureux et de se lancer à la poursuite de ses propres objectifs, alors plutôt que de vous montrer tyrannique et d'imposer votre rythme aux autres, apprenez à vous inspirer de leur volonté ou de leur transmettre la vôtre

en vous ouvrant aux gens qui vous entourent. La vie est trop courte pour la passer à crouler sous la paresse et l'inertie. N'ayez pas peur d'affronter vos insécurités, de relever les défis qui se présentent à vous et de chercher à vous surpasser en atteignant vos objectifs. Vous sentirez une grande satisfaction, et je vous assure que vous acquerrez davantage de confiance en vous, ce qui vous poussera à aller plus loin et à vous surprendre vous-même !

 Sujets connexes : ambition, valeur, paresse

Voyage

Quand on est jeune, on commence peu à peu à développer le goût de l'étranger. L'envie de découvrir le monde et les endroits qu'on ne connaît pas encore se fait sentir. C'est souvent lors de nos premiers voyages en famille qu'on devient une mordue de l'aventure et de l'inconnu. Si c'est votre cas, sachez que toutes sortes de voyages se trouvent à votre portée, adaptés à votre budget, à vos accompagnateurs et au temps dont vous disposez.

À l'adolescence, on voyage la plupart du temps avec sa famille. Comme vous n'êtes pas encore majeure, il est normal que vos parents soient réticents à l'idée de vous voir voyager seule. Quoi qu'il en soit, les voyages en famille peuvent être à la fois très formateurs et très amusants, alors ne soyez pas trop découragée à l'idée de passer quelques semaines avec vos parents. Tout d'abord, ces voyages en famille vous permettront de vous faire découvrir des tas d'endroits que vous n'auriez pas pu découvrir seule. Vous pouvez ainsi apprendre à connaître la culture et les petits trésors de l'endroit que vous visitez. Ces connaissances vous permettront d'acquérir une plus grande expérience et une maturité qui vous feront grandir. De plus, voyager avec les membres de sa famille est l'occasion idéale pour passer du temps de qualité avec eux et pour faire toutes sortes d'activités enrichissantes. Profitez-en pour discuter avec eux et pour vous informer de leur vie. On dispose souvent de peu de temps pour passer des moments de qualité dans notre vie quotidienne; les voyages constituent de belles occasions pour rire ensemble et se faire plaisir en famille.

Au secondaire, vous pouvez aussi participer à des voyages scolaires, à des expéditions avec votre classe ou à des séjours linguistiques à l'étranger. Ça fait parfois peur de quitter la maison et de partir seule vers l'inconnu, mais c'est très formateur pour votre personnalité et pour votre caractère; vous apprendrez à affronter vos peurs, à vous ouvrir aux autres cultures et à développer une plus grande maturité et une plus grande indépendance. Après tout, les voyages forment bel et bien la jeunesse ! Si vous voyagez avec votre classe, profitez-en pour parler avec des gens que vous connaissez moins et pour apprendre à les connaître davantage. C'est souvent durant ces séjours hors de l'école qu'on fait de belles rencontres et qu'on partage avec certaines personnes des moments inoubliables. On développe alors avec elles une complicité à laquelle on ne s'attendait pas. On apprend du coup à être plus sociable et plus confiante dans ses rapports avec les autres. Assurez-vous cependant de respecter les règles et d'écouter votre professeur pour que le voyage ne tourne pas au vinaigre. Lorsqu'on sort du quotidien et qu'on découvre une autre ville, un autre pays ou une autre culture, on perd parfois nos points de repère et on se sent un peu égarée. Les gens avec qui vous voyagez, les responsables et les adultes qui vous accompagnent sont là pour vous guider dans votre aventure et pour s'assurer que vous puissiez vivre une expérience enrichissante en vous sentant à la fois encadrée et protégée.

Si vous avez l'âme plus aventureuse et que vous avez envie d'aider les gens dans le besoin, il se peut que vous envisagiez d'effectuer une mission humanitaire dans une région ou un pays en difficulté. Comme vous êtes encore très jeune, vos parents se montreront probablement réticents à l'idée de vous voir partir seule à l'étranger, courir des risques et mettre votre vie en danger. Vous pouvez donc commencer par vous impliquer au sein d'un organisme humanitaire local et par vous informer auprès des centres d'aide de votre région pour rester au courant de ce que vous pouvez faire pour vous sentir utile. Ces organismes planifient parfois des expéditions sécuritaires durant lesquelles vous êtes encadrée et ne courez aucun danger. Je vous conseille toutefois de prendre votre temps avant de vous lancer dans une telle aventure. Rien ne vous empêche d'agir ici pour commencer et de planifier un voyage dans quelques années.

Si vous n'avez pas beaucoup d'argent, il existe toutes sortes de façons de bouger et de vivre des aventures sans devoir aller très loin ni débourser de fortes sommes. Vous pouvez organiser un voyage de camping ou de randonnée pédestre, ou encore passer quelques jours au chalet d'une amie. Vous pouvez partir en expédition dans un village que vous ne connaissez pas ou faire une longue randonnée à vélo et explorer la nature qui vous entoure. Le Québec est immense et il est rempli de trésors et de lieux pittoresques qui valent la peine d'être découverts. Que ce soit au Saguenay, en Mauricie, en Estrie, en Gaspésie ou dans Charlevoix, il y a des centaines de monuments, d'attraits touristiques et de paysages à découvrir, alors n'hésitez pas à explorer votre propre province et toutes les beautés naturelles qui la rendent si unique.

Si vous passez quelques semaines au chalet avec votre famille, que vous allez en voyage aux États-Unis ou à la plage avec vos parents et que vous avez peur de vous ennuyer, demandez-leur si une amie peut se joindre à vous. Si vos parents acceptent et que ceux de votre copine donnent aussi leur accord, vous pourrez profiter de ces journées pour vous amuser ensemble tout en passant du bon temps en famille.

Quoi qu'il en soit, sachez que les voyages et les aventures forment le caractère et vous ouvrent davantage aux différences culturelles. Ils vous permettent d'apprendre des tas de choses sur des endroits que vous ne connaissiez pas et, aussi, d'en apprendre plus sur vous-même. Vous découvrirez que vous êtes plus aventureuse et plus téméraire que vous ne le croyiez, et vous pourrez développer votre sens des responsabilités et ainsi devenir plus mature tout en vous amusant. Bref, n'hésitez pas à foncer et à partir à l'aventure, car un monde d'expériences excitantes vous attend, alors aussi bien en profiter !

10 suggestions de voyage

- Le tour de la Gaspésie (Québec)
- Aix-en-Provence (France)
- Cape Cod (États-Unis)
- New York (États-Unis)
- West Palm Beach (États-Unis)
- Vancouver (Canada)
- Barcelone (Espagne)
- Prague (République tchèque)
- Cancun (Mexique)
- Nouvelle-Orléans (États-Unis)

Sujets connexes : culture, New-York, Paris, États-Unis

ENVIE DE CHOQUER UN PEU

La vulgarité est un phénomène commun à l'adolescence. On apprend de nouveaux mots dans la cour d'école, on entend toutes sortes de choses et on fréquente toutes sortes de gens. Il y a aussi le goût de braver les règles et les interdits.

On sait que les grossièretés ne sont pas très appréciées par les parents, les profs et la société en général, et on a envie de choquer un peu, d'écraser les autres, de prendre sa place au sein d'un groupe. La vulgarité peut parfois être liée à un manque de confiance en soi : on souhaite attirer l'attention et avoir l'air cool en disant des choses vulgaires ou en adoptant un comportement choquant.

Sachez toutefois que la grossièreté n'a rien d'attirant. Il s'agit généralement d'un manque de savoir-vivre et d'une impolitesse qui peuvent blesser les autres. On ne trouve pas la grossièreté uniquement dans le langage ; c'est aussi une façon de se comporter, de se tenir et d'agir. Par exemple, parler la bouche pleine, crier à tue-tête, tutoyer les adultes qu'on ne connaît pas et bousculer les gens dans la rue sont des actes grossiers. La vulgarité peut aussi se manifester dans votre apparence : si vous portez une minijupe et que vous vous assoyez sans fermer vos jambes, c'est un signe de vulgarité et, sincèrement, ce n'est pas très féminin. Lorsque vous vous comportez ainsi, vous manquez de respect non seulement aux gens qui vous entourent, mais également à vous-même. Les autres auront tendance à vous traiter en conséquence et à vous manquer de respect à leur tour. La vulgarité est une façon de désobéir aux profs, de jouer les dures, de faire la rebelle face aux parents et de choquer les autres en agissant de façon inappropriée.

Sans vouloir entrer dans les clichés, les filles sont de nature féminine, et le fait d'agir de façon vulgaire va à l'encontre de l'image de jeune femme qu'on aime bien projeter. Il existe de meilleures façons de s'exprimer et de se démar-

quer que de faire preuve de vulgarité. Les filles qui ont confiance en elles, qui osent s'exprimer et dire ce qu'elles pensent sans manquer de respect aux autres obtiennent davantage ce qu'elles désirent que celles qui se comportent de façon déplacée ou grossière. La vulgarité n'apporte généralement rien de bon. Les gens de votre entourage risquent plutôt de grimacer en vous voyant agir ainsi ou en vous entendant dire des grossièretés, et ils auront tendance à vous traiter avec froideur ou à vous répondre impoliment. Bref, apprenez à être civilisée et à vous exprimer avec classe, et vous constaterez que les gens seront plus enclins à vous écouter que si vous leur hurlez dans les oreilles et que vous jurez sans cesse.

Les sacres québécois

Au Québec, nous avons nos propres jurons qui sont généralement reliés à l'Église. Notre société est de plus en plus laïque, mais il fut un temps où les jurons à caractère religieux choquaient l'ensemble de la population, puisqu'ils allaient à l'encontre des valeurs québécoises et constituaient un manque de respect envers la puissance religieuse qui régissait la province. Bien que l'Église ait perdu beaucoup de pouvoir au sein de notre société, ces jurons sont tout aussi grossiers à notre époque, et n'allez pas croire qu'il s'agisse d'une façon normale de s'exprimer. Quelle que soit la grossièreté utilisée, ce n'est pas une façon de s'adresser aux gens de votre entourage. Si vous êtes en colère ou que vous jugez qu'on vous a traitée de façon irrespectueuse, la politesse et la communication demeurent les éléments clés pour vous faire entendre et vous faire respecter.

Sujet connexe : respect

Notes

Notes

Numéros d'urgence

Centre antipoison du Québec : 1-800-463-5060
Centre d'aide aux victimes d'actes criminels : 1-800-820-2282
Drogue : aide et référence : 1-800-265-2626
Gai Écoute : 1-888-505-1010
Info-Gang : 514-493-4104
Info-Santé : 811
Jeunesse J'écoute : 1-800-668-6868
Police, incendie et ambulance : 911
Prévention Suicide : .... 1-866 APPELLE (1-866-277-3553)
Protection de la jeunesse : 1-800-463-9009
Tel-Jeunes : 1-800-263-2266